D0589070

P P

Membre de l'Institut, professeur au Collège de France, Albert Grenier est décédé en 1963, avant d'avoir eu le temps de préparer une nouvelle édition de cet ouvrage désormais classique sur *Les Gaulois*.

Le professeur Louis Harmand a bien voulu se charger de présenter cette réédition en la complétant par les mises à jour bibliographiques nécessaires qui feront de ce volume la meilleure lecture sur le sujet.

ALBERT GRENIER

LES GAULOIS

Avant-propos de Louis Harmand

157

PETITE BIBLIOTHÈQUE PAYOT
106, Boulevard Saint-Germain, Paris (6e)

Cet ouvrage a été précédemment publié dans la « Bibliothèque Historique » aux Éditions Payot, Paris.

Couverture : Monnaie gauloise. Photographie Roger-Viollet.

AVANT-PROPOS DE LOUIS HARMAND

Lorsqu'en 1960, Albert Grenier, mon maître de l'École des Hautes Études, voulut bien accepter d'écrire une préface pour *L'Occident romain* que je venais de composer pour la « Bibliothèque Historique », l'idée ne pouvait me venir que huit années plus tard et six ans après sa mort, je serais moi-même invité à présenter la nouvelle édition de son livre sur *Les Gaulois.*

Je le fais aujourd'hui avec beaucoup d'émotion, une grande humilité et tout le respect que je dois à sa mémoire, en me gardant d'oublier le double lien qui me rattache à lui par le cœur et par l'esprit. Si la Lorraine ne fut pas pour lui, comme elle l'est pour moi-même, une terre natale, il y a vécu son enfance, son adolescence et entamé sa carrière. Il en a parcouru les campagnes et reconnu les vestiges archéologiques. C'est le souvenir vivant d'une excursion au Camp d'Affrique, au-dessus de Messein, en Meurthe-et-Moselle, qui revit assurément dans la description qu'il trace, ici, de cet oppidum. Il aimait à rappeler lui-même qu'il avait été l'élève de mon père à la Faculté des Lettres de Nancy lorsque celui-ci y était chargé d'un cours de latin. Je me souviens d'avoir, très jeune enfant, accompagné mon père au domicile d'Albert Grenier qui venait d'être nommé maître de conférences à cette Faculté. Ma sensibilité et ma vanité puériles avaient été impressionnées par l'accueil de ce savant souriant et bienveillant. Au cours des dures années de la dernière guerre, je suis devenu son étudiant, et il n'a pas cessé, jusqu'à sa mort, de me gratifier de son amitié, et aussi, de temps à autre, d'une de ces conversations dont il avait le secret, à la fois familières et érudites, et où il savait apporter tour à tour, sans se départir de sa simplicité, intérêt, jovialité et affection, lumière dans les débats scientifiques un peu compliqués, objectivité dans les jugements, prudente retenue dans l'estimation des hypothèses téméraires.

Car il y avait chez lui une extrême sagesse qui l'empêchait de céder à ces engouements fougueux et prématurés — « publicitaires » en quelque sorte — dont sont victimes les archéologues d'une certaine espèce. Il résistait à ces entraînements et leur opposait un esprit d'examen visant à matérialiser les faits archéologiques, à les faire rentrer dans le bien commun, en leur enlevant ce halo subjectif qui risque d'en déformer la nature, bref en les disséquant selon les règles de la plus saine critique.

Sa formation en effet avait été à l'origine celle d'un philologue. L'année même (1912) où paraissait sa thèse principale sur « *Bologne villanovienne et étrusque* », dans la Bibliothèque des Écoles d'Athènes et de Rome, les *Annales de l'Est* accueillaient sa seconde thèse : « *Étude sur la formation des composés nominaux dans le latin archaïque* ». Il s'y montrait un rigoureux et scrupuleux grammairien, admirable praticien du latin. Ce point de départ et cette connaissance parfaite qu'il avait des langues classiques rendent compte de l'importance accordée par lui dans le présent livre à tout ce qui est du domaine linguistique : de là ces « leçons » vigoureuses et étonnamment vivantes, sur la communauté d'origine des idiomes indo-européens, sur les noms de lieux, sur la reconstitution de la langue gauloise et sur le déchiffrement des inscriptions celtiques. Mais ce linguiste n'ignore rien de la littérature, et c'est ce qui explique le large recours aux textes: pour chacune des questions traitées, d'abondantes références sont offertes, tirées des sources littéraires : tel, ce passage du *Pro Fonteio* dont le commentaire, à propos du commerce d'importation des vins italiens en Gaule, est un modèle du genre.

Fidèle à sa formation originelle de grammairien et de linguiste, Albert Grenier, par modestie, se refusait à faire oeuvre d'historien véritable. De l'historien authentique cependant, il avait à la fois la prudence et l'intuition, et c'est par ces qualités qu'il convient d'expliquer le succès de son livre sur les Gaulois. Ces Gaulois, il s'en était préoccupé de bonne heure : dès 1904, date où il avait soutenu à l'École des Hautes Études un mémoire intitulé : « *Habitations gauloises et villas latines dans la cité des Médiomatriques.* » Choix significatif, où se vérifient en même temps son attachement à la Lorraine et cette prédiléction pour les anciens habitants de notre sol. Ces Gaulois, il ne les avait pas tout-à-fait quittés en travaillant à sa « grande » thèse : on en trouve en effet la mention ci et là, et surtout dans la conclusion, à propos de l'identification de la civilisation villanovienne et des Ombriens, auxquels il propose de l'attribuer, sans vouloir confondre ces derniers avec les Celtes, comme l'admettaient certains. Il posait le problème des rapports entre Celtes et Ombriens pour conclure à leur discrimination totale.

Mais c'est une fois nommé à l'Université de Strasbourg, à la chaire d'Antiquités Nationales et Rhénanes (1919), qu'il put pleinement satisfaire son intérêt pour les Gaulois. Dès l'hiver 1920-21, il décidait de leur consacrer un de ses cours, et c'est la substance primitive du livre aujourd'hui réédité. Paru dans une première édition en 1923, dans le format in-12, qui était alors celui de la Collection Payot, celui-ci fut l'objet, en 1945, d'une refonte et d'une présentation nouvelle, en format in-8, dans la « Bibliothèque Historique » lancée par la même maison. En dix ans, l'ouvrage se trouva épuisé : aussi la Librairie demanda-t-elle à l'auteur, en 1955, un chapitre complémentaire de mise à jour en vue d'une réimpression. Très absorbé alors par la continuation de son Manuel d'Archéologie gallo-romaine, il avait dû différer ce travail. Pour permettre à ce livre de poursuivre sa brillante carrière, il a été décidé de le réimprimer tel quel, car il est de ces œuvres que l'on ne peut avoir l'audace de remanier sans en détruire l'originalité. La bibliographie qui figurait à la fin de chacun des chapitres sera ramassée en un seul tout, dans un appendice final, et remise au courant. Enfin les adjonctions rendues nécessaires par le progrès des découvertes, ou la modification de certains points de vue, à la suite de l'évolution — fatale — de la science, seront signalées, non point en notes ou dans un addendum, mais dans la partie de la Préface que nous allons aborder maintenant.

Appliquant donc à l'étude de son sujet préféré — les Gaulois — ces dons de prudence et d'intuition que nous lui avons reconnus dès l'abord, Albert Grenier a eu à réagir contre plusieurs tendances qui se dessinaient avant lui parmi les spécialistes de cette histoire : en premier lieu, le *mythe ligure*, illustré et propagé par la thèse de Camille Jullian. On connaît les excès auxquels risquait de conduire cette idée d'un « empire ligure italo-celtique », c'est-à-dire d'une unité sous l'égide politique d'un peuple conducteur, les Ligures, et recouvrant les deux communautés italique et celtique établies de part et d'autre des Alpes. Comme le montre très bien Albert Grenier, il ne s'agit que d'un simple « voisinage »; le peuplement du pays ligure n'est pas « pur »; la terre ligure est truffée d'envahisseurs celtiques ou autres qui ont apporté leur langue indo-européenne; les soi-disant désinences ligures sont ou germaniques, ou celtiques — c'est-à-dire indo-européennes, — ou bien proviennent d'autres langues. « Ceux que D'Arbois de Jubainville et Camille Jullian nommaient Ligures, nous les appelons Celtes, ou, si l'on préfère, *Proto-Celtes* ». Là est en effet la clé du problème. A la solution de Jullian, son maître, le disciple opposait *sa* solution : l'occupation de la Gaule, dès *avant* 600 (500 en Gaule centrale) — dates initiales extrêmes auxquelles descendait le célèbre professeur au Collège de France —, par des peuples annonçant les Celtes quant à leur dialecte (voisin de celui des Italiotes), et qui en constituent l'avant-garde. Ce terme de « Proto-Celtes » (ou de « Pré-Celtes ») est avancé dès l'Introduction du présent livre et rend parfaitement compte du phénomène : arrivée échelonnée, et non massive, par petits groupes, selon les flux et les reflux qui se succèdent « dès l'âge du bronze et jusqu'à l'aube de l'histoire, c'est-à-dire pendant un millénaire », des siècles durant donc et par stratifications successives. On ne s'exprime pas autrement aujourd'hui : « Il n'y a certainement pas eu », écrit tout récemment Jacques Heurgon (1), avec la formation des champs d'urnes, invasion massive et sans lendemain, mais le début d'une série d'infiltrations qui se sont prolongées pendant toute la première moitié du second millénaire, et qui, chaque fois, ont implanté, à côté des premiers occupants, à l'occasion sans coup férir, de nouveaux venus dont la présence rendait plus dense le réseau des établissements hallstattiens. »

Sans doute Albert Grenier se montre-t-il très prudent dans la manière d'apprécier les rapports entre Hallstattiens et Celtes, mais il admet que, le critère de l'extension des Hallstattiens étant l'existence de *tumulus*, on rejoint avec ce mode d'ensevelissement le propre de la civilisation celtique.

On remarquera que l'expression « champs d'urnes », dont on use couramment maintenant pour caractériser cette période antérieure à la Tène et qui, commençant vers 1100 environ, recouvre ensuite les trois phases du Hallstattien, n'apparaît, dans le texte du livre, qu'au chapitre 4, à propos de la pénétration celtique en Espagne, reparaissant quelques pages plus loin comme synonyme de « tombes souterraines à incinération » creusées à la place des tumulus. On ne rencontre pas la formule à l'occasion du bronze final (vers 1100), lorsque l'auteur décrit précisément la diffusion de la pratique incinérante, substituée à l'inhumation : il emploie alors une périphrase : « des urnes pansues assez grandes, fermées par un couvercle ou une écuelle renversée », déposées dans des « tombes plates groupées en cimetières ». C'est qu'une telle forme de vocabulaire ne s'est introduite qu'à la longue, à l'époque même où Albert Grenier préparait son ouvrage : c'est donc chemin faisant qu'il a été amené à l'adopter.

(1) Jacques Heurgon, *Rome et la Méditerranée occidentale*, coll. Nouvelle Clio, Paris, 1969, p. 94.

Très prudente aussi est son attitude touchant la part des Illyriens dans l'élaboration de cette civilisation hallstattienne : « ... les Celtes subissant, écrit-il, peut-être pendant un certain temps et sur une partie de leur territoire, la domination politique des Illyriens », ou encore : Il est possible même qu'une race d'hommes nouvelle soit encore venue des régions illyriennes se surajouter, à ce moment, au mélange déjà si complexe dont devaient naître les Gaulois. »

Sur certains points, évidemment, des découvertes postérieures à la publication des « *Gaulois* » ont apporté du nouveau, précisant ou rectifiant dans le détail le point de vue soutenu par Albert Grenier, sans jamais toutefois s'inscrire en faux contre lui. C'est ainsi qu'en Romagne, à Dovadola et Cassola Valsenio, ont été trouvées plusieurs nécropoles celtiques de la fin du VIe ou du début du Ve, attestant la présence des Gaulois dans la péninsule dès *avant* la ruée des Boiens, Lingons et Sénons acharnés contre la ville de Rome et s'évertuant à prendre le Capitole. Il y aurait donc lieu de déplacer la date des premières infiltrations celtiques dans la plaine du Pô, en donnant raison à A. Bertrand qui, lui, y faisait entrer les Celtes dès 600. Tout en supposant que des bandes avaient pu se glisser en Italie du Nord durant la période de Hallstatt, Albert Grenier ne pensait pas que les sépultures celtiques authentiques aient pu y être tenues pour assurées avant 400.

Mais cette constatation n'infirme d'aucune manière l'idée d'un cheminement des envahisseurs à partir de la région rhénane ou de l'Europe centrale, par le Brenner ou le Saint-Gothard, à l'exclusion des cols des Alpes occidentales. Or c'est là l'essentiel de ce qu'a toujours soutenu Albert Grenier. Il manifestait une extrême méfiance à l'égard de cette grande Celtique débordant du foyer biturige pour se prolonger en Italie du Nord, de l'autre côté des Alpes, cette vaste entité dont Camille Jullian défendait l'existence en créditant entièrement Tite-Live (1,34). Et d'affirmer : Sigovèse n'est pas parti de Gaule par la Bohême, mais l'inverse », ou encore : « Sigovèse et Brennus ne sont pas des *Gaulois* à proprement parler, mais des *Celtes* ». Bien qu'il se serve à plusieurs reprises de l'expression « Empire celtique », en lui attribuant, je pense, la valeur imagée d'une étiquette apte à signifier l'unité de civilisation consécutive à l'uniformité du peuplement, le maître posait en principe qu' « il n'est pas juste de parler d'Empire celtique ». Il condamnait donc bien cette notion. Pour lui, le centre de rayonnement des Celtes est la région occidentale de l'Allemagne, à la fois vers la Gaule, l'Italie et la Bohême.

Une autre question sur laquelle Albert Grenier n'avait pu qu'amorcer un développement est celle des vestiges archéologiques de la Marseille antique. Lorsque le livre parut, en 1945, seuls quelques segments du rempart de la ville se présentaient au jour, dont le célèbre morceau, exhumé dès 1913, que l'on attribuait à la générosité de Criras, ce riche médecin de l'époque de Néron qui avait, nous dit Pline l'Ancien (*Hist. Nat.*, XXIX, 5, 9), consacré une grosse somme aux murailles de sa patrie. Les destructions opérées par les Allemands au nord du Vieux Port, durant la dernière guerre, avaient permis quelques observations nouvelles. Mais ce sont les travaux d'urbanisme consécutifs à l'aménagement du quartier de la Bourse qui, à partir de février 1967, révélèrent, non seulement une portion beaucoup plus étendue des fortifications, mais la corne nord-est du Lacydon, avec une partie des quais.

Ce n'est pas ici le lieu d'examiner de près cette enceinte, ni de voir comment on peut essayer de concilier le texte de Pline avec la date (IIIe-IIe siècle) que l'on est en droit de reconnaître à ces vestiges d'après la technique architecturale employée. Ce qui est surtout en cause, c'est le rôle économique de Marseille et son rayonnement vers l'intérieur de la Gaule. Albert Grenier doutait de l'importance de Massalia dans l'hellénisation de notre pays : il insiste sur l'étroitesse de la zone littorale qu'elle contrôlait, le barrage que lui opposaient au-delà Ligures et Gaulois; il la décrit comme cernée d'une ceinture d'*oppida* irrémédiablement hostiles et pense que le commerce de l'étain par l'isthme gaulois devait être réalisé, non par les Marseillais directement, mais par des tiers interposés. Il se prononce donc contre l'introduction des marchandises helléniques par la voie rhodanienne, et préfère à celle-ci un itinéraire empruntant les cols des Alpes centrales ou orientales aussi bien que la vallée du Danube.

Mais sa rédaction est antérieure à la célèbre découverte du Vase de Vix (1953), qui provoqua, on le sait, un sursaut parmi les défenseurs de Marseille, sans que ceux-ci, pour autant, puissent faire triompher entièrement leurs arguments, car l'utilisation rigoureuse et exclusive de la voie rhodano-séquanienne ne ressortait pas nécessairement et inéluctablement de la fortune ainsi démontrée du Mont Lassois. Un jalonnement entre Vix et le Danube reste ouvert, avec les œnochoés du Jura (Conliège) et de l'Allemagne du Sud ou du Plateau Suisse. Par ailleurs, la présence de céramique ionienne au Pègue, de même que dans l'Ardèche, à une trentaine de kilomètres à l'est du Rhône, n'est-elle pas de nature à justifier l'usage de voies parallèles à celle du grand fleuve dont les Marseillais auront pu profiter? Enfin — et c'est la tendance actuelle — ne peut-on supposer que deux acheminements : l'un par le Rhône, l'autre par l'Italie du nord et les passages des Alpes, ont pu donner lieu à des trafics tantôt simultanés (VIe siècle), tantôt alternés : celui par l'Étrurie prédominant au Ve (au moment de l'effacement de Marseille), celui par le Rhône au IVe (à l'époque de la reprise vigoureuse du commerce marseillais)?

Albert Grenier ne paraissait pas ébranlé par les perspectives nouvelles offertes par la découverte de Vix et restait, semble-t-il, assez « antimarseillais ». Il avait émis des réserves à propos des conclusions que d'aucuns pensaient pouvoir tirer de l'exploration du Pègue (2).

Bien sûr, s'il avait eu le loisir de récrire lui-même son livre, il aurait apporté à bien d'autres endroits les compléments qui s'imposaient. Entremont, Glanum et Saint-Blaise ne font l'objet, parmi ces pages, que de brèves mentions, alors qu'ils offriraient aujourd'hui matière à de copieux développements. Les fouilles d'Entremont ont fait connaître d'une manière assez complète un oppidum celto-ligure du IIe siècle, à la veille de la conquête romaine, avec une civilisation caractérisée par un mélange de traits indigènes, prédominants avant tout dans le culte, et d'influences helléniques. Celles de Saint-Blaise, qui ne faisaient en 1945 que commencer, ont livré une muraille digne de celle de Marseille dont elle doit être

(2) *Comptes rendus de l'Académie des Inscriptions*, 1959, p. 91 sq.

à peu près contemporaine. Il en est de même d'Olbia. Quant à Glanum, où les recherches ont débuté en 1921 et où il s'agit aussi d'un habitat indigène hellénisé, la « ville grecque, apparaissant sous la couche romaine » n'est évoquée ici que par une ligne : il ne pouvait en être autrement à une époque où le dégagement de la couche archéologique correspondant à Glanum I était à peine entamé. A l'heure actuelle, cette opération délicate ne progresse d'ailleurs que très lentement. En ce qui concerne les *oppida* de l'Hérault, la connaissance parfaite que nous avons depuis peu d'Ensérune eût permis à l'auteur d'ajouter ce nom à ceux de Pyrénè, de Collioure et d'Agde qu'il cite.

Une trouvaille aussi extraordinaire que celle de ce statère d'or de Cyrène, emprisonné dans une algue, sur une plage du Finistère, n'aurait pas manqué non plus de le retenir et de prendre place dans le développement relatif à la route de l'étain. De même eût-il porté une attention toute particulière aux précieuses représentations de la moissonneuse agricole offertes par les bas-reliefs provenant de l'Ardenne belge et dont la découverte (Buzenol, 1958) ou l'identification précise (Arlon, 1926; Trèves, 1964) ont aidé, depuis une douzaine d'années, à l'interprétation des textes littéraires. De même encore, les ex-voto de bois retirés à l'automne 1968 de l'antique bassin d'émergence de la source des Roches, à Chamalières et qui datent du début de l'Empire, venant confirmer l'apport analogue livré cinq années plus tôt par le sanctuaire des Sources de la Seine, lui aurait donné l'occasion, sans aucun doute, d'étoffer à la fois le chapitre sur la religion et sur l'art gaulois.

En se reportant à la Bibliographie placée à la fin du livre, on saura où se procurer sur ces différents points les informations complémentaires jugées nécessaires, mais il n'y a rien à changer à l'ouvrage tel qu'il se présente. Écrit voici vingt-cinq ans, il n'a point veilli, encore que, par une modestie assurément excessive, celui qui l'a conçu tienne à faire remarquer son caractère « provisoire ». Peut-être y a-t-il dans cette œuvre des traces de l'époque où elle a été rédigée : l'après-guerre, pour chacune des deux éditions successives : celle de 1922 comme celle de 1945. Peut-être pourrait-on attribuer à l'état d'esprit propre à un valeureux combattant de la première de ces guerres la réaction hostile à César, le conquérant dominateur responsable de la fin de l'indépendance gauloise : « Avec un César, peut-il être question de la liberté! » s'écrie Albert Grenier. Ce César est suspect à ses yeux, comme le serait n'importe quel adversaire de l'intégrité du sol français. Du moins — c'est un mérite qu'il faut lui reconnaître — l'auteur échappe-t-il à ce néfaste nationalisme qui avait poussé les historiens de la génération antérieure à camper les Gaulois en farouches ennemis des Germains, différents d'eux non seulement par le comportement moral, mais par la race. Lorsqu'il est question des Belges, Albert Grenier ne dissimule pas leur consanguinité avec les Germains restés outre-Rhin; il va jusqu'à procéder à une démonstration linguistique pour soutenir que les noms de plusieurs tribus soi-disant germaniques sont celtiques.

Ainsi se reconnaît, d'un bout à l'autre de cette œuvre, l'impartialité et la sage modération d'un savant soucieux en premier lieu de vérité et qui n'avait jamais cessé d'être un homme.

28 février 1970. Louis HARMAND.

PRÉFACE DE L'AUTEUR

Ce livre représente une seconde édition du petit volume de même titre qui avait paru dans la collection Payot en 1922. J'ai longtemps hésité à le refaire et n'ai cédé finalement qu'à l'aimable insistance de l'éditeur.

Il reparaît considérablement transformé. En vingt ans, mes idées, surtout en ce qui concerne la préhistoire, se sont sensiblement modifiées et, je crois, enrichies. Sur bien des questions c'est donc un état nouveau que l'on trouvera ici.

Sous sa forme première, l'ouvrage avait été écrit à Strasbourg en 1920-21, en une période heureuse, pleine d'entrain et d'espoirs qui ne se sont pas réalisés. Je l'ai repris dans l'été de 1939, au milieu d'inquiétudes grandissantes. Puis ce fut de nouveau la guerre. Le devoir, plus que jamais, est demeuré pour tous d'accomplir leur tâche, là où le sort les a placés et de maintenir, dans tous les ordres d'activité, la vie nationale. Tandis que se débattait, dans le deuil, le sort du pays, j'ai donc poursuivi l'étude de son passé gaulois, confiant dans l'avenir et ne cherchant qu'une chose, la vérité, seule utile, seule bienfaisante, suivant la tradition que mes maîtres, jadis, m'ont transmise. L'esprit du livre est donc demeuré le même.

En le refaisant peu à peu, j'ai tenu à lui conserver le caractère qui avait été celui de sa première édition, celui d'un ouvrage écrit pour le large public de tous ceux, quelle qu'ait été leur formation, qui s'intéressent au passé de leur nation. J'ai cherché à présenter de ce passé l'image la plus exacte dans l'état actuel de nos connaissances et non à composer un travail savant. Me contentant des grandes lignes, j'ai laissé de côté les discussions de sources et d'interprétation des textes et des faits et, par conséquent, tout l'apparat érudit qui appuie de références chacune des affirmations. La documentation est restée dans mes fiches. Quant aux faits eux-mêmes, je me suis limité à l'essentiel. J'aurai atteint mon but si je parviens à éveiller la curiosité et à inspirer au lecteur le désir d'études poussées plus loin.

En vue de ces recherches ultérieures, je donne une liste, la plus brève possible, d'ouvrages à consulter (1). On trouvera dans ces livres les détails qui manquent au mien et, la plupart du temps, les preuves de ce que j'avance. Je n'ai pas jugé utile, en effet, de recommencer des démonstrations déjà faites.

Pour éviter les répétitions, je tiens à indiquer dès maintenant les livres essentiels, ceux que j'ai eus constamment sous la main et auxquels, je me fais un devoir de le dire, j'ai beaucoup emprunté, sans les citer, comme j'aurais peut-être dû le faire, presque à chaque page. Ce sont, en première ligne :

Camille Jullian, *Histoire de la Gaule*, 8 volumes, Paris, Hachette, 1908-1926, particulièrement, t. I-III. Je recommande, du même auteur, le petit livre puissamment évocateur, *De la Gaule à la France*, 256 p., même éditeur, 1922.

Joseph Déchelette, *Manuel d'Archéologie préhistorique, celtique et gallo-romaine.* L'archéologie préhistorique et celtique, œuvre de J. Déchelette, entre seule en ligne de compte : t. I, 1908; t. II, *Archéologie celtique ou protohistorique*, en trois parties, 1910, 1913 et 1914 ; 2e édition (nouveau tirage) des deuxième et troisième parties du t. II, en deux volumes, numérotés; III, *Premier âge du Fer ou époque de Hallstatt* et IV, *Second âge du Fer ou époque de La Tène*, 1927, Paris, éd. Picard.

Quelques ouvrages, généralement plus anciens, sont encore utiles, bien qu'en partie dépassés.

Henri d'Arbois de Jubainville, *Les premiers habitants de l'Europe d'après les écrivains de l'Antiquité et les travaux des linguistes*, 2 vol., 2e éd., Paris, 1889.

Alexandre Bertrand, *Archéologie celtique et gauloise*, 2e éd., Paris, 1889.

Même auteur et Salomon Reinach, *Les Celtes dans les vallées du Pô et du Danube*, Paris, 1894.

On trouvera la plupart des documents commodément réunis dans :

Georges Dottin, *Les premiers habitants de l'Europe*, Paris, Klincksieck, 1912.

Même auteur, *Manuel pour servir à l'étude de l'Antiquité celtique*, 2e éd., Paris, Champion, 1915. Ce livre rassemble notamment tous les textes antiques concernant les Gaulois et d'utiles indications sur quelques faits connus par les littératures celtiques du Pays de Galles et d'Irlande.

Salomon Reinach, *Catalogue illustré du Musée des Antiquités nationales au Château de Saint-Germain-en-Laye*, 2 vol., Paris, Musées nationaux, 1917 et 1921.

Enfin, entre ma première édition et le présent volume est venu

(1) *N. de l'Éditeur.* — Ces bibliographies, mises à jour par le professeur Louis Harmand, sont groupées en fin d'ouvrage, pages 357 et suiv.

s'interposer, pour ainsi dire, l'ouvrage, de plan beaucoup plus large que le mien et de caractère plus érudit, du regretté Henri HUBERT, *Les Celtes*, t. I, *Les Celtes et l'expansion celtique jusqu'à l'époque de La Tène*; t. II, *Les Celtes depuis l'époque de La Tène et la civilisation celtique*, dans la *Bibliothèque Historique* dirigée par H. Berr, vol. 21 et 21 *bis*, Paris, La Renaissance du Livre (Albin Michel), 1932. Cet ouvrage de H. Hubert, auquel ma seconde édition doit beaucoup, pourra, à d'autres égards, fournir comme la contrepartie du mien. Je ne saurais trop en recommander la lecture à qui voudra poursuivre l'étude des Celtes de Gaule et d'ailleurs.

J'ai souvent utilisé aussi des ouvrages étrangers dont je ne donne pas ici la liste, car on les trouvera à peu près tous indiqués dans l'ouvrage de H. Hubert. Je recommande seulement, comme ouvrages généraux : EBERT, *Reallexikon der Vorgeschichte* et PAULY-WISSOWA-KROLL, *Real-Encyclopaedie der Altertumswissenschaft*.

Pour la préhistoire de l'Espagne et sur les Celtes dans la Péninsule ibérique, on consultera : P. BOSCH-GIMPERA, *Etnologia de la Peninsula Iberica*, Barcelone, Editorial Alpha, 1932, et le premier volume du grand ouvrage de A. SCHULTEN, *Numantia*, *Die Ergebnisse der Ausgrabungen*, I, *Die Keltiberer und ihre Kriege mit Rom*, Munich, 1914.

Sur les Celtes dans les Balkans, la vallée du Danube et, en général, l'Est européen, j'ai tiré d'utiles renseignements du travail fondamental de VASILE PARVAN, *Getica o protoistorie a Daciei*, Bucarest, 1926 (en roumain avec un important résumé en français).

Mon travail représente, en somme, surtout une introduction à des études extrêmement complexes et sur lesquelles le dernier mot est loin d'être dit. C'est ainsi qu'il faut le prendre. Il ne sera peut-être pas tout à fait inutile s'il permet d'aborder avec profit les ouvrages spéciaux et plus savants qui exposent les recherches en cours et traitent moins des connaissances acquises que de la science qui se fait. Si les textes antiques, en effet, sont depuis longtemps exploités, il reste tout le domaine des faits linguistiques et surtout archéologiques dont l'exploration est à peine commencée. On peut donc encore attendre des découvertes en ce qui concerne les Gaulois et leur plus ancienne histoire.

Ce nouvel exposé marque, je veux l'espérer, un progrès sur celui que j'ai pu faire il y a vingt ans. Cependant, on ne s'apercevra que trop de toutes les incertitudes qui subsistent et l'on voudra bien m'excuser de la part encore considérable d'hypothèses à laquelle je me suis trouvé réduit. Tout essai de synthèse n'est jamais que provisoire.

INTRODUCTION

Définitions : Celtes, Galates et Gaulois

Il n'est pas superflu de commencer une étude sur les Gaulois par la définition des termes divers employés par les écrivains de l'Antiquité qui les ont nommés. Quelle distinction convient-il d'établir entre *Celtes*, *Galates* et *Gaulois*?

Le nom le plus ancien et aussi le plus général est celui de *Celtes*. Il apparaît chez les premiers historiens grecs, Hécatée de Milet et Hérodote, au vᵉ siècle avant notre ère. Un peu plus tard, les Celtes sont identifiés aux Hyperboréens mythiques qui habitaient au-delà des Alpes jusque vers les rivages de l'Océan du nord. Au ɪᴠᵉ siècle, Ephore fait des Celtes l'un des quatre grands peuples du monde barbare; ils occupent largement l'Europe, de l'est jusqu'à l'ouest; leur domaine n'a pour limite que celui des Scythes. Il se trouve divisé en deux parties à peu près égales par un grand fleuve qui est évidemment le Rhin. Dans ce vaste espace, les Celtes se croient tous de même origine. Ce nom est celui qu'ils se donnent à eux-mêmes et qui sert de ralliement à toute la race. Nous conserverons au nom de *Celtes* cette acception ethnique très ample. Mais puisqu'il n'est pas légitime d'employer un nom propre à une date antérieure à celle pour laquelle il est attesté, nous formerons le terme de Proto-Celtes pour désigner les ancêtres probables des Celtes historiques.

En l'année 279 avant notre ère, lors de l'invasion de la Grèce et du pillage de Delphes par une bande celtique, nous voyons apparaître, dans la littérature grecque, le nom de *Galates*. Est-ce la simple transcription en grec du vocable barbare *Celte*? Est-ce un mot nouveau, le nom, par exemple, qu'aurait adopté cette bande? On ne saurait préciser. Cette appellation prévaut en Grèce et en Orient à partir du ɪɪɪᵉ siècle.

Galatie est resté le nom de la province d'Asie Mineure où les Celtes fondèrent un royaume. Plus tard, les écrivains grecs qui traitèrent des choses de l'Occident y introduisirent le nom de Galates. Polybe en donna le premier exemple. Il emploie ce terme concurremment avec celui de Celte et lui attribue exactement la même valeur. D'autres, plus tard, crurent faire preuve à la fois d'originalité et d'exactitude en prêtant au nom de *Galates* une acception particulière. Plutarque, par exemple, fait des Galates une partie de la race celtique, correspondant aux Belges. Auparavant, au temps d'Auguste, Diodore de Sicile précisait que si les *Celtes* étaient bien ceux qui habitaient depuis les Alpes et les Pyrénées jusqu'à l'Océan d'une part et la forêt Hercynienne (Alpes de Souabe et Monts de Bohême) d'autre part, c'était au contraire le nom de *Galates* qui convenait à l'est de ces limites. Les Galates correspondraient donc aux peuples que César, puis Tacite, dénommaient Germains. Dion Cassius, au contraire, à la fin du IIe siècle de notre ère, traduit *Gaulois* par *Galates* et nomme *Celtes* les *Germains.* Comme d'autre part il lui arrive parfois de copier simplement quelqu'un de ses prédécesseurs pour lequel Celte est l'équivalent de Gaulois, ni nous, ni lui, ne savons plus au juste de qui il entend parler. Nous conserverons ici au nom de *Galate* son acception originale et restreinte; nous appellerons ainsi exclusivement les Celtes de Grèce et d'Orient.

C'est à Rome que nous trouvons employés les noms de *Galli* et de *Gallia. Galli* apparaît pour la première fois dans les *Origines* de Caton l'Ancien (vers 168 avant notre ère). Il n'est peut-être pas autre chose que la traduction latine du terme de *Galates* usité, à ce moment, par les historiens grecs. César en fait le synonyme de Celtes : « Nous appelons *Galli* », dit-il, « ceux qui dans leur propre langue se nomment Celtes. »

Les Romains appelaient *Gaule*, pays des Gaulois, à la fois l'Italie du nord, peuplée en effet par diverses tribus celtiques, et le pays à l'ouest des Alpes. L'une était la Gaule *cisalpine*, l'autre, la *Gaule transalpine*.

Passant les Alpes, en 125 av. J.-C., leurs armées conquirent d'abord la Provence : *Provincia romana*, la future province de Narbonnaise, désignée familièrement comme *Gallia Braccata*, « Gaule porte-braies » par opposition d'une part à la *Gallia Togata*, « Gaule porte-toge » qui est l'Italie du Nord, et, d'autre part, à la *Gallia comata*, « Gaule chevelue », qui englobe les trois provinces conquises par César. Cette dénomination subsista après que les Gaulois eurent pris l'habitude de couper leur chevelure comme faisaient les Romains. Officiellement, la Gaule chevelue fut appelée les « Trois Gaules », *Tres Galliae*, ou simplement les Gaules, tandis que, dans l'usage courant, prévalait pour l'ensemble du pays, y compris la Narbonnaise, le singulier : la Gaule.

Le Proconsul se conformait sans doute à l'usage indigène en nommant Gaule l'ensemble du pays que lui donna sa victoire. Il n'en distingue pas moins, dès le premier chapitre de ses *Commentaires*, les *Celtes*, entre la Garonne et la Marne, des *Aquitains* localisés au sud de la Garonne et des *Belges* qui vivaient au-delà de la Marne jusqu'au Rhin; mais au cours de l'ouvrage, tous sont également qualifiés de Gaulois. C'est César qui, avec une netteté toute militaire ne répondant qu'imparfaitement à la réalité, marqua au Rhin la frontière entre Gaulois et Germains. Nous suivrons l'usage établi par lui et adopté d'ailleurs par toute la tradition littéraire latine.

Les *Gaulois*, pour nous, seront donc uniquement les habitants de la Gaule. Nous désignerons du nom de *Celtes* ceux de leurs congénères qui continuèrent à vivre hors des frontières de la Gaule, en Italie, en Espagne, dans la vallée du Danube, jusque dans les Balkans et, au-delà de la Manche, dans les Iles Britanniques, quoique les auteurs anciens n'aient jamais appliqué ce nom de Celtes aux Bretons ou autres peuples de langue et de civilisation celtiques qui les peuplaient. Si nous croyons pouvoir déroger à leur usage, c'est que nous reconnaissons dans la langue des Bretons insulaires un parler très voisin de celui des Celtes du continent et que l'archéologie, d'autre part, nous montre les deux civilisations étroitement apparentées. Les Anciens d'ailleurs n'avaient pas méconnu ce cousinage entre Bretons et Gaulois.

Dans l'espace, les Gaulois ne représentent donc qu'une petite partie des Celtes. Dans le temps, l'histoire des Gaulois ne répond qu'à une seule phase et à une phase tardive de l'histoire des Celtes. Elle ne commence en effet que vers le ve siècle avant notre ère, alors que les tribus celtiques qui vont constituer le peuple gaulois ont déjà derrière elles un long passé, un passé qu'on peut évaluer à plus d'un millénaire.

Nous serons inévitablement entraînés vers l'examen de cette préhistoire. Comment, en effet, étudier les Gaulois sans avoir traité, au préalable, de leurs origines celtiques? On ne peut manquer, en effet, de se demander d'où ils viennent, comment s'est formé leur peuple, quelles parentés, quelles vicissitudes, quels climats ont déterminé leur caractère physique et moral, composé leurs traditions, façonné leur langue.

Il est de même impossible de commencer l'histoire de la

Gaule au point précis où elle devient celtique. Car, avant les Celtes, d'innombrables générations d'hommes ont vécu sur ces terres, les ont façonnées, en ont dénommé les montagnes et les rivières, ont travaillé et ont pensé, se créant une religion, un droit, une morale, des habitudes de corps et d'esprit, dont ils ont transmis une part à leurs successeurs. Nous ne croyons donc pas sortir de notre sujet en nous laissant entraîner par ces recherches, dans l'espace et dans le temps, assez loin de la Gaule et des Gaulois proprement dits.

Les délicates questions d'origine que nous sommes ainsi amenés à aborder sont de celles qu'évite généralement un historien prudent. Ne dissimulons pas, en effet, que nos connaissances, en pareille matière, demeurent à l'état qui précède la science, c'est-à-dire qu'elles représentent des hypothèses bien plus que des vérités démontrées. Mais qui oserait dénier droit de cité à l'hypothèse dans la préhistoire... et même dans l'histoire? Les faits que des recherches ultérieures mettront en lumière pourront confirmer en partie ces hypothèses ou, peut-être, les infirmer. Il n'en est pas moins utile d'essayer de composer un tableau cohérent des traits que, çà et là, on croit pouvoir distinguer. Nous essayons de deviner la solution des problèmes avant que tous les éléments nécessaires pour les résoudre régulièrement aient été dégagés. Attendre d'avoir en main toutes les conditions de la certitude, ce serait se condamner à ne jamais parler de pareils sujets.

1 LES GAULOIS ET NOUS

I. — La part des Gaulois dans la population française

Les Gaulois sont réputés les ancêtres des Français, non à tort, à condition que l'on entende cette parenté au sens le plus large.

Il serait imprudent, en effet, de prétendre que tous les hommes ou seulement la majorité des hommes qui composent actuellement la nation française descendent de ceux qui, sous le nom de Gaulois, occupaient, il y a vingt siècles, le pays que nous habitons aujourd'hui. Qui d'entre nous peut se vanter d'une telle ascendance? Tant d'autres peuples et tant de gens sont venus, depuis lors, se mélanger aux Gaulois sur notre sol!

Dès le moment de la conquête romaine, nous assistons, en effet, à l'afflux en Gaule d'éléments étrangers. Ce sont des Latins d'Italie, commerçants, militaires, vétérans, mêlés à des gens de toutes les provinces de l'Empire romain. Ce sont, au moins durant les deux derniers siècles de la domination romaine, des colonies de barbares prisonniers que les empereurs établissent sur les terres dépeuplées de la Gaule : Germains qu'ils chargent de défendre la frontière contre leurs congénères, Sarmates ou autres, dont des noms de lieux comme *Sermaize* nous conservent le souvenir. Sans être extrêmement nombreuse par rapport à la masse de la population gallo-romaine, cette immigration, poursuivie pendant plusieurs siècles, ne put manquer d'introduire dans le pays un certain nombre d'éléments hétérogènes.

Puis vinrent les « grandes invasions » dont les premières datent du IIIe siècle de notre ère, en 257 et 275, pour reprendre au début du Ve siècle, à partir de 405. L'effet, tout d'abord, n'en fut pas tant d'établir de nouvelles populations en Gaule que de décimer l'ancienne. Les Barbares ne faisaient que passer. Tant qu'il y eut un Empire romain et des armées romaines, ils furent chassés rapidement, pris ou massacrés. Mais ils avaient eux-mêmes beaucoup massacré et, surtout, par leurs ravages, déterminé une misère qui tua encore plus de monde que le glaive. Dès la fin du IIIe siècle, les campagnes comme les villes de Gaule paraissent manquer d'hommes. La conséquence en est une recrudescence de l'immigration, notamment d'éléments orientaux, syriens principalement.

A partir du Ve siècle, ce sont des peuples ou des résidus de peuples constitués qui viennent s'établir en Gaule. Les Francs pénètrent par le nord jusqu'à la Somme; les Alamans arrivent par l'est, les Burgondes sont établis d'abord sur le Rhin puis vers le lac de Genève d'où ils s'avancent vers les vallées du Rhône et de la Saône. Les Wisigoths sont installés sur les rives de la Garonne. Des Saxons occupent depuis longtemps de nombreux points du rivage de la Manche. Chacun de ces peuples n'était sans doute pas très nombreux mais nombreux furent les peuples divers introduits ainsi dans le pays. Plus tard encore, des Bretons d'origine celtique, fuyant leur île devant les invasions anglo-saxonnes, viennent donner leur nom et apporter leur langue à l'ancienne Armorique. Enfin, au IXe siècle, après les ravages des invasions normandes, plus effroyables encore que tous les précédents, les bandes de Rollon obtiennent la Normandie. Au bout d'une suite plus ou moins longue de générations, tous ces nouveaux venus se fondent avec les indigènes. Leur trace disparaît; il est difficile d'apprécier ce qu'il reste d'eux. Leur apport n'en semble pas moins avoir été important.

La plupart de ces peuples viennent de l'est et du nord; ils sont d'origine germanique. Il est vain et foncièrement contraire à la vérité de vouloir opposer les Français, prétendus descendants des Gaulois, aux Allemands présentés comme les fils des Germains. On pourrait affirmer, tout aussi exactement, que les vrais représentants, à l'époque actuelle, des Germains qui combattirent les Romains, sont les Français héritiers des Francs, tandis que chez les Allemands prédominent les descendants de tribus d'origine slave et finnoise qui vinrent combler le vide laissé par les migrations des peuples germaniques vers l'ouest et le sud. En réalité, les uns et les autres, Français comme Allemands, sont des peuples nouveaux, constitués par la fusion d'éléments ethniques nombreux et divers.

Les Gaulois eux-mêmes, au temps de César, étaient déjà un peuple composite. Ils le savaient et leurs druides rappelaient, au dire des historiens anciens, que, si une partie d'entre eux était autochtone, une autre partie venait d'outre-Rhin. L'arrivée des Belges au nord de la Marne ne remontait pas à plus de deux cents ans avant César. Celle des Celtes de la Gaule centrale n'est pas antérieure à 500 avant notre ère. D'autres envahisseurs de même origine les avaient précédés depuis un millénaire, mais il est difficile d'évaluer la mesure de leur apport. On s'accorde aujourd'hui à reconnaître que, parmi les siècles innombrables de notre préhistoire, un petit nombre seulement appartiennent en propre aux Gaulois. Antérieurement, des races diverses, des tribus nombreuses et hétérogènes, s'étaient bousculées sur notre terre, pour finalement s'y asseoir et s'y confondre. Leurs restes mélangés y formaient une population assez dense. C'est sur ce substratum que vinrent se superposer les Celtes du dernier ban.

Quelle fut, dans l'état de choses qui s'ensuivit, la part des anciens occupants et celle des nouveaux arrivés? Dans quelle mesure les Celtes firent-ils disparaître leurs prédécesseurs ou furent-ils assimilés par eux? Rien ne permet de le déterminer. La seule certitude est que, dans les veines des hommes qui, au moment où commence notre histoire, portent le nom de Gaulois, coule un sang déjà fort mélangé et qui n'est qu'en partie celtique.

Sur toute terre vit, se développe et subsiste une masse humaine permanente que l'on peut véritablement appeler autochtone, c'est-à-dire née de la terre elle-même. Elle a son caractère propre; les différences individuelles y oscillent autour d'un type moyen, conditionné par les éléments naturels, le climat, le sol, la manière générale de vivre et, aussi, par d'indéfinissables influences ancestrales dont le secret se perd dans la nuit des temps. L'essentiel de ses traits, physiques, intellectuels et moraux, présente une constance remarquable. Les invasions n'arrivent pas à l'effacer. De même que, laissées à elles-mêmes, les espèces végétales ou animales, transplantées sur un sol étranger, s'assimilent bientôt aux espèces indigènes, les hommes nouveaux venus dans un pays se fondent dans la masse des anciens occupants et, au bout de quelques générations, ne s'en distinguent plus. Les guerres de conquête suppriment ou chassent les guerriers vaincus mais elles n'ont jamais fait le vide dans un pays. Les vainqueurs s'unissent aux femmes indigènes; leurs enfants sont de nouveau les petits-enfants de leurs prédécesseurs et la tradition qui unissait au sol les générations antérieures se trouve ainsi renouée; la race est de nouveau fille de la terre : ses caractères anciens reparaissent et reprennent la prédominance. C'est ainsi que, par-delà la France, par-delà les Gaulois, les occupants actuels de la terre de France se rattachent aux ancêtres lointains et inconnus qui, bien avant l'histoire, s'y trouvaient établis.

Au point de vue particulier de la descendance physique, les Gaulois ne sauraient donc être considérés comme la souche de notre race. Ils apparaissent simplement comme l'un de ses composants.

II. — La part des Gaulois dans notre histoire

Mais les hommes et surtout les peuples ne sont pas seulement fils de la terre. Entre leurs générations successives, une tradition intellectuelle constitue une véritable filiation idéale, d'un intérêt infiniment plus considérable, dans l'histoire des nations, que la descendance du sang. C'est en ce sens, par l'esprit, bien plus que par le corps, que nous pouvons, aujourd'hui encore, nous réclamer des Gaulois.

Pendant un temps, leur nom désigna l'ensemble des populations du pays qui est aujourd'hui la France et ce temps coïncide précisément avec les débuts de son histoire. Avant les Gaulois c'est, chez nous, l'incertitude et l'obscurité des siècles anonymes. Tout d'un coup, du nord et de l'est de l'Europe, les Celtes font irruption à la lumière des rivages méditerranéens. Sur l'Italie, puis sur la Grèce, ils s'abattent à la façon d'une tempête. On les trouve bientôt en Sicile, en Asie Mineure, en Égypte, à Carthage. Ils sont en Espagne, ils sont dans les îles Britanniques, tandis qu'au cœur de l'Europe ils circulent tout le long du Danube, où leur empire touche à celui des Scythes. Il n'est pas un peuple de l'antiquité qui ne se soit trouvé en rapports avec eux, presque pas un historien, depuis Hérodote, qui n'ait eu à mentionner leur nom.

Bien plus précisément encore, c'est sous leur nom qu'apparaît réalisée, pour la première fois, l'union intime de toute notre terre et d'une espèce d'hommes semblable à la nôtre. La Gaule réunit dans une véritable unité nationale les diverses régions qui constituent aujourd'hui la France et même davantage puisqu'elle s'étend, non seulement des Alpes à l'Océan, mais des Pyrénées au Rhin. Cette unité, il est vrai, apparaît souvent plus idéale que réelle. Elle n'en semble pas moins profondément sentie par tous les Gaulois. Nous les voyons, aux mêmes lieux, où, depuis des générations, les Français ont eu à se battre, défendre la même patrie que nous avons à défendre et, parfois, contre des ennemis de même provenance. Ils le font avec des sentiments semblables aux nôtres. César rapporte presque avec étonnement leur irritation du « malheur commun » de la Gaule et leurs conjurations répétées au nom de la « liberté commune ». Il ne comprend pas qu'un mot de Vercingétorix, l'évocation de l'union sacrée de tous les Gaulois, qui les rendrait invincibles, suffise après un grave échec, à relever les courages. Nous entendons Vercingétorix mieux que César son contemporain et il nous apparaît vraiment comme un des nôtres. Son histoire et celle de ses compagnons nous appartiennent.

Parmi tant de peuples connus ou inconnus dont les efforts successifs ont constitué la France, les Gaulois ont donc les premiers conçu, exprimé et réalisé en partie, un idéal politique qui est demeuré le nôtre. Les premiers aussi, ils ont conquis à notre nation son titre de noblesse dans les annales du monde. C'est d'eux que nous tenons, pour ainsi parler, nos plus anciens parchemins nationaux.

III. — Portrait moral des Gaulois

Dans le monde méditerranéen qu'ils remplissaient de trouble et où ils ont tout d'abord jeté l'épouvante, on a beaucoup parlé des Gaulois et l'histoire ancienne ne nous a rien caché de leurs défauts. Puis peu à peu, l'étonnement faisant place à l'attention, quelques écrivains, grecs surtout, parfois aussi romains, nous ont décrit d'un esprit plus libre leur caractère et leurs mœurs.

Que n'a-t-on pas répété tout d'abord de leur fougue violente et désordonnée! A la prudence des Grecs, au calme raisonné des Romains, les Gaulois ont semblé de véritables furieux. Leurs troupes se précipitaient au combat avec un vacarme effroyable fait de cris, du son des trompes, du heurt des boucliers. Les hommes dégainaient leurs grands sabres; de toutes leurs forces ils taillaient sans mesurer ni ajuster les coups. Tout d'abord, ils inspirèrent aux légions une terreur panique. Puis le sang-froid des chefs ressaisit les armées romaines. Se cachant sous son bouclier, le légionnaire apprit à plonger son glaive aiguisé dans le ventre du Gaulois qui, pour frapper, se découvrait tout entier. A leur choc irrésistible, on opposa la manœuvre. Une fois qu'on sut les vaincre, on les accusa de se fatiguer vite, d'avoir plus d'élan que d'haleine, de manquer de résistance et de fermeté.

Les premiers écrivains antiques, qui ne virent des Gaulois que les bandes aventureuses venues chercher fortune au milieu des peuples du monde méditerranéen, en font une race de pillards sans foi ni loi, entraînée par son ardeur aux entreprises les plus chimériques et, par son orgueil, aux fanfaronnades les plus folles. Les Gaulois défiaient le ciel et les rois, ils ne connaissaient pas d'obstacle à leurs fantaisies. Toujours en mouvement, hâbleurs, querelleurs, rieurs, ils adoraient le bruit, les couleurs voyantes, tout ce qui brille, tout ce qui grise. Leur luxe, d'une ostentation inouïe, prodiguait les métaux éclatants, le corail, l'émail, les coloris les plus vifs. Tout chez eux paraissait excessif : leur taille, leur force, leurs emportements, leur gloutonnerie, leurs gestes, leurs paroles. C'étaient de grands enfants, les enfants terribles de l'antiquité.

Mais lorsque quelques-uns de ces vagabonds eurent réussi à trouver un établissement fixe, ils surent aussi bien que d'autres organiser leur vie. En Thrace, la sagesse de leur roi Cavaros lui valut d'être pris comme arbitre entre Byzance et les cités grecques voisines. Chez les Galates d'Asie, Grecs et Romains ont relevé, outre le courage, certains traits de haute vertu, probité, générosité, douceur et orgueil de la fidélité conjugale. Dans l'Italie du nord, le vieux Caton note que les Gaulois estiment par-dessus tout l'art de la guerre et, aussi, l'habileté de la parole. Il est vrai que certains critiques, s'appuyant d'ailleurs sur l'autorité de Polybe, croient devoir lire : *rem militarem et agriculturam*, l'art de la guerre et l'agriculture, au lieu de : *et argute loqui*, « et l'habileté de la parole ». Quoi qu'il en soit, cet idéal de courage et d'éloquence, ou de travail, que Caton reconnaît chez les Gaulois d'Italie, représente exactement celui qu'il s'efforçait de maintenir chez ses compatriotes.

Les écrivains qui ont visité les Gaulois chez eux, dans la Gaule Transalpine, nous apportent sur eux des détails plus caractéristiques. Ils sont unanimes à vanter leur hospitalité et leur bienveillance pour l'étranger. On accueille avec joie le voyageur qui vient de loin et on lui demande avec curiosité des nouvelles de son pays. Les Gaulois adorent les récits merveilleux. Simples et naïfs, ils acceptent d'ailleurs avec crédulité les contes les plus invraisemblables. Et souvent, sans que nul ne songe à vérifier les faits, un mouvement d'enthousiasme ou d'indignation suffit à décider de la conduite de tous. Spontanés et tout du premier mouvement, les Gaulois prennent volontiers en main la cause de celui qu'on opprime. Ils ont en effet, au plus haut degré, le sentiment de l'équité, du droit et de l'honneur. Ils ne peuvent souffrir que l'on manque à la foi jurée. La réputation de justice de certaines de leurs tribus, comme les Volques Tectosages qui habitaient au-delà du Rhin, s'étendait au loin. Faible peut-être et sans grande consistance, le caractère des Gaulois apparaît en général comme foncièrement droit et généreux. On n'en saurait dire autant de la plupart des peuples de l'antiquité, y compris les Romains.

Au point de vue intellectuel, il est une qualité que nul n'a jamais songé à dénier aux Gaulois, c'est leur faculté d'assimilation. César, au siège d'*Avaricum* (Bourges), note qu'ils sont d'une extrême ingéniosité et montrent de singulières aptitudes à imiter ce qu'ils voient faire. Au contact des Grecs, dès le IIIe siècle avant notre ère, ils ont appris l'usage de la monnaie. Aux Grecs également ils avaient emprunté leur alphabet et César nous dit avoir trouvé dans le camp des Helvètes des tablettes écrites en caractères grecs portant la liste nominative des émigrants en état de porter les armes ainsi que celui des enfants, des vieillards et des femmes.

En tout temps et en tout lieu, les Celtes s'étaient mêlés aisément aux autres peuples, ils en adoptaient volontiers les usages. Lorsque ces peuples étaient plus avancés qu'eux leurs progrès furent rapides. Ainsi, dans le sud-ouest de la Gaule, les Gaulois métissés d'Ibères opposent aux lieutenants de César une résistance particulièrement habile et tenace. En quelques semaines, Vercingétorix plie son armée à la discipline et aux travaux pénibles d'une guerre savante. Aussitôt après la conquête, la Gaule s'empresse d'accueillir la civilisation gréco-romaine.

L'esprit des Gaulois ne manquait pas de finesse; certaines des réparties qu'on leur prête sont spirituelles. Ils aimaient la poésie. Le barde, chez eux, était de toutes les fêtes; de longs poèmes épiques et didactiques, conservés par la mémoire, rappelaient le souvenir des ancêtres et condensaient les connaissances de la nation. Ils avaient au plus haut point le goût de la parole et savaient s'en servir avec adresse. Leurs orateurs affectionnaient, nous dit-on, l'hyperbole et le pathétique. Sous l'Empire, ils surent se faire admirer même à Rome.

Au moment où ils succombèrent dans leur lutte contre César, les Gaulois n'étaient encore qu'un peuple incomplètement éduqué, un peuple adolescent et en voie de formation. Le temps ne leur fut pas laissé de tempérer par la raison les défauts de leur caractère impulsif et de mettre en valeur les heureuses qualités intellectuelles dont ils étaient doués. On ne saurait vraiment les juger d'après l'état dans lequel les surprit la conquête romaine. Tout ce que l'on sait d'eux montre qu'ils étaient capables de progrès.

Pour résumer la tradition antique, donnons la parole au géographe grec Strabon qui écrivait à la fin du règne d'Auguste, mais s'inspirait, pour une bonne part, du philosophe et historien Poseidonios d'Apamée qui avait visité les Gaulois en Gaule vers l'an 80 avant notre ère.

« Dans son ensemble, la race que nous appelons aujourd'hui gauloise et galate a la manie de la guerre, elle est irritable et prompte à en venir aux mains, au demeurant, simple et pas méchante. C'est ainsi qu'à la moindre excitation les Gaulois se rassemblent en foule et courent au combat, mais cela ouvertement et sans aucune circonspection, de sorte que l'habileté militaire en vient facilement à bout... D'autre part, si on les prend par la persuasion, ils se laissent aisément amener à faire ce qui est utile, témoin l'application qu'ils montrent aujourd'hui pour l'étude des lettres et de l'éloquence. La raison de leur violence tient à la force de leurs corps qui sont grands et aussi à leur nombre; ils se rassemblent en foule à cause de leur caractère naïf et généreux qui leur fait prendre pour une injure personnelle toute injustice qu'ils croient faite à leur voisin. Mais maintenant ils sont tous en paix, subjugués et vivant sous les lois des Romains qui les ont conquis. Ce qu'ils étaient autrefois, nous pouvons nous le représenter par les mœurs actuelles des Germains. En effet, physiquement et politiquement, les deux peuples sont apparentés et se ressemblent; ils habitent d'ailleurs des régions analogues, séparées par le Rhin mais qui, à presque tous les points de vue, présentent les mêmes caractères... Les mêmes raisons expliquent leurs anciennes migrations : ils se rassemblent en masse, ils emmènent avec eux leurs familles lorsqu'ils se voient attaqués par un ennemi plus fort. Les Romains ont eu bien plus de facilité à les soumettre qu'à vaincre les Ibères... C'est en masse qu'attaquent les Gaulois et c'est en masse qu'ils sont battus; les Ibères, au contraire, morcelaient la guerre, combattant tantôt sur un point et tantôt sur un autre, par bandes détachées, à la façon des brigands. Les Gaulois n'en sont pas moins par nature d'excellents soldats, meilleurs cavaliers encore que fantassins; ils fournissent aux Romains l'élite de leur cavalerie. Plus on avance vers le nord et vers l'Océan, plus grande est leur valeur guerrière. »

La plupart des historiens modernes, français ou non, se sont généralement accordés à considérer que le portrait moral des Gaulois ressemble bien à celui des Français, plus que de tout autre peuple. Nous n'y contredirons pas.

Malgré la conquête romaine et les invasions germaniques, malgré tous les mélanges qui, postérieurement à la Gaule, vinrent se surajouter au mélange gaulois, les Français d'aujourd'hui sont donc en droit de se considérer comme les héritiers des Gaulois, mais en entendant bien que les Gaulois eux-mêmes ne furent que les représentants, au moment où commença l'histoire écrite de notre pays, de la masse des populations qui constituèrent de tout temps la France.

Si haut que nous remontions, en effet, jusqu'à l'époque gauloise et même au-delà, c'est elle que nous retrouvons, c'est-à-dire la même région naturelle formant ou tendant à former un même tout, produisant des hommes sensiblement les mêmes et leur inspirant la même âme; mêmes qualités, mêmes défauts, mêmes craintes, mêmes ambitions; et ces deux éléments réunis, terre et hommes, absorbant bien vite, en les éduquant à leur génie, les étrangers qui, des différentes frontières, vinrent successivement s'établir dans les régions françaises.

IV. — Portrait physique des Gaulois

L'aspect physique des Gaulois a vivement frappé les Anciens. Les Celtes arrivaient du Nord, la légende les qualifiait volontiers d'Hyperboréens. La tradition leur prête le type nordique; elle décrit leur haute stature : ce sont de grands corps de couleur claire et aux muscles puissants; ils ont les yeux bleus, les cheveux blonds ou roux. C'est ainsi que Virgile, résumant leur portrait, nous les montre ciselés sur le bouclier d'Énée (*Énéide*, VIII, v. 659-662) :

« D'or sont leurs cheveux, d'or est leur vêtement, des rayures claires égayent leurs sayons; leurs cous, blancs comme le lait, sont cerclés d'un collier d'or; aux mains de chacun scintille le fer de deux grands javelots alpins; de hauts boucliers couvrent la longueur de leurs corps. »

Aurea caesaries ollis atque aurea vestis;
Virgatis lucent sagulis; tum lactea colla
Auro innectuntur; duo quisque Alpina coruscant
Gaesa manu; scutis protecti corpora longis.

Cette symphonie d'or et d'argent exprime l'impression de blond et de clair que produisaient sur les Méditerranéens les hommes venus du Nord.

D'autre part, la plastique grecque nous a laissé un certain nombre de représentations de Gaulois. Les sculpteurs de Pergame notamment avaient consacré à la gloire des rois Attale Ier et Eumène, vainqueurs des Galates à la fin du IIIe et au début du IIe siècle avant notre ère, une série de statues dont quelques-unes sont parvenues jusqu'à nous.

On connaît au Musée National, à Rome, le beau groupe de la collection Ludovisi, qui fut censé, pendant longtemps, représenter Arria et Paetus, ce couple romain condamné à mort par l'empereur Claude et dont Tacite nous a dit le stoïcisme. Il figure en réalité un Galate vaincu plongeant son épée dans sa poitrine après avoir tué sa femme. Le guerrier a préféré, pour lui et sa compagne, la mort à la servitude. Il avaït combattu nu suivant un rite antique qui nous est à plusieurs reprises signalé chez les Gaulois.

Plus élancé que celui des athlètes helléniques, le corps est emporté d'un mouvement violent. Les Grecs ont souvent comparé les Gaulois aux Titans foudroyés par Jupiter.

Le détail de la tête est particulièrement intéressant à examiner. Au-dessous d'une épaisse chevelure, le front est large et un peu fuyant, les arcades sourcilières proéminentes sont fortement marquées. Larges aux pommettes, les joues vont s'amincissant vers le menton. L'œil est profondément enfoncé, le nez droit et épais, la bouche large est encadrée de lèvres charnues et ombragées d'une légère moustache. L'expression de l'ensemble est assez rude; le profil cependant ne manque ni de noblesse ni de finesse. Ce n'est pas une tête idéale conventionnelle. L'artiste a eu sous les yeux un modèle vivant, fort probablement un Gaulois prisonnier. Est-ce illusion de notre part? Il nous semble, à contempler ce visage, qu'il nous est familier et que nous rencontrerions aisément un ensemble de traits analogues aujourd'hui, chez nous.

La statue qu'on a appelée le « Gladiateur mourant », au Musée du Capitole, appartient au même cycle de Pergame. C'est un soldat gaulois; on en reconnaît le type, confirmé d'ailleurs de façon indubitable par le *torques* qui orne son cou. Blessé, il est tombé sur son bouclier et, du bras droit, cherche à soutenir son corps défaillant dont les muscles sont déjà détendus. Il appartient bien à la même espèce d'hommes que le guerrier du groupe Ludovisi; il paraît seulement moins élancé, plus trapu et surtout plus fruste. Les traits sont plus grossiers; la chevelure est faite de mèches raides et hirsutes, comme celles que les sculpteurs grecs prêtent souvent aux satyres agrestes. Les yeux, placés très haut sous le front, sont petits, le nez est lourd et légèrement retroussé, une moustache épaisse couvre entièrement la lèvre supérieure. Le front, sillonné d'une ride transversale profonde est, pour ainsi dire, divisé en deux, une partie inférieure s'avançant au-dessus des orbites, tandis que le haut rejoint en s'arrondissant un crâne haut et court. Cet homme est un parfait brachycéphale.

Saisissante d'expression malgré ses mutilations est une tête d'origine incertaine au Musée du Caire. Elle paraît un peu plus ancienne que les statues de Pergame et provient d'une autre école artistique. Peut-être a-t-elle appartenu à un monument commémorant à Alexandrie le massacre, en 275, par Ptolémée II, de 4 000 mercenaires gaulois révoltés, recrutés jadis parmi les bandes qui avaient pillé Delphes. Le visage fin, amaigri peut-être par la souffrance, mais où l'on devine des muscles déliés et mobiles, est porté sur un cou puissant. De grands yeux, d'une expression douloureuse et presque hagarde, éclairent la profondeur des orbites. La bouche ombragée par une assez forte moustache semble s'ouvrir pour un cri d'amertume plutôt que de violence. L'ensemble dégage une expression de pathétique contenu. Ce barbare n'est pas un sauvage.

Nous revenons, avec la tête du Musée Chiaramonti (Vatican), aux sculptures de l'école de Pergame. On suppose que, comme les autres, la statue à laquelle appartenait cette tête représentait un guerrier. Je n'en veux rien croire. Cet homme mûr, ridé, au cou déjà alourdi, à la physionomie parlante, n'est pas un soldat. J'y reconnaîtrais plutôt un orateur, un barde peut-être ou un prêtre, quelqu'un en tout cas qui exerce l'art du beau langage cher aux Gaulois. Certains critiques d'art allemands croient reconnaître sur ces traits « les stigmates d'une intelligence inférieure ». Là encore, je me séparerai d'eux; les yeux sont petits, mais vivants; la bouche entrouverte paraît expressive; le menton avancé marque une volonté nette cherchant à s'imposer. Ce personnage parle. Sa chevelure, moins désordonnée que celle d'un combattant, le caractérise comme Gaulois. Un philosophe grec n'a pas cette expression à la fois inquiète — voyez le profil — et caustique — voyez, de face, l'inclinaison de la tête et la fossette au coin droit de la bouche. Les traits d'un orateur romain, d'autre part, ont quelque chose de plus concentré et de plus ferme; on y sent une logique plus serrée, un sentiment plus âpre. Nous avons là, devant nous, un beau parleur gaulois. Ne dirait-on pas, presque, un homme politique de la France contemporaine?

Le plus extraordinaire est que ces portraits de Galates d'Asie Mineure, d'envahisseurs ou de mercenaires celtiques, venus en majeure partie de l'Europe centrale plutôt que de la Gaule, présentent, dans leur ensemble, des types et des physionomies qui nous paraissent, à nous Français, familières. Je ne prétends pas l'expliquer et laisse au lecteur le soin de juger si mon impression est illusoire. En tout cas, ces images créées par des artistes de l'Antiquité précisent, en les atténuant au moins dans une certaine mesure, les indications des écrivains qui attribuent aux Celtes les traits caractéristiques des races du Nord : des hommes blonds, très grands et lymphatiques. On ne songeait pas encore, en ce temps, à analyser la forme des crânes. Nos Galates apparaissent des hommes à tête ronde et non des dolichocéphales au crâne long et étroit. En réalité, tout en différant profondément des Méditerranéens, cette race n'est pas spécifiquement nordique. Elle semble issue d'un mélange d'éléments divers où les Nordiques ont peut-être moins de part que les Illyriens, que l'anthropologie moderne classe à la race dinarique.

En Gaule, ces Celtes se sont mélangés, à des proportions diverses selon les provinces, aux occupants antérieurs qui, d'après les squelettes retrouvés, paraissent avoir appartenu, en majorité, à la race dite alpine. Leur type était donc encore moins pur que celui des Galates qu'ont pu observer les sculpteurs grecs. Sans même faire entrer en ligne l'influence du terroir, on peut penser que les Gaulois du temps de César et de Vercingétorix représentaient une espèce humaine assez semblable à la nôtre. N'attachons pas d'ailleurs à cet élément matériel qu'est l'aspect physique, plus d'importance qu'il n'en a. Ce n'est pas lui qui fait l'histoire d'une nation et décide de ses destinées.

2 LES ORIGINES INDO-EUROPÉENNES ET LA PRÉHISTOIRE DES GAULOIS

I. — La langue des Gaulois et ses parentés

Les Gaulois appartiennent à la famille indo-européenne. Que faut-il entendre par là?

Simplement ceci, que la langue parlée par les Gaulois se rattache, par ses caractères essentiels, à un groupe de langues en usage depuis l'Inde jusqu'à l'occident de l'Europe.

Le parler des anciens Gaulois nous est connu par quelques termes que nous en ont transmis les auteurs grecs et latins, par un certain nombre d'inscriptions, pour la plupart d'ailleurs difficilement intelligibles, mais que l'on a cependant toute raison de qualifier de celtiques; par une quantité beaucoup plus considérable de noms propres de personnes et de lieux; enfin et surtout, par les dialectes modernes qui dérivent du celtique: le gaélique, encore en usage en Irlande et en Écosse, et le breton, conservé dans le pays de Galles, d'où il a été importé, au VIe siècle de notre ère, dans la Bretagne française. L'étude comparée de ces deux groupes linguistiques a permis de reconstituer les éléments principaux du parler qui fut leur origine commune; ces éléments à leur tour ont pu être rapprochés de ce que l'on connaît du celtique ancien. On a retrouvé ainsi quelques-uns, au moins, des traits de cette langue. En la comparant à celle de

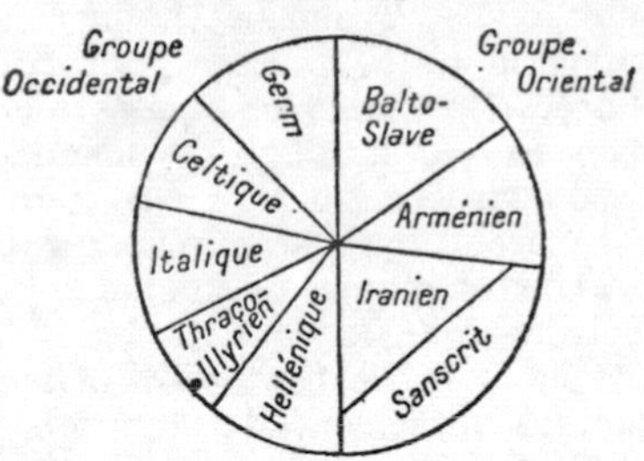

Fig. 1. — Tableau schématique du groupement des langues indo-européennes (d'après A. Meillet).

certains autres peuples antiques, on a reconnu la parenté qui les unissait et l'on a pu fixer au celtique sa place parmi elles.

Le celtique ou gaulois vient se classer, parmi les langues indo-européennes, entre le germanique et l'italique (fig. 1). Son aspect diffère assez profondément du germanique qui a introduit, dans l'accentuation et la prononciation, certaines innovations particulières dont l'effet fut de transformer profondément le parler indo-européen primitif. Sous cette altération, d'ailleurs tardive, du germanique, on n'en reconnaît pas moins bon nombre de traits communs entre cette langue et le celtique. Des ressemblances de vocabulaire, surtout, établissent entre l'une et l'autre non seulement des rapports certains de parenté, mais la preuve d'un voisinage prolongé. Avec les dialectes italiques, les ressemblances du celtique sont également assez prononcées, si bien que certains ont pu émettre l'hypothèse d'une origine commune. Pendant la période qui précéda l'établissement en Italie des tribus latines, osques et ombriennes, les ancêtres de ces tribus et ceux des Celtes auraient parlé une même langue. Tandis que les Latins, établis les premiers dans la péninsule, y modifiaient leur dialecte, les Osques et surtout les Ombriens auraient continué à vivre à côté des Celtes, usant d'un parler très voisin du leur. Les Ombriens se seraient séparés les derniers et les rapports seraient particulièrement étroits entre l'ombrien et le celtique.

Ce n'est là qu'une hypothèse que nous aurons à examiner plus loin et à laquelle les linguistes se refusent d'ailleurs à prêter la forme précise d'une communauté de langue prolongée. Quoi qu'il en soit ils n'en reconnaissent pas moins dans le celtique l'une des langues du groupe occidental de l'indo-européen dans lequel rentre également le grec; ils l'y placent entre le germanique et l'italique.

Dans le groupe oriental des parlers européens on classe le balto-slave, le slave, le thraco-illyrien, l'arménien, l'indo-iranien. Avec le balto-slave et le slave, le germanique et le celtique présentent des rapports qui engagent à les situer dans le voisinage de ces langues.

D'autre part, on a reconnu récemment en Asie Mineure de nouveaux dialectes indo-européens : le hittite, parlé et écrit au cours du deuxième millénaire avant notre ère, et le tokharien, qui fut en usage dans le Turkestan chinois jusqu'au VIIe siècle de l'ère chrétienne. Tous deux, malgré l'éloignement vers l'est des régions où ils se rencontrent, appartiennent au groupe occidental. Par sa grammaire, sinon par son vocabulaire, le hittite se rapproche du latin; le tokharien présente, dans sa conjugaison, quelques particularités telles que le passif en *r* qui paraissaient propres à l'italique et au celtique. De telles constatations ont conduit à desserrer le lien supposé entre italique et celtique puisque des traits communs qui les réunissaient apparaissent non pas comme des innovations propres à leur groupe mais, au contraire, comme des faits indo-européens anciens qui ont survécu sporadiquement dans des parlers divers.

Un exemple moderne permettra de se représenter cette communauté linguistique indo-européenne : c'est celui des langues romanes, toutes dérivées du latin et que nous rencontrons aujourd'hui, depuis l'Amérique où l'on parle français et espagnol, jusqu'en Roumanie. La différence essentielle est que nous connaissons le latin et son histoire, tandis que l'existence même d'une langue indo-européenne primitive n'est que la conclusion d'une longue suite de raisonnements. Le seul fait que l'on constate c'est, entre un certain nombre de parlers divers, un ensemble de traits communs, constituant une parenté dont la vraie nature nous échappe.

II. — L'unité linguistique indo-européenne

Il importe donc de spécifier qu'il s'agit uniquement d'une parenté de langage. L'unité indo-européenne ne comporte pas nécessairement unité de civilisation. D'après les mots communs aux différentes langues, nous nous trouvons cependant en mesure d'imaginer, dans ses grandes lignes, la civilisation commune aux différents peuples indo-européens. Nous constatons, par exemple, qu'ils pratiquaient l'élevage; ils ont le même mot pour désigner la vache. Chez les peuples du groupe occidental, l'agriculture avait atteint un développement remarquable; non seulement les céréales mais un bon nombre de plantes étaient connues de tous et portent des noms semblables. Le vocabulaire indique en outre une même constitution de la famille et de la tribu. Ces hommes avaient la notion de la justice et du droit; ils pratiquaient également le culte des morts, ils avaient en commun certains dieux. Mais les ressemblances ainsi constatées n'excluent pas de notables différences dans les industries, les institutions et les mœurs. D'ailleurs rien ne nous autorise à affirmer que le degré de civilisation atteint par les Indo-Européens leur ait été particulier et ne représente pas, au contraire, un état général auquel pouvaient participer, en dehors d'eux, d'autres peuples parlant de tout autres langages.

L'unité linguistique indo-européenne n'implique, surtout, aucune communauté de race. Elle a pu englober des peuples d'origines très différentes et de caractères physiques entièrement distincts. Dire que les Celtes appartiennent à la famille indo-européenne ne signifie en aucune façon qu'ils soient de même sang que les autres peuples chez qui nous trouvons en usage une langue indo-européenne. Du fait de la parenté des langues romanes concluons-nous, en effet, à l'existence d'une race romane et cherchons-nous à établir une communauté de sang entre les Canadiens qui parlent français, par exemple, et les Roumains? L'aryanisme des Gaulois consiste uniquement en ceci, qu'au moment où ils apparaissent dans l'histoire, les Gaulois parlent un langage de la même famille que celui des Aryas de l'Inde.

Comment expliquer cette communauté originelle de la langue parlée par des peuples que l'histoire rencontre en des régions très lointaines les unes des autres?

Les faits se présentent comme si des dialectes divers d'une même langue avaient perdu contact avec la langue mère pour devenir eux-mêmes des langues indépendantes. Mais les linguistes renoncent à affirmer que la langue commune que reconstruisent leurs raisonnements ait jamais existé. A plus forte raison s'abstiennent-ils de toute précision sur l'époque et le lieu où elle aurait été parlée, sur les circonstances dans lesquelles se seraient constitués les dialectes ou sur les événements à la suite desquels les tribus parlant ces dialectes auraient essaimé dans les pays où elles les ont propagés. Aucun des éléments que fournit l'analyse des langues n'apporte en effet de renseignements sur ces questions qui sont d'ordre non plus linguistique mais historique.

Les archéologues, dont les spéculations sont de nature moins abstraite, n'en ont pas moins cherché à localiser l'unité linguistique indo-européenne dans le temps et dans l'espace (fig. 2).

Dans le temps, il paraît incontestable que l'état de civilisation commun aux Indo-Européens, tel qu'il résulte de l'étude de leur vocabulaire, correspond assez exactement à celui que la préhistoire fait connaître en Europe vers la fin de l'âge de la pierre polie, c'est-à-dire, en chiffre rond, entre les années 3000 et 2000 avant notre ère. La communauté dut même subsister durant la première période de l'âge des métaux. Le même mot, en effet, désigne le métal dans toutes les différentes langues indo-européennes, depuis le sanscrit *ayas* jusqu'au latin *aes*. Mais chacune nomme à sa façon les différents métaux; les langues étaient donc séparées au moment où l'on a distingué le cuivre du bronze. C'est, par conséquent, au cours de l'âge du cuivre que dut se produire la dispersion et il ne serait pas invraisemblable de rattacher cet événement aux bouleversements économiques et politiques que ne put manquer de produire dans le monde la découverte du métal, nouveau moyen d'action et nouvelle source de richesse. Or, on date généralement le début de l'âge du cuivre en Europe des environs de l'an 2000. Cette date correspond bien à celles que l'on peut assigner à l'arrivée des premiers Indo-Européens dans les différents pays : les Hittites en Asie Mineure et les Aryas dans l'Inde vers 2000, les Hellènes en Grèce et les Latins en Italie vers 1800.

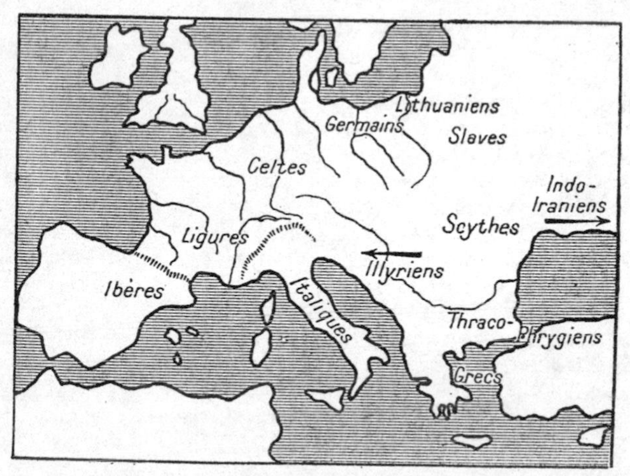

Fig. 2. — Carte de la répartition des peuples indo-européens en Europe. (Les Ibères ne sont certainement pas indo-européens.)

Lors de l'invention du fer, vers l'an 1000 avant J.-C., la séparation des Indo-Européens était depuis longtemps accomplie. Deux peuples seuls se trouvaient encore, à ce moment, sinon en communauté, du moins en contact immédiat : les Celtes et les Germains. Le même mot, en effet, chez les uns et les autres, désigne le fer : en celtique, *isarno*, en gothique, *eisarn*, allemand moderne, *eisen*.

Si le début de la dispersion remonte à l'âge du cuivre, l'époque de la communauté fut la fin de l'âge de la pierre polie, en chiffre rond, le troisième millénaire avant notre ère. Dans quelle région peut-elle être localisée?

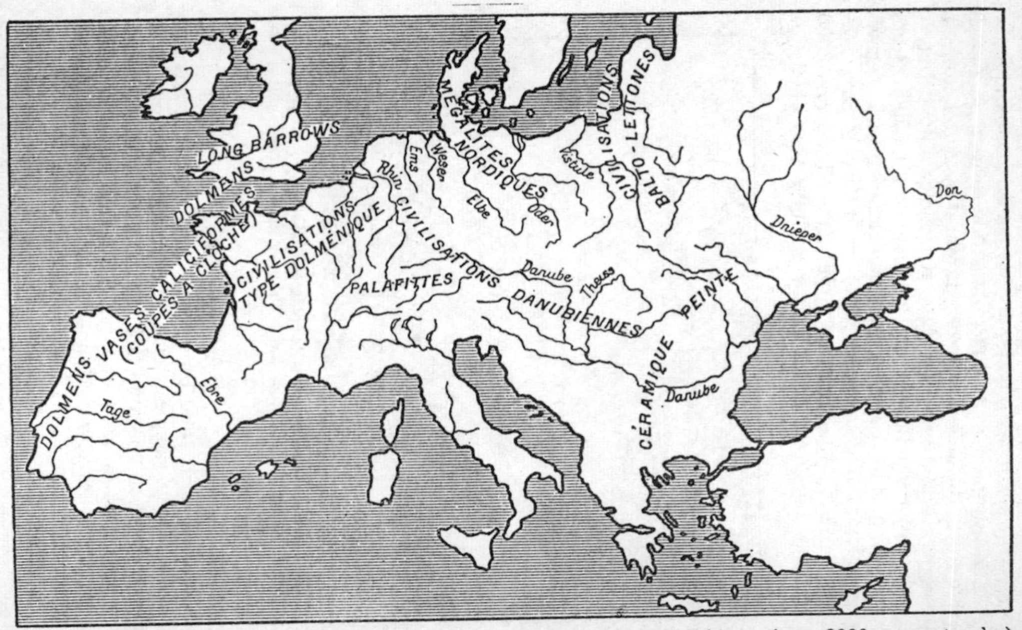

Fig. 3. — Répartition des principales civilisations à la fin de l'âge néolithique (vers 2000 av. notre ère).

On peut exclure les provinces extrêmes dans lesquelles se sont répandus les différents parlers issus de l'indo-européen. Dans la plupart d'entre elles, d'ailleurs, nous trouvons les traces de langages différents de l'indo-européen plus anciens que les langues de cette origine qui vinrent se superposer à eux. Il reste donc une longue bande de territoires à l'intérieur du continent eurasiatique, depuis le Turkestan, à l'est duquel se rencontre le tokharien, jusqu'à la Mer du Nord sur les rivages de laquelle se sont développés le germanique et le celtique.

Dans ce vaste espace, une localisation plus précise est-elle possible? On a recouru pour y parvenir à la même méthode de « paléontologie linguistique » qui avait permis de fixer la date. Parmi les termes communs aux diverses langues indo-européennes, on a cherché ceux qui pouvaient comporter une indication géographique.

Par exemple, on constate que, dans la plupart des langues, un mot dérivant d'une même racine désigne le hêtre. La communauté indo-européenne se serait donc développée dans la région où poussait cet arbre, ce qui exclut l'extrême nord de l'Europe. Le hêtre ne pousse pas non plus à l'est d'une ligne rejoignant Kœnigsberg à la Crimée; cette ligne

Fig. 4. — Civilisation mégalithique. Dolmen de Bretagne.

serait la frontière orientale du domaine indo-européen primitif. D'autre part, le nom du saumon remonte également à une racine indo-européenne; or ce poisson ne peuple que les affluents de la Mer du Nord; donc les Indo-Européens auraient vécu au nord de la ligne de partage des eaux du continent européen qui va des Alpes aux Carpates. Leur berceau ne serait autre, en somme, que l'Allemagne actuelle.

Un tel raisonnement doit être abandonné. Le mot qui, dans la plupart des langues indo-européennes, sert en effet à désigner le hêtre, signifie chêne en grec; celui qui dénomme le saumon signifie parfois aussi simplement « poisson ». Le sens propre des racines indo-européennes ne peut être fixé de façon immuable; il est probable qu'il a varié dès avant la séparation des dialectes. Une racine ancienne et commune

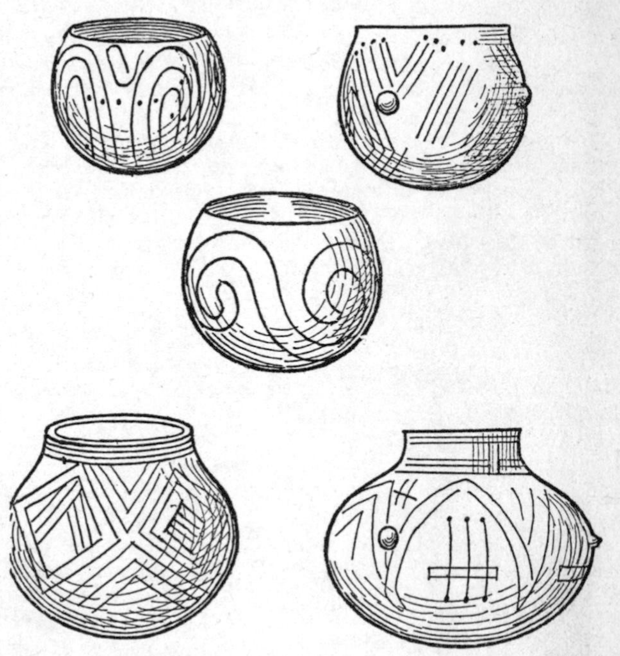

Fig. 5. — Civilisation danubienne. Céramique dite rubanée (Werner Buttler, dans Sprockhoff, *Handbuch der Urgeschichte Deutschlands*, II, pl. 4 et 5).

a reçu postérieurement des acceptions précises diverses, comme si elle n'avait à l'origine qu'un sens assez général : arbre, poisson. Une telle constatation a pour effet d'enlever tout caractère décisif aux indications géographiques tirées du vocabulaire commun.

L'étude archéologique de l'âge de la pierre polie finissant, dans l'aire du hêtre et du saumon, c'est-à-dire le centre et le nord du continent, n'apporte aucune indication plausible sur la formation et le développement d'une communauté linguistique. L'archéologue ignore complètement quelle langue pouvaient parler les gens dont il découvre les traces matérielles. Il constate, en Allemagne notamment et dans la vallée du Danube, la juxtaposition de civilisations diverses nombreuses et qui semblent sans grand rapport entre elles. Une telle dispersion paraît peu favorable à l'extension d'une langue commune.

Deux civilisations cependant se distinguent des autres (fig. 3). Dans le Nord, du Jutland à la basse vallée de l'Elbe, se développe la civilisation des mégalithes qui, dans les îles et sur les côtes, jusqu'en Poméranie, profitant des blocs erratiques laissés par l'ancien glacier, multiplie les monuments mégalithiques semblables à nos dolmens de Bretagne (fig. 4). Dans la vallée du Danube, d'autre part, des agriculteurs, fabriquant une poterie caractérisée par ses formes sphériques et ses ornements simulant des rubans incisés dans la pâte (fig. 5), progressent vers l'ouest, atteignent la vallée du Rhin et se propagent jusqu'en Belgique. Dans le Sud-Est, en Roumanie et dans le Nord-Est, dans les régions balto-lettones, se développent d'autres civilisations. Sur le tout apparaissent des invasions venues du Caucase et de l'Oural qui pénètrent jusqu'à l'Elbe et ont laissé, comme traces, leurs haches de combat caractéristiques. Seul, un choix arbitraire peut attribuer aux unes ou aux autres une langue indo-européenne.

III. — L'ARCHÉOLOGIE DE L'AGE DU BRONZE

S'il faut avouer que la signification historique des faits de l'âge néolithique nous échappe, il n'en est plus tout à fait de même pour l'âge du bronze.

On a de bonnes raisons de dater cette période en Europe de 1800 environ jusque vers 900, soit en chiffre rond, du deuxième millénaire avant notre ère.

Elle semble caractérisée tout d'abord par une grande diversité (fig. 6).

Dand le nord et le centre de l'Allemagne, l'ancienne civilisation des mégalithes se transforme profondément (fig. 7). Les tombes monumentales disparaissent. De l'Elbe à la Vistule se constituent de nombreux groupes que distinguent leur poterie, leur outillage et leurs usages funéraires : céramique

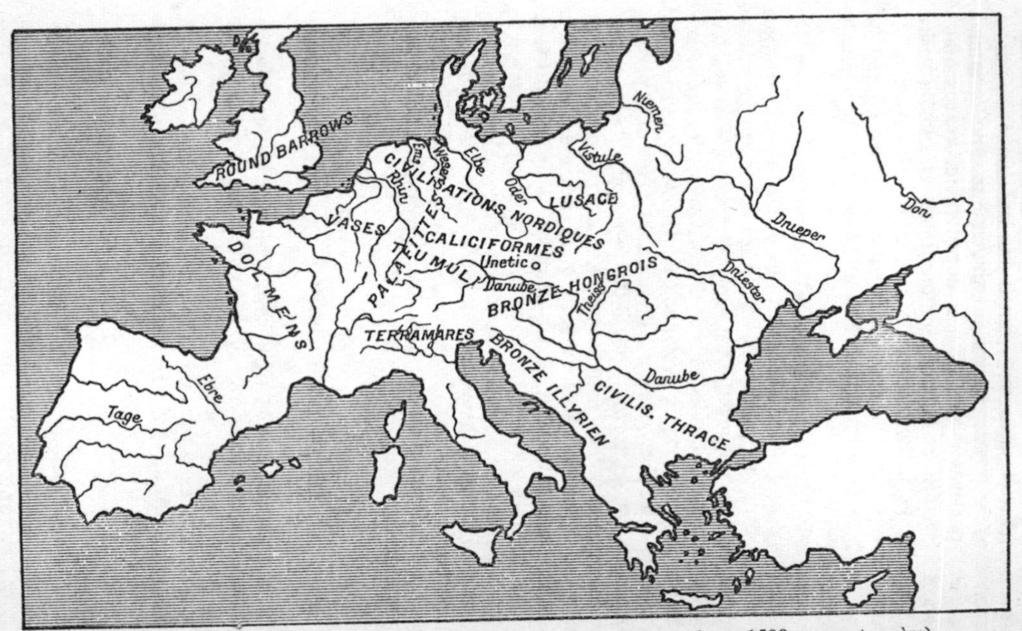

Fig. 6. — Répartition des principales civilisations du Bronze (vers 1500 av. notre. ère)

Fig. 7. — Céramique des dolmens de l'Allemagne du Nord (d'après Sprockhoff, *Handbuch der Urgeschichte Deutschlands*, I).

décorée par l'impression de cordelettes, amphores à corps sphérique et à col étroit, haches à double tranchant qui semblent imitées d'une forme métallique, haches-poignards avec tube d'emmanchement en métal, tombes entourées de dalles formant ciste. Le tout semble aboutir à la formation d'une civilisation nouvelle et originale en Lusace.

Tandis qu'à l'âge néolithique les différentes civilisations demeuraient presque sans contact entre elles, isolées sur les terres qu'elles avaient choisies, au contraire, dès le début de l'âge du bronze, les tribus se rencontrent, se heurtent, se mélangent. Le creuset où elles se fondent, c'est particulièrement l'Allemagne de l'ouest et du sud, du Rhin à l'Elbe, au Danube et à la Bohême.

La Bohême prend à ce moment une importance primordiale en raison de ses mines de cuivre. Il s'y développe une belle civilisation du bronze que les archéologues connaissent sous le nom de civilisation d'*Unétiç* (*Aunetitz*), du nom de la localité au sud de Prague où ils en rencontrèrent les premiers spécimens. Elle semble due au mélange des Nordiques, anciens occupants du pays, et de nouveaux venus occidentaux. Dans ses nécropoles on a reconnu 50 % d'éléments nordiques représentés par des dolichocéphales de grande taille tandis que l'autre moitié est constituée de types divers parmi lesquels dominent des brachycéphales. Le long du Rhin, au contraire, et dans tout le sud-ouest de l'Allemagne, où les races se trouvent extrêmement mêlées, ce sont les brachycéphales de type occidental qui ont la prépondérance. Sur ces terres centrales de l'Europe, le brassage des peuples paraît avoir été particulièrement intense.

En Bohême, la civilisation d'Unétiç inhume ses morts dans des tombes plates. De la Thuringe à la Lorraine dominent les tumuli. Mais le mobilier prouve d'étroites relations entre les deux régions. La civilisation d'Unetiç présente également certaines ressemblances avec l'âge du bronze italien. On y reconnaît notamment, dans la céramique, cette anse en forme de demi-lune, l'anse cornue, dont les palethnologues italiens suivent l'expansion progressive depuis les terramares de l'Italie du nord jusqu'en Toscane et en Latium et dont ils font comme l'indice des futurs Latins. Il est en effet séduisant de chercher dans cette région le lieu d'origine et le point de départ des populations de langue indo-européenne qui, au cours de l'âge du bronze, vinrent par bandes successives s'établir dans la péninsule italienne.

Si les gens d'Unétiç sont les ancêtres des Italiques, ceux de la région des tumuli ne peuvent être autres que les ancêtres des Celtes. Nous trouvons ces derniers constitués en un État de type militaire et, pour ainsi dire, féodal. Au centre d'un vaste tertre, le chef est enseveli avec ses armes et une abondante vaisselle de terre ou de bronze. Autour de lui, dans l'épaisseur du tumulus, viennent reposer ses descendants, tandis qu'autour de la sépulture princière d'autres tertres, de dimensions moindres, reçoivent les restes des hommes de son clan.

Cette civilisation originale résulte de mouvements particulièrement complexes.

A l'ouest, du haut Danube au Rhin, c'est la civilisation des palafittes de Suisse qui progresse en terre ferme, jusqu'aux vallées du Neckar et du Main où les archéologues l'ont baptisée du nom de *Michelsberg* (fig. 8). En même temps, voici que l'on voit apparaître sur le Rhin, traverser le fleuve et s'avancer au loin vers l'est, des groupes qui présentent tous les caractères spécifiques des civilisations subdolméniques de la

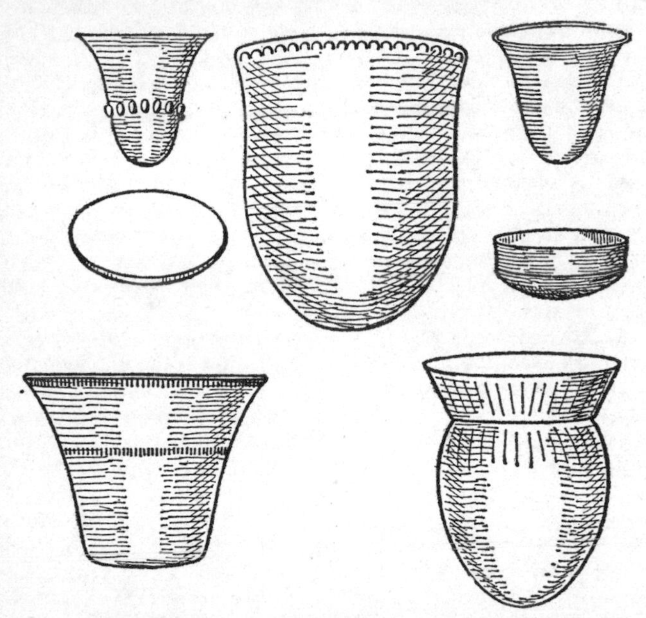

Fig. 8. — Céramique des palafittes, stations lacustres de Suisse et de France (Werner Buttler, dans Sprockhoff, *Handbuch der Urgeschichte Deutschlands*, II, pl. 18 et G. Goury, *L'Homme des Cités lacustres*, II, fig. 162).

France de l'Ouest et du Nord. A Worms, par exemple, le cimetière de l'*Adlerberg* renfermait des squelettes en grande majorité fortement brachycéphales, des vases en forme de cloche, des haches en pierre dont l'extrémité opposée au tranchant se termine en pointe, des poignards de métal de type primitif, des pointes de flèches, précédemment très rares dans cette partie de la vallée du Rhin et, surtout, objet absolument nouveau, le brassard d'archer, petite plaque rectangulaire d'ardoise ou de pierre tendre, percée d'un petit trou à chacun de ses angles et qui semble avoir été destinée à protéger le poignet de l'archer contre les chocs en retour de la corde de l'arc. Tout ce mobilier est caractéristique des régions françaises de l'Ouest.

Ces envahisseurs occidentaux parviennent jusqu'en Bohême

et ne paraissent pas étrangers à la constitution de la civilisation d'Unétiç. Mais ils ne se trouvent nombreux que dans les régions immédiatement à l'est du Rhin. Une même civilisation embrasse les deux rives du fleuve. Des courants commerciaux s'établissent de la Bavière à l'Alsace et à la Lorraine, des Balkans et spécialement d'Illyrie jusqu'au Danube et au-delà, des côtes de la Mer du Nord jusqu'à celles de la Bretagne insulaire. L'industrie du métal se développe, produisant des vases de bronze martelé et décoré au repoussé d'ornements géométriques, des épées de plus en plus parfaites, des bijoux, bracelets, colliers, épingles. A l'agriculture s'ajoute l'élevage qui met en valeur les zones forestières et marécageuses jusque-là inoccupées. Vers la fin de cette époque, un rite funéraire nouveau, la tombe souterraine, remplace le tumulus qui reparaîtra plus tard. Il semble dû à des influences, peut-être à une invasion, venues du nord-est.

Dans toute cette région s'aperçoit, en somme, un brassage intense de populations diverses suivi d'un regroupement qui, dans des cadres nouveaux, recueille les descendants de la plupart des occupants primitifs de l'Europe du centre et du nord. C'est de ce mélange que seraient issus les peuples celtiques.

IV. — La France a l'époque néolithique et au premier age du métal

En France, les siècles néolithiques présentent un aspect différent de ce que l'on constate en Allemagne. On n'y voit guère de lacunes entre les terres cultivées ; on ne saurait y délimiter de domaines de civilisations nettement distincts. Les stations apparaissent extrêmement nombreuses et diverses, formant de petits groupes d'apparence autonome. Par familles, par clans ou par tribus restreintes, les hommes semblent avoir défriché un territoire et l'avoir occupé quelques années puis, la terre épuisée, s'être transportés un peu plus loin jusqu'à ce qu'ils se trouvassent arrêtés par d'autres groupes agissant comme eux. Ils se sont alors fixés, s'ingéniant à vivre de leur terre et à en exploiter toutes les ressources. Tout en cultivant, ils chassent, ils pêchent, ils taillent le silex. Lorsque la matière première se trouve abondante, ils installent de véritables ateliers, souvent spécialisés dans la production de tel ou tel type d'instrument : hache, lame ou pointe de flèche. Ils procèdent à des échanges souvent assez lointains. Les silex du Grand-Pressigny, en Touraine, se retrouvent de la Suisse à la Belgique.

Chaque génération paraît s'attacher de plus en plus à son sol où, souvent, elle recueille dans des sépultures collectives les ossements de ses ancêtres.

Il y a de tout dans ces hommes qui, peu à peu et depuis une époque très ancienne, ont non seulement peuplé la terre de France mais l'ont faite. Parmi eux, surtout dans l'Ouest, au sud de la Loire, les anthropologues croient reconnaître des descendants de la race de Cro-Magnon paléolithique. Dans le Nord, les Campigniens, mineurs de silex, paraissent s'être transformés, en partie, en agriculteurs, non moins que les pêcheurs Aziliens, de la Dordogne à l'Aisne. Le néolithique agricole plonge ses racines dans le mésolithique. Comment ces très anciens occupants ont-ils appris l'art nouveau de la culture des céréales? Il est peu probable qu'ils l'aient inventé. S'il leur fut enseigné, on reconnaîtrait volontiers leurs maîtres dans les représentants de cette race alpine, aux crânes courts et hauts, aux corps de taille moyenne mais soutenus par une forte ossature qui est abondamment représentée chez nous du Massif Central à la Belgique, dans tout le Centre, l'Est et le Nord du pays.

Cette race est de même type que celle qui a fourni les colonisateurs de la vallée du Danube. On est donc fondé à en chercher l'origine vers l'Est. Mais à quelle distance? Rien ne permet de le préciser, pas plus que la date de son arrivée.

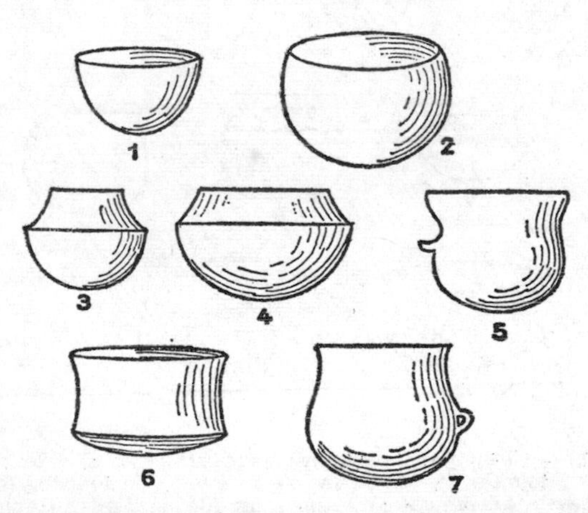

Fig. 9. — Néolithique et Premier Age du Bronze français. Céramique du Camp de Chassey (Saône-et-Loire) (Déchelette, *Manuel*, I, fig. 202, p. 555).

Il est vraisemblable de supposer que ceux de France sont arrivés les premiers et que ceux du Danube formaient l'arrière-garde. Entre eux se placeraient les constructeurs des cités lacustres de Suisse dont le type physique nous échappe, car on ne connaît pas leurs sépultures.

Il semble que l'on puisse établir un lien étroit entre la civilisation des palafittes de Suisse et celle de tout l'est de la France, du Jura à la Franche-Comté, à la Bourgogne, à la Lorraine et à l'Alsace. Dans ces provinces, au bord des lacs ou sur les marécages, on a reconnu des pilotis, comme en Suisse; la poterie présente les mêmes types; elle dérive de l'imitation en terre cuite de récipients primitivement en cuir (voir fig. 8, p. 43); l'ensemble de l'outillage est analogue. Cette civilisation nous semble être à la base au moins d'une partie du néolithique français, mêlée et adultérée plus ou moins, suivant les régions, par suite de la fusion avec des plus anciens occupants (fig. 9). Ces gens ont constitué un élément important de la population dite autochtone.

Quant à préciser leur appartenance linguistique, on ne peut le faire que par hypothèse. C'est à eux cependant qu'on

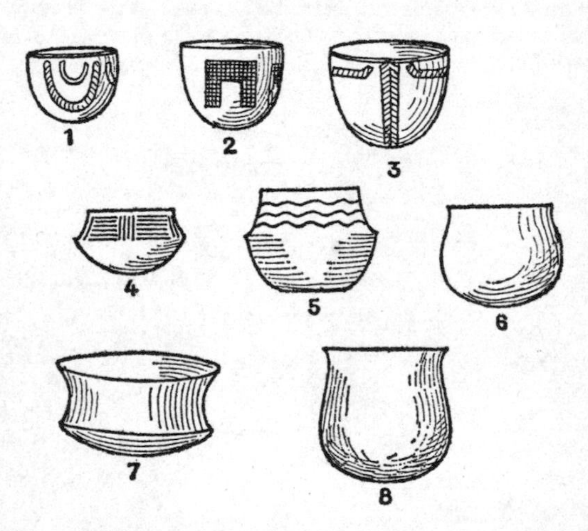

Fig. 10. — Civilisation dolménique française. Types de vases divers : 1 et 2, dolmens du Morbihan; — 3, dolmen du Finistère (d'après Déchelette, *Manuel d'Archéologie*, I, fig. 206, p. 557); — 4, dolmen de Rosmeur (Finistère); — 5, dolmen du Conguel (Quiberon); — 6, Pornic (près Nantes) (d'après Schuchardt, *Sitzungsberichte de l'Acad. de Berlin*, 1913, p. 741); — 7, Tréguennec (Finistère); 8, Saint-Nazaire.

est actuellement tenté d'attribuer ce « substrat », étranger au celtique et même à l'indo-européen, que l'on croit discerner dans certains noms désignant des lieux ou des particularités naturelles : *alpe*, montagne, *balma*, grotte, *gauda*, gravier, *tala*, terre. Mais étant donnée la complexité des mélanges qui ont formé la population française, il convient, sur ce point, de ne rien affirmer.

Les côtes de l'Océan ont tenu également un rôle considérable dans le développement du néolithique français. Tout le rivage atlantique, depuis le Portugal et la côte nord de l'Espagne jusqu'à la Bretagne française et aux Iles Britanniques, présente une remarquable similitude de civilisation. La construction des dolmens, une poterie en grande partie identique (fig. 10), des armes et des ornements semblables, prouvent l'existence de relations développées entre tous ces parages. Il serait difficile de n'en pas conclure à l'existence, dès la fin du néolithique, d'une marine atlantique faisant pendant à la marine méditerranéenne des Peuples de la Mer minoens et, peut-être, se trouvant en liaison avec elle. Il est vraisemblable que ces marins de l'Occident poussaient jusqu'aux régions scandinaves et que les mégalithes nordiques du Jutland ne doivent pas être séparés de ceux des Iles Bri-

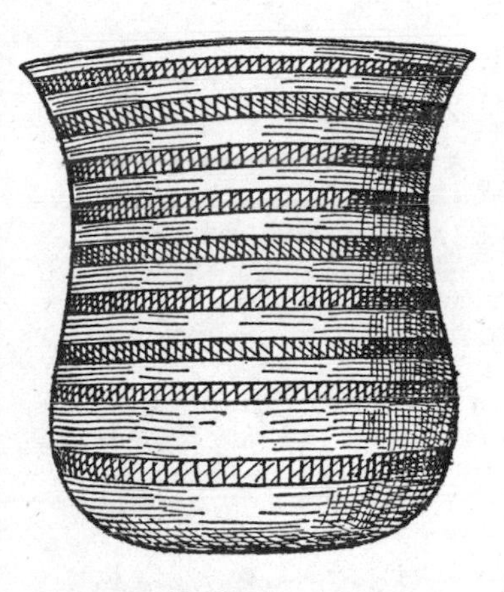

Fig. 11. — Civilisation dolménique. Vase caliciforme (ou en forme de cloche) de Penmarch (Finistère) (Goury, *L'Homme des Cités lacustres*, II, fig. 18 *h*).

Fig. 12. — Vase caliciforme de Moravie (G. Goury, *L'Homme des Cités lacustres*, II, fig. 185).

tanniques; certains précisent même qu'ils se rattacheraient à l'Irlande. Tous ces monuments mégalithiques témoignent non seulement des mêmes procédés de construction mais de conceptions analogues touchant la vie d'outre-tombe et, en outre, d'une organisation sociale développée, nécessaire pour mettre en œuvre de tels matériaux. Cette identité de civilisation ne suppose d'ailleurs en aucune façon unité d'origine, de race ou de langage.

A l'intérieur du pays français, non seulement les régions de l'Ouest mais celles du Nord, les vallées de la Seine, de l'Oise, de l'Aisne, de la Somme, manifestent une influence assez forte des civilisations dolméniques de la côte atlantique. On y rencontre en bon nombre des dolmens et surtout des pierres levées ou menhirs dont il se trouve d'ailleurs des exemplaires jusqu'aux Vosges et à la plaine du Rhin; on y reconnaît ce même type de vase « caliciforme » ou en forme de cloche, décoré de deux ou trois zones de quadrillage très serré, qui est caractéristique de toute la civilisation des dolmens : on dirait que sur le récipient sont figurées les sangles destinées à en faciliter la préhension (fig. 11 et 12). Les haches de silex ou de pierre dure, les pointes de flèches, abondantes, tout l'ensemble de l'outillage, peut être mis en rapport avec celui des dolmens. Les défricheurs de la majeure partie des terres françaises paraissent avoir beaucoup appris des marins de leurs côtes.

C'est d'eux, certainement, qu'ils ont reçu les premiers instruments de métal et tout d'abord, semble-t-il, des poignards de cuivre, larges, plats et courts. Le cuivre venait d'Espagne dont les mines, sans aucun doute, furent découvertes et mises en exploitation par les navigateurs méditerranéens qui, depuis longtemps déjà, connaissaient la métallurgie. Il en est résulté, pour les civilisations occidentales, en rapports directs ou indirects avec l'Espagne, une avance nette et une supériorité d'armement sur les peuples de l'intérieur du continent.

L'âge du bronze rétablit l'égalité. A travers le Massif Central, la civilisation armoricaine appauvrie atteint la vallée du Rhône. Des dolmens apparaissent dans les Cévennes; des allées couvertes, aux environs d'Arles. Sauf le développement de l'industrie du bronze, ni Sud ni le Sud-Ouest du pays ne marquent de progrès sensible; ils restent stationnaires tandis que les régions du Nord-Est sont envahies par les influences continentales. La vallée du Danube, la Bohême, deviennent les centres d'où s'irradient de nouvelles formes industrielles ou artistiques. Dès ce moment, semble-t-il, commencent les mouvements de population qui introduisent en France des tribus en provenance d'outre-Rhin. Les mêmes immigrations se produisent d'ailleurs, à travers les Alpes, vers l'Italie du Nord. Si l'on peut, par l'étude du mobilier archéologique, distinguer de grandes provinces de civilisation, il faut reconnaître, d'autre part, que presque chaque canton présente ses caractères particuliers. Il ne saurait être question, à ce moment, dans les pays qui constitueront la Gaule, d'unité ni de population ni de civilisation.

V. — Les Ligures et les Proto-Celtes

La rencontre des premiers textes littéraires a suscité, touchant les temps de l'âge du bronze, d'amples hypothèses. C'est ainsi qu'on a supposé une unité linguistique italo-celtique succédant à l'unité indo-européenne, qu'on l'a mise sous le nom des Ligures, qu'on a même parlé d'un vaste empire ligure.

Les premiers textes des géographes et des historiens grecs nous montrent, au ve siècle avant notre ère, les Ligures confinés sur la rive gauche du Rhône, dans les Alpes et sur les bords de la Méditerranée, depuis l'embouchure du Rhône jusqu'à la frontière de l'Étrurie, vers Pise. Plus anciennement, au VIIe siècle avant notre ère, un vers cité par Strabon et attribué faussement à Hésiode, semble nous les présenter comme l'un des trois grands peuples qui dominent le monde barbare :

« Les Éthiopiens et les Ligures et les Scythes qui traient les juments. »

Entre les Éthiopiens qui représenteraient les nègres et l'Afrique, et les Scythes, les nomades des steppes asiatiques, les Ligures seraient donc les maîtres de l'Europe continentale. En effet, les légendes mythologiques parlent de Ligures qui, à l'embouchure de l'Eridan et sur les bords du fleuve Océan, recueillent l'ambre, les larmes cristallisées des sœurs de Phaéton pleurant leur frère foudroyé par Zeus. D'autres indications d'une géographie tout imprégnée de mythe mentionnent des Ligures jusque sur le versant atlantique de l'Espagne et sur le fleuve *Sicanus* qui est le Jucar, en Andalousie d'où ces Ligures auraient émigré en Sicile et formé le peuple des Sicanes. On nous parle également de Ligures au centre de l'Italie, à l'emplacement futur de Rome. Ayant gagné eux aussi la Sicile, ces Ligures seraient devenus les Sicules. Un passage du poème archéologique de Festus Avienus, datant du début du ve siècle de notre ère, mais remettant au jour des renseignements d'un millier d'années plus anciens, mentionne des Ligures sur les côtes de la Mer du Nord, semble-t-il, d'où ils auraient été chassés par les Celtes. Analysant, développant, combinant tous ces textes, d'Arbois de Jubainville présentait donc les Ligures comme les maîtres primitifs du Septentrion et de l'Occident, d'où ils auraient atteint les rivages de la Méditerranée. Ils auraient conservé, jusqu'aux temps historiques, la zone médiane du continent tout autour des Alpes, particulièrement le nord-ouest de l'Italie et la majeure partie de la France.

Linguiste, d'Arbois de Jubainville appuyait sa démonstration sur l'étude de certaines particularités grammaticales et surtout des noms de lieux qu'il rencontrait dans un domaine beaucoup plus vaste que celui qui fut jamais occupé soit par les Latins soit par les Celtes et qu'il attribuait à leurs prédécesseurs ligures. Les noms de lieux, en effet, et tout particulièrement les dénominations des montagnes et des fleuves, survivent aux peuples qui les ont fixés. Ils se perpétuent d'âge en âge, incompris mais impérissables, conservant le souvenir des hommes disparus qui, jadis, les ont imaginés, et de leur langue. Or, dans toutes les régions où la présence des Ligures nous est signalée, soit par la légende soit par l'histoire, se rencontrent des noms de lieux identiques, de forme étrangère aux langues que nous connaissons et dont le sens demeure inexplicable par ces langues. Leur identité montre qu'ils relèvent tous d'une même origine. N'est-il pas vraisemblable de les rapporter au temps lointain de la domination ligure et d'y reconnaître des témoins de cette ancienne unité?

Tels sont, en particulier, des noms terminés par un suffixe *asco* ou *asca*, inconnu en latin aussi bien qu'en celtique. L'attention des savants fut attirée sur ces formes par une inscription latine datant de l'an 117 avant notre ère et provenant des environs de Gênes, c'est-à-dire d'une région proprement ligure. Cette inscription, la sentence des Minucii, arbitrant les frontières entre les Génois et leurs voisins, contient quatre noms de cours d'eau terminés en *asca*. Un relevé des formes de ce genre en a fourni 250 exemples dans la portion ligure de l'Italie du nord et une vingtaine dans la vallée du Rhône qui demeura également longtemps ligure. On en a trouvé une trentaine en Suisse, dont le plus grand nombre dans le Tessin, une douzaine en Espagne, cinq ou six dans le reste de la France et autant dans l'Allemagne du nord et de l'ouest. On ne peut manquer de noter la fréquence particulière de ce suffixe dans les régions où l'élément ligure ne s'est pas trouvé recouvert par d'autres populations.

Dans la même zone où se rencontrent des formes en *-asco*, *-asca*, se note également la concordance d'un grand nombre de noms géographiques. Le *Vésuve*, par exemple, et le *Mont Viso* présentent le même radical qui reparaît dans le nom de la déesse *Vesuna* honorée en Italie, dans le Périgord et dans les Ardennes. Les *Monts Ciminiens* au nord de Rome et les Cévennes, *Cimenice regio*, portent le même nom. L'ancien nom du Tibre, *Albula*, ressemble à celui de l'Elbe, *Albis*. L'*Isère* en pays ligure, l'*Oise*, *Isara*, dans le nord de la France, l'*Isar* en Bavière, représentent une même dénomination. La *Serre*, affluent de l'Aisne et la *Sarre*, affluent de la Moselle, s'appelaient également *Sara*, tandis que le mot *Sura* a donné, en France, la *Sure*, affluent de la Drôme, et, en Luxembourg, la *Sauer*... Cette énumération pourrait être indéfinie.

Aucun de ces noms, pas plus que le suffixe *asca*, *asco*, n'est ni latin ni celtique. Ils appartiennent donc à une langue plus ancienne, répandue depuis l'Italie et l'Espagne jusqu'aux Iles Britanniques et depuis les côtes de l'Océan jusqu'à l'Elbe et au Danube. Seule, l'hypothèse d'une communauté politique forte et durable peut expliquer cette diffusion. « Les tribus que l'on appelait de ce nom de « Ligures », conclut Camille Jullian, auraient donc, dix siècles avant notre ère, recouvert toutes les terres occidentales de leurs masses nombreuses. Aucune différence appréciable de langage ne séparait les habitants de ces grandes régions. Les frontières géographiques les plus nettes disparaissent sous des couches humaines toutes semblables les unes aux autres. »

Unissant l'Espagne productrice du cuivre, et les Iles Britanniques qui fournissaient l'étain, aux monts de Bohême riches en minerais de toute sorte, l'empire ligure, grâce à la puissance que lui procurait la possession du bronze, aurait dominé la moitié occidentale du continent européen, tant que de nouvelles conditions économiques ne vinrent pas bouleverser à nouveau l'assiette politique des peuples. L'empire celtique qui lui succéda fut celui du fer.

Cet empire ligure du bronze représenterait donc, suivant l'hypothèse de Camille Jullian, le cadre politique de la communauté linguistique italo-celtique. Fille de l'indo-européen primitif, la langue ligure pourrait être considérée comme la souche dont devaient se détacher les parlers italique, celtique et probablement aussi, germanique. Plus tard, remarque encore Camille Jullian, « la plupart des groupements qui constituaient l'unité ligure se retrouvent à l'époque celtique... Les Celtes se seraient partout superposés à des populations italo-celtiques, c'est-à-dire de langue et de civilisation point trop différentes des leurs. Peut-être même est-ce leur parenté avec ces anciennes populations ligures qui auraient déterminé les Celtes à faire la conquête de leurs territoires et à en revendiquer l'empire ».

Lorsque les Gaulois vont apparaître en Gaule, ils n'y seront donc pas absolument des étrangers, puisque la Gaule avait fait partie de l'ancien empire ligure. Ceux même d'entre eux qui proviendront d'outre-Rhin trouveront dans le pays une langue et des traditions apparentées aux leurs. La période ligure constituerait ainsi l'intermédiaire encore méconnu entre l'unité indo-européenne primitive et la dispersion de l'époque historique.

Malgré tout ce qu'a de séduisant une telle hypothèse et malgré l'autorité des maîtres qui l'ont prônée, il semble qu'il faille y renoncer.

Tout d'abord, en effet, parler de Ligures à l'âge du bronze en Europe, c'est commettre la faute de transposer un nom historique très au-delà du temps et des lieux où l'atteste l'histoire. La responsabilité de cette erreur remonte sans doute à la mythologie et à la géographie mythique des Grecs. On reconnaîtra qu'un vers tel que celui du pseudo-Hésiode nommant les Ligures entre les Éthiopiens et les Scythes, ou une mention du poème d'Avienus, ou le mythe de Phaéton, ou la combinaison étymologique transportant les Ligures du fleuve espagnol Sicane, en Sicile, n'ont qu'une faible autorité. Laissons donc les Ligures là où les a trouvés l'histoire, sur les côtes de la Méditerranée, dans la partie occidentale et à l'ouest des Alpes et dans l'Apennin du nord. Le nom ligure est lié à ces régions mais seulement à l'âge du fer, c'est-à-dire pour les six ou sept derniers siècles qui ont précédé notre ère.

Il conviendrait d'ailleurs de préciser ce qu'on entend par ce nom. Les palethnologues italiens en font volontiers le synonyme de race méditerranéenne par opposition aux Italiques venus de l'Europe centrale. Chez nous également, lorsqu'on parle de Ligures, on cherche à signifier l'ensemble des populations antérieures aux Indo-Européens et l'on confond plus ou moins race et langue. De là cette conception que la langue ligure s'oppose au celtique.

Le résultat heureux des études de d'Arbois de Jubainville fut de montrer que la plupart des formes et des radicaux attribués aux Ligures rentraient dans le cadre indo-européen. Ses successeurs l'ont dépassé en prouvant que ces particularités n'avaient rien de spécifique. Le suffixe *-asco*, *-asca* est sans doute particulièrement fréquent en territoire ligure. Mais il se retrouve du Portugal à la Russie; il a été germanique, rien ne prouve que le celtique ne l'ait pas connu. Il ne saurait donc être considéré comme l'indice de la présence des Ligures. Quant aux racines qualifiées de ligures, les unes paraissent appartenir à des substrats linguistiques divers, les autres sont simplement indo-européennes. La rencontre de noms tels que *Viso*, *Vesunna*, *Vésuve*, est peut-être en partie fortuite : *Vesunna* en Gaule et en Ombrie doit être indo-européen. *Viso* et peut-être *Vésuve* proviendraient d'autres langues. Trouver un fleuve *Albis*, l'Elbe en territoire germanique, une rivière *Aube* en France, l'*Albula* en Latium, n'a rien de particulièrement étonnant, puisque germanique, celtique et latin sont également indo-européens. Aucun des innombrables exemples que l'on peut citer n'est donc caractéristique d'une langue propre aux Ligures; aucun ne prouve la présence de Ligures dans les diverses provinces attribuées à leur empire.

Peu vraisemblable en elle-même, l'hypothèse d'un empire ligure italo-celtique est inutile. On admettra un voisinage bien plutôt qu'une unité des deux parlers italique et celtique également issus de l'indo-européen. Et à côté d'eux on peut supposer d'autres dialectes émanant de la même origine.

Comme l'italique et comme le celtique, ces dialectes ont pu être diffusés par d'autres invasions que celles que nous connaissons, par divers mouvements de tribus, par des infiltrations en sens multiples. C'est ainsi que les Méditerranéens de la côte ligure auraient reçu un parler indo-européen. Que de telles infiltrations aient eu lieu dans cette direction, on n'en saurait douter lorsqu'on considère la stèle de Zignago, dans la vallée de la Vara, au sud du golfe de la Spezia, en plein pays ligure. Elle représente, de façon assez grossière, un personnage debout, dieu ou homme, du type des menhirs sculptés français; une inscription en caractères étrusques du ve ou du vi^e siècle avant notre ère nous donne le nom MEZV NEMVSSVS qui ressemble singulièrement à du celtique : *Mezu* = *mediu*, le *z* représentant une prononciation θ, *th* celtique; *Nemussus* se rattachant à la racine celtique *nemeton*, bois sacré, que l'on retrouve dans *Nemossos*, Clermont-Ferrand, chez Strabon, plus tard, *Augusto-nemetum*, et Nemours, peut-être dans *Nemausus*, Nîmes.

Le nom ligure, étant donnée son extension, était fort probablement étranger à ces gens qui ont apporté en Ligurie un parler indo-européen voisin du celtique. Les nouveaux venus n'ont influé que très peu sur la race locale; ils ont été absorbés, mais ils ont laissé, comme trace, leur langue.

Il dut en être pour la Gaule, comme pour la Ligurie. Antérieurement à l'arrivée de la masse celtique à la fin du premier âge du fer, entre 600 et 500 avant notre ère, des infiltrations plus ou moins abondantes ont pu introduire en diverses régions du pays des dialectes qui n'étaient pas encore du celtique mais qui y ressemblaient et qui ont laissé à quelques montagnes ou à quelques fleuves, comme la Seine, *Sequana* où le groupe *qu* n'est pas celtique, des noms que l'on a qualifiés ligures. Cette pénétration fut massive dans l'est de la France; elle y apparaît nettement dans les tumuli de l'âge du bronze. Plus superficielle, elle a pu s'étendre ailleurs et dans d'autres directions. Ainsi se trouve justifiée, sans communauté italo-celtique et sans empire ligure, la constatation de Camille Jullian : lorsque les Gaulois vont apparaître en Gaule, ils n'y seront pas absolument des étrangers; ceux d'entre eux qui proviendront d'outre-Rhin trouveront dans le pays des hommes déjà en partie semblables à eux-mêmes et à qui ils imposeront aisément une langue peu différente de celle qu'ils parlaient déjà. Lorsque dans les traités français de préhistoire nous lisons Ligures, entendons simplement autochtones déjà imprégnés d'influences indo-européennes.

3 LES CELTES EN GAULE ET DANS LES ILES BRITANNIQUES

I. — Comment entendre l'arrivée des Celtes en Gaule

Les historiens datent généralement l'arrivée des Celtes en Gaule des environs de l'an 600 avant notre ère. C'est à cette date, coïncidant avec celle de l'apparition des Phocéens à Marseille, que Camille Jullian fait commencer son *Histoire de la Gaule*.

Le premier texte nommant les Celtes est en effet un passage d'Hérodote qui, en 450, notait leur présence à l'extrémité de la Péninsule ibérique. Ils devaient y être établis depuis un certain temps déjà; ils n'avaient pu parvenir au sud de l'Espagne que de Gaule ou en traversant la Gaule. D'autre part, les traditions relatives à la fondation de Marseille, relatent le débarquement des Phocéens chez les Ligures, à proximité de territoires occupés par les Celtes. Quelques-unes signalent même que les Celtes auraient, à cette occasion, prêté assistance aux Grecs contre les Ligures. D'autre part, en Franche-Comté et en Bourgogne notamment, quelques tombes sous tumulus que l'on a toute raison de croire celtiques ont fourni des tessons de vases attiques à figures noires datant du VIe siècle avant notre ère. On ne saurait donc douter de la présence des Celtes en Gaule vers l'an 600.

Les archéologues ne se trouvent pas d'accord avec les historiens; ils ne sont d'ailleurs pas d'accord entre eux. Pour les uns, les Celtes ne sont arrivés qu'un peu plus tard, vers 450 av. J.-C. C'est à ce moment en effet qu'ils notent une transformation assez profonde de la civilisation en Gaule. Pour les autres, les premiers Celtes seraient arrivés bien auparavant. Le renouvellement du milieu du Ve siècle ne serait qu'une phase de l'histoire celtique de la Gaule, occupée déjà depuis bien avant 600, au moins en partie, par des Celtes.

La date de 450 marquerait simplement l'apparition d'un nouveau ban d'envahisseurs.

Nous nous rangeons à l'avis de ces derniers mais en observant qu'il ne convient pas d'imaginer l'établissement des Celtes dans les régions où les trouve l'histoire comme le résultat d'invasions massives accomplies en une fois, par une voie et à une date déterminées. Il faut y reconnaître, au contraire, une série de mouvements successifs, partant de points différents, de direction et d'importance variables, qu'il serait, par conséquent, bien difficile de vouloir préciser. Une troupe d'hommes trop nombreuse, surtout dans les temps antiques, n'aurait pu ni se mouvoir, ni se nourrir. Les grandes migrations, celles qui laissent sur la terre d'autres traces que des ruines et y sèment des peuples, ne se produisent pas à la manière d'un cataclysme. Ce sont des flux et des reflux, prolongés souvent durant des siècles, dont les alluvions, se recouvrant successivement, finissent par déposer les sédiments profonds et solides des nations futures. Leur lente progression échappe, le plus souvent, à l'observation de l'archéologie qui n'en saisit que des détails et, parfois, le résultat d'ensemble. C'est ainsi que nous nous représenterons l'établissement en Gaule, depuis l'âge du bronze jusqu'à l'aube de l'histoire, c'est-à-dire pendant plus d'un millénaire, de ceux qui devaient être les Gaulois. Nous appelons, en somme, Celtes ou, si l'on préfère, Proto-Celtes, ceux que d'Arbois de Jubainville et Camille Jullian nommaient Ligures.

II. — Les premiers Celtes en France a l'age du bronze et aux débuts de l'age du fer

Essayons de retrouver et de dater au moins approximativement quelques-unes de leurs étapes.

C'est dans la région des tumuli de l'Allemagne du sud, depuis les Monts de Bohême jusqu'au Rhin, que nous avons cru trouver le berceau des futurs Celtes (p. 42). Mais dès l'âge du bronze nettement caractérisé (entre 1800 et 1600), cette zone des tumuli déborde largement le Rhin vers l'ouest. En France, à cette époque, Déchelette reconnaît dans l'archéologie, une province orientale qu'il qualifie de « probablement celtique ». Elle comprend, dit-il, la Franche-Comté et la Bourgogne. Depuis lors on a reconnu des inhumations sous tumulus exactement du même type et contenant un mobilier identique à celui des tumuli de Bavière, en Alsace, notamment dans la forêt de Haguenau (fig. 13, 14) et dans toute la Lorraine. « A l'ouest de la Côte-d'Or », écrit Mlle Françoise Henry qui a étudié les tumuli de ce département, « le Morvan semble avoir fait obstacle aux constructeurs des tumuli bourguignons; ils l'ont contourné mais sans le pénétrer. Au nord et au sud, la limite est plus difficile à établir. Entre les tombes

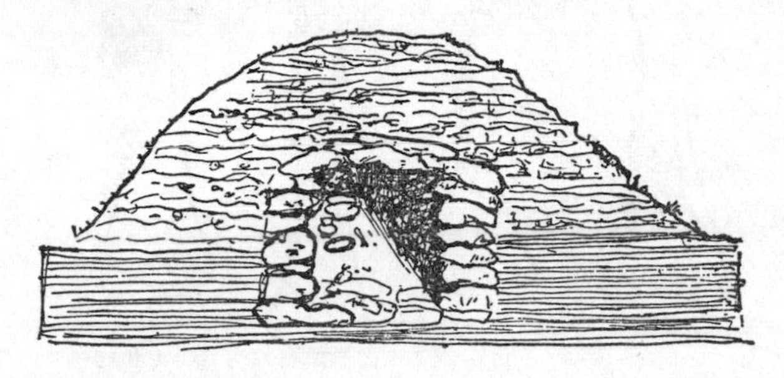

Fig. 13. — Tumulus de l'Age du Bronze à Jagstfeld (Wurtemberg) (K. Schumacher, *Siedelungs u. Kulturgeschichte der Rheinlande*, I, p. 73, fig. 24).

des plateaux du Beaunois et celles de Chalon-sur-Saône et du Morvan, il y a d'étroites analogies; au nord, la zone des tumuli se continue en éventail dans toutes les directions, rejoignant la Lorraine et l'Alsace par le plateau de Langres; vers

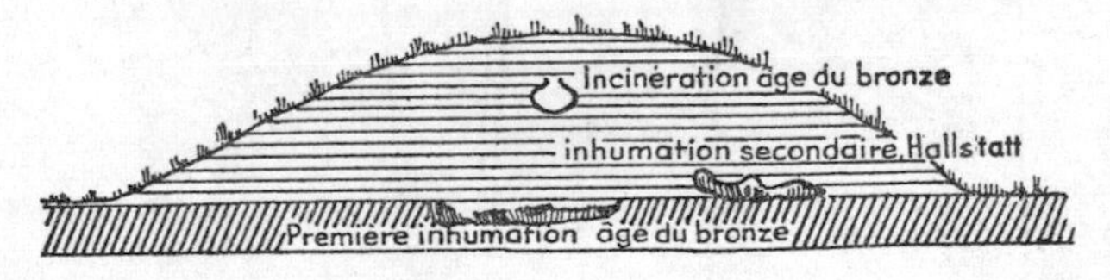

Fig. 14. — Tumulus à sépultures multiples. Coupe d'un tumulus de la forêt de Haguenau (Bas-Rhin). (Schaeffer, *Les tertres funéraires préhistoriques de la forêt de Haguenau*, I, *Age du Bronze*, p. 147, fig. 64).

l'ouest, elle atteint le Nivernais par le nord du Morvan. » On a signalé des tumuli du bronze en Champagne; on en connaît dans l'Allier, c'est-à-dire vers les vallées de la Seine et de la Loire. Et les retranchements qui, dès la fin du néolithique et durant l'âge du bronze, se multiplient dans toutes les régions, barrant les éperons des collines, portent le témoignage du

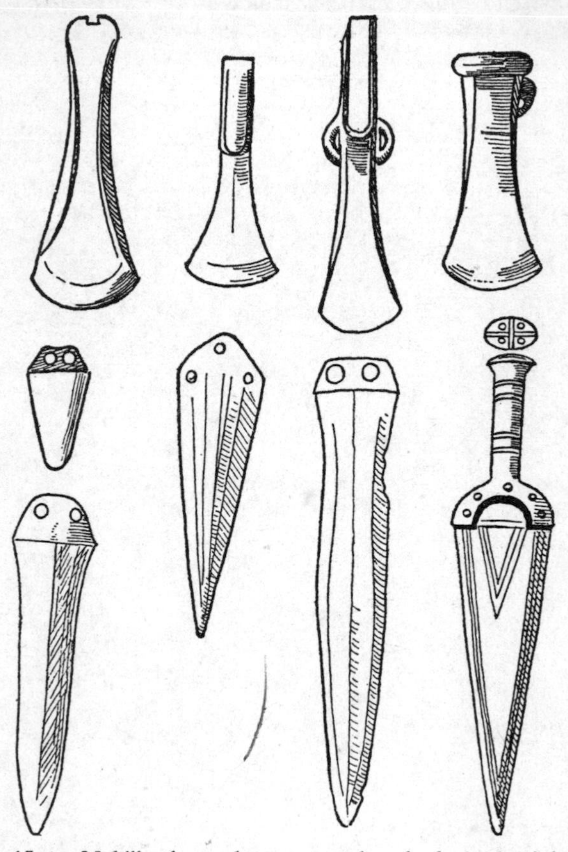

Fig. 15. — Mobilier des tombes sous tumulus : hache à rebord, haches à talon, hache à douille. Poignards de types divers.

trouble apporté par de nouveaux venus à l'ancienne sécurité.

Le mobilier des tombes sous tumulus indique en effet un peuple belliqueux : poignards de bronze en forme de feuille de saule, dagues s'allongeant peu à peu jusqu'à devenir des épées, haches plates d'abord, puis à rebords et enfin à talon nettement distinct de la lame, ou hache à douille (fig. 15). Le domaine de cette hache de bronze s'étend de la Bohême à l'Italie et à l'ensemble de la France. Dans cette diffusion des mêmes objets, armes ou ornements personnels, que doit-on attribuer à l'extension d'une même population et quelle part revient au commerce? Elle accuse en tout cas l'influence des régions productrices du bronze dont la principale, à ce moment, n'est plus l'Espagne mais la Bohême (fig. 16).

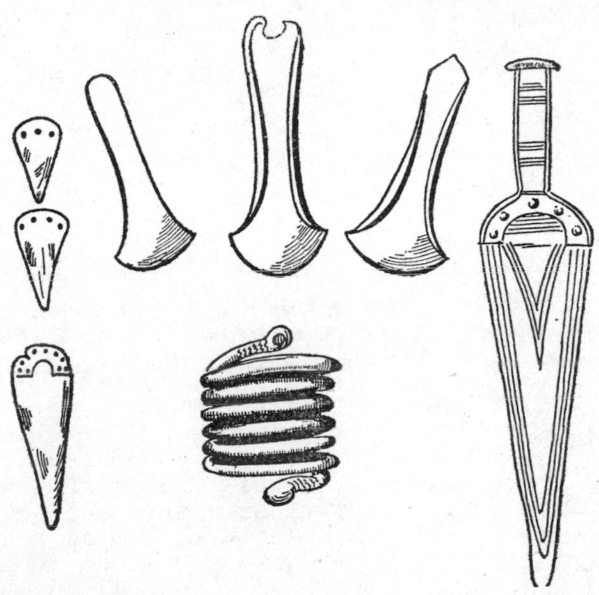

Fig. 16. — Mobilier funéraire des sépultures de l'âge du bronze en Bohême : haches, poignards, bracelets (Gordon Childe, *The dawn of the Civilisation*, p. 193, fig. 90-92).

Dans le sud-est de la France, où ces objets demeurent rares, l'ancienne population continue les rites funéraires anciens : sépultures collectives dans des grottes ou tombes entourées de dalles de pierre entre lesquelles le mort gît en position recoquillée, autrement dit couché en chien de fusil. Dans tout l'ouest s'accuse l'influence des constructions dolméniques, qui, à travers les Cévennes, parviennent jusqu'à la vallée du Rhône au nord d'Arles, tandis que l'Armorique des dolmens elle-même paraît ressentir l'influence des constructeurs de tumuli. Les tables des dolmens, en effet, reposent non plus sur des supports monolithes mais sur de petits murs en pierre sèche dont la couverture elle-même finit par être une voûte en encorbellement, le tout entouré d'une épaisse chape de petites pierres ou de terre; ce sont des tumuli à chambre intérieure. A côté d'eux, dans de petits coffres de pierre souterrains, on trouve des corps accroupis (fig. 17). Il sem-

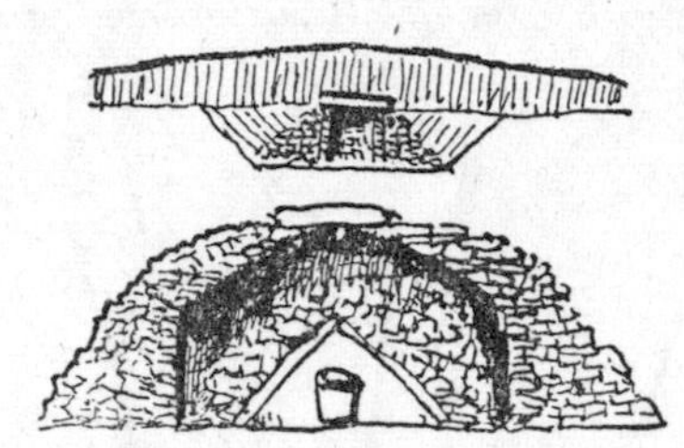

Fig. 17. — Sépultures de l'Age du Bronze en Bretagne (Déchelette, *Manuel*, II, p. 144, fig. 42).

ble qu'il y ait eu en Armorique, dit M. J. Loth, « deux populations différentes, ou deux classes sociales. Celle des petits coffres paraît bien être dans la dépendance de celle des grands tumuli », laquelle use des mêmes rites et possède les mêmes objets que les occupants des sépultures analogues de la France orientale.

Une question se pose : les constructeurs des tumuli de l'âge de bronze appartiennent-ils au groupe de peuples qui seront plus tard nommés Celtes. Nous verrons un peu plus loin les raisons d'y répondre affirmativement. Pour le moment, contentons-nous de constater que cette civilisation du second âge du bronze a ses attaches au centre de l'Europe, notamment en Bohême et en Bavière et qu'elle a touché surtout l'est de la France.

A la fin de l'âge du bronze, vers l'an 1000 avant notre ère, une transformation profonde se manifeste, toujours dans ces mêmes régions, dans les rites funéraires. L'incinération se substitue à l'inhumation; au lieu de construire des tumuli, on creuse les tombes dans le sol. Les cendres y sont déposées dans une urne pansue assez grande, fermée par un couvercle ou une écuelle renversée. De petits vases sont souvent enfermés dans l'urne avec les cendres; d'autres se trouvent, avec le reste du mobilier funéraire, déposés à côté de l'urne. Des tombes plates de ce genre, groupées en cimetières, se sont rencontrées jusqu'ici dans l'Allier, le Bourbonnais, les hautes vallées de la Seine et de la Saône. D'autres ont été trouvées jusqu'en Espagne, notamment en Catalogne.

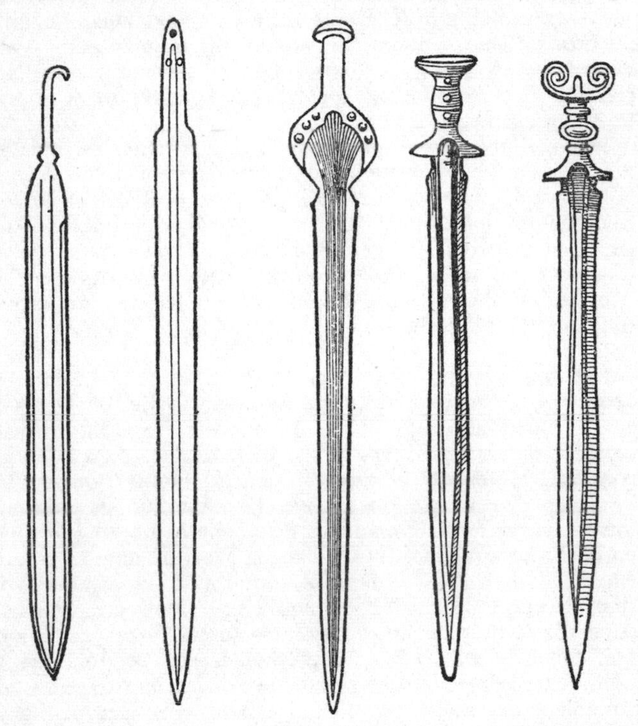

Fig. 18. — Épées provenant des tumuli français de l'Age du Bronze.

Le courant vient de très loin vers l'est; il semble avoir son point de départ en Lusace; il se propage à travers l'Allemagne du Sud et la Suisse vers l'ouest et vers le sud, en Carniole, en Styrie, en Carinthie. En Italie, la civilisation de la fin du bronze et du début de l'âge du fer, dite civilisation de Villanova, s'y rattache assez étroitement. Ici encore on se demandera s'il s'agit simplement d'un rite nouveau ou si l'extension de cette civilisation n'accuse pas une nouvelle vague d'envahisseurs, recouvrant et élargissant le domaine précédemment occupé par les constructeurs de tumuli. S'il s'agit d'envahisseurs, quel est leur rapport avec les Celtes?

Dans cette vaste province occidentale qui est au moins en partie protoceltique, la connaissance et l'usage d'un nouveau métal, le fer, se répand vers l'an 800 avant notre ère, sans supprimer naturellement, pendant longtemps, l'emploi du bronze. De même que l'invention du premier métal avait déterminé en Europe de profonds bouleversements, l'apparition du fer semble avoir provoqué de nouveaux et importants mouvements de peuples.

Des régions pauvres et jusque-là d'importance secondaire, des populations demeurées obscures, prirent tout à coup la prépondérance, du seul fait qu'elles possédaient le fer. Leur action introduisit dans la civilisation européenne des germes nouveaux et provoqua, dans la répartition de la puissance politique, des révolutions qui transformèrent la distribution des peuples. Le monde du fer prit un aspect différent de celui du bronze.

Les ferrières les plus anciennement exploitées, dans le continent, paraissent avoir été celles de Styrie, de Carniole et de Carinthie, aujourd'hui à peu près abandonnées mais naguère encore florissantes. C'est de là que venait, à l'époque romaine, le fer du Norique, justement réputé pour la fabrication des armes. En France, l'exploitation du nouveau métal semble avoir commencé de bonne heure en Lorraine, en Berry, en Franche-Comté, dans le Morvan, dans la Haute-Marne, dans la Nièvre, partout, en un mot, où la mine avoisine la forêt, et l'on sait si ces points sont nombreux, en particulier dans l'est de notre pays. Ce furent donc ces régions qui, en France, prirent la prépondérance économique et politique réservée jusque-là aux provinces que traversait le commerce du cuivre et de l'étain, tandis qu'en Europe, l'activité industrielle, la richesse et la puissance guerrière se trouvaient, en même temps et pour la même raison, transportées des rives de l'Océan et des régions bohémiennes, vers l'Adriatique.

Les hommes se trouvaient là en contact, à travers les Balkans et la Thrace, avec la Grèce et l'Asie Mineure. La civilisation illyrienne du fer introduisit donc, dans le continent européen, une partie au moins de celle de l'épopée homérique et les éléments s'en perpétuèrent sur les terres d'Occident, alors que, depuis longtemps, ils avaient disparu des pays où ils étaient nés. C'est ainsi que nous allons trouver le char de guerre en usage en Bavière et en Champagne au ve siècle avant notre ère, comme du temps d'Achille et d'Hector dans la plaine d'Illion, et que César subira encore les charges des Bretons insulaires montés sur leurs chars.

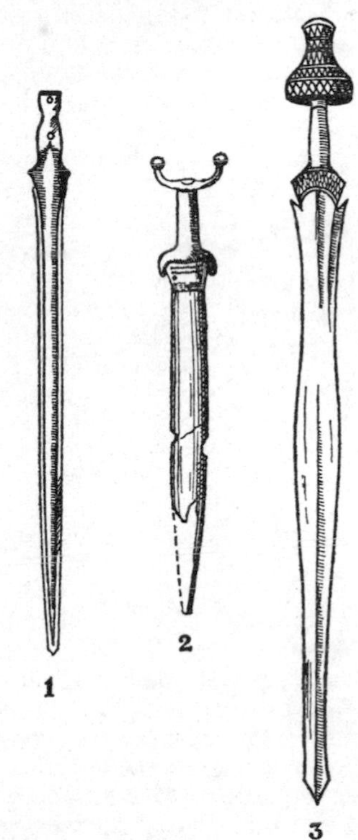

Fig. 19. — Épées de l'époque de Hallstatt.

1. Lame d'épée en bronze.
2. Petite épée de fer dans son fourreau.
3. Grande épée de fer.

L'avance des Illyriens, le long de la Drave et de la Save, eut pour effet de rompre cette unité. Les Italiques se trouvèrent bientôt séparés des pays où s'était constitué le groupe italo-celtique par toute l'étendue des terres au sud du Danube. L'une des stations les plus remarquables de la nouvelle civilisation, celle de *Hallstatt*, qui a donné son nom à toute la période, est située dans la Haute-Autriche, un peu au sud du Danube, non loin de la frontière actuelle de la Bavière, dans la région des salines du Salzkammergut. Elle relève de ces populations illyriennes dont la domination venait de s'étendre depuis le nord de la Péninsule des Balkans, au moins jusqu'au confluent de l'Inn et du Danube. Les Alpes orientales, les collines et les plaines qui les bordent à l'est et au nord, devenaient ainsi un centre de diffusion nouveau.

Dans l'angle formé par les hautes vallées du Rhin et du Danube, les ancêtres des Celtes se trouvaient donc désormais en contact direct avec les gens de Hallstatt. L'influence des nouvelles industries se reconnaît nettement chez eux. Peut-être même subirent-ils, au moins pendant un temps et sur une partie de leur territoire, la domination politique des

Illyriens. Il est possible qu'une race d'hommes nouvelle soit encore venue des régions illyriennes, se surajouter, à ce moment, au mélange déjà si complexe dont devaient naître les Gaulois.

Au début, les gens de Hallstatt, pratiquant à la fois l'incinération et l'inhumation, ensevelissaient leurs morts dans des tombes souterraines. Mais au cours de la période on voit apparaître, dans toute la région du Danube aux Alpes Juliennes et aux Balkans, de très beaux et très riches tumuli. Au nord du Danube, le rite de l'incinération et l'usage des tombes plates qui avaient marqué la fin de l'âge du bronze tombent en désuétude et l'on en revient à l'ancienne pratique de l'inhumation sous tumulus (fig. 20). Rien ne dis-

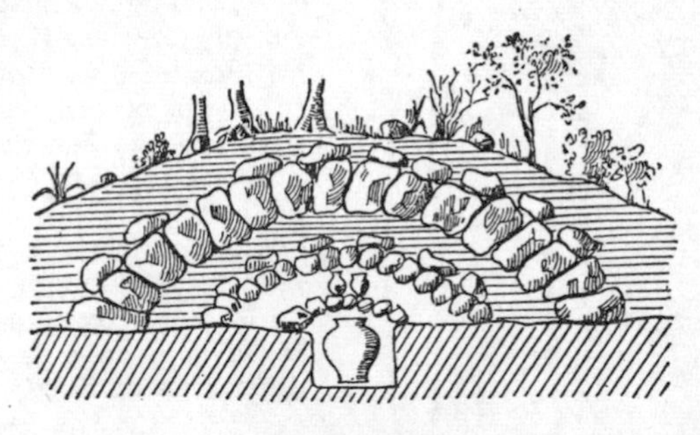

Fig. 20. — Tumulus à incinération. Coupe d'un tumulus hallstattien de Bohême (Déchelette, *Manuel*, II, p. 633, fig. 243).

tingue extérieurement les nouveaux tumuli de l'ère hallstattienne (800 à 500 av. J.-C.) de ceux de l'ancien âge du bronze. C'est la raison pour laquelle, tant que la série typologique des objets mobiliers ne fut pas nettement établie, l'âge du bronze fut si longtemps méconnu. En 1890, Alexandre Bertrand affirmait encore qu'il n'existait pas. Le contenu des tumuli permet aujourd'hui de distinguer nettement les monuments des deux périodes et l'étude des squelettes de l'âge du fer a abouti à des constatations significatives.

Dans les tumuli de Bavière et de Wurtemberg, les anthropologues reconnaissent en effet, pendant le premier âge du fer, entre les types anciens, représentés dès la période du bronze, une forme de crâne jusque-là sans exemple. Très volumineux, fortement dolichocéphales, ces crânes se distinguent des crânes nordiques par un resserrement particulier des tempes, par un front extrêmement fuyant et des arcades sourcilières très proéminentes. Cette race figure environ pour un quart sur l'ensemble de la population. On la suit à ses restes, à travers la Haute et la Basse-Autriche, jusqu'en Croatie et Slavonie d'une part et, de l'autre, jusqu'en Hongrie et en Silésie. Occupant les sépultures les plus belles et les plus riches, ces hommes semblent constituer une sorte de

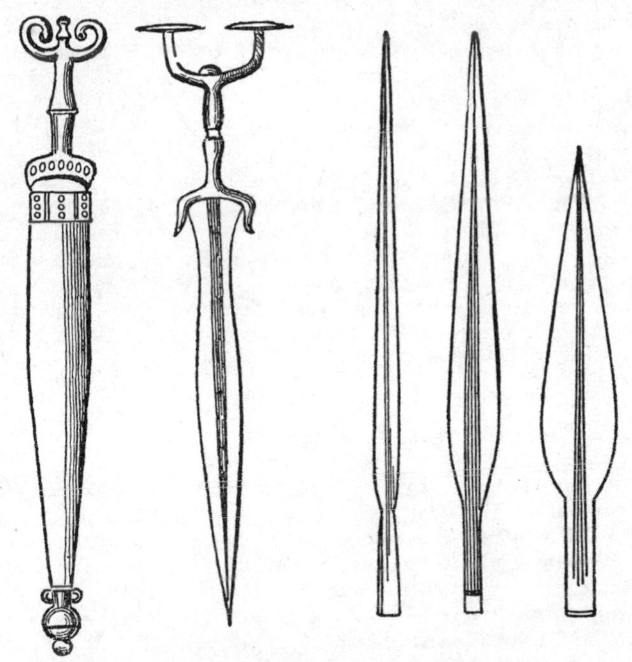

Fig. 21. — Poignards à antennes et pointes de lances en fer des tumuli hallstattiens.

caste dominante. C'est peut-être cette domination illyrienne qui directement, ou indirectement par réaction, aurait déterminé l'éclosion du nom celtique.

Vers l'ouest, la nouvelle civilisation du premier âge du fer se répand, tout d'abord, sans différences appréciables, de l'autre côté du Rhin, dans la majeure partie de la zone occupée par les tumuli de l'âge du bronze. Les tertres funéraires de la forêt de Haguenau, en Alsace, et ceux du Wurtemberg et du pays de Bade, continuent à fournir un mobilier très étroitement apparenté. Les tumuli de Lorraine, de Franche-Comté et de Bourgogne, présentent avec eux les plus étroites analogies. De là, les éléments hallstattiens pénètrent, par les vallées de la Marne et de la Seine jusqu'en Normandie et, par le passage de Saône et Loire, jusqu'en Berry et en Auvergne. Dans ce domaine français, les observations anthropologiques ont été moins systématiques qu'outre-Rhin et les résultats en paraissent moins nets. On y a bien reconnu, dans les sépultures du premier âge du fer, un mélange, à des proportions variant suivant les provinces, des éléments brachycéphales autochtones et de dolichocéphales de grande taille, mais sans pouvoir distinguer si ces derniers se rattachaient aux types nordique ou illyrien.

S'il était permis d'identifier l'aire d'extension de la plus ancienne civilisation hallstattienne des tumuli avec le domaine primitif des Celtes, on pourrait se représenter cette nation comme une sorte de royaume d'Austrasie préhistorique, à cheval sur le Rhin, englobant à la fois l'Allemagne du sud-ouest et la France de l'est, et poussant ses prolongements le long des vallées principales qui conduisent vers la Mer du Nord et vers l'Océan.

III. — Les Celtes dans les Iles Britanniques

Malgré l'absence de textes historiques pour cette période antérieure à 500 avant notre ère, il n'y a pas lieu de douter que la province occidentale de la civilisation de Hallstatt soit celtique. La principale raison en est qu'au-delà de la Gaule, dans les Iles Britanniques et dans la Péninsule ibérique, la présence de Celtes est assurée dès ce moment.

L'archéologie britannique et la répartition des langues celtiques au-delà de la Manche nous apporte même quelques précisions sur les différentes vagues de la poussée celtique vers l'extrême Occident. Il n'est pas téméraire d'établir un parallélisme entre les faits constatés en Grande-Bretagne et ceux dont la Gaule dut être le théâtre.

On sait que, de nos jours, non seulement des langues mais aussi des traditions celtiques se sont perpétuées en Irlande, en Écosse, en Cornouaille et en Pays de Galles. Le parler celtique de la Bretagne française est d'origine insulaire. Il a été apporté aux ve et vi^e^ siècles de notre ère par les Bretons de l'île fuyant les invasions anglo-saxonnes. La Cornouaille armoricaine est fille de la Cornouaille britannique. Ces survivances des anciens parlers celtiques se divisent en deux groupes : le gaélique parlé en Irlande et dans le nord de l'Écosse et le brittonique de Grande-Bretagne et de la Bretagne française. Le gaélique est le plus archaïque; le gaulois appartenait à la famille brittonique, plus récente. C'est de l'autre côté du détroit que le celtisme, bien que d'origine continentale, a laissé ses traces les plus nettes et les plus abondantes.

Ces souvenirs ne se limitent pas aux parlers. Il y a, notamment en Irlande, toute une littérature celtique, ne datant il est vrai que du haut Moyen Age mais qui a recueilli, mélangée de toute sorte d'éléments hétérogènes, une tradition orale évanouie en Gaule. On croit retrouver un écho des souvenirs historiques de l'Irlande dans une compilation du XIe siècle de notre ère, le *Livre des Conquêtes*, *Lebhar na Gabala*, sur lequel H. Hubert, entre autres, a appelé l'attention. Sans y chercher une grande précision on peut essayer d'en tirer au moins quelques indications générales.

Le *Livre des Conquêtes* parle d'une demi-douzaine d'invasions successives. A plusieurs reprises les envahisseurs seraient venus d'Espagne. On peut se demander si, pour les temps très anciens dont il s'agit, le renseignement a quelque valeur ou bien si le clerc qui a rédigé la compilation ne s'est pas simplement inspiré du passage bien connu de la *Vie d'Agricola* de Tacite, chap. XI : « Le teint basané des Silures (un des peuples anciens de l'île de Bretagne), leurs cheveux généralement crépus, leur position en face de l'Espagne, font penser que des Ibères ont autrefois passé par là et envahi ce séjour. » — On notera cependant que dès l'âge de la pierre polie, les monuments mégalithiques de Grande-Bretagne, non moins que ceux des côtes françaises de l'Océan, indiquent des rapports avec les rivages atlantiques de la Péninsule ibérique. La compilation irlandaise, en tout cas, brouille certainement la chronologie lorsqu'elle fait arriver troisièmes les *Fir Bolg* (les Belges) et les *Galioïn* (Gaulois), qui sont certainement les derniers et dont l'invasion ne remonte qu'à des temps avoisinant la conquête romaine de la Gaule : les Belges, une génération avant César, les Gaulois, immédiatement après lui, cherchant à échapper à la domination de Rome.

Les cinquièmes en date d'arrivée, d'après le *Livre des Conquêtes*, seraient les *Goidels* ou fils de Mile et enfin, deux générations après eux, les *Cruithnig*, qui sont les Pictes. Les Goidels parviennent jusqu'en Irlande et leurs ennemis vaincus cherchent un refuge dans les grands monuments mégalithiques. Par conséquent, remarque H. Hubert, les

Goidels sont postérieurs à l'époque des mégalithes et ne se considèrent pas comme les constructeurs de ces monuments.

Or, entre la fin de l'âge de la pierre polie et les débuts de l'âge du bronze, les archéologues reconnaissent dans toutes les Iles Britanniques une transformation profonde. Aux tumuli longs, *Long Barrows*, dérivés des constructions mégalithiques (fig. 22) se substituent les *Round Barrows*, tumuli ronds, qui ressemblent entièrement à ceux du continent. Le mobilier en est celui des deux premières périodes de l'âge du bronze européen.

Entre les occupants de ces deux espèces de tombes, l'anthropologie note un contraste profond. Ceux des *Long Barrows* sont caractérisés par une tête longue et étroite, une face généralement ovale au nez aquilin, des membres assez frêles et une taille moyenne de 1,65 m. Les squelettes des *Round Barrows* représentent au contraire une race puissante et brutale : os épais, front très fuyant, arcades sourcilières fortement proéminentes, pommettes saillantes et épaisses; le nez est séparé du front par une dépression très prononcée, les mâchoires sont massives, les crânes, nettement brachycéphales et les membres, athlétiques; la taille moyenne dépasse 1,75 m.

Cette race est largement représentée en Irlande où elle se mélangea de bonne heure avec les indigènes. En Écosse, une population ancienne inhumant ses morts dans des chambres sans galerie d'accès est du même type physique que celle des *Long Barrows*; une autre plus tardive, du bel âge du bronze, dont les tombes sont un caisson de dalles recouvert d'un tumulus, présente un type analogue à celui des *Round Barrows*, moins fruste cependant mais aussi brachycéphale et ressemblant de près à celui des tumuli français du bronze. Elle semble représenter une seconde vague d'envahisseurs, arrivée quelque temps après la première, moins pure et peut-être après un circuit en d'autres régions, qui pourraient fort bien être des régions françaises.

Ces deux groupes d'envahisseurs successifs et distincts, seraient les Goidels et les Pictes de la légende. H. Hubert pense que les premiers sont les Goidels et les seconds les Pictes. Les Goidels seraient partis des embouchures du Rhin et les Pictes de Gaule où nous retrouvons précisément, en Poitou, des *Pictons* qui portent le même nom que les Pictes. Les archéologues anglais attribuent au contraire le nom de Pictes aux plus anciens envahisseurs, ceux des *Round Barrows* proprement dits, réservant le nom de Goidels ou de Gaëls à ceux du bel âge du bronze. D'après les noms propres,

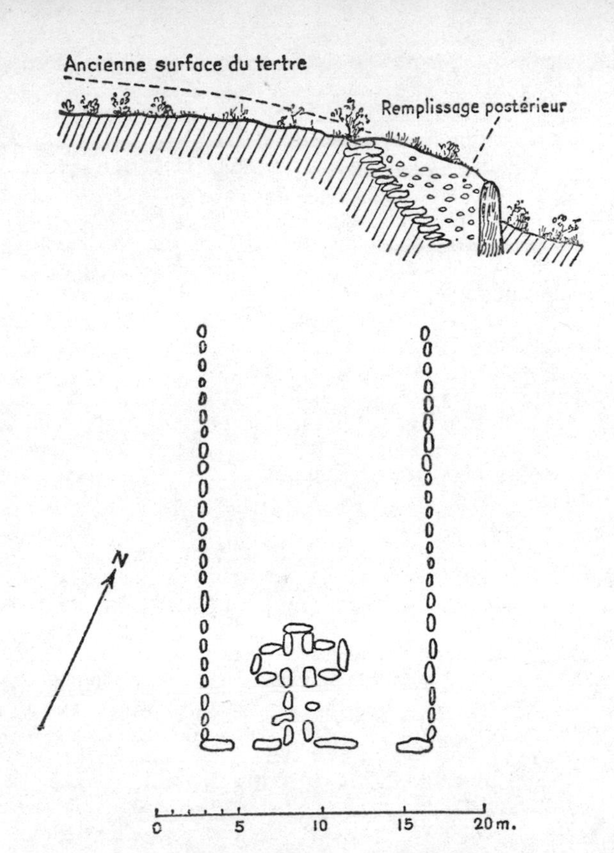

Fig. 22. — Coupe et plan d'un Long Barrow
(Kendrick-Hawkes, *Archaeology in England and Wales*, p. 63, fig. 26).

noms de peuples, de lieux et de personnes que nous connaissons, les uns et les autres parlaient une langue semblable qui est l'origine des parlers de la famille gaélique. C'étaient également des Proto-Celtes.

Ce n'est pas tout. Vers la fin de l'âge du bronze, aux environs de l'an 1000 avant notre ère, au moment où se répand en Gaule la pratique de l'incinération et des sépultures en tombes plates, en Angleterre, de nouveaux types d'épées et de haches semblent indiquer une immigration active venant du continent. Elle pénètre jusqu'en Irlande où se marque un renouvellement complet de la civilisation du bronze tardif. Quelques savants anglais placent même seulement alors l'arrivée des tribus goideliques ou gaéliques qui auraient introduit dans l'île le parler celtique. Quoi qu'il en soit, à la fin de l'âge du bronze, après des invasions qui semblent multiples, l'Irlande et la majeure partie des Iles Britanniques apparaissent celtisées.

Plus tard encore, au début de l'âge du fer, vers 800, de nouvelles tribus seraient venues s'ajouter aux premières et les immigrations se seraient poursuivies activement durant toute la période de Hallstatt jusqu'aux VIe et Ve siècles avant notre ère. Elles paraissent venues de Gaule et n'ont plus, cette fois, atteint l'Irlande ni le pays des Pictes au nord de l'Écosse. C'est donc au premier âge du fer qu'il faudrait attribuer l'introduction en Grande-Bretagne de la famille des parlers celtiques plus récents, les dialectes brittoniques, qui s'y sont généralement répandus et ont subsisté en pays de Galles et en Cornouaille. Les Belges, établis durant le second âge du fer dans la partie sud-est de l'île, parlaient également un langage brittonique, comme les Gaulois du continent au moment de la conquête. A l'âge du bronze, les envahisseurs de parler gaélique; à l'âge du fer, ceux de langue brittonique.

A fortiori sommes-nous autorisés à supposer pour la Gaule un processus de celtisation analogue à celui que l'on reconnaît dans les Iles Britanniques. Les tumuli du premier âge du bronze y sont celtiques; l'âge du bronze tout entier puis le premier âge du fer ont vu l'arrivée de tribus diverses appartenant à la même famille. Des noms de montagnes et de rivières, quelques-unes des bribes que l'on connaît de l'ancienne langue gauloise, semblent indiquer que des dialectes analogues au gaélique auraient précédé en Gaule les parlers brittoniques. Tel est, notamment, le nom de la Seine, *Sequana*, qui a conservé le son *qu* remplacé en brittonique par *p*. La majeure partie des noms ou des racines que l'on a qualifiées de « ligures » nous semblent appartenir à la même catégorie. L'établissement des Gaulois en Gaule s'est prolongé durant plus d'un millénaire; les premiers arrivés, mélangés à leurs prédécesseurs, ont essaimé soit autour de leur territoire soit beaucoup plus loin; de nouvelles tribus sont arrivées, bousculant les premières, les chassant devant elles ou se contentant de les traverser. Chacune avait son dialecte; au cours de dix siècles et plus, la langue a évolué et les dialectes brittoniques l'ont emporté sur les dialectes gaéliques. Il faut tenir compte en outre des résidus laissés soit dans la phonétique soit dans le vocabulaire par les parlers antérieurs non celtiques. Chaque région doit être étudiée particulièrement, dans son archéologie et dans ses noms de lieux; chacune a sa préhistoire, plus diverse encore peut-être que son histoire.

On connaît chez les peuples italiques une pratique qui dut être également en usage chez les Celtes : le *ver sacrum*, printemps sacré. Une partie de la jeunesse, ou la génération d'une année, était vouée aux dieux. Lorsqu'elle était arrivée à l'âge adulte, un jour de printemps, elle quittait sa tribu pour s'en aller chercher fortune en des terres étrangères. Bien des « printemps sacrés » durent ainsi quitter les régions où se trouvaient établis les Celtes; quelques-uns réussirent à propager leur nom, leur race et leur langue, jusqu'aux extrémités du continent européen.

IV. — Le second age du fer ou époque de La Tène

A partir du ve siècle avant notre ère, ou plus exactement vers les années 450, commence une nouvelle période archéologique, le second âge du fer, marqué, à l'intérieur de l'ancien domaine hallstattien, par la transformation des rites funéraires et par certaines modifications caractéristiques des produits industriels. L'inhumation dans de grandes fosses se substitue à la sépulture sous tumulus et à l'incinération qui avait fini par dominer à la fin de la période précédente. Un long sabre droit, destiné à frapper de taille, remplace l'épée aiguisée de Hallstatt (fig. 23). Les objets d'ornement personnel, colliers, bracelets, fibules, obéissent à des modes très aisément reconnaissables. Imprégnée d'éléments grecs et surtout italiens, cette nouvelle civilisation paraît s'être constituée au carrefour des voies qui, par le Danube, joignent la Péninsule hellénique à l'Occident et des routes qui, à travers les Alpes de l'est et du centre, unissent les terres du nord à l'Italie. On la désigne généralement sous le nom de civilisation de *La Tène*, d'après l'importante station suisse située entre le lac de Bienne et celui de Neuchâtel, où elle fut tout d'abord reconnue.

Les archéologues s'accordent à subdiviser l'époque de La Tène en trois périodes : *première période de La Tène*, qui correspond approximativement à celle que l'on appelle aussi *période de la Marne* ou *marnienne*, de 450 à 250 avant notre ère; *seconde période de La Tène*, de 250 à 100; *troisième période*, de l'an 100 avant notre ère jusqu'au moment où la civilisation romaine l'emporte définitivement sur les traditions indigènes. Cette transformation paraît accomplie

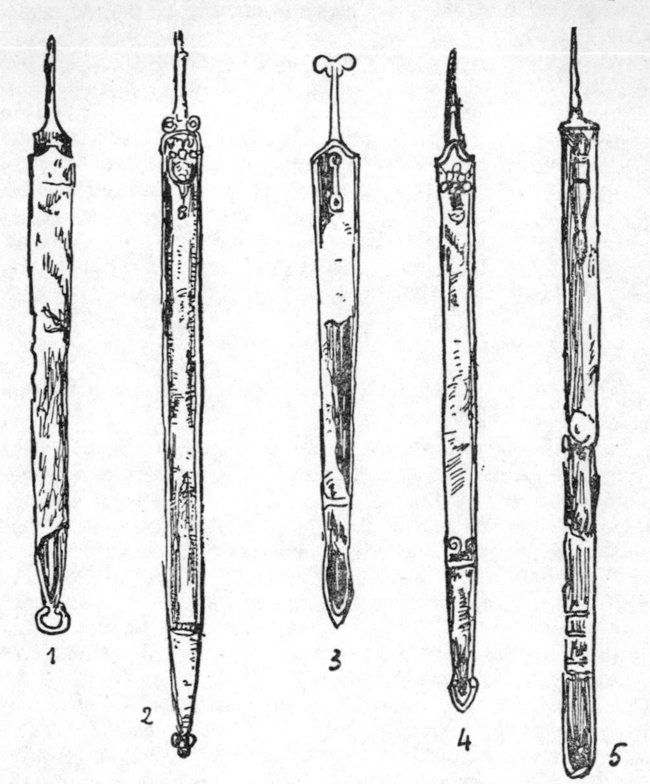

Fig. 23. — Épées de fer de La Tène.

1 et 2. La Tène I : épées de la Marne.
3 et 4. La Tène II : Saint-Maur-des-Fossés et La Tène (Suisse).
5. La Tène III : Chalon-sur-Saône.
(Déchelette, *Manuel*, II, fig. 457, 459, 460).

en Gaule une cinquantaine d'années après la conquête, c'est-à-dire vers la fin de l'ère antique, tandis qu'elle ne se réalisa jamais complètement dans le centre de l'Europe.

Les dates fixées par l'archéologie coïncident cette fois, on le constate, avec des événements historiques connus.

L'an 250 marque les invasions belges en Gaule. Les modifications qui apparaissent vers l'an 100 sont la conséquence d'une part, de la conquête de la Provence par les Romains en 125 et d'autre part, de l'invasion des Cimbres et des Teutons, des années 113 à 101 avant notre ère. L'histoire qui commence, à cette époque, à relater les événements du monde barbare, prête aux conclusions de l'archéologie une précision et une sûreté jusque-là inconnues.

On ne saurait douter que la civilisation de La Tène ait été celle des Gaulois et des Celtes, en général. Gardons-nous cependant de confondre civilisation de La Tène et nationalité celtique. On ne saurait prétendre, en effet, ni que la nouvelle civilisation ait été, dès ses débuts, l'œuvre commune de tous les Celtes, ni que, au cours de son développement, elle ne se soit pas étendue à d'autres qu'aux Celtes, ni qu'elle représente la première et la seule civilisation celtique. L'apparition, dans une province, des traits caractéristiques de la civilisation de La Tène, de la tombe plate et de la fibule dite de La Tène, ne saurait donc être interprétée, sans plus, comme le signe évident de l'apparition de la nationalité celtique. Que ce renouvellement des traditions locales, assez brusque en effet, en Suisse ou en Champagne, indique un renouvellement de la population, nous n'y contredirons pas. Mais qui prouvera que des tribus celtiques ne soient pas venues se superposer ou se substituer à d'autres, également celtiques? Qui prouvera surtout que les faits observés dans une région s'appliquent à l'ensemble du pays et que, par exemple, l'établissement des Helvètes en Suisse corresponde à une conquête de la Gaule par de nouveaux Gaulois?

Nous nous trouvons, dès le début de l'époque de La Tène, en période historique, ce qui ne veut pas dire que les premières indications des écrivains classiques offrent beaucoup de détails ou excluent toute incertitude. Elles reposent en effet sur une tradition dont l'origine nous échappe.

A ce moment, l'archéologie nous montre au centre de la Gaule une masse de populations assez homogène qui représente déjà la province celtique que définira César. Elle formait, dit Camille Jullian, comme un vaste cercle de 125 lieues de diamètre dont les rayons finiraient vers Rodez, Saintes, Angers, Rouen, Soissons, Reims, Besançon et Lyon et dont Bourges marquerait le centre. Voici ce que nous en dit Tite-Live, faisant partir de cette Celtique les bandes gauloises qui manquèrent de prendre Rome et s'établirent dans l'Italie du nord :

« La Celtique, une des trois provinces de la Gaule, obéissait aux Bituriges (Bourges) qui lui donnaient un roi. Celui-ci était alors Ambigat, tout-puissant, tant par son propre mérite que par la prospérité de son peuple. Sous son commandement, la Gaule était si féconde en moissons et en hommes que leur multitude surabondante devenait difficile à gouverner. Déjà avancé en âge, le roi voulut débarrasser le pays de ce trop plein qui l'étouffait. Il avait deux neveux, Bellovèse et Sigovèse, les fils de sa sœur, jeunes gens pleins d'ardeur; il annonça l'intention de les envoyer vers les terres que les dieux indiqueraient par leurs augures; ils pourraient prendre avec eux autant de monde qu'ils voudraient, de façon à ce qu'aucun peuple ne puisse leur résister. A Sigovèse, le sort assigna la direction de la forêt Hercynienne; Bellovèse fut conduit par les dieux vers une contrée plus séduisante, l'Italie. Il appela à lui tout le surplus des peuples celtiques : Bituriges, Arvernes, Senons, Eduens, Ambarres, Carnutes, Aulerques. Il partit avec des forces innombrables de fantassins et de cavaliers, vers la vallée du Rhône et les Alpes. »

On ne dissimulera pas le caractère légendaire de cette histoire d'une sorte de Charlemagne celtique. Il semble bien que l'énumération des peuples celtiques soumis à Ambigat reproduise simplement les noms des principaux peuples gaulois connus au temps de Tite-Live. Une hégémonie des Bituriges sur la Gaule du ve siècle n'a cependant rien d'invraisemblable, étant donné que cette région était la plus riche en fer de la Gaule, et que César rappelle encore l'activité et l'ingéniosité de ses mineurs. On peut admettre aussi que dès ce moment les Gaulois aient constitué ces larges entités politiques que rencontra César et qui s'opposent au morcellement en petites tribus des âges antérieurs et des régions comme les Alpes et le pied des Pyrénées, où les Celtes ne semblent jamais avoir eu la prépondérance. Rien ne permet de rejeter l'idée que la Gaule fût, dès ce moment, un État politique constitué. Ce n'était pour elle que la suite d'une histoire celtique longue déjà de plus d'un millénaire.

Au cours du siècle suivant, les Gaulois paraissent avoir élargi jusqu'à la mer et aux montagnes leur domaine primitivement restreint au centre du pays. La civilisation de La Tène pénètre en Armorique dont les peuples forment cependant un groupe à part. Le territoire de chacun d'eux a sa façade sur la mer. Les Armoricains restent les marins qu'ils ont toujours été, par opposition aux Gaulois qui sont surtout des terriens. Au sud-est, les Gaulois s'emparent de toute la vallée du Rhône, refoulant de part et d'autre dans les montagnes les occupants primitifs. Plus tard, probablement après 300, les Volques, dont une partie occupait encore au temps de César la vallée du Danube en Bavière, s'étendent sur la côte méditerranéenne de Nîmes jusqu'aux Pyrénées et, par le passage de Naurouze, atteignent la Garonne à Toulouse.

La Celtique de La Tène ne se limite pas à l'intérieur de la Gaule. Nous étudierons au chapitre prochain son extension en direction de l'est. Rappelons dès maintenant que les régions entre Rhin et Danube sont originairement celtiques. Vers l'est, on croit que le domaine celtique s'étendait, aux Vᵉ et IVᵉ siècles, jusqu'à la Saale, affluent de l'Elbe; au nord, il semble avoir embrassé les vallées de l'Ems et du Weser, peut-être atteignait-il l'Elbe et même la péninsule cimbrique. C'est de là et des rivages de la Mer du Nord qu'une tradition antique, répétée par Ammien-Marcellin, faisait venir une partie des Gaulois, chassés par des guerres trop fréquentes et des raz de marée (fig. 24).

Dans toute cette région de l'Allemagne occidentale, les noms de lieux confirment ces indications. Les noms de montagnes et de fleuves ont toute chance d'être anciens; ceux d'origine celtique y sont plus nombreux qu'en Auvergne par exemple; les noms de localités, qui sont plus récents, montrent que le celtisme s'y est prolongé jusqu'au moment où les Celtes ont eu des villes. Nous avons déjà indiqué que le nom de la forêt Hercynienne paraissait celtique; on y retrouve le radical *perqu* (latin : *quercus*, chêne). Le nom de *Boconia*, *Buconia silva*, forêt des environs de Fulda, signifie la hêtraie; on connaît, à l'époque romaine, une ville de *Buconica* sur la rive gauche du Rhin. Le nom de Thuringe, *Teuriochai*, chez Ptolémée, se rattache au nom de peuple celtique les *Teurii*, qui semble bien être le même que celui des *Turones* de Tours. *Gabreta silva*, une chaîne des Monts de Bohême, est le Mont aux Chèvres, du celtique *gabra*, chèvre; *Finne*, au sud du Harz, remonte au celtique *pen*, *hennos*, tête; à l'entrée du Rhône, dans le lac de Genève, se trouve, à l'époque romaine, la localité de *Pennelacus*, la tête du lac. Peut-être le nom de *Taunus* se rattache-t-il au celtique *dunum*, hauteur.

Les noms de cours d'eau d'origine celtique sont encore beaucoup plus nombreux. Tous les affluents de droite du Rhin sont celtiques : Neckar, Main, Lahn, Sieg, Ruhr, Lippe. Le nom du Weser, *Visurgis*, est le même que celui de la Vesdre, près de Liège, et de la Vézère, *Visera*, en France; le Lech, *Licus*, l'Inn, *Aenus*, en Bavière, sont des noms celtiques ainsi que la Tauber, *Dubra*, et son affluent *Vernodubrum*, l'Erlenbach. L'Isar est le même nom que *Isara*, l'Oise. Très serrés dans les vallées du Rhin et du Danube, les noms de ce genre s'espacent avant d'arriver à l'Elbe; ils manquent dans le nord du Hanovre et en Frise, soit que les Celtes n'aient jamais occupé ces régions, soit que leur souvenir y ait été effacé de bonne heure. Quant aux noms de villes, nous ne citerons que *Tarodunum*, Zarten, en Bavière et *Lopodunum*, Ladenburg, en Bade.

Fig. 24. — Le domaine celtique au second Age du Fer (vers 300 av. J.-C.). On remarquera à l'ouest de l'Allemagne, entre Danube et Rhin, les nombreux noms de lieux celtiques.

Le plus frappant est qu'un certain nombre de ces noms de rivières se retrouvent, bien loin d'elles, dans les noms de quelques peuples gaulois que l'on peut supposer avoir habité jadis sur leurs bords. Les *Rauraci*, de Bâle et du sud de l'Alsace, auraient été ainsi les riverains de la *Raura*, la Ruhr; les *Abrincatui* d'Avranches seraient le peuple de l'*Abrinca* qui est le Rheineck, affluent de gauche du Rhin, au sud de Cologne. Et que dire des noms de peuples qui se retrouvent également en Gaule et à l'est du Rhin? Les Volques par exemple, de Nîmes à Toulouse et sur le Danube; les Boiens en Bohême et en Gascogne, sans parler de ceux de Bologne en Gaule Cisalpine. Les Helviens de l'Ardèche portent le même nom que les Helvètes signalés sur la rive droite du

Rhin au sud du Neckar avant de l'être en Suisse? Les rapports sont évidents entre les peuples de la Gaule ancienne et ceux de la Germanie préhistorique. On comprend que les écrivains de langue grecque aient persisté plus tard, alors que les peuples s'étaient différenciés, à les confondre encore sous le nom de Galates.

Frappé de ces identités, un excellent archéologue, K. Schumacher, de Mayence, a émis l'opinion que le mouvement de populations dont elles témoignent se serait fait de l'ouest vers l'est. Évidemment, il prend à la lettre l'indication de Tite-Live touchant les invasions parties de Gaule sous le roi Ambigat. La civilisation de La Tène se serait donc constituée dans la vallée du Rhône sous l'influence de l'Italie et par l'intermédiaire de Marseille; sa diffusion témoignerait de l'expansion des Celtes de Gaule.

Nous pensons qu'il faut renoncer à une telle hypothèse. Le caractère celtique des noms de montagnes et de rivières est bien plus net autour du Rhin qu'autour du Rhône. De plus, l'archéologie de la France du sud nous y montre une prolongation attardée et d'ailleurs médiocre de la civilisation de Hallstatt. La civilisation de La Tène n'y apparaît qu'à une phase déjà avancée de son développement, plus près de l'année 300 que de 400 avant notre ère. Elle est beaucoup plus précoce dans l'Allemagne de l'ouest : Wurtemberg et Hesse, et dans les Pays rhénans, depuis le Hunsrück et l'Eifel jusqu'aux environs de Metz. Cette antériorité est tellement évidente que les archéologues allemands ont été conduits à ajouter une période initiale à la chronologie française de La Tène. Notre La Tène I devient leur La Tène II, précédé de 500 à 400 environ, d'une phase qui marque la transition entre Hallstatt et La Tène.

Sur les deux rives du Rhin moyen, en effet, dans de grands tumuli encore construits à la manière de Hallstatt, les morts apparaissent entourés d'un riche mobilier qui a déjà tous les caractères de La Tène. Les hommes s'y trouvent étendus avec les débris de leur char et le harnachement de leurs chevaux, avec leur épée et leur poignard, des colliers et bracelets qui ne sont plus hallstattiens; ils ont à côté d'eux une abondante vaisselle de bronze et de terre parmi laquelle figurent des chaudrons sur trépied, de grands vases de bronze à deux poignées appelés lébès, des œnochoés à bec trilobé de fabrication grecque ou étrusque et des coupes attiques à figures rouges de style archaïque. Ces vases permettent de dater les tombes du début du ve siècle. Les femmes portent des bijoux d'or ou de bronze serti de corail et des fibules ornées de têtes humaines, de corps d'animaux ou de ciselures décoratives; elles ont des ceintures d'anneaux métalliques avec des agrafes ciselées, des objets de toilette, des miroirs de bronze poli. Les tombes à char de la Marne qui présentent un mobilier analogue ne comportent plus de tumulus et, d'une façon générale, semblent plus récentes.

Cette civilisation brillante et nouvelle apparaît foncièrement continentale. Ce n'est pas par Marseille qu'elle reçoit ses vases de bronze ou de terre grecs, car ces vases ou bien font défaut ou bien sont très rares dans la vallée du Rhône. Ils n'apparaissent qu'en Franche-Comté, à l'aboutissement d'une voie continentale. Ce n'est même pas probablement par l'Adriatique, c'est directement de Grèce, par la Thrace ou les côtes de la Mer Noire, que lui parviennent ces importations. On sait en effet l'essor commercial et industriel d'Athènes vers ces côtes, où elle trouve de l'or et du blé, avant et après les guerres médiques.

Aux produits grecs et aux influences qu'ils exercent sur les artisans locaux se mêlent même des éléments plus lointains dont l'origine est la Sibérie et la Chine. Certains poignards en fer de La Tène ressemblent étrangement aux poignards de bronze de Sibérie (Déchelette, *Age du bronze*, fig. 20, p. 67). A Bouzonville, dans la région de Metz, ont été trouvés, avec deux lébès de fabrication grecque, deux brocs de bronze celtiques ornés d'incrustations de corail, d'émaux et de figures d'animaux en relief (ci-dessous, fig. 51, p. 245). Ces vases ont abouti au British Museum. C'est avec raison que le Directeur de la section celtique de ce Musée, publiant ces chefs-d'œuvre de l'art indigène, insiste sur les influences scythiques qu'ils accusent et note quelques traits d'origine sibérienne ou chinoise. L'émail, dit-il, vient du voisinage de la Mer Noire; ce sont les Iraniens et les Scythes qui en ont transmis la connaissance à l'Europe. Le style des animaux décorant les brocs de Bouzonville ne trouve d'analogue que dans le Kouban au nord du Caucase; les spirales qui décorent les flancs et les oreilles sont chinoises. Un courant d'origine très lointaine, grossi d'afflux d'origines diverses, aboutit ainsi aux pays rhénans vers le début du ve siècle avant notre ère et, renouvelant la vieille civilisation hallstattienne qui, de son côté, avait pénétré jusqu'en Extrême-Orient, donne naissance en Occident à la nouvelle civilisation du second âge du fer.

Pouvons-nous trouver chez les historiens de l'Antiquité une confirmation de ces rapports anciens entre l'Asie et l'Europe? Il semble bien qu'il faille entendre en ce sens un passage d'Hérodote. Le vieil historien parle souvent des Scythes et se montre plein de curiosité pour ce qui se passe au nord du Pont-Euxin. Il mentionne un peuple des Sigynnes qui jouerait le rôle d'agent de liaison entre les terres lointaines de l'Asie et le centre de l'Europe (V, 9) :

« Dès qu'on a dépassé l'Ister (le Danube), tout le pays semble être un désert sans limite. Les seuls hommes dont j'ai pu apprendre l'existence sont ceux qu'on nomme les Sigynnes. Leur vêtement est celui des Mèdes (c'est-à-dire le pantalon). Leurs chevaux sont couverts, sur tout le corps, de poils d'une épaisseur de cinq doigts; ils sont petits et incapables de porter le poids d'un homme, mais, attelés à des chars, ils sont extrêmement rapides, aussi ce peuple est-il conducteur de chars. Il étend ses limites jusqu'au voisinage des Enètes (Vénètes) qui demeurent sur l'Adriatique. On les dit émigrés de Médie, mais je ne saurais expliquer comment ils sont venus de chez les Mèdes... Ce même nom de Sigynnes est celui que les Ligures, au-dessus de Marseille, donnent aux marchands et, dans l'île de Chypre, ce mot signifie : lance. »

Il n'est pas exclu — mais ce n'est là qu'une hypothèse jusqu'ici dénuée de preuve — que des groupes d'hommes venus de très loin aient abouti en Gaule et s'y soient établis en quelques points. De telle origine pourraient être ces conducteurs de chars dont on retrouve les tombes très riches dans la région la plus ingrate de la Champagne, aux alentours du camp de Châlons (fig. 25).

Aux tumuli peu nombreux et pauvres de l'âge précédent succèdent tout à coup, en Champagne, les belles sépultures où le mort gît sur son char de combat. Entre les deux roues, il est étendu tout de son long sur le châssis; de part et d'autre du timon, des mors et les ornements de bronze qui décoraient les harnachements, marquent la place des deux chevaux. Le guerrier est en tenue de combat, ceint de sa grande épée, couvert souvent de son bouclier, avec ses bracelets et son collier; à portée de sa main sont déposés son couteau, sa lance et plusieurs javelots; entre ses pieds, quelquefois, on a placé son casque. Pour les festins d'outre-tombe, une petite fosse, à côté de lui, se trouve garnie d'abondantes provisions. Des quartiers de bœuf et surtout de porc, parfois des sangliers entiers, souvent aussi des nourritures plus délicates, poulets, canards, pigeons ou gibier, voire, dans une tombe de Châlons-sur-Marne, un plat de grenouilles, constituent son viatique. Le mort emporte également avec lui sa vaisselle, poterie indigène abondante, au milieu de laquelle apparaît parfois une tasse ou une coupe peinte de fabrication grecque, et, plus fréquemment, parmi des vases de bronze de facture locale, quelqu'une de ces belles œnochoés de bronze fondu aux formes souples et aux élégantes ciselures que le commerce gréco-italien répandait à l'intérieur du continent. Au fond de ces cruches se remarque le plus souvent un dépôt noirâtre, trace du vin, pour lequel

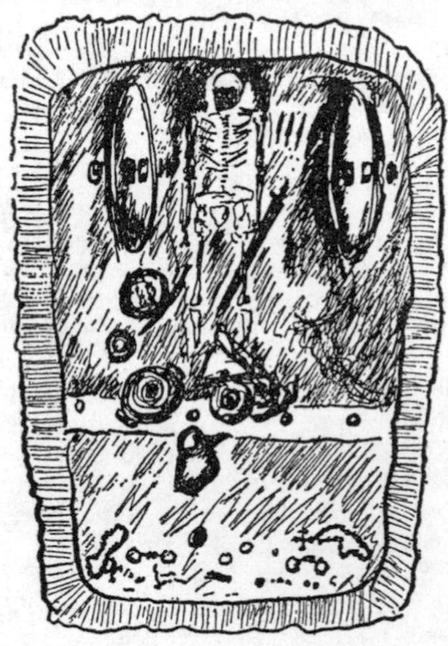

Fig. 25. — Grande tombe à char de Champagne (Déchelette, *Manuel*, II, fig. 425). Au milieu, le squelette couché sur son char dont les deux roues se voient à droite et à gauche. Armes, bijoux et vaisselle funéraire. En avant, les harnachements des deux chevaux.

les guerriers gaulois manifestaient, on le sait, un goût immodéré. Détail encore inexpliqué, ces tombes, surtout les plus anciennes, sont remplies non pas de la terre du déblai, mais d'un terreau noirâtre dont la couleur tranche vivement sur la craie du sol vierge et dont on ne saurait expliquer la nature par la décomposition de matières organiques. De même qu'au Moyen Age les anciens croisés aimaient se faire ensevelir dans un peu de terre sainte rapportée de Palestine, les Gaulois ensevelis en Champagne voulaient peut-être reposer pour toujours dans une terre plus généreuse que celle de leur nouvelle patrie.

Ailleurs, par contre, dans les provinces de l'Est notamment,

Lorraine, Bourgogne, Franche-Comté, beaucoup plus florissantes et peuplées, durant le premier âge du fer, que les landes ingrates du camp de Châlons, la civilisation nouvelle ne s'insinue que peu à peu dans les sépultures à l'ancienne mode. Les tumuli ne font place que lentement aux fosses à inhumation. On y suit la transformation progressive des traditions funéraires et industrielles. Tout semble indiquer la permanence des populations anciennes qui, sans heurt apparent, sans révolution, adoptent, au cours du second âge du fer, la civilisation commune à l'ensemble du pays.

Malgré la diversité de leur histoire, les différentes régions de Gaule apparaissent, durant cette période, en relations étroites les unes avec les autres. Le centre de la Gaule communique, à travers le Jura, avec le centre de l'Europe. Les Gaulois d'ancienne souche adoucissent, ennoblissent d'un peu de beauté, la vie plus violente et le luxe grossier des nouveaux venus. Ceux-ci à leur tour leur transmettent de leur exubérance et certaines traditions dont la brutalité enveloppe, comme d'une gangue, de précieux sentiments de fidélité et d'absolu dévouement.

Voici en effet qu'en Franche-Comté et en Bourgogne, nous rencontrons, comme souvent en Champagne, des sépultures doubles ou même triples. Parmi les squelettes ensevelis ensemble, l'un au moins est toujours masculin et nettement adulte, les squelettes féminins, au contraire, apparaissent souvent ceux d'adolescentes. Dans certaines tombes, les corps sont encore enserrés dans les bras l'un de l'autre. Il est difficile d'écarter l'hypothèse du sacrifice plus ou moins volontaire de l'épouse et, parfois, de familiers du mort. « Les funérailles des Gaulois, rapporte César, sont magnifiques et somptueuses : tout ce qui avait tenu à cœur au défunt, pendant sa vie, on le met dans la tombe avec lui, même les animaux. Bien plus, il y a encore peu de temps, les esclaves, les clients, que le mort avait aimés, partageaient ses funérailles et étaient brûlés sur le même bûcher. »

Nous ne trouvons rien de tel en Gaule aux époques antérieures; les sépultures multiples des tumuli apparaissent toujours distinctes et semblent de dates différentes.

Les plus splendides des tumuli se trouvent, du reste, non pas vers le centre de la Gaule, mais dans la région rhénane, sur la rive droite du fleuve et entre Rhin et Moselle. Ce goût de l'ostentation est l'indice, non pas seulement de la prospérité matérielle, mais d'une turbulence d'imagination étrangère aux peuples depuis longtemps sédentaires et d'un orgueil dont la naïveté décèle la barbarie. Des éléments hétérogènes se mélangent donc, dans la civilisation gauloise, en des proportions diverses suivant les provinces. Mais à la fin de la première période de La Tène, vers l'an 300 avant notre ère, ces éléments apparaissent fondus en un tout qui s'est étalé sur l'ensemble du pays, de même que les tribus d'origines diverses ont constitué un seul et même peuple.

V. — Les Belges

Tandis qu'à l'intérieur de la Gaule une partie des Celtes se stabilisait, les autres, au-delà du Rhin, demeuraient dans l'état d'agitation des temps préhistoriques. De ces mouvements, nous ne voulons considérer ici que ceux qui ont eu leur répercussion en Gaule.

Lorsque les Druides affirmaient, au dire des historiens antiques, que les Gaulois étaient un mélange d'autochtones et de transrhénans, il est probable qu'ils ne se souvenaient que des dernières invasions, de celles qui n'avaient précédé que de peu de siècles la conquête romaine. Ils devaient penser, en particulier, aux Belges, dont Strabon, au siècle d'Auguste, notait la ressemblance avec les Germains. Nous connaissons, durant l'époque de La Tène, deux invasions provenant d'outre-Rhin, celle des Belges et celle des Cimbres et des Teutons. L'une a réussi, l'autre a échoué. Ce sont comme deux exemples de ces mouvements de peuples qui ont constitué, sur les terres d'Occident, les populations qu'y rencontra l'histoire.

Les Belges arrivaient évidemment du Nord, de ces îles extrêmes du continent, dont parlait Ammien Marcellin, de la côte frisonne ou même de plus loin vers l'Est. C'est là, en effet, que l'on peut supposer cette lutte perpétuelle contre les flots, et ces raz de marée qui enlevaient aux occupants plus d'hommes que la guerre. Ils franchirent le Rhin soit vers Cologne soit vers Nimègue et durent s'avancer dans l'axe de la grande route qui conduit à Bavai, cette route que le vieil archéologue du XVIIe siècle, Nicolas Bergier, dénommait la Voie Appienne du Nord. La résistance de la masse celtique déjà en place les obligea à s'étaler, de l'est à l'ouest, de l'Argonne à la Manche.

Nous les trouvons sur cette ligne, rangés encore, pour ainsi dire, en ordre de bataille. Au sud de la Somme, les *Ambiens* (Amiens), puis les *Bellovaques* (Beauvais), les *Suessions* (Soissons), sur l'Aisne, et les *Rèmes* (Reims) près de la Marne. En seconde ligne se présentent les *Morins* sur la côte de Boulogne, les *Atrébates* à Arras, les *Viromandui* (Vermand et Saint-Quentin) et, en arrière d'eux, les *Nerviens*, dont la capitale était Bavai non loin de Maubeuge et qui s'étendent jusqu'à l'embouchure de l'Escaut. Au-delà des Morins, la côte est occupée par les *Ménapes* tandis qu'à l'est des Nerviens le peuple des *Éburons* est établi dans les Ardennes. Il a fait place postérieurement à côté de lui à plusieurs petites tribus comme celle des *Condruses*, dans le Condroz, que les Gaulois désignaient du nom collectif de Germains. Les *Aduatiques*, à Namur, se prétendaient les descendants d'un groupe de Cimbres demeuré là à la garde des bagages.

Lorsque César parut en Gaule, ces peuples belges formaient une sorte de ligue distincte de la Celtique proprement dite; leur langue, leurs institutions, leurs mœurs étaient, nous dit le Proconsul, différentes de celles des autres Gaulois. Leur parler, néanmoins, était un dialecte brittonique analogue à celui du reste du pays. Ils prirent part à la lutte pour l'indépendance de la Gaule avec la même ardeur que leurs congénères de la Celtique. Le roi d'une de leurs tribus, celle des Éburons, Ambiorix, fit même, avant Vercingétorix, figure de champion de la liberté générale. Ils envoyèrent, mais en fixant eux-mêmes les effectifs, leurs contingents à l'armée qui devait secourir Alésia. Rien en somme ne les sépare profondément des Gaulois.

Nous savons peu de chose de leur arrivée. La date en est incertaine. On la plaçait autrefois vers 300 avant notre ère, la mettant en relation avec les agitations qui, à ce moment, précipitent d'autres Celtes de l'Europe centrale vers l'est et vers le sud de l'Europe. Les considérations archéologiques, l'étude de l'extension des tombes plates à incinération qui leur sont attribuées et de leur mobilier, tendent à abaisser cette date jusqu'au second siècle avant notre ère. De telles considérations ne comportent pas une extrême précision chronologique. Rien ne prouve que tous les Belges soient arrivés ensemble et que leur immigration, les luttes qu'ils durent livrer pour s'établir, n'aient pas duré un bon siècle. Tout ce que l'on peut affirmer, c'est qu'au moment où apparaissent les Cimbres, les Belges qui les repoussent apparaissent solidement en place depuis plusieurs générations. Admettons que leur établissement ait duré de 250 environ jusque vers 150 au plus tard. Les Belges ont, en somme, deux siècles de retard sur la masse celtique du centre de la Gaule.

Les immigrations belges eurent-elles une répercussion profonde sur la répartition territoriale des anciens peuples de la Gaule? On en est réduit à des suppositions. Il est incontestable que les terres conquises par les Belges étaient occupées déjà par d'autres Gaulois. Ainsi, au nord de la Marne, les Rèmes

(Reims) prirent la place de ceux dont les chefs se faisaient ensevelir sur leurs chars, dans de grandes tombes fournies d'un riche mobilier. Pourquoi trouvons-nous en Franche-Comté les Séquanes, dont le nom semble bien apparenté avec celui de *Sequana*, la Seine? De même on est tenté d'expliquer le nom des Médiomatrices de Metz par celui de *Matrona*, la Marne. Il est vrai que d'autres rivières ont pu porter le même nom. La Moder, en Alsace, province qui appartenait aux Médiomatrices, s'appelait *Matera*; mais ni la Moselle qui était le cours d'eau principal de ce peuple, ni aucune des rivières importantes de Lorraine n'a jamais porté le nom de *Matrona*. Faut-il donc supposer que Séquanes et Médiomatrices auraient été repoussés des bassins de la Seine et de la Marne vers l'est et le sud-est? Si tel était le cas ce refoulement aurait été l'effet de l'invasion belge? Des fractions d'autres peuples auraient, de même, fui jusqu'en Grande-Bretagne. Au nord de la Tamise, nous trouvons des *Parisii* comme sur la Seine et des *Catuellauni* comme à Châlons-sur-Marne. Et ils y auraient été suivis, au sud du fleuve, dans le Hampshire, par des Belges. On y connaît en effet une ville de *Venta Belgarum* dans la région de Winchester. César rappelle que, peu de temps avant son arrivée, un roi des Suessions (Soissons) avait régné à la fois sur le continent et dans l'île. Après la conquête, l'ennemi irréductible des Romains, Comm l'Atrébate (d'Arras), suivi d'un certain nombre de Gaulois qui ne se résignaient pas à la perte de leur indépendance, avait fondé, dans le nord du Hampshire, un royaume qui portait le nom de son peuple, les Atrébates et avait pour capitale *Calleva* (Silchester). Il semble bien que des Vénètes d'Armorique en aient fait autant dans le sud-ouest de l'île. Non moins qu'aux âges précédents, tout mouvement de population en Gaule avait ses répercussions dans les Iles Britanniques.

C'est au groupe belge également qu'il convient de rattacher ces Gésates que nous trouvons en Italie en 225 et dont le roi Viridomar fut tué à Clastidium. Leur nom de Gésates était un sobriquet dû à leurs javelots au large fer : *gaison*. Ils venaient, disaient les uns, des régions alpestres; ils étaient fils du Rhin, disent d'autres auteurs. Les Alpes n'étaient, sans aucun doute, que leur dernière étape. Belges aussi, les bandes de ce Bolgios qui ravagea la Macédoine, et ces Galates qui aboutirent en Asie Mineure où ils fondèrent un royaume de leur nom. L'invasion belge ne faisait que répéter ces grands mouvements de populations qui, depuis plus de mille ans, avaient complété le peuplement de la Gaule et établi une parenté celtique dans la majeure partie du continent.

VI. — Les Cimbres et les Teutons

Derrière les Belges, la porte restait ouverte dans le nord-est de la Gaule à de nouveaux immigrants dont le caractère celtique est moins nettement précisé. Celtes ou Germains? Question de mots, nous semble-t-il, pour la plupart des peuples du Rhin et de l'ouest de l'Allemagne, jusqu'en pleine époque impériale romaine. Le nom de Germain, en effet, n'est qu'un mot, une appellation collective, sous laquelle vinrent se ranger tardivement des peuples caractérisés par un parler spécial résultant d'une altération particulière de la phonétique indo-européenne et groupés par des siècles de vie commune hors des frontières romaines. La première mutation des consonnes qui distingua le germanique du celtique et des autres dialectes indo-européens ne semble pas remonter, de l'avis d'A. Meillet, plus haut que trois cents ans avant notre ère. Elle coïnciderait avec des immigrations scandinaves qui auraient, à ce moment, produit dans le nord-est de l'Europe des bouleversements profonds dont les invasions belges marqueraient précisément le contrecoup à l'ouest du Rhin. Les Belges partis, les mouvements continuèrent au centre de l'Allemagne et ils ne cessèrent pas jusqu'aux grandes invasions du ve siècle de notre ère. Ainsi furent refoulés, particulièrement vers l'ouest, des peuples divers dont on ne saurait dire lesquels furent effectivement germains et lesquels ne l'étaient pas.

A la fin du chapitre où il dénombre les forces des Belges, César mentionne les *Condruses* (Condroz), les *Éburons*, les *Caeroses* et les *Poemanes* « que l'on désigne sous le nom commun de Germains ». Ce sont les gens de l'Ardenne belge, à l'est de la Meuse. Les Éburons, les plus puissants d'entre eux, s'étendaient sur les deux rives du fleuve à hauteur de Maestricht. On sait comment César extermina ce peuple. A sa place, sous Auguste, apparaissent les Tongres, « ceux qu'on appelle maintenant les Tongres », dit Tacite, « et qu'on nommait autrefois Germains ». Ce sont peut-être, sous un nouveau nom et avec quelques autres éléments, les restes du peuple dont le Proconsul avait décidé la disparition. « D'ailleurs », continue Tacite, « ce nom de Germain est récent, c'est une appellation nouvelle (*vocabulum recens et nuper additum*); elle fut appliquée aux premiers peuples qui traversèrent le Rhin et chassèrent les Gaulois. Ainsi le nom d'un peuple, non d'une race (*nationis nomen non gentis*) s'étendit peu à peu, si bien que tous finirent par s'appeler eux-mêmes de ce nom inventé de Germains. » Quant au sens du mot, il nous échappe. La fin du texte de Tacite, qui en présentait une explication d'ailleurs conjecturale, n'est pas sûre : ce serait un sobriquet que les Gaulois auraient appliqué à leurs ennemis.

A Rome, le nom de Germains apparaît pour la première fois dans les Fastes triomphaux en 73 avant J.-C.; il s'agit d'une victoire remportée pendant la guerre servile sur d'anciens prisonniers Cimbres et Teutons. Il semble bien signifier « gens originaires d'outre-Rhin » et rien de plus, sans aucune acception de langue ni de nationalité ni surtout de race particulière; cette dernière notion était en effet à peu près étrangère à la pensée antique, au moins à cette époque et quand il s'agissait de Barbares. Quant à la langue des Cimbres et des Teutons, autant que nous en pouvons juger par les noms propres de leurs chefs, elle n'a rien de germanique; ces noms sont celtiques : *Teuto*, *Teutobochus* ou *Teutobocus*, chez les Teutons; *Boiorix*, *Lugius*, *Claodicus*, *Caesorix* chez les Cimbres. *Teuto* en germanique donnerait *Thiudo*; exemple : *Thiudorig* = Théodoric.

Qualifions donc, si l'on veut, les Cimbres et les Teutons de Germains, mais en entendant par là simplement qu'ils ont traversé le Rhin après les Belges, de même que les Éburons, Condruses et autres. Germains également plus tard, et toujours dans le même sens, les Némètes de Spire et les Vangions de Worms et même les Triboques de Basse-Alsace qui avaient fait partie des bandes d'Arioviste. Tous ces noms sont celtiques aussi bien que ceux des villes capitales : *Borbetomagus*, Worms, chez les Vangions est le « marché » (*magus*) de ce dieu *Borvo* qui se retrouve dans nos Bourbon, Bourbonne; chez les Triboques, *Brocomagus*, Brumath, si c'est eux et non des prédécesseurs qui ont fondé et nommé la ville, est également gaulois. Germains encore les Usipètes et les Tenctères qui, pressés par les Suèves, avaient traversé le Rhin non loin de son embouchure et que César massacra par trahison. Germains également les Sicambres et les Ubiens, chassés eux aussi de la rive droite du Rhin par les Suèves et qui furent établis par Agrippa, sous le principat d'Octave, au nord des Trévires, dans la région de Cologne. Une gradation insensible sépare Gaulois, Belges et Germains. Les terres qu'ils ont habitées, les mélanges subis, les influences diverses auxquelles ils ont été soumis, surtout le développement d'une langue différente et des siècles d'histoire propre de part et d'autre du Rhin devenu frontière, ont fait peu à peu des Celtes et des Germains deux peuples distincts. N'essayons pas de les opposer avant l'heure où cette opposition devint une réalité.

On pense généralement que les Cimbres seraient originaires de la péninsule danoise, appelée plus tard Chersonèse Cimbrique et que les Teutons auraient été leurs voisins au sud, sur l'Elbe, là où sont signalés, à l'époque impériale, des *Teutovari*. Ils étaient accompagnés du reste d'autres tribus : d'Ambrons, dans le nom desquels les auxiliaires ligures de Marius croyaient reconnaître le leur, nom que des historiens modernes ont rapproché de celui des Ombriens d'Italie. Ils avaient aussi avec eux un groupe d'Helvètes, les Tigurins que d'autres textes appellent *Toygeni*. Tous également semblent des peuples en quête d'une nouvelle patrie. « Les migrations lointaines des Gaulois trouvent leur explication », dit Strabon (IV, 4, 21 196), « dans leur tendance à procéder toujours par rassemblements en masses et surtout dans leur habitude de se déplacer, eux, leurs familles et leurs biens, dès qu'ils se voient attaqués sur leurs terres par un ennemi plus fort. » Les Cimbres et les Teutons manifestent une instabilité particulièrement marquée.

Les Cimbres semblent s'être ébranlés les premiers. Nous les voyons se déplacer lentement vers le sud, s'arrêtant des mois pour semer et récolter. Ils passent le Danube et arrivent en Norique où leur présence ne tarde pas à inquiéter les Romains. Ceux-ci veulent les chasser, mais sont battus en 113 av. J.-C. Néanmoins les Cimbres s'en vont; ils prennent leur chemin vers l'ouest, mettant quatre ans pour arriver au Rhin, on ne sait au juste vers quel point. Entraînant une partie des Helvètes avec eux, ils se dirigent vers la province de Gaule récemment conquise par les Romains. Entre les Barbares et le consul s'engage un dialogue symptomatique. « Donnez-nous des terres où nous établir », demandent les Cimbres aux Romains, « et nous vous fournirons autant d'hommes que vous voudrez. » — « Nous avons assez d'hommes et pas trop de terres », répondent les Romains. Il ne restait plus qu'à se battre et, de nouveau, les Romains furent écrasés.

Au cours des années suivantes, nous trouvons les Helvètes seuls en Languedoc, entre Toulouse et Agen où, sous la conduite d'un jeune chef, Divico, que César rencontrera encore en face de lui en 58, ils battent un nouveau consul, en 107. Les Cimbres, pendant ce temps, errent on ne sait où.

Ils reparaissent en 105, en compagnie, cette fois, des Teutons. Les Romains ont fait un gros effort et réuni, dit Tite-Live, 80 000 hommes. Les Barbares leur demandent encore la paix et des terres à ensemencer. L'accord était impossible. La défaite des Romains à Orange fut un véritable désastre. « Les Anciens, dit Camille Jullian, nous ont laissé l'impression comme d'une chevauchée monstrueuse, d'un ouragan d'hommes et de bêtes, balayant le sol jusqu'au fleuve, renversant les légions et leurs camps, semant partout le désespoir, la fuite et la mort.

« Quand l'armée romaine eut disparu, que ses deux campements eurent été détruits, les Gaulois et les Germains ne songèrent plus qu'aux dieux. Ils ne voulurent rien prendre de leur victoire, ni hommes ni choses; l'or et l'argent furent jetés dans le Rhône, les armes et les vêtements furent brisés ou déchirés, les captifs furent pendus aux arbres et les chevaux offerts au fleuve. Tous les Esprits de la terre eurent leur part du butin. »

Ce fut ensuite le vagabondage dans toute la Gaule et le pillage. Les Belges seuls surent s'unir et se défendre. Chez eux, les Cimbres ou les Teutons se contentèrent d'établir, probablement à Namur, une forteresse qu'ils nommèrent *Aduatuca* et où ils laissèrent, à la garde de 6 000 hommes, le butin qu'ils ne pouvaient traîner avec eux. Telle aurait été l'origine de la tribu des Aduatiques qui, au temps de César, comptait 75 000 individus. Le nom des Cimbres était devenu, dans l'antiquité, le synonyme de « bandit ». Les compagnons de Vercingétorix à Alésia n'avaient pas oublié leurs dévastations. « Il faut faire », disait l'un des chefs assiégés, « comme nos pères lors de la guerre des Cimbres et des Teutons. Réfugiés dans leurs oppida et pressés par le même manque de vivres que nous, ils ont soutenu leurs vies de la chair des vieux inutiles au combat et ils ne se sont pas rendus. Après de grands ravages, les Cimbres disparurent, à la recherche d'autres terres... ». Ces oppida qu'ils ne pouvaient prendre leur interdisaient en effet de s'établir. La Gaule épuisée, ils gagnèrent l'Espagne d'où, après deux ans, les Celtibères finirent par les expulser (105-103). Ils se disposaient à passer en Italie lorsqu'ils rencontrèrent Marius.

La barbarie de ces pillards vagabonds n'était cependant point telle qu'ils n'aient conçu un plan d'invasion raisonné. Les Helvètes furent envoyés jusqu'en Norique pour passer par les Alpes Juliennes. Les Cimbres, au centre, devaient franchir le Brenner et s'avancer le long de l'Adige, tandis que les Teutons arriveraient par l'ouest, soit par la côte, soit par les cols des Alpes occidentales. Peut-être cependant aurait-il été plus sage de leur part de garder toutes leurs forces réunies pour livrer d'abord bataille en Gaule. Mais une même région de Gaule ne pouvait sans doute pas nourrir leur multitude, ou bien ils furent présomptueux. La victoire de Marius près d'Aix-en-Provence anéantit les Teutons (été de 102).

Mais les Cimbres parvinrent en Lombardie et en Vénétie où ils trouvèrent largement à piller. Ce fut seulement l'été suivant que Marius les battit à leur tour à Verceil tandis que Sylla débarrassait le Norique des Helvètes qui purent regagner la Suisse (101).

Après quinze ans de courses, de la Baltique à l'Adriatique, du Danube au Rhin et à la Meuse, à travers toute la Gaule et l'Espagne, l'invasion s'évanouissait sans laisser d'autre trace que des ruines et une petite peuplade au flanc des Belges. Pourquoi avait-elle ainsi échoué? — Sans doute parce qu'elle venait trop tard. Elle s'était usée, du Norique à l'Espagne, contre des peuples déjà en place et nantis de forteresses qui les fixaient, pour ainsi dire, à leur sol. Elle avait erré à travers la Gaule, n'entraînant à sa suite que quelques groupes d'Helvètes. Finalement, les envahisseurs avaient rencontré les Romains, souvent battus, mais reparaissant toujours avec des forces nouvelles. La préhistoire était finie à l'ouest du Rhin.

LES CELTES HORS DE GAULE 4

I. — Les périodes de l'expansion celtique en Europe

Les Celtes ne se sont pas seulement répandus en Gaule; ils ont parcouru en envahisseurs la majeure partie de l'Europe; certains d'entre eux sont allés s'établir jusqu'en Asie Mineure. Pendant deux siècles ils ont été le plus grand des peuples de l'Europe.

Nous avons eu déjà l'occasion, pour dater leur première arrivée en Gaule, d'évoquer leurs flots successifs qui, dans les Iles Britanniques, parvinrent dès l'âge du bronze jusqu'en Irlande. Au cours du premier âge du fer, pendant la période de Hallstatt (800 à 500 av. J.-C.), nous les avons vus continuer leur mouvement vers l'ouest. De nouvelles bandes s'étaient établies dans la Grande-Bretagne. D'autres, poussées en avant ou se dépassant les unes les autres, avaient occupé la plupart des régions françaises. Depuis l'ouest de l'Allemagne, où nous avons cru trouver le berceau des Celtes, jusqu'à la Meuse, la Bourgogne, la Franche-Comté, la civilisation de Hallstatt apparaît celtique. De là, nous voyons les tumuli, avec leurs armes et leur mobilier caractéristique, descendre, vers l'Océan, le cours des fleuves français, passer du bassin de la Loire dans celui de la Garonne et atteindre le pied des Pyrénées. L'avance de cette civilisation est celle de fractions différentes d'un même peuple en voie d'expansion. Se superposant aux anciens occupants, à ceux qui, de même origine qu'eux-mêmes, avaient pu arriver au cours des âges précédents, non moins qu'aux autochtones établis dès l'époque néolithique, les soumettant à l'autorité de leurs chefs, leur apportant leur langue, les encadrant dans leurs rangs, les Celtes s'étaient bientôt fondus avec eux pour devenir des Gaulois. Le second âge du fer, l'époque de La Tène, qui commence vers le milieu du ve siècle avant notre ère, trouve donc la majeure partie de la France ainsi que la moitié occidentale de l'Allemagne entre l'Elbe, le Rhin et le Danube, occupées par le nom celtique.

L'aube de l'histoire qui se lève à ce moment sur le continent permet d'apercevoir la continuation de ces mouvements. Les Belges arrivent dans le nord de la Gaule. Les Cimbres et les Teutons traversent tout le pays, gagnent l'Espagne, reparaissent, cherchent à passer en Italie. L'Occident occupé, les invasions se porteront désormais vers le sud et vers l'est. Dès le début du IVe siècle on verra des Gaulois s'établir en Italie et dans la basse vallée du Danube. Ils descendent le cours du fleuve et remontent ses affluents jusqu'aux Balkans et aux Carpates; ils atteignent les rives de la Mer Noire et, de là, passent en Asie. Dans tous ces pays ils apportent leur civilisation propre, ils unifient en quelque sorte le monde barbare, ils le préparent à s'imprégner aisément et rapidement de la civilisation gréco-romaine. Les troupes désordonnées des Gaulois ont frayé les chemins à l'avance méthodique des légions. Vers 300 avant notre ère, l'empire des Celtes est à son apogée; il paraît inépuisable en forces et en hommes.

Une telle extension n'est en réalité que faiblesse. Elle a pour conséquence l'émiettement. De toute part des peuples nouveaux en formation attaquent et refoulent les Celtes : les Germains au nord, les Daco-Gètes à l'est, les Romains au sud. A la fin du IIIe siècle les Celtes sont en régression partout. Cent ans plus tard il ne subsiste plus en Europe que des débris épars de leur empire. Leur domination est entamée même en Gaule à l'ouest des Alpes jusqu'à la Garonne et aux Pyrénées. Néanmoins ils ont pris pied dans ce pays plus solidement qu'ailleurs. Même lorsque la conquête romaine l'aura soumise tout entière, la Gaule, des Alpes à l'Océan, des Pyrénées au Rhin, apparaîtra toujours comme celtique.

II. — Les Celtes en Espagne

Avant de suivre à l'intérieur du continent l'expansion des Celtes du second âge du fer, il nous faut noter leur présence, dès une époque plus ancienne, dans la Péninsule ibérique. Ils y sont parvenus soit de Gaule soit à travers la Gaule, dès l'époque des champs d'urnes et au cours de la période de Hallstatt, antérieurement à l'an 500 avant notre ère. Nous pouvons l'affirmer sur la foi d'Hérodote qui, écrivant vers le milieu du ve siècle, y signale leur présence (II, 33) : « l'Ister (le Danube) », dit-il, « commence chez les Celtes à la ville de Pyrènè et coule au milieu de l'Europe en la partageant. Or les Celtes demeurent au-delà des Colonnes d'Hercule et sont limitrophes des Cynésiens, les derniers Européens du côté de l'Occident. » Et il répète ce renseignement, toujours à propos du Danube (IV, 49) : « Ce fleuve traverse toute l'Europe à partir des Celtes, les derniers du côté de l'Occident, qui habitent au-delà des Cynètes. »

Les confusions dont témoigne le Père de l'Histoire en ce qui concerne les Pyrénées et le cours supérieur du Danube n'entament pas son autorité touchant les côtes où fréquentaient les Grecs. La ville de Pyrènè semble bien être celle que l'on connut plus tard sous le nom ibérique d'*Illiberis*, la ville neuve, et qui se trouvait dans le voisinage d'Elne, dans la région de Collioure (*Caucoliberis*), Port-Vendres et du cap Cerbère. Y avait-il déjà des Celtes dans ces parages? C'est à peu près certain. On se demande seulement quel cours d'eau put y être pris pour la source du Danube. La seconde partie du renseignement est moins sujette à caution. L'existence et la situation des Cynètes ou Cynésiens voisins des Celtes sont connues. Ils se trouvaient établis entre le cap Saint-Vincent et le Guadiana, dans la région de Gadès (Cadix) et de Tartes-

Fig. 26. — L'Espagne celtique.

sos, sur laquelle Hérodote ne manque pas de renseignements. C'est à Tartessos que régnait ce roi de l'argent, Arganthonios — nom celtique —, qui avait reçu amicalement les gens de Phocée et de chez qui les Samiens avaient, une fois, rapporté une cargaison, probablement d'argent, demeurée légendaire dans les annales de la navigation grecque. Au nord des Cynésiens, à cheval sur le cours supérieur du Guadiana, les géographes de l'époque romaine signalent encore des *Celti* ou *Celtici*, qui sont évidemment ceux d'Hérodote. Au nord de la péninsule, ils mentionnent également sur l'Èbre, des *Berones*, un peuple celte.

Entre les uns et les autres, le plateau central de la péninsule est occupé par les Celtibères. Que sont au juste ces Celtibères? — Des Celtes installés chez les Ibères et les dominant, comme en Gaule ils dominaient les populations autochtones, ou des Celtes repoussés par les Ibères vers les régions les plus âpres du pays et plus ou moins ibérisées? — « Quand il s'agit de contrées célèbres », dit Strabon (III, 4, 19), « on est à même d'apprendre tout ce qui s'y est passé en fait de migrations de peuples, de divisions de territoires, de changement de noms et de circonstances analogues... Mais quand il s'agit de contrées barbares et lointaines, divisées qui plus est en beaucoup de petits pays, les documents deviennent rares et peu certains; l'ignorance s'accroît à mesure que ces contrées sont plus éloignées de la Grèce. »

L'archéologie a permis cependant de beaucoup ajouter à ce que savaient les Grecs. Elle relève, en Espagne, la trace de plusieurs invasions celtiques.

La première remonte à la fin de l'âge du bronze, aux environs de l'an mille avant notre ère, au moment où, dans l'Allemagne du sud, en Suisse et dans la Gaule de l'est, les tombes souterraines à incinération, les champs d'urnes, comme disent les archéologues, remplacent les tumuli. On trouve en effet de ces champs d'urnes en Catalogne et sur l'Èbre; ils se prolongent, le long de la côte, jusqu'à Valence. On s'accorde à reconnaître dans le peuple qui enterrait ainsi ses morts, des Celtes ou, si l'on préfère, des Proto-Celtes. Ces gens seraient arrivés en Espagne par le couloir du Rhône et le col de Pertus. Leur extension vers l'intérieur de la péninsule reste mal déterminée; leurs traces s'y confondent avec celles des envahisseurs celtiques de l'âge postérieur.

Vers 600 avant notre ère, les Celtes de civilisation hallstattienne apparaissent en Espagne, venant de la France de l'ouest à travers les Pyrénées du centre et notamment le col de Roncevaux. Quelques bandes s'arrêtèrent sur le cours moyen de l'Èbre : ce furent les *Berones* ou *Verones* dont la capitale, *Vereia*, commandait l'un des passages du fleuve. D'autres, à travers la nouvelle Castille, atteignirent la source du Douro, d'autres encore parvinrent au Tage, puis au Guadiana. Par chacune de ces vallées, les Celtes arrivaient à la côte de l'Océan. Jusqu'à l'extrémité méridionale de la péninsule on retrouve leurs tumuli pourvus d'un mobilier nettement hallstattien. Ce sont les Celtes dont Hérodote avait entendu parler. Dans tout le Portugal, du Minho au Tage, ceux des oppida que l'on a fouillés ont fourni des objets et des tessons hallstattiens. Malgré la présence du peuple indigène des Lusitaniens, on y retrouve, jusqu'en pleine époque romaine, la décoration géométrique caractéristique de cette époque et des usages funéraires accusant de vieilles traditions celtiques, comme les stèles en forme de maisons. Ces invasions de l'âge de Hallstatt, vers 600 avant notre ère, ont introduit un élément important dans la population de la péninsule.

Un troisième ban d'envahisseurs paraît arriver durant la seconde période de La Tène, au IIIe siècle av. J.-C. Il est représenté, en Catalogne, par des cimetières comme celui de Cabrera de Mataro, près de Barcelone; en Aragon, par ceux d'Aguilar de Anguita et d'Arcobriga; en Andalousie, par celui de Torre de Villaricos près d'Almeria. Venus par la côte orientale, ces derniers envahisseurs marqueraient le prolongement au-delà des Pyrénées du mouvement qui, en Gaule, établit les Volques de Nîmes à Toulouse. Ils auraient même eu parmi eux des Belges; on connaît en effet l'existence en Tarraconaise, mais non l'emplacement, d'une ville de *Belgida*; un autre nom de ville, *Suessatium*, rappelle celui de *Suessiones* de Soissons, en Gaule Belgique. Chez les *Oretani*, en Nouvelle Castille, sur le cours supérieur du Guadiana, Pline mentionne un groupe de *Germani*. Dans une tout autre région, à Lugo, en Galice, une inscription latine (*Corpus*, II, 2573) est une dédicace à une déesse *Poemana*, laquelle pourrait être la divinité nationale de ces *Poemani* qui nous sont signalés en Belgique, comme l'une de ces tribus auxquelles on donne le nom de Germains. Cette époque est celle des grandes aventures celtiques et des mercenaires partout répandus; c'est celle que clôt le brigandage des Cimbres et des Teutons, qui, deux années durant, parcoururent l'Espagne. Elle put y introduire quelques nouvelles tribus celtiques, voire germaniques.

Néanmoins, ce sont les Celtes de Hallstatt qui doivent surtout entrer en ligne de compte. C'étaient des pasteurs en quête de vastes terrains pour leurs troupeaux, tels ces *Berybraces*,

« peuple sauvage et belliqueux, avec ses nombreux troupeaux », signalés par une source antique en Aragon et en Vieille-Castille. L'âpreté du sol ni la rigueur du climat ne les rebutaient. Ils trouvèrent les pâturages désirés sur les plateaux du centre de la péninsule, la *Meseta*, où ils s'établirent à demeure. Dans un rayon d'une centaine de lieues autour de Salamanque, les noms de lieux cités par les écrivains antiques conservent leur souvenir (voir la carte, fig. 26, p. 92).

Au nord, entre les Vascons des Pyrénées et les Cantabres, sont signalés des *Allobriges*, homonymes et vraisemblablement parents des *Allobroges* de Savoie. Nous trouvons là des villes aux noms celtiques : *Alba*, *Velleia*, *Uxama*, le même radical que dans *Uxellodunum* : la forteresse très haute, *Segusamo* (celt. *sego* : fort, victorieux), de même racine que le nom des Ségusiaves de la région lyonnaise, racine qui a formé le nom de villes gauloises : *Segusio* Suse, *Segustero* Sisteron, *Segodunum* Rodez... On peut mesurer l'extension du territoire celtique en Espagne par celle des noms de villes en *briga* où l'on reconnaît la celtique *briga*, *brica*, hauteur (allem. *Berg*). On en compte une trentaine (voir la carte), y compris ceux qui ne datent que de l'époque romaine comme *Juliobriga* ou *Flaviobriga*, témoignages de la persistance des éléments celtiques jusqu'à l'époque impériale romaine.

C'est postérieurement à l'arrivée des Celtes de Hallstatt, aux alentours de 500 avant notre ère, que se place l'extension en Espagne du peuple des Ibères. Qui sont-ils? D'où viennent-ils? Question naguère fort discutée mais sur laquelle l'archéologie semble avoir fait l'accord.

Depuis le début de l'âge des métaux, elle nous montre, dans le sud-est de la péninsule, autour d'Almeria, le développement d'une civilisation extrêmement brillante qui s'explique par l'exploitation des richesses métalliques des montagnes environnantes. Cette civilisation s'arrête brusquement vers la fin de l'âge du bronze où l'on voit apparaître, plus à l'ouest, sur le *Baetis* (Guadalquivir), les noms célèbres de *Tartessos* puis, bientôt, celui de la colonie phénicienne de *Gadir* (Gadès, Cadix). Les Tartessiens, comme les Phéniciens d'Espagne, viennent vraisemblablement d'Afrique. Ils ruinent la civilisation d'Almeria mais son peuple subsiste et manifeste sa vitalité par une orientation nouvelle. C'est de cette origine que semblent provenir les Ibères.

Leur nom doit évidemment être mis en relation avec celui d'*Hiberus*, nom de fleuve. Or, nous trouvons en Espagne deux fleuves ainsi nommés : l'un au sud, mentionné par le seul Avienus (*Ora maritima*, v. 248 sq.) entre le Guadiana et le

Guadalquivir, c'est le Rio Tinto actuel ou, peut-être, le Rio de Huelva. « La plupart des auteurs », insiste Avienus, « rapportent que ce fleuve a donné son nom aux Ibères et non pas celui qui coule chez les turbulents Vascons. » Ce dernier est l'Èbre actuel, anciennement : *Iberus*. Le premier aurait donc donné son nom aux Ibères qui, plus tard, l'auraient apporté à l'Èbre. On rejette généralement ce témoignage d'Avienus : interpolation ou paradoxe du poète, dit-on; indûment, à notre sens. Pourquoi n'y aurait-il pas eu une ancienne Ibérie dans le district minier le plus riche de l'Espagne, celui qui fut plus tard accaparé par les Tartessiens?

La suite du poème d'Avienus situe les Ibères dans la région où les ont connus les autres écrivains de l'Antiquité : sur la côte est de l'Espagne. Ils n'en occupent même plus la partie méridionale; leur domaine commence au Jucar, un peu au sud de Valence. Il s'étend vers le nord le long de la côte; il englobe la basse vallée de l'Èbre, atteint les Pyrénées, les dépasse même jusqu'au Rhône où les Ligures arrêtent les Ibères. Entre le Rhône et les Pyrénées, les textes signalent des Ligures et des Ibères mélangés. Nous nous trouvons en face d'un peuple conquérant qui établit sa domination sur les tribus indigènes et leur impose sa civilisation. Celle-ci est faite des apports de tous les navigateurs qui ont abordé la côte orientale de la péninsule, depuis les Mycéniens et les Ioniens jusqu'aux Phocéens de Marseille. Les Ibères restent en relations suivies avec les Grecs qui les connaissent et qui donnent indistinctement leur nom à toutes les tribus indigènes dont ils savent la présence à l'intérieur des terres.

Commencée vers 500, l'expansion des Ibères a atteint son apogée en 300 av. J.-C. C'est à ce moment qu'apparaît en Espagne la mention de *Celtibères*. Dans la vallée de l'Èbre, nous apercevons en effet, non pas le mélange mais l'intrication des deux peuples. Un peu en aval de *Vereia*, la capitale des *Berones* celtiques, se rencontre la ville au nom ibérique de *Calagurris* (Calahorra); mais un peu plus bas, les Celtes atteignent de nouveau le fleuve avec leur ville de *Tutela* (Tudela). Au nord, entre les peuples ibériques des *Ilergètes* et des *Vascons*, la présence de Celtes est marquée par les localités dénommées *Segia* et *Forum Gallorum*.

Mais il n'en est pas partout de même; dans la majeure partie de l'ancien domaine celtique, les Celtibères semblent représenter une véritable fusion entre Celtes et indigènes. Il n'est pas nécessaire, pour s'expliquer la constitution de ce peuple mixte, de supposer une conquête par les Ibères des territoires occupés par les Celtes. Les conditions du mélange ont dû varier selon les régions. Dans le voisinage de la côte, les véritables Ibères ont pu dominer les Celtes; ailleurs, ce seront les Celtes qui auront englobé des tribus indigènes plus ou moins ibérisées. Le vaste territoire attribué aux Celtibères commence aux montagnes de la rive droite de l'Èbre et embrasse les deux Castilles.

De leurs quatre cantons, dit le géographe Strabon, « ce sont ceux de l'Est et du Midi qui renferment le peuple le plus puissant, celui des *Arevaci*, nom celtique d'ailleurs, chez qui se trouvent les sources du Tage. Leur principale ville est *Numance* qui, dans cette fameuse guerre de cent vingt ans entre les Celtibères et les Romains, déploya tant de courage. On sait en effet qu'après avoir détruit plusieurs armées romaines avec leurs chefs, les Numantins, assiégés par Scipion Emilien et enfermés dans leurs murailles, préférèrent se laisser mourir de faim plutôt que de se rendre. » L'énergie de la résistance des Celtibères à la conquête romaine a fait l'admiration des historiens antiques. Ces gens se sont, par la suite, romanisés et tout en continuant souvent à porter des noms celtiques : *Acco*, *Atto*, *Boutius*, *Celtus*, *Celtillus*, ils étaient devenus, dès le temps d'Auguste, de paisibles « togati », dignes de porter la toge, comme de vrais Romains.

III. — Les Celtes en Italie

Les écrivains anciens ont vanté la protection que la barrière des Alpes procurait à l'Italie; les modernes ont souvent remarqué que le passage des montagnes était plus facile à qui venait du Nord ou de l'Est que pour les Italiens. En effet, durant l'âge du bronze, les Alpes se sont ouvertes aux invasions indo-européennes et il y a lieu de penser que les infiltrations de l'Europe centrale vers la péninsule ne se sont pas arrêtées après l'arrivée des Latins, des Osques et des Ombriens. Le caractère indo-européen de la langue parlée par les Ligures nous a déjà portés à admettre que d'autres invasions étaient parvenues, à travers le Piémont, dans la région côtière de Gênes à Pise.

Au premier âge du fer, la civilisation de l'Italie se trouve apparentée à celle de Hallstatt. A partir de quel moment peut-on parler de Celtes au sud des Alpes?

Le texte de Tite-Live (V, 34), dont nous avons déjà fait état au chapitre précédent et qui nous raconte comment le roi des Bituriges (Bourges) envoie ses deux neveux à la conquête de l'Italie et de la Bohême, présente une confusion chronologique qui n'est peut-être pas dénuée de toute signification. Le fait se passe, indique Tite-Live, sous le règne de Tarquin l'Ancien : *Prisco Tarquinio Romae regnante*, c'est-à-dire vers 600 av. J.-C. Un synchronisme concordant, à la fin du chapitre, la mention des Phocéens qui viennent de fonder Marseille, confirme cette date. Bien plus, après avoir vaincu les Étrusques sur le Tessin, les Gaulois de Bellovèse auraient trouvé le pays déjà occupé par des Insubres, ce qui est le nom, précise Tite-Live, d'une tribue des Éduens, le peuple gaulois qui, au temps de César, occupait la Bourgogne. C'est pourquoi, continue l'historien latin, ils fondèrent dans cette région la ville de *Mediolanum*, Milan. Il y aurait donc eu déjà des Gaulois en Lombardie avant 600 et, à cette date, il en serait arrivé de nouveaux.

Or, une autre chronologie, appuyée par de nombreux témoignages antiques et qui semble s'imposer, date la fondation de Milan par les Gaulois de l'année même où les Romains avaient pris Veies, c'est-à-dire de 396 av. J.-C. La bataille de l'Allia, le sac de Rome et la tentative contre le Capitole, seraient postérieures d'une dizaine d'années : 386. Tite-Live lui-même, au chapitre suivant (V, 35), se conforme à cette tradition : il enchaîne la prise de Veies, l'attaque de Clusium (Chiusi), puis celle de Rome par les Gaulois Senons. Il se serait donc écoulé deux siècles entre l'occupation d'une partie au moins de la plaine du Pô et la première incursion des Gaulois au sud de l'Apennin. Et en effet, Tite-Live meuble, pour ainsi dire, cet intervalle de toute une série d'invasions successives. Voici son texte :

« Bientôt, suivant les traces des premiers, une troupe de Cénomans, sous la conduite d'Elitovius, passe les Alpes par le même défilé et avec l'appui de Bellovèse et vient s'établir aux lieux où se trouvent aujourd'hui les villes de Brescia et de Vérone, tenus alors par des *Libui*. — Après eux, des *Salluvii* (Salyens) en firent autant auprès de l'antique peuplade des *Ligures-Laevi* qui habitait le long du Tessin. — Ensuite, par les Alpes Pennines, arrivent des Boïens et des Lingons. Trouvant déjà occupé tout le territoire entre les Alpes et le Pô, ils traversent le fleuve sur des radeaux et chassent de leur territoire non seulement les Étrusques mais les Ombriens, sans toutefois passer l'Apennin. — Enfin des Senons, les derniers venus, prirent possession de la contrée située entre les fleuves *Utens* (Montone) et *Aesis* (Esino — entre Rimini et Ancône). Je trouve dans l'histoire que ce fut ce peuple qui vint à Clusium et ensuite à Rome; mais on ignore s'il y vint seul ou soutenu par tous les peuples de la Gaule Cisalpine. »

On a beaucoup discuté mais sans parvenir à des conclusions assurées, sur les sources de tous ces détails. Les renseignements eux-mêmes, dans leur précision, semblent exacts, mais quelle est la date des faits? Avons-nous à faire ici, de la part de Tite-Live, à l'un de ces « redoublements » que l'on a fréquemment notés dans l'histoire des premiers siècles de Rome? On sait en effet que, pour remplir le vide de ces siècles, les annalistes y ont souvent reporté, avec de légères modifications, des faits beaucoup plus récents. Mais pourquoi aurait-on ainsi reporté à deux cents ans plus tôt l'arrivée des Gaulois dans la plaine du Pô? Et d'autre part d'où Tite-Live aurait-il puisé des indications aussi précises sur des faits qui se seraient passés en Cisalpine entre 600 et 400 avant notre ère?

Tite-Live a-t-il voulu rappeler que la grande invasion des Gaulois aux environs de l'an 400 avait été précédée depuis longtemps d'autres invasions celtiques? Le fait en lui-même n'aurait rien d'invraisemblable. Avouons cependant que l'archéologie n'en a pas retrouvé trace. Les nombreuses tombes de Golasecca, dans la haute vallée du Tessin, n'ont rien livré de spécifiquement celtique. Dans cette même région, à Sesto Calende, vers l'extrémité méridionale du lac Majeur, un tumulus contenant les débris d'un char a fourni une épée de type celtique. De l'ensemble du mobilier, Alexandre Bertrand concluait que la tombe était celle d'un chef gaulois des environs de 600 avant notre ère. Parmi ce mobilier se trouvait une situle ou seau en tôle de bronze ornée au repoussé de points dessinant des figures. Un excellent archéologue italien, Ghirardini, qui a étudié spécialement ce type de récipients et sa décoration, a estimé que la situle de Sesto Calende ne pouvait être antérieure à 400. Rien ne s'oppose à ce que la tombe soit bien celle d'un chef celtique mais d'un chef de la grande invasion historiquement connue.

Il est possible, je dirai même, il est probable que, durant la période de Hallstatt, des bandes celtiques aient pénétré au sud des Alpes. Cependant, malgré la chronologie de Tite-Live, nous ne sommes pas en mesure de l'affirmer.

Ce ne sont pas des Celtes, ce sont des Étrusques de l'Italie centrale que nous voyons venir, vers 600, dans la plaine du Pô. « Ils y fondèrent », nous dit l'historien latin, « une confédération de douze villes analogues à celle de la région tyrrhénienne. » Polybe précise que la plaine du Pô se trouva en la possession des Étrusques au moment même où cette nation, à son apogée, occupait également la Campanie autour de Nole et de Capoue. Bologne, nommée par eux *Felsina*, en était la capitale. L'archéologie, cette fois, confirme pleinement ces indications des historiens. On connaît les nécro-

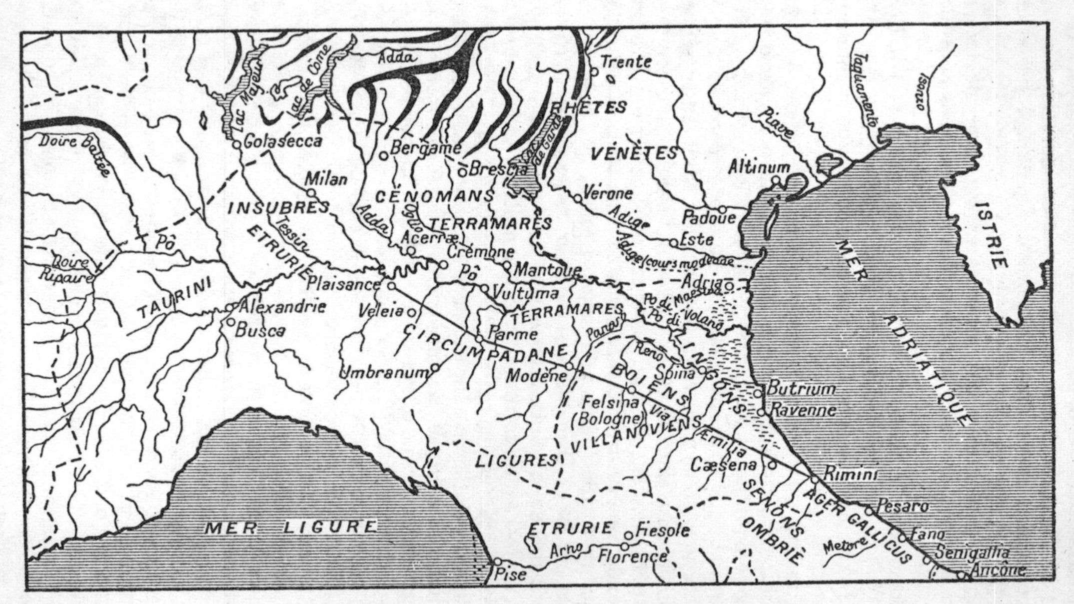

Fig. 27. — L'Italie celtique : Gaule Cisalpine.

poles étrusques de Bologne, datées par les vases grecs qu'elles contiennent, de 600 environ jusque vers 350 av. J.-C.; on connaît les ports étrusques de la côte adriatique : Ariminum (Rimini), Ravenne, Spina, Adria. Au nord du Pô, Mantoue, sur le Mincio, était la forteresse étrusque à la frontière des Vénètes. Au sud du fleuve, Modène, Parme, Plaisance, jalonnaient la future *Via Aemilia.* En Lombardie, les Étrusques avaient fondé *Melpum*, probablement à l'emplacement de la bourgade moderne de Melzo, entre Milan et Treviglio. En Piémont, un seul monument, une inscription étrusque à Busca, près de Saluzzo (prov. d'Alexandrie), témoigne au moins de leur influence. Mais la domination étrusque ne dut jamais pénétrer bien profondément les campagnes; elle semble avoir été d'autant plus faible que l'on s'éloigne de la côte et de Bologne. Malgré la présence d'objets de fabrication étrusque dans les nécropoles du Tessin, à Golasecca notamment, la Confédération des douze villes de la plaine du Pô ne paraît pas avoir été en mesure d'empêcher les mouvements de peuples qui pouvaient se produire du pied des Alpes à l'Apennin ligure. C'est ainsi que dès leur apparition, vers 400, les Gaulois purent détruire *Melpum* et fonder Milan tandis que les Étrusques se maintinrent encore un demi-siècle à Bologne, à Mantoue et dans les villes du littoral.

Ce n'est qu'au second âge du fer, à l'époque de La Tène, c'est-à-dire postérieurement à 400, que des sépultures certainement celtiques se rencontrent dans la plaine du Pô. Elles y sont de même type et contiennent un mobilier analogue à celui des tombes de la Marne et de la vallée du Rhin. Si le vieux roi celtique Ambigat a vraiment existé il fut contemporain de Camille et non pas de Tarquin et son neveu Bellovèse, le conquérant de l'Italie du nord, était de la même génération que le mythique Brennus, le vainqueur de l'Allia.

Une seconde question se pose à propos du texte de Tite-Live et de l'arrivée des Gaulois en Italie. Venaient-ils vraiment de Gaule? Nul auteur ancien n'en a jamais douté. Tous ont toujours parlé de Gaulois et non de Celtes. C'est seulement au IIIe siècle, lors de la conquête de la Cisalpine par les Romains, qu'ils mentionnent des renforts de Gésates venus des Alpes et des bords du Rhin. C'est au centre de la Gaule, autour des Bituriges, que Tite-Live montre le rassemblement des contingents destinés aux expéditions des deux neveux d'Ambigat. Il précise même l'itinéraire de Bellovèse : le Tricastin (Saint-Paul-Trois-Châteaux en Vaucluse) entre Montélimar et Orange; puis les *Taurini* de la région de Turin. Les

Gaulois auraient donc passé les Alpes par les cols occidentaux, Cenis ou Mont Genèvre : *per saltus Juliae Alpis*, dit Tite-Live. Mais les Alpes Juliennes se trouvent à l'autre extrémité de la chaîne et conduisent en Vénétie. Comme un manuscrit donne *iuriae Alpis*, on a proposé de corriger *Duriae* et d'entendre la vallée de la Doire. De toute façon, par un tel itinéraire, les Gaulois seraient arrivés d'abord en Piémont. Or, c'est en Lombardie qu'on les voit apparaître, sur le Tessin où ils prennent *Melpum* et fondent Milan. Il est surprenant qu'ils n'aient fait que traverser le Piémont sans s'y arrêter et qu'aucun d'eux ne s'y soit jamais établi.

La voie qui conduit directement à Milan, c'est celle des Alpes centrales, par le Simplon ou le Gothard, le lac Majeur et celui de Côme. Elle vient de la haute vallée du Rhin, où se trouvait le berceau des Celtes et d'où semblent parties la plupart de leurs invasions. Pourquoi les Gaulois d'Italie ne viendraient-ils pas eux aussi de l'Allemagne du sud-ouest?

Les peuples celtiques que nous trouvons dans la plaine du Pô ne correspondent qu'imparfaitement à ceux que nomme Tite-Live autour d'Ambigat : Bituriges, Arvernes, Senons, Éduens, Ambarres, Carnutes, Aulerques. Plusieurs de ces peuples ne semblent avoir été connus des Romains que beaucoup plus tard, lors de la conquête de la Provence ou même des Trois Gaules. Tite-Live s'est évidemment contenté d'énumérer les peuples connus de son temps autour du territoire des Bituriges. Au début du chapitre suivant, il nomme et situe plus exactement les conquérants de la Cisalpine, dont les emplacements nous sont d'ailleurs connus par toute l'histoire subséquente (voir la carte fig. 27, p. 100).

Au nord-ouest, entre les lacs et le Pô, autour de Milan, sont établis les Insubres dont le nom ne reparaît plus tard en Gaule que comme celui d'un canton des Éduens : *pagus Insubrius* (au sud de Decize); ils devaient donc faire partie du puissant peuple gaulois qui s'est établi en Bourgogne. A leur suite, au nord du Pô, jusqu'au territoire des Vénètes qui commençait au-delà de Vérone et de Mantoue, viennent les Cénomans. Nous retrouvons des Aulerques Cénomans, à l'époque de César, dans la Mayenne et la Sarthe. Le centre de la province, entre le Pô et l'Apennin, avec Bologne pour capitale, était occupé par les Boïens. Ils étaient venus, précise Tite-Live, par les Alpes Pennines, c'est-à-dire par le Grand-Saint-Bernard, alors que toute la Transpadane était déjà occupée par leurs congénères. Les Romains avaient eu à faire, en effet, lors de l'invasion des Cimbres, à des Boïens unis aux Helvètes de Suisse. C'est le peuple qui avait donné son nom à la Bohême : *Boio-*

haemum, le pays boïen. En Gaule, ils occupaient au temps de César, au sud des Bituriges Vivisques de Bordeaux, le pays qui, de leur nom, a été dénommé le Pays de Buch. C'est probablement pour rejoindre ces derniers que les Helvètes, en 58, avaient décidé d'émigrer et si César, après sa victoire, établit les restes des Boïens chez les Éduens, dans la région d'Alésia, c'est peut-être parce que des Boïens, autrefois, avaient occupé ce canton. Les Boïens avaient été un très grand peuple; ils avaient essaimé en des directions très diverses, venant probablement de la vallée du Danube. Dans l'Italie du Nord, ils jouèrent un rôle prépondérant et furent en majeure partie détruits par les Romains. Quelques-uns d'entre eux, après leur défaite, purent rejoindre leurs congénères de Bohême. A l'ouest et au sud des Boïens, des Lingons occupaient les collines et les vallées de l'Apennin tandis que les Senons tenaient le rivage de l'Adriatique depuis la bouche septentrionale du Pô jusque vers Ancône. Les premiers ont laissé leur nom, en France, au pays de Langres et les autres, à celui de Sens.

La plupart de ces peuples devaient, vers 400, se trouver déjà installés en Gaule, vraisemblablement dans les régions où les rencontrera l'histoire. Mais était-ce le peuple tout entier qui se trouvait en Gaule ou bien n'avait-il pas laissé au-delà du Rhin sa portion peut-être principale? Tel était certainement le cas des Boïens. Est-ce Sigovèse qui, partant de Gaule, à conquis la Bohême ou les Boïens qui, partant de Bohême, étaient venus s'installer sur les terres gauloises? Les Boïens d'Italie et, avec eux, plusieurs des peuples celtiques de la plaine du Pô venaient-ils vraiment de Gaule, comme le racontent les historiens anciens, ou, comme les peuples de Gaule eux-mêmes, n'arrivaient-ils pas directement de leur patrie d'origine, quelque part entre Rhin et Danube? La question reste discutée. Notre opinion est que Brennus et Sigovèse étaient bien des Celtes mais non pas proprement des Gaulois, qu'ils venaient de l'Europe centrale et non de Gaule.

Comment les Celtes s'établirent-ils dans cette nouvelle province entre les Alpes et l'Apennin? Non pas en une fois certes, et comme une seule vague qui aurait submergé, du même coup, tout le pays.

Les Insubres ouvrirent la route. Leur colonie de Milan assurait le débouché des Alpes et commandait le carrefour des chemins vers l'est et le sud. Les autres suivirent, peu à peu, attirés par l'exemple du succès et l'appât de fructueuses expéditions dans l'Italie du centre. Chaque tribu conquit à son tour sa terre, créa son marché, établit son refuge où femmes et enfants attendaient le retour des guerriers, où ceux-ci déposaient leur butin et venaient se refaire entre deux campagnes.

Ces établissements successifs et la conquête de l'ensemble de la province exigèrent un temps assez long : un demi-siècle, environ. L'étude des monuments étrusques de la plaine du Pô permet de s'en rendre compte. Les Étrusques en effet avaient fondé, au nord de l'Apennin, des villes assez nombreuses et, pour la plupart, semble-t-il, bien fortifiées. Nous en trouvons l'exemple à Bologne qui, sous le nom de Felsina, était la capitale de la confédération étrusque circumpadane.

Jusque vers l'an 350, environ, Felsina continue à étaler, dans ses sépultures, le luxe d'une cité toujours florissante et poursuit librement d'actives relations avec l'Italie centrale et la Grèce. Sur quelques-unes seulement de ses stèles funéraires, une sculpture évoque le souvenir des luttes que devait imposer à ses citoyens l'approche des Barbares : un cavalier étrusque, armé à la grecque, charge une sorte de géant hirsute, tout nu, qui se couvre sous son immense bouclier : un Gaulois, sans aucun doute.

A Marzabotto, petite cité étrusque située à une étape au sud de Bologne et dont l'emplacement demeura désert, la poussière des siècles a conservé intactes les traces de la victoire des Gaulois. Une couche de cendres recouvre les fondations des maisons et des temples; des squelettes gisent épars parmi les ruines ou bien accumulés au fond des puits, à côté d'eux se trouvent des armes étrusques et gauloises. Là aussi, la série des monuments s'arrête brusquement vers le milieu du IVe siècle.

Nous savons, d'autre part, que vers 340, les Celtes avaient atteint le rivage de la mer Adriatique. Un texte géographique, le périple dit de Scylax, datant de 338-335, mentionne leur présence, au nord de Ravenne, entre les deux principales bouches du Pô, celle d'Adria au nord et de Spina au sud. A cette date, la Gaule avait donc remplacé l'Étrurie entre les Apennins et les Alpes.

L'historien grec Polybe, qui a visité la Gaule Cisalpine vers le milieu du IIe siècle avant notre ère et y a vu, peu de temps après leur soumission à Rome, les descendants des conquérants gaulois, nous a décrit la région et la manière de vivre de ses habitants.

« Les expressions manquent », déclare-t-il, « pour dire la fertilité de ce pays. L'abondance du blé y est telle que, de nos jours, on a vu, plus d'une fois, le médimne sicilien de froment ne valoir que quatre oboles, celui d'orge, deux, et le métrète de vin ne pas coûter plus qu'une mesure d'orge. » — C'est-à-dire 52 litres de froment valant 0 fr. 60 (d'avant 1914); 52 litres d'orge pour 0 fr. 30 et 39 litres de vin pour le même prix. Polybe continue : « Le millet et le panic y poussent à foison. Un fait peut donner idée de la quantité de glands que fournissent les chênes répandus de loin en loin dans la plaine : c'est de ces campagnes que viennent la plupart des porcs que l'on tue en Italie et l'on sait si le nombre en est grand. Enfin voici une preuve concluante du bon marché et de l'abondance des vivres dans ces contrées. Les voyageurs qui s'arrêtent dans une hôtellerie ne conviennent pas du prix de chaque objet séparément, mais ils demandent combien on prend par tête; le plus souvent, l'hôte s'engage à fournir tout ce qui est nécessaire pour un quart d'obole (quatre centimes) et il est rare que le prix soit dépassé. »

De la Gaule Cisalpine, Polybe vante encore l'immense population, la haute taille, la beauté physique des habitants et leur valeur guerrière. « Ils vivent, remarque-t-il, par bourgades ouvertes, peu soucieux des raffinements de la civilisation. Ils dorment sur une litière de feuillage, se nourrissent surtout de viande, ne s'occupent que de la guerre et de leurs champs. Leur richesse consiste en troupeaux et en or : ce sont, en effet, les seules choses qu'ils puissent, en toute circonstance, emporter avec eux et déplacer à leur gré... » Chez eux, nous est-il encore relaté, l'organisation par clans jouit d'une extrême faveur; chaque chef, pour paraître plus puissant et se faire redouter, tient à avoir, autour de lui, le plus grand nombre possible de serviteurs et de clients.

Ce dernier trait correspond exactement à une observation de César en Gaule (VI, 15,2) : « Chacun, selon sa naissance ou sa fortune, a autour de soi un plus ou moins grand nombre d'ambacts et de clients; ils ne connaissent pas d'autre signe du crédit et de la puissance. »

Malgré les massacres de la conquête, l'élément gaulois a donc conservé une place importante dans la plaine du Pô; sous la domination romaine, il a maintenu ses mœurs traditionnelles. Ce qui a frappé Polybe, ce sont les caractères les plus archaïques, ceux qui semblent les survivances d'un état antérieur à l'établissement des Celtes dans la plaine du Pô et qui remontent en effet à l'époque de Hallstatt, quelque trois ou quatre cents ans auparavant. Mais gardons-nous d'exagérer la portée de ces indications et de considérer les Gaulois d'Italie comme un peuple de pâtres belliqueux encore à moitié nomade. Ils avaient des troupeaux, sans aucun doute, mais devaient exceller également à cultiver la terre, sans quoi l'abondance n'aurait pas régné dans la plaine du Pô, telle que la décrit Polybe. Ils n'étaient pas non plus sans industrie et sans art. Les tombes gauloises de l'Italie du nord nous montrent au contraire que les vainqueurs des Étrusques s'étaient rapidement assimilé leurs techniques et avaient adopté leur luxe, comme le plus beau fruit de la victoire.

Un casque de bronze, souvent ciselé, figure dans ces sépultures à côté de l'épée celtique; des colliers, des bracelets, des fibules, des vases de terre et de métal de fabrication locale, voisinent avec les produits précieux de l'industrie italo-grecque. Les Celtes avaient appris à soigner leur corps comme les Grecs et les Étrusques; la strigile, destinée à enlever l'huile dont on se frottait, est un accessoire qui ne fait presque jamais défaut. La toilette des femmes copiait celle des élégantes d'Étrurie : couronnes d'or imitant des feuillages, bracelets et anneaux d'or, miroirs, peignes en ivoire, flacons à parfums, dés à jouer, boutons de verre, candélabres de bronze, grands bassins de bronze, ustensiles de toute sorte, tel est le mobilier qu'emporte avec elle, vers l'autre monde, une dame gauloise de condition.

Nous trouvons là tout l'appareil extérieur d'une civilisation florissante, continuant à l'époque gauloise celle de la période étrusque. La manière de vivre de l'aristocratie se rapproche de celle des peuples méditerranéens; le peuple, séduit par la miraculeuse fécondité du sol, s'ingénie à la mettre en valeur et se fixe. Pendant un siècle et plus, les Gaulois d'Italie purent faire l'admiration des autres Celtes et passer, à juste titre, pour ceux de tous à qui les dieux avaient attribué la meilleure fortune. La conquête romaine mit fin à leur prospérité. On s'explique que Polybe n'ait plus trouvé trace chez les vaincus de ce luxe que nous révèlent les tombes et n'ait vu en Cisalpine que des campagnards dispersés, revenus à la grossièreté primitive et prêts de nouveau, sous la pression des vainqueurs, à reprendre leur ancienne instabilité.

Quelle différence entre ces Gaulois tels que les fit l'Italie et l'image que nous a transmise la tradition antique, de ces bandes à demi sauvages dont l'apparition au sud de l'Apennin était demeurée l'effroi des Romains! Les Romains se trompaient en prolongeant durant des siècles l'impression de terreur que leur causa Brennus. Cette époque n'eut qu'un temps. Elle ne dépassa pas le demi-siècle que dura la conquête de la plaine du Pô. Une fois installés et maîtres de leurs terres, les Cisalpins laissèrent, sauf exceptions, l'Italie en paix.

Les Celtes avaient franchi les Alpes et étaient arrivés sur le Tessin en 396. Dix ans plus tard, nous les retrouvons en Toscane, assiégeant Chiusi. Les Étrusques de Chiusi avaient fait appel, nous est-il raconté, à l'arbitrage des Romains et les ambassadeurs de Rome se seraient laissé entraîner à prendre part à la lutte. C'est pour tirer vengeance de cette violation du droit des gens que les bandes de Brennus, abandonnant Chiusi, s'acheminèrent vers Rome. Effrayés par ce genre d'ennemi nouveau, les Romains lâchent pied à l'Allia; c'est le sac de Rome. Le Capitole seul, sauvé par ses oies, résiste aux assauts. Au bout de sept mois d'un siège inutile, les Gaulois acceptent la rançon qui leur est offerte pour leur départ. On connaît le geste légendaire de Brennus, jetant son épée dans la balance en déniant tout droit aux vaincus; on connaît également les vantardises de l'historiographie romaine, attribuant à Camille la gloire d'avoir entièrement détruit les bandes gauloises en retraite.

A côté de la légende, Tite-Live présente d'ailleurs une version plus vraisemblable (V, 48). Assiégeants et assiégés souffraient également de la famine. Les Gaulois, de plus, se trouvèrent bientôt en proie à l'épidémie. C'était le plein été; ils campaient dans un fond entouré de collines où le moindre vent soulevait une poussière empestée... « la maladie les décimait comme des troupeaux ». — D'autres historiens rapportent que les restes de leurs bandes purent regagner le territoire des Senons d'où elles venaient.

A mainte reprise, cependant, au cours des années qui suivirent, les Gaulois reparurent dans l'Italie centrale : ils poussèrent même jusqu'en Campanie et en Apulie. Mais la dernière de ces expéditions, celle qui installa son camp sur les monts Albains, est de 350. A partir de cette date, pendant un demi-siècle, on ne trouve plus mention des Gaulois dans l'histoire romaine. Les historiens semblent même faire allusion à un traité de paix entre les Gaulois et Rome. Celle-ci peut, en tout cas, sans être gênée, venir à bout des Samnites et achever la conquête du Latium. Les terres du Pô avaient, pour ainsi dire, absorbé la turbulence des invasions celtiques.

Les Gaulois, en définitive, avaient rendu à Rome le grand service de porter un coup fatal à la puissance étrusque qui lui barrait l'accès de l'Italie du centre et du nord. Ils permirent à la puissance romaine de s'agrandir et n'eurent jamais l'intelligence de profiter de ses embarras, notamment pendant la première guerre punique, pour entraver son essor. Sauf de brefs sursauts, régulièrement malheureux, ils étaient devenus pacifiques. C'est seulement quand il fut trop tard qu'ils cherchèrent à s'unir avec ce qui restait des Étrusques et des Samnites.

IV. — Les Celtes dans la vallée du Danube

On distingue, dans les débuts de l'histoire, deux éléments qui parfois se ressemblent : le mythe et la légende. Le mythe est un récit complètement imaginaire inventé pour rendre compte d'un fait qu'on ne comprend plus, comme un rite religieux, ou qui ne comporte pas d'explication, comme un fait géographique. La légende, au contraire, contient, sous une forme inventée, un fond de réalité; le plus souvent, elle repose sur une tradition orale qui a déformé des souvenirs vrais. Il faut délibérément classer dans la légende l'histoire du grand roi celtique Ambigat et de ses deux neveux conquérants. Admettons donc que la grande expédition de Sigovèse vers la forêt Hercynienne corresponde, ainsi que celle de Bellovèse en Italie, à un fait historique. Mais nous croyons pouvoir laisser entièrement de côté les modalités attribuées à ce fait et, en particulier, nous nous garderons d'affirmer que cette invasion venait du centre de la Gaule. Par contre il semble bien que le mouvement d'expansion des Celtes vers l'est du continent soit contemporain de celui qui les conduisit au sud des Alpes, c'est-à-dire qu'il date de la première période de La Tène, aux environs de 400 avant notre ère.

Par un rapprochement saisissant, Déchelette, au début du volume de son Manuel consacré au second âge du fer, juxtapose les images d'objets divers provenant des sépultures gauloises de la Marne et des sépultures de la Bohême. Ce sont évidemment les produits d'une même civilisation et d'une même industrie. Et ces similitudes se poursuivent tout le long de l'âge de La Tène. Au moment de la conquête romaine, les trouvailles du Hradischt de Stradoniç correspondent aussi exactement à celles de l'oppidum du Mont Beuvray. Au second âge du fer, la Bohême est donc une terre celtique au même titre que la Gaule. Il est vraisemblable que les Boïens qui l'occupent sont proches parents des Boïens d'Italie et, probablement, des Éduens de Gaule.

Mais, au dire des écrivains antiques, l'expédition de Sigovèse, conduite par les oiseaux, dont les Gaulois excellaient à tirer des présages, aurait dévié vers l'Illyrie et une partie s'en serait établie en Pannonie, c'est-à-dire en Hongrie occidentale, où elle aurait eu à soutenir contre ses voisins des guerres qui durèrent longtemps. Finalement, elle gagna la Macédoine et la Grèce, renversant tout devant elle. C'est là résumer en quelques mots l'histoire de plus d'un siècle et même confondre deux moments distincts de l'expansion celtique.

Une première période, dont l'invasion de l'Italie semble

marquer plutôt la fin que le début, se place au ve siècle, au commencement de la période de La Tène. Une seconde vague, au IIIe siècle, recouvre et dépasse les limites atteintes par la première; c'est celle à laquelle se rattachent, en Gaule, les mouvements belges. Elle semble déjà mêlée d'éléments plus ou moins germaniques. Elle prend fin avec les divagations des Cimbres et des Teutons, du Jutland au Norique et du Danube à l'Espagne. Essayons de distinguer les effets de ces deux époques de migrations au sud et au nord du Danube (voir la carte fig. 24, p. 76).

Au sud, il devait y avoir des Celtes en Norique (Styrie et Carinthie) dès 500 avant notre ère. C'est ainsi que j'entendrais un fragment d'Hécatée de Milet cité par Étienne de Byzance : *Nurax, ville celtique*, d'autant plus qu'un annaliste latin, Sempronius Asellio, semble traduire ce texte lorsqu'il spécifie que Noreia est une ville de Gaule. Le nom de Noreia, en effet, semble celtique et les Celtes du Norique sont bien connus. Ce doivent être eux qui étaient arrivés sur l'Adriatique et qui, depuis le milieu du IVe siècle, étaient les alliés de la Macédoine contre les Illyriens. Ce sont eux qui connurent les premiers ces « philippes » d'or et d'argent qui furent à l'origine du monnayage gaulois et qu'imitèrent tout d'abord la plupart des peuples de la Gaule. De bonne heure également, nous trouvons des Boïens en Pannonie, à l'ouest du grand coude que dessine le Danube. Ce sont les Celtes qui ont donné les noms de *Drave* et de *Save* aux deux rivières qu'Hérodote appelle encore *Alpis* et *Carpis*.

Au nord du Danube, le célèbre archéologue roumain, V. Parvan, date la première vague celtique de la fin du ve siècle. Par la Bohême et la Moravie, les Celtes s'avancent vers l'est jusqu'en Transylvanie. Ils introduisent chez les Gètes des objets d'ornement et des armes de type occidental, tels qu'on en retrouve dans la région qui s'étend de la Marne au Rhin moyen. Dès la première période de La Tène, on reconnaît un centre important de l'industrie du fer celtique à Muncaci (Munkacs) dans la Gétie septentrionale. Cette vague de la grande migration celtique vers l'Orient s'étend, par la Dacie du nord, au-delà des Carpates, en Galicie, en Bessarabie, en Ukraine, jusqu'à Olbia, sur la Mer Noire. De nouvelles bandes suivront continuellement les premières durant le IIe siècle avant notre ère. Pendant les deux dernières périodes de La Tène, tout l'aspect de la civilisation dans les Carpates, sur la Theiss et le long du Danube, tel qu'il se manifeste par les deux grandes industries populaires, la métallurgie et la céramique, est devenu celtique.

Cette celtisation persiste après que les Celtes ont été chassés par les Gètes. Jamais la Dacie ne paraît plus celtique qu'au moment où il n'y a plus de Celtes. De longs rapports de voisinage, des alliances et des expéditions communes contre la Macédoine et l'Illyrie, ont en effet répandu largement autour d'eux l'influence des Celtes. Cette civilisation celtique, de caractère nettement occidental, fut pour les Gètes, concluait V. Parvan, « la meilleure introduction au romanisme. Deux siècles avant l'arrivée des premiers négociants romains, les Daces avaient déjà un avant-goût de la civilisation romaine par la civilisation celtique qu'ils avaient adoptée sans réserve ».

La seconde période d'invasion date des environs de l'an 300 et se rattache au mouvement qui amena les Belges en Gaule et dans les Iles Britanniques. Ce furent, dans toute l'Europe, de nouveaux bouleversements.

Le premier effet s'en aperçoit en Illyrie. Malgré les attaques des Celtes soudoyés par la Macédoine, les Illyriens Antariates avaient jusque-là résisté victorieusement. Or, tout d'un coup, en 310, pris de panique, ils se mirent à fuir en masse. « La chose parut si extraordinaire », dit H. Hubert d'après Appien, « que les historiens recourent pour l'expliquer à des prodiges ridicules. Il s'agissait, en réalité, d'une invasion de Celtes conduite par un chef nommé Molistomos, mais faite en nombre. Les Antariates en fuite se heurtèrent aux Macédoniens. Cassandre, roi de Macédoine, en fixa une vingtaine de mille à sa frontière comme colons militaires. D'autres s'établirent chez les Vénètes et les peuples de la côte dalmate. » C'est là un épisode qui préfigure les grandes invasions auxquelles succombera plus tard l'Empire romain : des peuples en fuite viennent chercher un refuge derrière les frontières auxquelles ils se sont jusque-là heurtés. Comme le fit l'Empire romain, la Macédoine use déjà de ces réfugiés pour en faire les gardiens de sa frontière.

A partir de ce moment, en particulier durant le premier quart du IIIe siècle, nous assistons aux vagabondages désordonnés de bandes pillardes. Celles de Bolgios pénètrent, en 280, en Macédoine. Elles offrent la paix au roi Ptolémée, s'il veut la p yer. Ptolémée les somme de leur livrer leurs armes. Les Gaulois rient de ses menaces, le battent et le tuent. L'année suivante, d'autres bandes sous les ordres d'un nouveau Brennos, pillent Delphes. « Les dieux trop riches », prête-t-on à ce Brennos, « pouvaient bien partager avec les hommes. » Cet exploit fit grand bruit dans le monde, non seulement chez les Grecs, qui se vantèrent d'avoir fait expier, avec l'aide d'Apollon, leur forfait aux nouveaux Titans, mais aussi dans toute la Celtique. En Italie, à Cività Alba, dans les Marches, les restes de la décoration en terre cuite du fronton d'un temple représentent une fuite de Gaulois qui semble bien être celle des pillards de Delphes. Un tremblement de terre accompagné des traits de la foudre a jeté l'épouvante parmi eux. Apollon, Artémis, Latone, les poursuivent de leurs flèches. En tête, le chef gaulois sur son char, écrase dans sa fuite un de ses soldats dont le bouclier rectangulaire se voit sous les pieds de devant des chevaux; il se retourne vers le dieu qui bande contre lui son arc. Un autre Gaulois court de toutes ses jambes, regardant également derrière lui une divinité qui doit le menacer; il est vêtu d'une veste en peau de mouton et d'un manteau; il serre sous son bras droit un grand vase, sans doute de métal précieux, qu'il a dérobé.

En Gaule, l'or de Delphes, l'or maudit, semble avoir fait le sujet de toute une geste épique. Il aurait successivement causé la perte de tous ses possesseurs. Par une suite de catastrophes, il serait finalement tombé en la possession des Tectosages de Toulouse qui, pour s'en débarrasser et apaiser le courroux d'Apollon, l'auraient jeté dans un lac. Là, il aurait été de nouveau volé par le consul romain Cépion; c'est pour y avoir touché que Cépion finit ses jours misérablement loin de sa patrie et que ses filles mêmes périrent à leur tour d'une mort honteuse. Le géographe Strabon, après d'autres, rapporte cette histoire, en observant, d'après le philosophe et historien grec Poseidonios, que le temple de Delphes, au moment où il fut pillé par les Gaulois, ne devait plus contenir de grandes richesses, car il avait été déjà dépouillé par les Phocidiens durant la Guerre sacrée. L'or de Toulouse représentait en réalité des offrandes faites par les Gaulois à leurs dieux et jetées par eux dans des lacs consacrés (Strabon IV, 1, 13). « Comme la contrée est très riche en mines d'or et que les habitants (Poseidonios n'est pas seul à le dire) sont à la fois très superstitieux et très modestes dans leur manière de vivre, il s'y était formé des trésors. Les Romains le savaient; quand ils se furent rendus maîtres du pays, ils vendirent ces lacs ou étangs sacrés au profit du trésor public et plus d'un acquéreur y trouve aujourd'hui encore des lingots d'argent battu ayant la forme de pierres de meule. »

Au retour de Delphes, les bandes de Brennos, unies à d'autres, remplissent de tumulte la Macédoine, la Thrace et tout le bassin oriental du Danube. Les unes se battent contre le roi de Macédoine Antigone Gonatas et d'autres, pour lui. Elles se répandent jusqu'aux abords de Byzance et de la presqu'île de Gallipoli. Certaines finissent par s'établir, tels les

Scordisques qui fondent au bord du Danube la ville de *Singidunum*, Belgrade, et ceux qui, dans la région d'Andrinople, créent un royaume pacifique, en bons rapports avec les Grecs qui nous ont transmis l'éloge d'un de leurs rois, Cavaros. Les Celtes inondent à nouveau tout le bassin oriental du Danube et, suivant la succession des terres noires de la Russie méridionale, arrivent jusque chez les Scythes où ils donnent naissance au peuple mixte des Celtoscythes. C'est à partir de ce moment que sont fondées, au-delà des Portes de Fer, les villes qui ont conservé leurs noms celtiques : *Bononia* (Vidin), *Ratiaria* (Artscher), *Durostorum* (Silistrie). Lorsqu'ils ont trouvé des terres, les Celtes sont devenus pacifiques.

En 278, une bande d'une vingtaine de mille hommes franchit le Bosphore, campe dans la plaine d'Ilion, guerroie çà et là en Asie Mineure et finit par s'établir, en 276, dans la Phrygie orientale. Il y avait parmi eux des Tectosages, parents fort vraisemblablement des Volques Tectosages du Languedoc; ce sont eux qui occupèrent Ancyre et sa région. Les Tolistoboïens, qui habitaient la haute vallée du Sangarios, représentent une fraction des Boïens. Quant à la troisième tribu qui nous est nommée, celle des Trocmes, on ne retrouve son nom nulle part ailleurs; elle était installée sur l'Halys. Dans ces régions qui sont loin d'être les plus favorisées de l'Asie Mineure, la population phrygienne devait être assez clairsemée. Les Gaulois s'y organisèrent avec leurs rois assistés de conseils de chefs et une assemblée commune qui se réunissait en un sanctuaire nommé *Drunemeton* : « le bois de chênes », ou plutôt « le grand sanctuaire ». Ce fut le royaume des Galates qui, bataillant sans trêve contre ses voisins de Pergame, subsista malgré ses défaites célébrées non sans quelque emphase par la sculpture pergaménienne. Il avait imposé au pays son nom de Galatie et, jusqu'à la fin de la domination romaine, sut garder ses traditions et sa langue.

Moins heureuses, d'autres troupes, lasses de faire la guerre à leur compte, désespérant de trouver des terres et comptant sur la générosité des rois qu'elles auraient servis plus que sur leur propre fortune, s'engageaient comme mercenaires. On trouve des Gaulois de ce genre sur toutes les rives de la Méditerranée, à la solde de tous les princes ou de tous les États qui ont une injure à venger ou des ambitions à réaliser. Il ne se passa pas de guerre au cours du IIIᵉ siècle, à laquelle ne prissent part, souvent dans les deux camps et les uns contre les autres, des contingents gaulois. Et plus d'une fois, la guerre finie, pour échapper aux revendications de leurs mercenaires, Ptolémée d'Égypte ou le Sénat de Carthage les prirent à quelque piège et les firent massacrer.

D'où venait cette extraordinaire abondance d'hommes? De la fécondité de la race. Peut-être, du moins en partie. Elle ne s'explique vraiment que par l'adjonction, aux Celtes proprement dits, des indigènes auxquels ils s'étaient mêlés et qu'ils avaient assimilés. L'extension du Celtisme en Europe repose sur la faculté particulière des Celtes de se mêler aux autres peuples et de s'agglomérer avec eux pour leur faire accepter la civilisation, la langue et jusqu'au nom celtiques.

V. — Le recul de la domination celtique

Cet empire gaulois qui embrassait la majeure partie de l'Europe était trop vaste pour être solide. Les bandes qui en avaient conquis les diverses provinces devaient être de moins en moins nombreuses. Celles que nous voyons opérer en Macédoine et même s'établir en Galatie ne représentent que de petites troupes. Les Celtes n'étaient plus qu'une minorité parmi la masse des populations indigènes. Les Celtothraces, les Celtoscythes, étaient Thraces et Scythes plus que Celtes. Les conquérants avaient repoussé aux confins de leurs territoires des portions de peuples demeurés vigoureux qui, à leur exemple, devinrent rapidement leurs égaux. Ajoutons le gaspillage de forces que représentent ces troupes de mercenaires au service de toutes les puissances qui ont une guerre à soutenir. Le second siècle avant notre ère nous montre le recul général du nom celtique. De toute la Celtique transalpine et transrhénane il ne resta bientôt plus que des ruines.

Les faits apparaissent plus clairs en Italie que partout ailleurs.

Après une longue paix de plus d'un demi-siècle, les Gaulois Cisalpins, gagnés par la contagion des mouvements belges, reparaissent dans la péninsule comme alliés des Samnites. Ils sont battus, avec leurs associés, à Sentinum en 293. Leur imprudence a réveillé, à Rome, la peur du danger gaulois. Neuf ans plus tard, en 284, les Romains prennent, à leur tour, l'offensive. Ils enlèvent aux Senons le rivage de l'Adriatique et se trouvent maîtres, dès lors, de la plus commode des routes qui conduisent au nord de l'Apennin. Menaçant de flanc toute la Cisalpine, ils pourront, à l'heure qui leur conviendra, déboucher dans la plaine du Pô.

Soixante nouvelles années se passent dans cette situation provisoire. Pour se garantir eux-mêmes des convoitises de leurs congénères d'outre-mont, les Gaulois de Cisalpine prennent à leur solde quelques-unes de ces bandes que le centre de l'Europe déverse jusqu'aux extrémités du continent. Ils imitent en cela l'exemple des tyrans grecs et du riche État marchand de Carthage. Ils n'ont pas compris le danger que représente pour eux la conquête du territoire Senon par les Romains. Ils manquent de cohésion; chaque tribu ne vit et n'agit que pour son propre compte. Dans chacune, il y a un parti de la paix : les chefs et les anciens. La jeunesse seule songe encore à la guerre.

C'est ainsi qu'en 225, emboîtant le pas derrière une troupe de Gésates récemment arrivée des régions rhénanes — ces Celtes du dernier ban qui en étaient encore à chercher leur place dans le monde —, la jeunesse des Insubres et des Boïens franchit l'Apennin, apparaît de nouveau sous les murs de Chiusi et parvient jusqu'au cap Télamon. Pour la dernière fois, ce fut à Rome le tumulte gaulois. La destruction de l'armée barbare livra la Gaule italienne aux Romains. Malgré de nouveaux renforts gésates, les Insubres sont battus en 223 et, l'année suivante, les légions entrent à Milan. Rome victorieuse fonde au nord de l'Apennin les colonies de Plaisance et de Crémone. Les Gaulois du Pô ne pouvaient plus, dès lors, ignorer la menace qui pesait sur leurs territoires.

Presque en même temps, de 236 à 218, l'ennemie de Rome, Carthage, soumettait en Espagne les quelques tribus celtiques demeurées indépendantes et assurait son autorité sur les Celtes mêlés aux Ibères. Après avoir vaincu les Celtes d'Espagne, Hannibal rêvait d'entraîner toute leur nation, ceux de Gaule et ceux du Rhin en même temps que ceux de la Cisalpine, à la conquête de l'Italie. Aux Cisalpins, il offrait leur revanche sur Rome.

Soit lassitude de la part des Gaulois, soit méfiance — justifiée d'ailleurs — à son endroit et souvenir de la soumission imposée aux Celtes d'Espagne, le chef carthaginois ne réussit à soulever à sa suite aucune province du monde celtique. Les députés des Boïens, en lutte contre Rome, vinrent bien le trouver à son camp près du Rhône, lui promettant que son apparition au sud des Alpes réunirait autour de lui tous les Cisalpins. Vain espoir! Hannibal ne put jamais rassembler plus de 20 000 fantassins et 5 000 cavaliers gaulois, qu'il ne se fit pas faute d'exposer partout en première ligne. Son adversaire, Scipion, comptait dans son armée presque autant d'auxiliaires gaulois. Onze ans plus tard, en 207, Asdrubal, plus sympathique aux Celtes, faillit réaliser le soulèvement général espéré par son frère. La bataille du Métaure eut raison de ce péril. Le réveil trop tardif des Gaulois ne fit que hâter leur perte.

Aussitôt après Zama et sa victoire sur les Carthaginois (201), Rome s'empressa de porter toutes ses forces contre la Cisalpine qui venait de lui causer de telles inquiétudes. De 201 à 190, elle procéda à la conquête méthodique de la plaine du Pô, abattant les différents peuples l'un après l'autre. En 197, elle impose son alliance aux Insubres de Milan. Elle peut alors attaquer les Boïens de Bologne. Leur défaite en 192 marqua la fin de la Gaule Cisalpine. Il ne resta des Boïens, disent les historiens romains, que les vieillards et les enfants; le reste fut massacré ou emmené en esclavage. Entre les Celtes et l'Italie, prononça le Sénat, que les Alpes soient la frontière. La Gaule d'Italie avait duré deux cents ans.

Il n'est pas juste de parler d'Empire celtique. Tous ces peuples parents que nous apercevons des Iles Britanniques à l'Espagne et à l'Italie, de la Gaule à l'est de l'Europe et à l'Asie Mineure, n'ont pas conscience du lien qui les unit. Leur civilisation présente une identité remarquable, leurs comportements se ressemblent d'une extrémité à l'autre du continent européen, leurs langages sont foncièrement les mêmes : au IVe siècle après J.-C., saint Jérôme observe encore que les Trévires de Gaule et les Galates d'Asie Mineure parlent la même langue. Mais les Celtes du IIIe siècle avant notre ère ne concevaient pas l'immensité de leur empire; ils n'avaient aucunement conscience de leurs intérêts communs. L'exemple des Gaulois d'Italie, les plus avancés de tous, montre qu'ils n'ont aucun esprit politique, aucun sens de solidarité ethnique. Il n'y a donc qu'une poussière d'États celtiques. Agissant chacun pour son propre compte, et très aisément les uns contre les autres, ces États ne pouvaient résister à la poussée que provoqua la formation de peuples nouveaux. Il semble même bien que les invasions belges du IIIe siècle, loin de représenter l'exubérance d'une Celtique surabondante de sève, marquent déjà le commencement de la dissolution du Celtisme.

Jusqu'à cette date, en effet et notamment pendant la première période de La Tène, les Celtes paraissent avoir été maîtres non seulement de la rive droite du Rhin jusqu'à la Mer du Nord mais de l'Allemagne de l'Ouest jusqu'au-delà de l'Elbe. Vers 300 dut se produire dans le nord-est de l'Europe un bouleversement considérable. De nouvelles forces entrent en jeu et mettent en mouvement, dans le bassin de l'Oder, d'anciennes tribus qui avaient mené jusque-là une existence assez obscure, plus ou moins soumises à l'influence, partout prépondérante, des Celtes.

Cette agitation des peuplades qui allaient constituer les Germains semble avoir son point de départ dans la péninsule scandinave. Le rapprochement de constatations obtenues par l'étude des pollens conservés dans les tourbières et de trouvailles archéologiques a permis au Professeur R. Sernander, d'Upsal, de conclure à un refroidissement notable du climat vers le début de l'âge du fer scandinave, c'est-à-dire vers le VIe siècle avant notre ère, phénomène qui, d'ailleurs, a été également reconnu sur le continent. Ce changement de température aurait eu pour effet, d'abord l'émigration vers le sud des populations qui habitaient le nord de la péninsule, puis des passages sur les côtes septentrionales de l'Allemagne. C'est par l'arrivée de ces Scandinaves que s'expliqueraient le changement d'accent et les mutations phonétiques qui donnent aux parlers germaniques leur physionomie propre. Le noyau de population ainsi formé aurait peu à peu aggloméré autour de lui les tribus des rivages de Mecklembourg et de Poméranie. Soit en soumettant soit en entraînant avec lui les anciens occupants des bassins de la Sprée, de l'Oder et de la Vistule, le nouveau peuple étend son domaine, à partir du IIIe siècle, à la fois vers le sud, en Silésie, et vers l'ouest, sur la rive gauche de l'Elbe, au détriment des Celtes.

La seconde période de La Tène nous montre en effet les Celtes refoulés sur la ligne de hauteurs qui s'étend de la forêt de la Teutoburg, frontière de la Westphalie, à la forêt de Thuringe. Ils sont ainsi chassés des côtes de la Mer du Nord et de tout le centre de l'Allemagne. Ce sont les tribus fugitives de toutes ces terres qui auraient fourni les troupes sans cesse renouvelées des envahisseurs, Belges, Gésates, Galates et autres. Au siècle suivant, les Celtes ne se maintiennent plus qu'au sud du Main et à l'intérieur des Monts de Bohême. A la fin de ce siècle, l'équipée des Cimbres et des Teutons achève la désagrégation de la Celtique transrhénane.

Aux derniers des envahisseurs celtiques se mêlent les premiers des Germains. De ce mélange on a trouvé récemment un document très net : les inscriptions des casques de Negau, les unes celtiques et l'autre, germanique.

A Negau, en Basse-Styrie, sur la route qui, du Norique, conduit vers l'Italie ou l'Illyrie, un dépôt contenait une vingtaine de casques de bronze du type dit étrusco-illyrien. Ce sont des casques de forme globulaire à bord plat tels qu'on en trouve figurés sur des vases de bronze comme la situle de la Certosa de Bologne, du Ve siècle. Ce genre de casques est demeuré longtemps en usage; on en connaît qui ne datent que du dernier siècle avant notre ère. On ne saurait donc fixer exactement la date des exemplaires trouvés à Negau. Les inscriptions que portent deux d'entre eux semblent interdire de les faire remonter plus haut que le IIIe siècle qui est celui où l'alphabet d'origine étrusque devint d'un usage courant dans la région vénète. Le savant norvégien, M. Marstrander, qui a déchiffré les inscriptions, les date du IIe ou même du Ier siècle avant notre ère.

Elles nous donnent les noms des possesseurs successifs des casques. Sur l'un d'eux, ces noms sont nettement celtiques : *Dubnos fils de Bannabios*, *Serranco fils de Corbos*, *Isarnos fils d'Esuvios*. Sur un autre, M. Marstrander a lu : *harigasti teiva...i.* Comme dans les inscriptions celtiques, il s'agit d'un nom propre suivi du patronyme. Or, le nom *Harigast* est spécifiquement germanique et, dans le patronyme, on reconnaît le mot également germanique *teiva* (lat. : *divus*) qui signifie dieu. Tiwaz est en effet l'un des grands dieux des Germains continentaux. Ce dépôt de casques provenait donc d'une bande composée de Celtes et de Germains.

Au cours du dernier siècle avant notre ère, la pression des Germains se fait de plus en plus forte sur la Celtique transrhénane. Les Helvètes qui habitaient l'actuel pays de Bade sont repoussés en Suisse, sur la rive gauche du Rhin. Les Suèves d'Arioviste atteignent le fleuve sur toute la longueur de son cours. Un peu plus tard, sous Auguste, les Marcomans vont enlever la Bohême aux Boïens. Cependant César connaît encore, autour de la Forêt Hercynienne, des Volques; « ils se sont maintenus jusqu'à ce jour, sur leur territoire, dit-il, et ils jouissent d'une haute réputation de justice et de courage militaire ». Au moment où César apparaît en Gaule, il ne reste plus, dans l'Europe centrale, que des débris épars de la grande Celtique du IVe siècle.

Un autre ennemi a refoulé les Celtes le long de la voie du Danube. Le monde scythique et sarmatique s'était mis en mouvement du sud-est vers le nord-ouest. Au même moment où Arioviste atteignit le Rhin, les Daces du roi-prophète Burebista apparaissaient sur l'Inn et l'Isar. Les deux puissances nouvelles, Daces de l'est et Germains du nord, semblèrent sur le point de se heurter. Elles préférèrent se mettre d'accord aux dépens des Celtes. Arioviste fit alliance avec Burebista et épousa l'une de ses filles.

Ainsi, après avoir occupé au cours de l'âge du fer la plus grande partie de l'Europe, les Celtes succombent peu à peu à partir de 300 avant notre ère. Ils avaient répandu, des Iles Britanniques à la Mer Noire et des pays scandinaves à l'Apennin, leur civilisation propre, celle de La Tène. Ils avaient imposé leur langue dont nous retrouvons les traces dans les noms des nombreuses villes qu'ils ont fondées. Ils ont évidemment laissé beaucoup de leur sang parmi les peuples auxquels ils se sont mêlés et qui, plus tard, se sont substitués à eux. Ils furent non seulement de bouillants guerriers, mais aussi des agriculteurs patients et habiles, comme Caton le dit d'eux dans l'Italie du nord et comme Tite-Live le répète des Celtes d'Illyrie. Cependant ils n'ont créé aucun organisme politique de quelque envergure. Ils semblent avoir conquis l'Europe au hasard; ils y ont succombé en détail.

Dans une de leurs provinces, en Gaule, les Celtes s'étaient établis d'une façon plus stable. C'était une de celles qu'ils occupaient depuis le plus longtemps. Ils s'y étaient mélangés de façon intime aux autochtones; ils y étaient devenus, eux-mêmes, comme des indigènes; ils y avaient développé une nationalité, presque une nation : la Gaule.

C'est en Gaule que les Anciens ont le mieux connu les Celtes et qu'ils nous les ont décrits avec le plus de précision; c'est là que nous-mêmes retrouvons et pouvons étudier le mieux les vestiges de la civilisation celtique. Cette civilisation ne fut sans doute pas exclusivement celtique mais elle fut surtout celtique. Bien que les Celtes ne fussent pas toute la Gaule, ils se sont cependant identifiés avec elle, ils y ont étouffé le souvenir de leurs prédécesseurs et absorbé celui des populations qui vinrent s'y établir après eux. L'époque romaine et, après elle, la période barbare, ne furent que des phases de l'histoire de la Gaule celtique. Sous la civilisation gréco-romaine, les traditions celtiques ont en partie survécu; aujourd'hui même, elles ne nous paraissent pas entièrement étrangères.

Après avoir suivi les Celtes à travers l'Europe, nous nous cantonnerons donc en Gaule et ne distinguerons plus les Gaulois des Celtes. Efforçons-nous de les saisir tels qu'ils se présentaient dans notre pays à la veille de la conquête romaine.

5 LA GAULE INDÉPENDANTE

I. — Diversité des régions gauloises

Dans toute l'étendue de la Gaule, du Rhin aux Pyrénées et des Alpes à l'Océan, les Celtes ne se sont pas installés de la même façon. Ils s'y sont trouvés en masses d'autant moins denses qu'ils avançaient vers l'Ouest et le Sud. Ils y ont rencontré des populations antérieures diverses; les mélanges survenus entre eux et elles ont produit des résultats différents. Aux extrémités du pays, des voisins, autres, ont exercé sur eux des influences qui se sont traduites par un développement inégal de civilisation. Ne parlons pas du sol, du ciel, du climat, qui, dans chaque région, purent agir sur les hommes. C'était un thème courant dès l'Antiquité que la diversité des Gaulois entre eux.

La première indication que nous donne César constate cette diversité : « La Gaule dans son ensemble », dit-il, « se divise en trois régions principales : l'Aquitaine, la Celtique, la Belgique. Ces trois provinces diffèrent par la langue, par les coutumes, par les lois. » Il ne mentionne pas la Narbonnaise déjà réduite depuis un demi-siècle en province romaine. On regrette qu'il ne nous donne aucun détail sur ces différences de langue et d'institutions. Lorsque dans la suite de ses *Commentaires*, et notamment au livre VI, il traite des mœurs des Gaulois, il semble avoir oublié qu'elles étaient si diverses; il parle toujours des Gaulois en général.

Essayons de saisir le caractère propre des grandes provinces de la Gaule.

II. — La Narbonnaise

La Narbonnaise représente la Gaule méditerranéenne avec tout ce que cette situation comporte de particulièrement heureux, climat et sol. Elle a son centre dans la vallée du Rhône. Par mer et par terre, malgré les Alpes et les Pyrénées, elle communique avec les deux grandes péninsules méridionales : l'Italie et l'Espagne. Elle-même est déjà une terre du Midi.

Sa population préhistorique apparaît différente de celle de l'ensemble de la Gaule. Il y a un néolithique méridional particulier qui se rattache à celui de la côte italienne. A l'âge du bronze se font jour des influences venues du nord-ouest à travers les Causses et les Cévennes. L'âge du fer hallstattien n'y produit pas de modification profonde. Jusqu'en pleine époque de La Tène se perpétue une civilisation qui, tout en faisant usage des métaux, continue sans interruption celle des temps néolithiques. La région montagneuse des Alpes et la côte méditerranéenne restent, à l'époque historique, en possession des Ligures, population dont le fond se rattache aux plus anciens occupants de ces régions. Au sud-ouest, du Rhône jusqu'aux Pyrénées, nous trouvons des peuplades diverses, autochtones, cataloguées elles aussi, souvent, comme ligures mais qui s'apparentent plutôt à celles de la côte espagnole.

C'est donc sur la côte de Provence et dans les Alpes qu'on localisera ces Ligures dont on a voulu faire un des grands peuples préhistoriques de l'Europe et sous le nom desquels Camille Jullian concrétisait l'unité linguistique italo-celtique supposée à l'âge du bronze. Nous nous sommes expliqués au chapitre 2 (p. 49 sq.) sur cette hypothèse. Si isolés que fussent les Ligures dans leurs montagnes, ils n'ont pas été sans subir de mélanges; les Alpes ont toujours été perméables; mais nous ne saurions doser ces mélanges. Leur langue, telle qu'elle apparaît dans les noms de lieux, comporte bon nombre d'éléments indo-européens, si bien qu'il est difficile dans la plupart des cas de distinguer un nom ligure d'un nom gaulois.

La tribu ligure chez laquelle auraient débarqué les Phocéens fondateurs de Marseille portait, nous dit un historien antique, le nom de *Segobriges*. Ce nom semble celtique beaucoup plus que ligure; on s'est demandé s'il n'avait pas été prêté arbitrairement aux premiers hôtes des Phocéens. Les radicaux qui le composent se retrouvent en effet en gaulois : *sego* signifie force, la même racine a donné le mot allemand *Sieg* victoire; de là vient le nom du dieu celtique *Segomo* et le nom de personne gaulois, *Segomaros.* Comme nom de peuple et de lieu, on le rencontre en territoire alpestre : *Segovii*, tribu des bords de la Doire Ripaire, *Segusini* et leur capitale *Segustro*, Suse. Mais les *Segusiaves* du Forez portent un nom de même racine. Le second terme, *briga*, est également indo-européen et particulièrement celtique ancien; nous l'avons vu une trentaine de fois en Espagne, chez les Celtibères; il est plus rare en Gaule; on le trouve cependant par exemple dans l'Oise : *Litanobriga* (Creil ou Sainte-Maxence) et, comme premier terme, dans *Brigantium* qui est le nom de Briançon, dans les Alpes, ainsi que de Bregenz sur le lac de Constance, en plein pays celtique. S'il n'y a pas lieu de dénier aux Ligures un nom tel que celui de *Segobriges*, il faut reconnaître que ces Ligures étaient déjà fortement pénétrés d'éléments indo-européens, probablement celtiques.

Dans la région alpestre, les noms de peuples présentent la même incertitude.

L'inscription de l'arc de Suse élevé en 8 av. J.-C. pour commémorer la paix conclue par Auguste avec le roi Cottius, dont le nom est resté à cette partie des Alpes : Alpes Cottiennes, nous fait connaître les noms de quatorze peuples qui les habitaient. Plusieurs sont nettement celtiques : *Caturiges* (même nom dans la Meuse, à Bar-le-Duc), *Medulli* (même nom dans le Médoc, chez les Bituriges Vivisques). D'autres le sont probablement : *Ecdinii* (gaul. *din*, protection), *Venicamii* (*veni*, terme fréquent dans des noms propres gaulois : irlandais, *fin*, famille). De plusieurs, comme *Savinates*, *Adanates*, on ne saurait rien affirmer; d'autres enfin paraissent étrangers au gaulois : *Belaci*, *Jemerii*, *Quadiates*, *Tebavii*, *Veamini*, *Vesubii.*

Une autre inscription de la même époque, reproduite par Pline l'Ancien (III, 20, 136), celle du Tophée de la Turbie, au-dessus de Nice, commémorant également la victoire romaine sur les tribus de toutes les Alpes, nous fait connaître quarante-huit autres noms de peuplades. Nous y retrouvons le même mélange de noms d'apparence gauloise et d'autres qui semblent étrangers au celtique : *Ambisontes*, *Gallitæ*, *Velauni*, sont gaulois; *Trumpilini*, *Camuni*, *Rugusci*, *Brodionti*, etc., ne le semblent pas. Les écrivains anciens n'avaient pas tort de parler de Celto-Ligures dans les montagnes entre l'Italie et la Gaule et, de même, de Ligures mêlés aux Gaulois jusqu'au Rhône.

Sur la côte française, nous trouvons des noms d'aspect ligure : *Camatullici* dans les Maures, *Ligauni* et *Oxybii* dans l'Esterel, *Deciates* au-dessus d'Antibes. Dans la vallée du

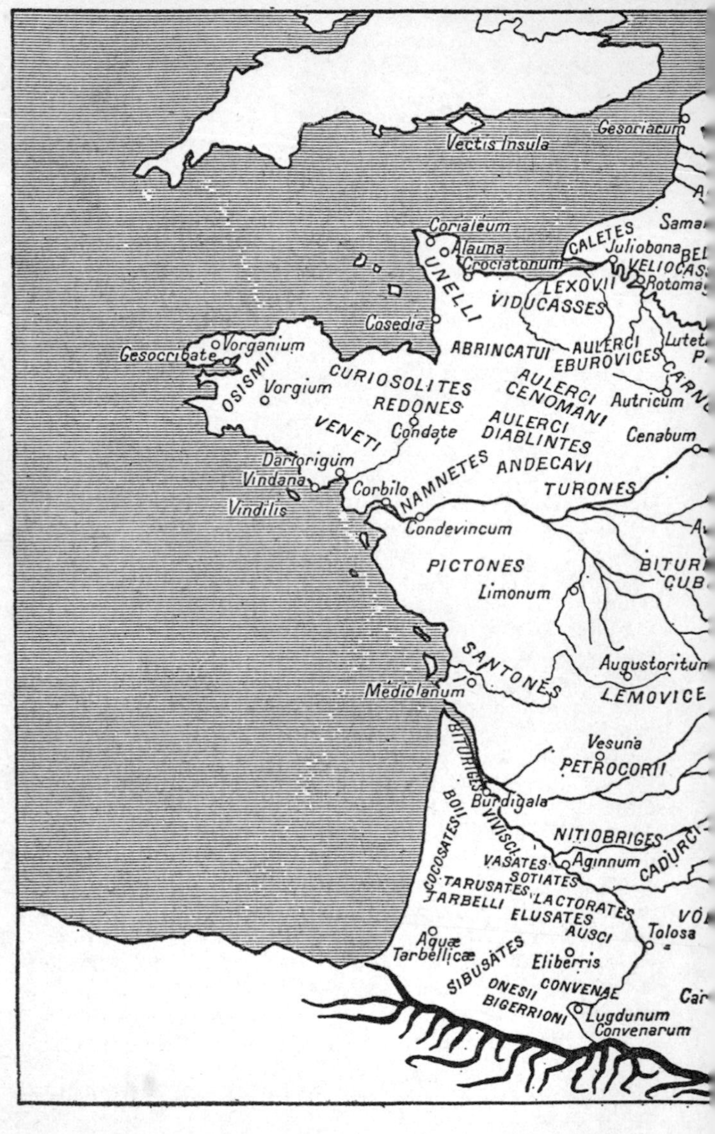

Fig. 28. — La Gaule et ses différents peu

moment de la conquête romaine.

Rhône, au contraire, la majeure partie des noms sont gaulois. Nous savons que le peuple des *Salluvii*, *Salyens*, dans la région d'Aix, était mélangé de Ligures et de Celtes mais nous ne pouvons distinguer si son nom était ligure ou celtique. Deux grands peuples gaulois, les *Allobroges*, en Dauphiné et en Savoie, les *Voconces*, de Vaison à Die, ont occupé à la fois vallées et montagnes. Au sud s'échelonnent des peuples moindres, également celtiques : *Segolauni* de Valence à Montélimar, *Tricastini* dont le nom se conserve dans Saint-Paul-Trois-Châteaux, les *Cavares*, de Valence à Avignon. Les derniers venus, les Volques, se divisent en *Arecomici* sur la rive droite du Rhône d'Orange à Narbonne, et *Tectosages*, de Narbonne à Toulouse. Autour de Nîmes, dont le nom est gaulois, une inscription d'époque romaine cite une douzaine de localités dont on ne saurait dire autant : *Andusia* (Anduze), *Brugetia*, *Tedusia*, *Vatrute*, *Ugerni* (Beaucaire), *Ucetiæ*; d'autres au contraire : *Sextant*(*io*) Substantion, près de Montpellier, *Briginn* (?), *Statumae*, *Virinn* (?), *Segusion*, paraissent celtiques. Il est probable que, gaulois ou ligures de nom, ces peuples et ces localités englobent également un mélange d'hommes de l'une et l'autre origine.

La langue devait refléter ce mélange. Nous possédons un certain nombre d'inscriptions de cette région, écrites généralement en caractères grecs, en un idiome qui n'est pas latin bien qu'il y ressemble parfois, et que l'on a toute raison de qualifier de celtique, malgré certaines particularités qui le distinguent du gaulois. D'Arbois de Jubainville le tenait pour du ligure; un excellent celtisant anglais, John Rhys, attribuait ces textes à une langue encore mal définie, qui aurait été en usage dans l'ancien domaine ligure et à laquelle il donnait le nom de *celtican*; G. Dottin est d'avis qu'il est difficile de les séparer des autres inscriptions celtiques connues en France. Il nous semble bien qu'il a raison et que nous avons là simplement du gaulois, avec quelques particularités locales d'origine ligure : par exemple, le nom propre *Kouadronia*, dans une inscription de Ventabren (Bouches-du-Rhône), est la forme correspondant au gaulois *Petronia* (gaul. *petor* = *quatuor*, quatre). De telles particularités peuvent représenter ces différences de langue dont parlait César.

Toujours en Narbonnaise mais à droite du Rhône en direction des Pyrénées apparaissent d'autres populations, soit très anciennement établies comme les *Bébryces* qui semblent des Celtes arrivés à la fin de l'âge du bronze, soit probablement autochtones comme les *Sordones* en Roussillon et les *Elisyces* autour de Narbonne et de Béziers. C'est à ces indigènes qu'il faut attribuer la première occupation des oppida comme Eusérune et Montlaurès dont les fouilles ont révélé la richesse depuis le premier âge du fer. Plus tard, vers le début du ve siècle, les Ibères de la côte orientale d'Espagne ont franchi les Pyrénées et se sont avancés jusqu'au Rhône. La tradition a conservé le souvenir de luttes, dans la région du Rhône, entre Ligures et Ibères. Le périple de Scylax, au IVe siècle, prêtant aux indigènes le nom de Ligures, signale jusqu'au fleuve des Ligures et des Ibères mélangés. Leurs oppida, à cette date, fournissent une abondante vaisselle de type ibérique. Puis le flot gaulois recouvrit le tout. Mais il ne paraît pas avoir été très dense. Les Volques s'étaient étalés sur un trop vaste territoire pour avoir pu l'occuper partout en masses profondes. On trouve dans la région, datant du IIIe siècle, des monnaies indigènes au nom de rois locaux portant des noms celtiques : *Bitouos*, *Kaiantolos*. S'agit-il vraiment de chefs gaulois ou d'indigènes qui auraient pris des noms gaulois?

Un fait domine toute cette région : le passage de la grande voie naturelle qui conduit d'Espagne en Italie. C'est, dans la légende, le chemin d'Hercule revenant du Jardin des Hespérides. Au passage du Rhône, dans la Crau, le héros s'est heurté aux Ligures qui voulaient l'arrêter, comme il avait dû arriver aux Ibères. Les cailloux de la Crau seraient les projectiles que Jupiter aurait envoyés au héros pour disperser ses ennemis. Le chemin d'Hercule fut, à l'époque romaine, la *Voie Domitienne*. De tout temps, tantôt dans un sens et tantôt dans l'autre, il dut livrer passage à des populations en mouvement et favoriser leurs mélanges.

Un dernier élément vint compléter la physionomie de la Gaule méditerranéenne : la colonisation grecque.

L'imagination hellénique a prêté à l'arrivée des Phocéens et à la fondation de Marseille une couleur idyllique. Le roi des Ligures Segobriges, Nannas, mariait sa fille Gyptis; la jeune fille devait, à la fin du festin, tendre la coupe nuptiale à celui qu'elle aurait choisi; l'élu fut le chef des Phocéens. Ainsi aurait été conclue l'alliance des nouveaux venus avec les indigènes, alliance bientôt troublée, reconnaît la tradition, par des tentatives des Ligures pour s'emparer de la colonie grecque. Les colons marseillais auraient trouvé un secours dans l'arrivée des Gaulois. Les Gaulois, disait-on, étaient foncièrement philhellènes. Telle est la légende; la réalité semble avoir été plus rude.

Tout d'abord, la date même de l'arrivée des Phocéens demeure incertaine. On dit généralement, vers 600. Mais Phocée n'a été prise par Harpage, lieutenant de Cyrus, qu'en

540 et les Phocéens fugitifs avaient d'abord tenté de s'établir en Corse. Leur présence dans l'île inquiéta les Étrusques qui, cinq ans plus tard, aidés des Carthaginois, parvinrent à les chasser. Une partie des colons gagna Velia, en Calabre, près de Rhegium (Reggio), l'autre vint à Marseille. Ceci nous met en 535. Il est possible, il est vrai, mais non pas certain, que Marseille ait été fondée avant la ruine de sa métropole Phocée.

Il n'est pas certain non plus que les Phocéens aient été les premiers colons grecs de la côte provençale. Une tradition antique rapportée par Pline y signale des Rhodiens. Ces Rhodiens auraient été les fondateurs de la ville de *Rhodanousia*, dont l'emplacement demeure incertain; peut-être aux environs de Beaucaire. Ce sont les Rhodiens qui auraient donné au fleuve son nom de *Rhodanos*. Est-ce là simplement un mythe étymologique? Rattacher le nom du Rhône à celui des Rhodiens est certainement faux car on rencontre des cours d'eau du même nom en des régions où n'ont jamais pu paraître des Rhodiens. Cependant on a recueilli sur de nombreux points du littoral des tessons de vases ioniens et spécialement rhodiens antérieurs au VIe siècle, c'est-à-dire à l'arrivée des Phocéens. Ces parages ont donc été fréquentés par des commerçants grecs avant la fondation de Marseille.

De toute façon, les débuts de la colonie phocéenne durent être difficiles. La légende a conservé le souvenir d'attaques ligures déjouées. Surtout, les Étrusques et les Carthaginois leurs alliés demeurèrent les maîtres de la mer jusqu'en 480, date à laquelle ils furent battus à Himère par les Syracusains. C'est seulement à partir du moment où l'hellénisme triompha en Méditerranée que put s'épanouir l'activité de Marseille.

Les Grecs avaient dû être attirés tout d'abord par les embouchures du Rhône qui permettaient d'entrer en relation avec l'intérieur du pays. On fouille actuellement, sur la hauteur de Saint-Blaise, entre l'étang de Berre et celui de Lavalduc, une ville grecque au nom encore incertain et qui semble dater du milieu du Ve siècle. Entourée d'une enceinte admirablement construite en grosses pierres de taille souvent marquées de lettres grecques, elle dominait à la fois le golfe de Fos et la Crau. Les tessons de poterie déjà recueillis la datent du Ve au IIe siècle avant notre ère; elle dut être abandonnée vers le moment de l'arrivée des Romains; on n'y trouve en effet aucune trace de l'époque romaine. L'emplacement ne fut occupé de nouveau qu'à l'époque wisigothique, comme refuge des populations environnantes. C'était un poste avancé de Marseille vers le bas Rhône.

Commandant le delta, les textes anciens nomment une

ville, *Thelinè*, qui devait être vers l'emplacement d'Arles; en amont, la colline de Cordes semble avoir été le siège d'établissements importants. A l'ouest du Rhône, Agde, à l'embouchure de l'Hérault, était une colonie marseillaise : *Agathé*. Les oppida indigènes, installés à quelque distance de la mer pour éviter la surprise des pirates, avaient leurs échelles sur les lagunes du littoral : *Vendres*, au sud de Béziers, *Narbonne*, au fond de son grau, le *lacus Rubresus* ancien; *Pyrènè-Illiberris* vers l'embouchure du Tech, Collioure-*Caucoliberris* au pied des Pyrénées. C'étaient autant d'escales pour les navires de Marseille en route vers leurs colonies ibériques de *Rhodé*, *Rosas* et d'*Emporion*, *Ampurias*. L'abondance des vases grecs dans les oppida témoigne de l'activité des échanges.

Vers l'est, les Marseillais avaient à se garder de la piraterie ligure. Ils n'avaient jamais pu s'assurer une route terrestre le long de la côte; ils tinrent à garantir la route maritime. De là, ces colonies grecques que nous retrouvons à l'époque romaine : *Citharista*, Ceyreste, à l'intérieur des terres mais dont le port devait se trouver à la Ciotat, *Tauroentum*, dont on discute l'emplacement, *Olbia*, qui est Hyères, *Heraclea Caccabaria*, Cavalaire, *Athenopolis*, Saint-Tropez, *Antipolis*, Antibes, et la plus importante de toutes, *Nicaea*, Nice.

L'empire de Marseille était sur la mer; dans quelle mesure son influence pénétra-t-elle à l'intérieur de la Gaule? Problème très discuté, dont la solution n'est peut-être pas encore entièrement acquise et au sujet duquel nous nous permettrons d'exposer une opinion presque entièrement négative.

Dans les plus récents des tumuli hallstattiens de Franche-Comté et de Bourgogne on trouve quelques tessons de vases attiques de la fin du VIe et du début du Ve siècle et, dans une zone beaucoup plus large, de beaux exemplaires de vases de bronze de fabrication grecque. Y sont-ils arrivés par Marseille?

Autour de Marseille, tessons attiques et vases de bronze grecs ou de l'Italie méridionale se rencontrent jusqu'en Avignon et à Orange et quelques-uns dans la vallée de la Durance. Au-delà, on n'en connaît qu'un seul exemple : un lécythe blanc à palmettes noires du Ve siècle à Voiron (Isère). C'est peu pour jalonner une voie commerciale de Marseille jusqu'en Bourgogne.

Si l'on reporte sur la carte les trouvailles d'objets grecs de cette date, on s'aperçoit que la Franche-Comté et la Bourgogne ne sont que l'aboutissement d'un courant qui traverse la Suisse et dont une autre branche atteint la vallée du Rhin. Ce courant suit la vallée du Danube en Wurtemberg et en Bavière. On ne saurait déterminer s'il vient directement de

Grèce le long du grand fleuve européen ou s'il n'arrive pas par l'Adriatique et les pays vénètes et étrusques de l'Italie du nord, traversant soit les Alpes Juliennes soit le Brenner. C'est dans ces régions de l'Adriatique au Danube que la civilisation de Hallstatt, dans son ensemble, a ses racines. Les produits grecs ne semblent pas être parvenus en Gaule par une autre voie que la civilisation de Hallstatt elle-même. Rien ne prouve, à notre avis, que Marseille ait été l'intermédiaire entre la Grèce et la Gaule dès le ve siècle avant notre ère.

L'approche des Gaulois, vers 400, ne favorisa pas les relations avec la Gaule. Une de leurs bandes dut commencer par prendre et piller Marseille.

La légende marseillaise racontait l'histoire d'un chef gaulois, Catumandus ou Catumarandus, qui, assiégeant la ville, aurait vu en songe une déesse lui enjoignant de faire la paix avec les Marseillais. Il aurait obtenu la permission d'entrer dans la ville pour en vénérer les dieux; ayant reconnu la statue de la déesse qui lui était apparue, il se serait empressé de conclure un traité d'amitié perpétuelle. Un peu plus loin, il est raconté que les Marseillais, à la nouvelle de la prise de Rome par les Gaulois, auraient disposé de tout l'or et de tout l'argent du trésor public aussi bien que des particuliers pour aider les Romains à payer la rançon exigée par Brennus (Justin, 43). Admirable générosité! Critiquant ces légendes, M. J. Brunel estime que si Catumandus pénétra dans Marseille, ce fut à la tête de ses troupes et que si les Marseillais livrèrent tout ce qu'ils possédaient, ce fut pour payer leur propre rançon plutôt que celle de Rome.

Que le trésor de Marseille ait été ainsi vidé, précisément vers le début du IVe siècle, c'est ce que semble bien établir l'étude du monnayage de la colonie. Au Ve siècle, Marseille frappe de belles drachmes lourdes d'un poids moyen de 3 gr. 75. Puis ces émissions s'arrêtent. Lorsque, au IVe siècle, Marseille remet de nouvelles pièces en circulation, celles-ci ne pèsent plus que de 2 gr. 60 à 2 gr. 50. M. H. Rolland n'hésite pas à mettre cette dévaluation en rapport avec la prise de la ville conjecturée par M. Brunel.

Les Gaulois semblent être toujours demeurés des voisins fâcheux. Un archéologue marseillais, M. de Gérin-Ricard, a fouillé plusieurs oppida gaulois sur les hauteurs dominant Marseille. Il note que durant les périodes de La Tène I et II, c'est-à-dire du IVe au IIe siècles avant notre ère, la colonie se trouva encerclée, dans un rayon de sept à dix kilomètres, par des forteresses gauloises, commandant ses principales voies d'accès. Quel rôle, se demande-t-il, jouèrent ces forteresses? Alliées, neutres ou ennemies? Probablement, l'un et l'autre alternativement, pense-t-il, et c'est là la réponse la plus optimiste.

Depuis ses débuts et durant toute son existence, Marseille eut donc à lutter âprement contre ses voisins aussi bien Ligures que Gaulois. On comprend l'énergie avec laquelle elle maintint ses vieilles institutions. « Les mœurs des Massaliotes », dit Strabon, « sont restées simples et leurs habitudes, modestes; rien ne l'atteste mieux que l'usage suivant : la dot la plus forte, chez eux, est de cent pièces d'or, à quoi l'on peut ajouter encore cinq pièces pour les habits et cinq autres pour les bijoux et l'orfèvrerie; la loi ne permet pas davantage. » On s'est souvent étonné de la rareté des œuvres d'art dans le sous-sol antique de Marseille. Peut-être la sévérité obligée de sa vie ne lui laissa-t-elle jamais le loisir d'être une ville d'art. On a considéré comme une aberration de sa part l'appel qu'en 125 elle adressa aux Romains contre ses voisins gaulois. Si elle recourut ainsi à ses très anciens alliés, c'était peut-être en désespoir de cause et par crainte d'une catastrophe imminente.

Outre la mer, il restait à Marseille le delta du Rhône et, par le fleuve, la vallée de la Durance au nord des Alpilles. C'est dans cette vallée, de *Glanon* (Saint-Rémy-de-Provence) à *Cabellio* (Cavaillon), que s'affirme le plus nettement l'influence hellénique. Longtemps on ne connut à Saint-Rémy que les « Antiques », l'Arc de triomphe et le Mausolée des Jules qui datent du début de l'époque romaine. Actuellement, les fouilles y mettent en lumière, sous la couche romaine, les vestiges d'une ville grecque. A quelle époque en peut remonter la fondation?

A l'origine, il y eut, semble-t-il, une bourgade indigène en relation avec les Grecs dès l'arrivée des Phocéens et peut-être même avant eux, comme l'indiquent quelques tessons de vases ioniens et corinthiens du VIe et peut-être même du VIIe siècle. Les restes d'une maison hellénistique paraissent de la fin du IIIe ou du début du IIe siècle. C'est du commencement du second siècle que l'on date une pièce de monnaie, une drachme de type marseillais qui porte, en caractères grecs, la légende *Glanikon*, Glanon. Il est vraisemblable, fait observer M. H. Rolland, que la ville grecque est plus ancienne que sa monnaie; ce n'est pas dès ses premières années que la jeune colonie put mettre en circulation une monnaie propre. Cavaillon et Avignon ont fourni également quelques monnaies à leur marque. C'est du IIIe siècle, probablement de la seconde moitié de ce siècle, que l'on datera cette expansion de l'influence marseillaise. Au moment de la conquête romaine, à la fin du second siècle, la région paraît complètement hellénisée, comme en témoignent ces stèles funéraires en forme d'obélisque portant le nom du défunt écrit en caractères grecs que l'on a trouvées à Saint-Rémy et à Cavaillon. Les noms sont généralement gaulois. L'influence de Marseille est ici évidente.

Est-ce cependant Marseille qui a généralisé en Gaule l'usage de l'écriture grecque? César note en effet que, pour leurs documents officiels, les Gaulois usent couramment des caractères grecs. Ne faut-il pas rapprocher la connaissance de l'écriture de celle de la monnaie? Or, les plus anciennes monnaies que l'on rencontre en Gaule, hors de la région proprement marseillaise, ne sont pas des monnaies de Marseille mais bien des statères d'or de Philippe II de Macédoine et leurs imitations. Sans doute ces pièces ont-elles été extrêmement répandues dans le monde antique. Mais pourquoi imaginer qu'elles ne seraient parvenues en Gaule que par le détour de Marseille? N'est-il pas plus vraisemblable que les Gaulois en aient eu connaissance en Macédoine et dans les Balkans et que, de là, par la voie du Danube, elles aient circulé dans tout le monde celtique. Au IIIe siècle encore, comme au début du Ve, cette route de l'Europe centrale fut la grande artère de communication entre la Grèce et la Gaule.

Sans doute est-ce l'exemple de Marseille qui a porté ses plus proches voisins celto-ligures à figurer sous la forme humaine quelques-unes de leurs divinités. Au sanctuaire de Roquepertuse près de Velaux, dans la région de Rognac (Bouches-du-Rhône), deux statues représentent en posture accroupie, les jambes croisées et vêtus d'espèces de chasubles qui n'ont rien de grec, des personnages qui sont probablement des dieux. De l'oppidum des Salyens à Entremont, au-dessus d'Aix, proviennent un bas-relief de cavalier et un certain nombre de têtes coupées, sculptures barbares commémorant ces trophées humains dont se glorifiaient les Gaulois. Tout récemment y ont été trouvés les débris d'autres sculptures, bas-relief, têtes casquées et torses cuirassés, antérieurs à la conquête romaine. Pour les quelques sculptures préromaines qui ont été trouvées dans la région de Nîmes on peut hésiter entre l'influence de Marseille et celle des Ibères. Ces œuvres d'un art primitif ne dépassent pas la région du Bas-Rhône; le reste de la Gaule ne semble pas avoir sculpté de figures dans la pierre; on n'en a jamais trouvé la moindre trace (voir ci-dessous, p. 230).

L'influence de Marseille ne semble donc pas avoir dépassé un périmètre assez restreint. C'est bien ce que disait Strabon (IV, I, 5) : « Dès le début, plus confiants dans les ressources que pouvait leur offrir la mer que dans celles de l'agriculture, les Marseillais cherchèrent à utiliser de préférence les conditions heureuses où ils se trouvaient placés pour la navigation et le commerce maritime. Plus tard seulement, à force d'énergie et de bravoure, ils réussirent à s'emparer d'une partie des campagnes qui entourent leur ville. »

Comment donc vivaient-ils? Leur blé devait être importé. A ce ravitaillement répondaient sans doute leurs relations avec les indigènes de Narbonne et de Béziers chez qui pouvaient arriver les céréales de Gascogne. Dès le ve siècle, des tessons de vases grecs se trouvent dans les régions de Toulouse et d'Agen; plus tard s'y rencontrent des monnaies de Marseille. Ces très anciennes relations commerciales furent sans doute l'une des raisons qui décidèrent Rome à inclure Toulouse dans la Province romaine de Narbonne.

Les monnaies de Marseille ne manquent pas non plus dans la plaine du Pô; on sait que Marseille était active en Italie, sans doute par Gênes et par Pise. Elle était depuis toujours l'alliée de Rome; ses navires fréquentaient le port de Caeré (Cervetri), ceux de l'Italie méridionale, peut-être même de la Grèce. Qu'y apportaient-ils? Évidemment, les produits indigènes qui leur arrivaient par le delta du Rhône ou qui aboutissaient à leurs colonies de la côte ligure.

Un commerce important mettait en effet Marseille en relation avec les pays du nord et de l'ouest : celui de l'étain.

Les Anciens ont parlé souvent des îles Cassitérides qui produisaient l'étain, mais jamais avec une précision qui nous permette de les situer exactement. Il y eut des gîtes d'étain exploités dès l'époque préhistorique dans la Bretagne française; il y en eut d'autres dans la Bretagne insulaire. L'exportation du précieux métal était l'objet de la navigation atlantique; les indigènes l'apportaient à Gadès où venaient le chercher Phéniciens et Carthaginois. Au VIe siècle av. J.-C., ceux-ci avaient, semble-t-il, monopolisé le trafic et exclu les Grecs des Colonnes d'Hercule. On narrait le cas d'un navire phénicien qui, se voyant suivi par un bateau grec, préféra s'échouer plutôt que de lui montrer la voie.

Il était un autre chemin pour atteindre la région mystérieuse des Cassitérides : la route de terre à travers la Gaule. Les Phocéens s'étaient précisément installés au point d'aboutissement de cette voie. Les renseignements que nous possédons sur le commerce de l'étain sont tardifs, ils ne datent que de l'époque d'Auguste, mais il est permis de supposer que les faits qu'ils relatent sont beaucoup plus anciens. Ils expliqueraient la prospérité de Marseille malgré toutes les difficultés auxquelles la colonie se trouvait exposée.

« En Bretagne, rapporte Diodore (V, 22), près du cap qu'on appelle Belerion, les indigènes sont particulièrement amis des étrangers et civilisés par leurs relations avec les commerçants du dehors. Ils produisent l'étain qu'ils extraient des roches dans lesquelles ils pratiquent des galeries, ils le fondent et en font des lingots qu'ils portent dans une île située en avant de la Bretagne et qu'on nomme Ictis (plus tard, *Vectis*, l'île de Wight). La marée découvre l'espace situé entre la Bretagne et cette île de sorte que c'est par chariot qu'on y apporte de grandes quantités d'étain. Là, des marchands viennent l'acheter et le transportent en Gaule. Ils mettent trente jours pour l'apporter à dos de cheval jusqu'à l'embouchure du Rhône. » Et plus loin (V, 38, 6) il précise : « Une grande quantité d'étain est transportée de l'île de Bretagne sur la côte gauloise située en face d'elle puis, à travers les terres de la Celtique, des marchands l'apportent à dos de cheval à Marseille et à la ville qu'on appelle Narbonne. »

Ces pratiques paraissent très anciennes. Peut-être est-ce ce commerce de l'étain qui rendrait compte, à l'âge du bronze, de l'extension jusqu'à la vallée du Rhône et notamment à cette colline de Cordes, en amont d'Arles, qui est la tête du Delta, des menhirs, des dolmens de type breton et des sépultures en grottes artificielles comme la Grotte des Fées à Fontvielle et celle du Castellet.

Étant données les habitudes du commerce préhistorique, telles que les décrit Hérodote à propos du transport de l'ambre depuis la Baltique jusqu'en Grèce, on peut supposer qu'à travers la Gaule l'étain passait de peuple à peuple, recevant à chaque frontière de nouveaux convoyeurs. C'étaient des voisins qui l'apportaient au point où allaient le prendre les Marseillais; ceux-ci n'avaient pas à le chercher loin de chez eux.

Il serait extraordinaire qu'en Grecs et en bons commerçants qu'ils étaient, les Marseillais n'aient jamais eu la curiosité des pays dont leur venait ce métal dont ils étaient les courtiers. Mais les Gaulois devaient défendre âprement leur monopole de transporteurs. Lorsqu'au IVe siècle le Marseillais Pythéas résolut d'explorer ces régions lointaines, ce ne fut pas la voie de terre qu'il choisit. Malgré les Carthaginois, il franchit les Colonnes d'Hercule. Les renseignements qu'il rapporta de son voyage, notamment sur le cercle arctique et sur une île de Thulè, parurent tellement invraisemblables qu'il fut généralement traité de menteur et que nous ne connaissons les résultats de son exploration que par les quelques mentions qu'en font ses contradicteurs (notamment Strabon, II, 8).

Lorsqu'en 218, Scipion débarqua à Marseille, à la recherche d'Hannibal, il voulut se renseigner sur les terres et les îles de l'Occident. Strabon (IV, 2, 1) cite à ce propos un passage aujourd'hui perdu de Polybe :

« On voyait naguère, sur les bords de la Loire, un port et marché du nom de Corbilo (vers Saint-Nazaire). Polybe en parle dans le passage où il rappelle toutes les fables débitées par Pythéas au sujet de la Bretagne. Scipion, dit-il, ayant appelé les Massaliotes en conférence pour les interroger au sujet de la Bretagne, aucun d'eux ne put le renseigner sur cette contrée de façon tant soit peu satisfaisante, les négociants de Narbonne et de Corbilo pas davantage et c'étaient là pourtant les deux principales villes de commerce de la Gaule. »

Il est possible d'ailleurs que les commerçants gaulois n'aient pas voulu livrer au Romain le secret de leurs relations.

Le peu qui nous reste des constatations géographiques de Pythéas montre qu'il n'avait pas menti. L'incrédulité même qu'il rencontra auprès de ses compatriotes prouve que ceux-ci ne connaissaient presque rien de la Gaule et absolument rien de la Bretagne d'où leur venait l'étain. Comment auraient-ils exercé une influence sur ces terres ignorées?

La Gaule grecque, ce fut essentiellement la côte méditerranéenne des Pyrénées aux Alpes, de Port-Vendres à Nice, avec le delta du Rhône et la basse Durance. Les clients indigènes de Marseille n'étaient originairement pas gaulois. Sur la côte occidentale, ils ne le devinrent que très superficiellement; sur la côte orientale, Marseille n'eut que des colonies; les Ligures demeurèrent toujours réfractaires à son influence.

Même dans la vallée du Rhône et jusqu'aux portes de Marseille, les Gaulois demeurèrent des continentaux, guerriers, laboureurs et pâtres : « les sauvages Salyens », *Salyes atroces*, dit Avienus en parlant des plus proches voisins de la colonie grecque. Les sculptures d'Entremont, ces têtes coupées qui décoraient probablement la porte de leur oppidum, témoignent de la justesse de cette épithète jusqu'à la fin du IIe siècle avant notre ère. Chacun de leur côté, Marseillais et Gaulois demeuraient fidèles à leurs traditions.

Si, dès le premier siècle de l'Empire, la Narbonnaise apparaît à Pline l'Ancien, « par la culture de ses terres, par l'abondance de ses ressources, par la valeur de ses hommes, comme une portion d'Italie plutôt que comme une province », elle le doit aux vertus de son sol et de sa population éveillée par près de deux siècles de colonisation romaine plutôt qu'à des germes de culture hellénique anciennement déposés par Marseille. L'extension de la Gaule grecque semble être toujours demeurée extrêmement restreinte.

III. — L'Aquitaine

Que faut-il entendre par Aquitaine, au temps de l'indépendance gauloise? — Une province qui, sans doute, fait partie de la Gaule mais qui cependant lui est en une certaine mesure étrangère et se trouve liée par sa population avec l'autre versant des Pyrénées. Elle est beaucoup plus restreinte que l'Aquitaine de l'époque romaine qui s'étend jusqu'à la Loire. D'une façon générale, elle a pour limite le cours de la Garonne. Toulouse et toute la haute vallée du fleuve, occupées par les Volques Tectosages, ont été annexées à la Narbonnaise. L'Aquitaine ne comprend donc que la moitié occidentale de l'isthme pyrénéen. César exagère singulièrement lorsqu'il affirme que « pour l'étendue de ses terres et la multitude de ses hommes elle peut être évaluée au tiers de la Gaule ». Il veut évidemment flatter son allié Crassus dont le fils a été chargé par lui de la conquête de cette province.

Le premier des peuples aquitains que rencontrèrent les légions furent les *Sotiates* dont l'oppidum était Sos et qui occupaient le Lot-et-Garonne. Comme les Gaulois, ils disposaient d'une nombreuse cavalerie mais elle combattait en étroite liaison avec les fantassins. Comme les Ibères, les Aquitains en général excellaient aux embuscades et ruses de guerre que méprisaient les Gaulois; plus souples, ils étaient aussi plus opiniâtres. A côté des Sotiates, les *Vocates* et les *Vasates* occupaient le Bazadais, derrière eux, les *Tarusates* se trouvaient entre l'Adour et le Gave de Pau. A l'approche des Romains, ces peuples se hâtent de demander le secours de leurs voisins d'Espagne; ils confient le commandement à des chefs qui ont combattu naguère avec Sertorius de l'autre côté des Pyrénées. Les autres peuples que mentionne César se localisent dans le bassin de l'Adour : *Cocosates* et *Tarbelli* au bord de l'Océan, *Elusates* (Eauze) et *Ausci* (Auch) dans le Gers, *Bigerrioni* en Bigorre. D'autres, *Ptiani*, *Gates*, *Sibuzates*, restent difficiles à situer. Si l'on ajoute à ces noms de peuplades ceux que nous connaissons par ailleurs, notamment par Pline, nous trouvons une trentaine de peuples pour six ou sept de nos départements. C'est là un état très différent de celui de la Gaule proprement dite où chaque peuple occupe un territoire beaucoup plus vaste. Cette dispersion rappelle la multiplicité des tribus ligures dans les Alpes. Aquitains et Ligures en sont restés au même stade de développement politique.

« Les populations de l'Aquitaine », dit Strabon (IV; I, I), « non seulement par leur idiome mais encore par leurs traits physiques, sont beaucoup plus rapprochées du type ibérique que du type gaulois; elles forment un groupe complètement à part des autres peuples de la Gaule. »

Beaucoup plus tard, au second, peut-être même au début du IIIe siècle de l'Empire, une inscription de Hasparren nous montre les « Neuf Peuples d'Aquitaine » obtenant de l'Empereur d'être séparés « des Gaulois », et sous le Bas-Empire nous trouverons en Gaule une province de Novempopulanie qui représente approximativement l'ancienne Aquitaine. La domination romaine n'avait donc pas réussi à opérer la fusion entre Aquitains et Gaulois.

Là encore, comme en Narbonnaise, nous avons à faire à une population montagnarde extrêmement ancienne et que l'on peut dire autochtone, qui a débordé sur le bas pays. Aujourd'hui encore, les Basques, descendant évidemment des Vascons que l'on connaît, dans l'Antiquité, au sud des Pyrénées, s'étendent de part et d'autre des montagnes. Les noms de peuples que nous rencontrons en Aquitaine ont un aspect étranger à la Gaule : *Ausci*, *Bigerriones*, *Cocosates*, *Sibusates*, *Tarusates*... Quelques-uns cependant paraissent teintés de celtisme. Dans le nom des *Onobrivates*, par exemple, on reconnaît le celtique *briva*, pont ou gué; le nom des *Onesii* serait donc également celtique. De même, les noms de cours d'eau et de montagnes seraient en grande partie celtiques, ou du moins indo-européens. *Garuna*, la Garonne, présenterait ce terme *ono*, *ona*, *onna*, fréquent dans les noms de rivières gauloises. *Atura* l'Adour est certainement le même nom que celui de l'Arroux qui passe à Autun et qui se retrouve dans bon nombre de cours d'eau français. Le nom de Venasque, qui remonte à *Vindasca*, contient le mot celtique *vindo*, blanc. Mais, de même que dans les Alpes, on peut se demander à quelle couche celtique remontent ces racines.

Quelques noms de villes, plus récents, fournissent des éléments plus précis. On y reconnaît des formations ibériques. *Elimberris*, Auch, est le même nom que *Illiberris*, l'ancienne Pyréné, au débouché du col du Pertus; c'est le nom de trois anciennes villes d'Espagne, l'une en Tarraconaise (aujourd'hui Mataro, prov. de Barcelone), une autre en Bétique (auj. Alora, prov. de Malaga) et enfin celle qui est devenue Grenade. Le nom de *Calagurris*, Saint-Martory, chez les *Consoranni* (Couserans), se retrouve en Espagne, depuis Calahorra sur l'Èbre jusqu'à la province de Grenade. Celui d'*Iluro*, Oloron, reparaît en Bétique, dans la province de Grenade et dans celle de Saragosse; il provient, semble-t-il, de la même racine que le nom du dieu pyrénéen *Ilunus* et celui de la ville de Bétique *Ilunum*. A la même famille appartiennent *Ilurco* chez les Vascons et en Bétique, *Ilerda* chez les Ilergètes (Lérida, prov. de Saragosse) et *Ilici* (Elché) dans la province de Murcie. Les Ibères fondateurs de villes durent s'avancer jusqu'à Bordeaux, *Burdi-gala*, où l'on retrouve le même élément *gala-cala* que dans *Calagurris*.

On a cru trouver dans le basque moderne l'explication de ces noms ibériques. *Illiberris* devrait se décomposer *illi* = *iri*, ville, d'où le nom moderne de *Irun*, et *berri*, nouveau. De même *Calagurris* signifierait la montagne rouge : *cala* = hauteur, *gorri* = rouge. A cette hypothèse on objecte que le premier *i* de *Illiberris* est bref et alterne en basque avec *e* : Elimberris, tandis que l'initiale du basque *iri* est longue et alterne avec *u*; l'ibérique *illi* ; *elli* ne correspondrait donc pas au basque *iri-ūri*. Bien plus, il ne faudrait même pas couper *Illiberris* en *Illi* plus *berri*. Une telle décomposition, en effet, ne saurait convenir pour le nom analogue de *Caucoliberris* (Collioure) pour lequel il paraît préférable d'admettre *Cauco* + *liberris*. C'est ce même terme de *liberris* qu'il faudrait reconnaître dans *Illiberis*; l'élément *liberris*, *liber* ou *lib*, se retrouve dans plusieurs noms de lieux ou de peuples anciens de l'Espagne et même d'ailleurs et Pline accole l'ethnique de *Liberrini* aux habitants d'*Illiberris* de Bétique. Enfin, dernier argument, *Illiberris* ne peut signifier Villeneuve puisque c'était le nom du fleuve qui baignait la ville; s'il est courant que la ville prenne le nom de son cours d'eau, on ne voit pas comment le fleuve aurait pu prendre celui de la ville.

C'est d'ailleurs une difficile question que celle des rapports du basque moderne et de l'ibérique ancien et il faudrait pour la résoudre une connaissance de l'ibérique plus complète et plus précise que celle que l'on possède aujourd'hui. Les Basques sont-ils bien les descendants des Vascons, peuple ibérique ou ibérisé installé au sud des Pyrénées centrales et qui, vers la fin du VIe siècle de notre ère, apporta son nom à la Gascogne, ou bien des Vaccéens, peuple autochtone de Galice, dont la langue semble s'être rattachée aux parlers antérieurs à l'ibérique?

Qu'ils puissent ou non s'expliquer par le basque, ces noms de lieux nous conservent la trace des Ibères dans le Midi de la Gaule depuis la Méditerranée jusqu'à l'Océan.

On a soumis à la même analyse les noms propres de dieux et de personnes que l'on rencontre en Aquitaine à l'époque romaine. Les uns (ce sont du reste les moins nombreux) sont celtiques : *Abellio*, dieu solaire (*avallo*, pomme ; allemand : *Apfel*), de même racine que bien des noms de lieux et de personnes gaulois. Le dieu aquitain *Ilixo* semble l'homonyme de *Lixovius*, *Lussoius*, le dieu de Luxeuil. Dans *Arpenninus*, on reconnaît le suffixe celtique *are* (grec : *para*, auprès), qui a formé le nom des *Armorici*, Armorique : près de la mer et qui, joint au mot *penn*, tête, a donné *Penne-locus*, la tête du lac, à l'entrée du lac de Genève. Dans toutes les Pyrénées, *pene*, *pena*, désigne aujourd'hui encore un sommet. *Andosus* : gaulois : *ande*, fréquent dans les noms propres (*Ande-matunnum*, Langres), doit signifier : grand. Mais bien d'autres noms présentent un aspect étrange qui ne semble pas celtique : *Aherbeleste* (basque : *beltz*, noir), *Arixo* (basque : *arri*, pierre), *Astolunno*, *Beisirisse*, *Leheren* (basque : *ler*, *leher*, le premier...). Même mélange dans les noms de personnes : *Anderexo* (Anderix, le grand roi) est celtique, ainsi que *Attaiorix*, *Dannorix*, *Dannosus*, *Dannonia* (en Gaule proprement dite : *Dannomarus*, *Dannotalos*...). Mais que dire de *Attixsis*, de *Axtouri*, de *Belexconis*, *Bihotarris*, *Bulluca*, etc. ? « Il semble, dit M. Lizop (p. 108), qu'il y ait eu un dialecte de la montagne et un dialecte de la plaine plus celtisé. Les textes épigraphiques de la région des *Ausci* (Auch) et des autres pays de la Gascogne centrale, à mesure que l'on se rapproche davantage du cours moyen et inférieur de la Garonne, présentent plus de noms à physionomie gauloise. A l'est de la Garonne, la langue propre à l'Aquitaine semble avoir atteint le cours de l'Aude et les Corbières. Avant l'arrivée des Volques Tectosages elle dut être parlée de l'Atlantique à la Méditerranée, peut-être jusqu'au Rhône. » On peut rapprocher en effet Tarascon sur l'Ariège de Tarascon sur le Rhône.

Dans ces données qui restent confuses, l'archéologie permet d'introduire un peu d'ordre. Vers la fin de l'âge de Hallstatt (VIe siècle), les Celtes apparaissent dans la région pyrénéenne. Une vingtaine de stations présentent des sépultures à incinération sous tumulus garnies du mobilier caractéristique de la civilisation du premier âge du fer. Elles se succèdent depuis les lisières du Plateau Central jusqu'au bord de l'Océan et longent les Pyrénées. A Avezac-Prat, sur le plateau de Lannemezan, au Camp de Ger, près de Tarbes, on a recueilli des épées à antennes, des fers de lances, quelques parures et une abondante poterie hallstattienne. Les Celtes qui, à ce moment, ont envahi l'Espagne par le centre et l'ouest des Pyrénées, sont évidemment passés par là et ont laissé dans le pays quelques-unes de leurs bandes. A en juger par les nécropoles, l'occupation semble même avoir été assez dense. Ce sont ces gens qui, les premiers, ont choisi l'oppidum de Vieille-Toulouse et créèrent, sur le fleuve, l'établissement qui devint la ville romaine. On trouve leur trace sur tout le plateau de Lannemezan. Dans le bassin de l'Adour, ils ont fondé les stations qui furent le berceau de la plupart des villes : Tarbes, Aire, Orthez, Pau, Dax. Ils ont imposé leur civilisation aux populations antérieures qui n'avaient pas beaucoup progressé depuis le néolithique. Les premiers éléments celtiques de l'Aquitaine doivent dater de cette époque de Hallstatt, vers 600 avant notre ère.

C'est postérieurement que se produisirent les invasions ibériques. Elles ont laissé plus de traces dans la linguistique que dans l'archéologie. La poterie locale des IVe et IIIe siècles n'a que de lointains rapports avec la vaisselle ibérique. Les périodes de La Tène I et II sont peu représentées; celle de La Tène III semble devoir être rapportée soit à la présence, soit à l'influence des Volques Tectosages. Sur le plateau de Ger et sur celui de Lannemezan, des cimetières du second âge du fer tardif voisinent, aux mêmes emplacements, avec les tombes à inhumation des temps énéolithiques et de l'âge du bronze. Il en est de même plus au sud, dans le Couserans et dans la région de Luchon. Les autochtones auraient adopté une civilisation de type gaulois. D'une façon générale, au moment de la conquête romaine, la civilisation de la province est celle de l'ensemble de la Gaule, avec des influences ibériques et méditerranéennes particulièrement accusées. A Toulouse, par exemple, on a pu recueillir un nombre élevé de monnaies qui manifestent, comme on pouvait s'y attendre, des relations développées avec le littoral méditerranéen. Sur 700 pièces environ de la collection Azémas, 1/8 appartiennent à Marseille et aux pays grecs; 1/6 au monnayage des peuples indigènes de Béziers à Tarragone; 1/3 aux Volques et aux Tolosates et 1/30 seulement aux autres peuples gaulois.

Sur un fond indigène indéterminé nous trouvons donc, en Aquitaine, d'abord une invasion celtique hallstattienne assez dense, puis une invasion ibérique pauvre dont les effets semblent avoir été prolongés par des relations suivies avec les peuples ibériques du sud des Pyrénées, enfin l'arrivée des Volques, au moins dans une partie de la province. Là même où les Volques n'auraient pas pénétré, leur influence, renforcée par celle des autres voisins gaulois de l'Aquitaine, avait exercé une action profonde. Néanmoins l'Aquitaine pouvait sembler encore aux Gaulois une province à conquérir; c'est probablement vers elle que les Helvètes avaient décidé de se diriger lorsqu'en 58 ils s'étaient mis en marche à travers la Gaule.

Un autre groupe de peuples devait encore être assez différent de la masse des Gaulois : la ligue armoricaine. La Bretagne passe aujourd'hui pour le pays celtique par excellence. La langue qu'on y parle est en effet celtique. Mais elle y a été rapportée tardivement, aux ve et vi^e siècles de notre ère, par des Bretons insulaires fuyant les invasions anglo-saxonnes. A l'époque ancienne notre Bretagne était certainement un des pays les moins celtisés de la Gaule et il est probable que le fond de sa population actuelle, même celle qui parle breton, dans la mesure où elle descend des plus anciens occupants du pays, est ethniquement très peu celtique. C'est pourquoi il convient de n'accepter qu'avec la plus grande réserve les développements littéraires sur l'âme celtique des Bretons. En effet le caractère doux et rêveur qui leur est attribué, leur calme obstination, concordent aussi peu que possible avec les traits que, d'un commun accord, la tradition prête aux Gaulois, ardents et curieux de toutes les nouveautés, tout du premier mouvement mais inconstants.

Les Celtes étaient essentiellement des terriens; les Armoricains sont des marins; ils l'ont toujours été; on distingue encore aujourd'hui en Bretagne le paysan du pêcheur. Les peuples anciens de l'Armorique vivaient surtout de la mer. Leur disposition dans la péninsule en est l'indice : chacun s'est arrangé pour avoir son front de mer : les *Namnètes* (Nantes), autour de l'estuaire de la Loire, les *Vénètes* sur le golfe du Morbihan, les *Osismii* dans le Finistère, les *Curiosolites* sur les Côtes du Nord, les *Redons* sur le golfe de Saint-Malo, les *Unelli* dans le Cotentin, les *Lexovii* au sud de la Seine et les *Caletes* au nord de l'estuaire. Leurs plus anciens établissements, remontant à l'ère intermédiaire entre le paléolithique et le néolithique, sont sur les côtes et dans les îles. C'est dans l'île de Teviec (Morbihan) que M. et Mme Saint-Just-Péquart ont trouvé une remarquable nécropole qu'ils ont toute raison de dater du mésolithique et où l'un des inhumés était enseveli sous une sorte de buisson de ramures de cerf; peuple de chasseurs mais aussi de pêcheurs, comme l'indiquent ces résilles de coquillages servant de coiffures et d'ornements ou même de vêtements. C'est sur le bord de la mer que l'on a trouvé ces amas de coquilles et de débris de cuisine mêlés de quelques silex, analogues aux *kjökkenmöddings* danois et qui représentent les plus anciennes stations humaines après les abris sous roche des temps glaciaires.

C'est sur le littoral et aux abords des chemins qui y conduisent que se pressent les menhirs, pierres dressées, formant souvent des allées comme à Carnac, les dolmens, chambres construites de grandes dalles, que l'on considère comme des tombes et les cercles de pierres ou cromlechs qui doivent être des temples.

Dès l'âge de la pierre polie et le début du bronze, deux mille ans avant notre ère, les constructeurs de ces monuments mégalithiques naviguaient des colonnes d'Hercule à l'île de Bretagne et à l'Irlande, peut-être jusqu'aux côtes scandinaves. Au temps de César, les Armoricains, grâce à leur flotte, déjouèrent longtemps l'attaque des légions.

« Les villes », expose César (III, 12), « étaient en général placées à l'extrémité de langues de terre et de promontoires, en sorte qu'on n'y pouvait accéder à pied quand la mer était haute... Et si, grâce à d'énormes travaux, en contenant la mer par des terrassements et des digues, on amenait les assiégés à se croire perdus, ils faisaient venir au rivage une flotte nombreuse, y entassaient tous leurs biens et se transportaient dans les villes voisines où ils retrouvaient les mêmes moyens de défense. »

Si les Celtes, précédemment, étaient venus les attaquer, les Armoricains de la côte avaient dû de même les lasser et les détourner vers d'autres conquêtes plus faciles et plus fructueuses.

On ne constate en effet, en Bretagne, aucune trace de la civilisation de Hallstatt. Avec l'adjonction de quelques objets de fer, la vieille civilisation du bronze s'y poursuit. Mais elle s'appauvrit. Les mines d'étain, sans doute, s'épuisent ou subissent la concurrence d'autres gîtes plus féconds. Isolée à l'extrémité d'une Gaule renouvelée, l'Armorique manque de contacts vivifiants. Au second âge du fer on y voit apparaître la civilisation de La Tène. Plusieurs de ses peuples semblent, à ce moment, être devenus gaulois : les Namnètes dont les établissements, *Ratiatum*, *Condevincum*, *Duretiae*, portent des noms celtiques. Un de leurs ports, *Sicor*, au sud de l'estuaire de la Loire et *Corbilo*, probablement sur la rive nord (Saint-Nazaire?), semblent avoir retenu des noms anciens; un autre par contre, *Brivates Portus*, vers l'embouchure de la Vilaine, a reçu un nom nouveau. Les *Redones*, avec leur capitale *Condate* (Rennes), sont certainement gaulois. On n'en saurait dire autant des *Unelli* du Cotentin dont les villes présentent des noms étrangers au celtique, autant du moins que nous en puissions juger : *Cosedia* (Coutances), *Crociatonum*, *Coriallum*. Cependant *Alauna* (Valognes) paraît celtique.

Dans la péninsule armoricaine, les trois peuples : *Vénètes* au sud, *Curiosolites* au nord, *Osismii* dans le Finistère, n'ont pas échappé à l'emprise celtique. A quelques exceptions près, les noms anciens qu'on y rencontre sont gaulois : *Darioritum* (Vannes) contient le mot *ritum*, gué, passage; *Vorgium* (Carhaix), *Vorganium* (vers Plouguerneau), sont formés de la même racine que *vergo-bretus*, magistrat suprême chez les Éduens; *Uxantis*, *Uxisama* (Ouessant) sont le même terme que l'on retrouve dans *Uxellodunum* (probablement Le Puy d'Issolu), chez les Cadurques du Quercy et Issoudun dans l'Indre (la très haute citadelle); ici, vraisemblablement l'île extrême. Dans *Vindilis* (Belle-Isle), on reconnaît *vindo*, blanc, de même que dans *Vindana Portus* (Locmariaquer). *Gesocribate* (Brest) rappelle, par son premier élément, *Gesoriacum* (Boulogne).

L'archéologie reconnaît en effet, dans toute la Bretagne, au second âge du fer, la présence des Celtes. Les sépultures fournissent les mêmes armes et les mêmes objets d'ornement que dans le reste de la Gaule. Dans le Finistère les tombes sont souvent surmontées d'une stèle, bloc de pierre tronconique de un à deux mètres de haut, sillonné de cannelures longitudinales et, parfois, d'entailles horizontales; ce sont les « lechs » qui ont souvent été pris pour des monuments chrétiens; plusieurs ont été en effet réemployés comme bases de croix. Il faut y reconnaître des menhirs dégénérés. Ainsi se continuerait, sur les tombes de contenu gaulois, la tradition des anciens monuments indigènes. Plus ou moins celtisées, par l'influence des voisinages ou de leurs relations, et par l'intrusion de groupes celtiques, les anciennes populations de l'Armorique avaient dû néanmoins demeurer foncièrement les mêmes que durant les millénaires de la préhistoire.

V. — La Celtique et la Belgique

La seule différence qui sépare ces deux provinces de la Gaule est que les Gaulois établis en Belgique sont arrivés les derniers et ont franchi le Rhin deux siècles environ après ceux de la Celtique. A mesure que l'on s'avance vers le nord, ils semblent être demeurés plus frustes et plus primitifs. A cette différence près, nous ne saurions discerner en quoi les Belges se distinguent des Celtes du centre de la Gaule. Noms de lieux et noms de personnes sont les mêmes et indiquent une langue à peu près identique. Les Belges se refusent à exécuter tels quels les ordres de soulèvement général qui leur viennent de Vercingétorix; ils ne lui en envoient pas moins leurs contingents et, pendant les huit années de guerre, ils ont lutté contre César avec la même ardeur et de la même façon que les autres Gaulois.

Dans l'ensemble du pays on ne discerne plus, à l'époque de César, les représentants des anciennes populations des nouveaux venus gaulois. Tous se sont fondus et ne paraissent plus former qu'un peuple homogène. Seul, le progrès des recherches archéologiques permet une analyse et montre que dans chaque canton, pour ainsi dire, les dosages ont été divers.

En Eure-et-Loir, aux confins du territoire des Carnutes de Chartres et de celui des Aulerques de l'Eure, l'abbé Philippe fouille depuis trente-cinq ans un oppidum antique, le Fort Harrouard. Il y a mis au jour une succession ininterrompue d'habitations et de sépultures, depuis les derniers temps néolithiques jusqu'au début de notre ère. Les civilisations se transforment lentement; le plus fort bouleversement se manifeste à la troisième période de l'âge du bronze, vers l'an mille avant notre ère. Ni Hallstatt ni La Tène, encore bien moins l'époque romaine, n'accusent une rupture. La coutume d'inhumer les morts à l'intérieur de la cabane d'habitation, à proximité du foyer qui devait ensuite être abandonné, apparaît au Fort Harrouard, constate l'abbé Philippe, dès la première phase de l'occupation et s'y maintient jusqu'à la dernière période de La Tène, malgré les changements et les progrès qui ont transformé peu à peu la construction, l'armement, l'outillage et la céramique. « Or une fidélité aussi constante dans l'observation d'un rite funéraire pendant une aussi longue durée, n'est-elle pas un indice attestant la continuité ethnographique des populations diverses qui se succédèrent au Fort Harrouard ? » Les civilisations ont changé mais la population est restée foncièrement la même.

Ailleurs, au contraire, nous saisissons la substitution d'une tribu à une autre. En Champagne, par exemple aux Jogasses, près d'Épernay, les tombes de La Tène, dispersées sur un vaste espace, mettent fin au cimetière beaucoup plus serré d'une population antérieure de civilisation hallstattienne. Dans les Ardennes, cependant, les tumuli hallstattiens continuent jusqu'à l'époque romaine. Ici, des populations anciennes ont poursuivi leur existence en adoptant l'essentiel des civilisations successives de l'ensemble du pays; là, la terre a été occupée de façon dense au début de l'âge du fer et ses occupants ont été chassés quelques siècles plus tard par des nouveaux venus; ailleurs, les invasions de La Tène n'ont amené aucun trouble. Chaque district de France a ainsi son histoire et sa population.

Voici l'un des plus grands peuples de la Gaule celtique : les Arvernes, celui qui, lors de la première invasion romaine en 125, exerçait l'hégémonie sur une partie du pays et qui, contre César, en 52, a encore fourni un chef au suprême effort pour l'indépendance. Dans quelle mesure est-il celtique?

Un spécialiste de la toponymie, M. A. Dauzat, en a récemment étudié les noms de lieux. « Lorsqu'on analyse la toponymie gauloise de l'Auvergne et du Velay », dit-il (*La toponymie française*, 1939, p. 176), « on est frappé de ne rencontrer qu'une proportion assez faible de noms de lieux qui s'expliquent par des radicaux ou des suffixes gaulois. Au contraire, les formations qui paraissent remonter à une couche antérieure sont assez nombreuses. Il est naturel qu'une région montagneuse offre plus d'archaïsmes que les plaines, que les pays de passage. Contrairement à l'opinion généralement accréditée, la colonisation gauloise dut être ici assez faible par rapport à celle qui la précéda... Venus des plaines du Nord, les Gaulois n'ont pénétré nulle part profondément dans nos montagnes en masses compactes. » En effet, ni le nom de la ville sainte des Arvernes, *Anicium*, Le Puy, ni celui de leur oppidum principal, *Gergovie*, pas plus que de la capitale des Velaves du Velay, *Ruessio* (Saint-Paulien), ne s'expliquent par ce que nous connaissons du gaulois. De même, chez les Éduens de la Bourgogne actuelle qui disputaient l'hégémonie aux Arvernes, la citadelle d'*Alesia* qu'on disait fondée par Hercule porte un nom sans doute fréquent en Gaule mais qui est probablement d'origine préceltique. Alésia, du reste, se trouve chez les *Mandubii* dont C. Jullian mettait très justement en doute le caractère celtique. Le Morvan, non loin de là, ne semble pas non plus avoir été pénétré très profondément par les Celtes.

Plus voisine du Rhin, la Belgique présente des conditions différentes. L'âge du bronze n'y est qu'une simple continuation de l'âge de la pierre polie ; le métal fut introduit par le commerce, non par des éléments ethniques nouveaux. Avec le fer, au contraire, vers 800 avant notre ère, avec les tumuli, apparaissent tous les éléments caractéristiques de la civilisation de Hallstatt. Puis, vers 500, en même temps que dans la province dite Celtique, les tombes plates de La Tène leur succèdent. Ce sont deux vagues successives de conquérants. Comme dans le reste de la Gaule, elles ont dû se mélanger aux anciens occupants.

C'est sur ce fond déjà gaulois que vinrent se superposer, dans le courant du IIIe siècle, les invasions belges, arrivant selon toute vraisemblance du Nord de l'Allemagne. Strabon qualifie l'un des principaux de ces peuples, les Nerviens du Hainaut, de peuple germanique. Les Éburons, les Condruses, les Caeroses et les Poemanes, dit César, répondent au nom commun de Germains. Entendons par là que les uns et les autres sont arrivés récemment d'outre-Rhin. Ce nom de Germains a, croyons-nous, un sens exclusivement géographique et non pas ethnique. Ambiorix, roi des Éburons, se considère, lui et son peuple, comme de purs Gaulois. Strabon classe les Belges parmi les Gaulois. Dès les premières lignes de son livre IV consacré à la Gaule, il note, contredisant implicitement César, que si les Aquitains forment bien un groupe à part, Belges et Celtes, au contraire, présentent un type physique uniforme et que s'ils ne parlent pas exactement la même langue, leur dialecte ne comporte que de légères différences; il en est de même de leurs mœurs et de leurs institutions. Chez Strabon comme chez César, les Belges apparaissent simplement des Gaulois demeurés à un stade de civilisation moins avancé que leurs congénères établis au sud de la Seine et de la Marne.

Sauf peut-être dans les régions boisées des Ardennes, l'apport belge a achevé de recouvrir les vestiges des anciennes populations locales. D'une façon générale, peut-on dire, l'élément celtique est d'autant plus dense en Gaule qu'on se rapproche du Rhin. A mesure qu'on s'écarte du fleuve, les peuplades autochtones, celles du bronze et de la pierre polie semblent avoir conservé plus d'importance. Au sud de la Loire, sous la couche celtique superficielle, subsiste un fond de plus en plus considérable de populations anciennes.

Les druides disaient vrai lorsqu'ils rappelaient, suivant Ammien Marcellin, qu'une partie des Gaulois était autochtone et qu'une partie seulement provenait d'outre-Rhin. Le celtisme, en Gaule, représente un état général de civilisation, un système politique nouveau, bien plus qu'un renouvellement de la population. Ce ne sont pas les invasions celtiques qui ont peuplé la Gaule, c'est le long développement des siècles préhistoriques. La terre elle-même a fourni la majeure partie des hommes; les Gaulois ont apporté surtout la forme sociale.

VI. — L'organisation territoriale des peuples gaulois

Nous ne connaissons vraiment cette forme qu'au moment où la Gaule apparaît dans l'histoire, vers la fin du second siècle et surtout au premier siècle avant notre ère, lors de la conquête romaine. Nous trouvons des peuples distincts, régulièrement organisés, maîtres d'un territoire nettement délimité. A quelle époque remonte cette distribution? Nous pouvons supposer que dans la plupart des cas elle date, dans ses grandes lignes, des invasions du début de La Tène et qu'elle s'est précisée au cours des siècles qui ont suivi. Mais que d'incertitudes subsistent! Pouvons-nous préciser, par exemple, quand les Helvètes se sont établis dans une partie de la Suisse actuelle ou comment les Bituriges Vivisques ont installé leur domaine dans la région de Bordeaux, quels étaient leurs rapports avec les *Medulli* du Médoc et pourquoi nous trouvons à côté d'eux des *Boïens* dans le Pays de Buch? Contentons-nous donc de considérer les Gaulois tels qu'ils nous ont été présentés par César. Faisant contraste avec la poussière de tribus qui occupent les Alpes et les Pyrénées, les peuples de la Celtique et de la Belgique sont en possession de vastes territoires, plus voisins par leur étendue de nos anciennes provinces que de nos départements modernes. Ils sont ainsi une soixantaine de la Garonne au Rhin. Presque toujours ces domaines correspondent à une grande région naturelle; leurs limites sont marquées parfois par des formations géologiques différentes. A l'ouest de la chaîne des Puys qui marque l'extrême avance des laves volcaniques, le granit prend possession du sol : à l'Auvergne succède le Limousin, aux Arvernes, les Lémovices. « Les peuples, remarque C. Jullian (II, 30), ne s'étendaient pas au-delà de certaines limites indiquées par le sol lui-même. Les Santons ne dépassaient pas, au nord, les grands marais de la Sèvre, cette fin septentrionale des terres de bonne culture... Les Cadurques des terrasses du Quercy évitèrent à la fois la vallée trop basse de la Garonne et les gorges du Cantal. Les Rèmes de Champagne ne s'aventurèrent pas dans la grande forêt du nord; leur frontière paraît avoir suivi la ligne des bois des Ardennes qui séparent la Semoy de la Meuse; à l'est, elle est marquée par l'Argonne. Des landes, des forêts ou des marécages séparaient le plus souvent les peuples gaulois. Ces accidents avaient arrêté l'avance de leur conquête. »

« Sur certaines grandes voies de France », remarque encore C. Jullian, « l'aspect du pays change précisément à l'endroit où se trouvait une limite de cité gauloise. Quand, sur la route d'Orléans à Paris, on quitte les éternels et maussades champs de blé de la Beauce pour les vallons découpés et gracieux du bassin d'Étampes, on passe en même temps de la Cité des Carnutes dans celle des Parisiens... C'est pour cela que les citoyens d'une même peuplade, Arvernes ou Lémovices, Santons ou Carnutes, ont pu prendre des habitudes communes, acquérir un tempérament propre et constituer entre eux une sorte de parenté physique et morale qui ne s'est pas encore effacée chez leurs derniers descendants. C'est pour cela aussi que les territoires de ces nations ont en majorité survécu à la liberté de la Gaule et au monde antique. » La terre, au cours des siècles, a assimilé les hommes.

Ces peuples gaulois étaient à l'origine de grandes unités militaires; ils sont restés des unités politiques et économiques. La cohésion des troupes d'invasion s'est trouvée maintenue par l'exploitation du terroir conquis. Il fallait à ces peuples, pour vivre, des champs à céréales, des prés pour leurs troupeaux et des bois. Un territoire gaulois réunit ainsi, la plupart du temps, des pays hauts et des terres basses, des vallées et les montagnes qui les bordent. Ainsi les Allobroges s'étendent, de la vallée du Rhône, de Vienne à Genève, jusqu'aux Alpes dauphinoises; les Séquanes possèdent les hauts plateaux du Jura, les bas pays du Doubs et de la Saône; les Éduens s'élèvent de la Saône au plateau d'Autun pour redescendre vers la Loire. Surtout, chaque peuple a besoin d'une ou plusieurs grandes voies de communication et, en particulier, de celles que tracent les fleuves. Les Arvernes ont l'Allier. La primauté des Éduens vient de ce qu'ils touchent à la fois à la Saône qui conduit à la Méditerranée et à la Loire qui mène à l'Océan; c'est le département actuel de Saône-et-Loire; par Alésia ils atteignent également le bassin de la Seine. Leurs voisins, les Séquanes, avec qui ils sont en lutte à propos de la Saône, joignent la vallée du Doubs à celle du Rhin qu'ils bordent de Bâle jusqu'à la hauteur de Sélestat. Dans le midi, les Volques vont du Rhône à l'Aude et à la Garonne. Bien des mouvements et bien des guerres ont sans doute été nécessaires, depuis les invasions du début de La Tène, pour aboutir à cette sorte de rationalisation.

Ces grands territoires des peuples gaulois apparaissent comme des créations en une certaine mesure artificielles. Sous leur réseau aux larges mailles s'aperçoivent des unités moindres, les *pagi*, mot qui a donné notre français « pays ». Ce sont en effet, bien souvent, les *pagi* antiques qui sont devenus nos « pays » modernes : Morvan, Puisaye, Brie, Beauce. Les provinces gauloises ne sont que des assemblages de *pagi*. « Les Helvètes », dit César (I, 12, 4), « étaient divisés en quatre groupes ou *pagi*. » Nous ne connaissons les noms que de deux d'entre eux : les *Tigurins* et les *Verbigeni*. Les Tigurins se trouvaient à l'est du lac de Neuchâtel, dans la région d'Avenches. On a supposé récemment que le *pagus Verbigenus* pouvait se trouver au sud de ce même lac, au pied du Jura, autour d'*Urba* (Orbe) qui représenterait son nom. La division en quatre *pagi* semble avoir été assez fréquente; c'est celle qu'indique, par exemple, le nom des *Petrucorii* (Périgueux) : les quatre cantons (gaulois : *petru* = quatre). Elle n'avait cependant rien d'absolu; admettons que ce fût la mesure moyenne. Chez les Éduens, un très grand peuple, nous connaissons au moins six *pagi* : à l'ouest, le *pagus Nivernus*, le Nivernais et, au nord de celui-ci, le *pagus Ammonia* qui s'étendait jusqu'à la région boisée séparant Clamecy de Vézelay; le *pagus Insubrius*, dans lequel nous retrouvons le nom des Insubres de Milan, entre l'Allier et la Loire; le *pagus* le plus riche, *pagus Arebrignus*, dans la vallée de la Saône; un *pagus* au nom incertain, *Briennensis* ou *Briendonensis*, le Brionnais, Charolais et probablement Mâconnais; enfin, au cœur de la cité, le *pagus Morvinnus* où se dressait, à 900 mètres d'altitude, sur le Mont Beuvray, Bibracte, la capitale de tout le peuple éduen. Ajoutons qu'entre les Éduens et leurs voisins, Bituriges et Senons, s'étendaient encore les territoires d'autres petits peuples, occupant chacun la valeur d'un *pagus*, et dépendant plus ou moins étroitement de leurs puissants voisins : *Boïens* à l'ouest de la Loire et *Aulerques* au nord du fleuve, les *Brannovii* d'Avallon, les *Mandubii* d'Alésia, peut-être encore les *Ambibareti* du Bourbonnais, les *Ségusiaves* de Roanne à Lyon avec Feurs (*Forum Segusiavorum*) pour capitale, et les *Ambarri* de l'Ain. De même les Arvernes étaient entourés de petits peuples, leurs clients : *Vellaves* du Velay, *Gabales* du Gévaudan, *Helviens* de l'Ardèche.

Un *pagus* ne diffère pas essentiellement d'un peuple puisque, à l'époque romaine, plusieurs *pagi* seront élevés à la dignité de peuple indépendant. Mais avant la paix romaine les petits peuples avaient intérêt à se grouper pour en former un grand ou à se mettre sous la protection d'un grand. Il y a dans ces groupements de *pagi* gaulois quelque chose d'analogue à cet épisode politique que l'on connaît, dans les pays grecs, sous le nom de « synoecisme ». Des représentants des groupes de familles qui occupent un même territoire réunissent leurs dieux en une Acropole qui devient le sanctuaire commun et leur dernier réduit à tous; ils fondent ainsi une ville, capitale d'un peuple. Nous ne savons pas si, en Gaule, l'union des *pagi* se traduisit toujours par la fondation d'une ville ou d'une forteresse commune ; elle donna lieu tout au moins à une réunion de dieux en un sanctuaire commun. Les grands peuples gaulois résultent, semble-t-il, d'une sorte de synoecisme de *pagi*.

Le *pagus*, à vrai dire, n'était pas originairement une circonscription territoriale. Le mot dut désigner d'abord un groupe d'hommes unis pour combattre ensemble; c'est une fraternité d'armes, fondée sans doute le plus souvent sur une parenté originaire. Le terme *pagus* désigne couramment une division de l'armée gauloise. Après la victoire, les hommes du *pagus* et leurs familles se sont établis sur la terre qui fut leur récompense, ils lui ont donné leur nom collectif, à moins que le groupe n'ait adopté celui du pays occupé. Le chef du *pagus* était primitivement un petit roi, vassal d'un chef plus puissant; il devint, par la suite, son subordonné. Le *pagus* représente l'union d'un groupe d'hommes et d'une terre; il est la cellule primordiale de la vie gauloise.

Plus encore que le territoire des grands peuples, le *pagus* correspond à une région naturelle. Ceux qui nous sont attestés à l'époque antique ont en effet leur individualité physique, ils sont vraiment ce que nous appelons aujourd'hui un « pays ». Sans doute le plus souvent, les nouveaux venus gaulois se sont-ils contentés d'adopter les frontières marquées par la nature et atteintes par leurs prédécesseurs. En s'installant chez eux, ils héritaient ainsi de leur histoire. Les *pagi* gaulois, à l'intérieur des grands peuples, demeurent le vivant souvenir de l'état de dispersion ou plutôt, de moindre groupement, antérieur aux invasions du ve siècle avant notre ère. Ils représentent les vestiges de la préhistoire depuis l'époque néolithique.

Au Moyen Age, nous retrouvons le *pagus* comme la circonscription territoriale par excellence. On ne saurait prétendre que tous ces *pagi* médiévaux dont nous avons la liste correspondent à des *pagi* gaulois. Néanmoins, dans l'ensemble, cette division en « Pays » ressuscite, pour ainsi dire, l'état politique de la Gaule, avant l'arrivée des Celtes de La Tène.

VII. — L'unité gauloise

L'un des faits les plus frappants qu'ait mis en lumière l'archéologie est la remarquable unité de la civilisation de La Tène depuis la Mer Noire jusqu'à la Bretagne insulaire. Il n'y a pas lieu d'hésiter à identifier civilisation de La Tène et civilisation celtique. Ainsi donc, quelle que soit la province où ils se trouvent établis, quels que soient les mélanges qu'ils ont subis, partout, les Celtes vivent à peu près de même façon et entretiennent les uns avec les autres des relations constantes. Ils usent des mêmes armes et des mêmes outils, ils se parent des mêmes ornements, ils ont les mêmes rites funéraires. On constate naturellement des différences de degrés dans cette civilisation, une richesse plus ou moins grande mais, foncièrement, la manière d'être est et reste la même. On en peut conclure à l'existence, chez tous les Celtes, d'un sentiment plus ou moins illusoire de leur parenté originelle et de leur communauté. Sans doute l'identité de la langue et la diffusion d'une religion commune contribuaient-elles à entretenir ce sentiment et à favoriser les rapports.

Dans un pays aussi nettement délimité que la Gaule, la terre elle-même développait ce sentiment d'unité. Les écrivains anciens avaient déjà noté qu'à l'intérieur de frontières naturelles la topographie semblait inviter les diverses provinces de la Gaule à des relations particulièrement étroites. Le géographe Strabon (IV, 1, 2 et 14) admire l'heureuse disposition des bassins fluviaux qui permet de faire passer aisément les marchandises d'une mer à l'autre soit par terre soit par eau. On trouve, dit-il, « que cette circonstance constitue le principal élément de la prospérité du pays en ce qu'elle facilite, entre les différents peuples qui l'habitent, l'échange des denrées et autres produits nécessaires à la vie et qu'elle établit entre eux une communauté d'intérêts... On serait même tenté de croire », poursuit-il, « que c'est là l'effet d'une action directe de la Providence, tellement les lieux apparaissent disposés non point au hasard mais comme d'après un plan en quelque sorte raisonné. »

Nous avons vu, en effet, avec quelle ardeur chacun des grands peuples de la Gaule recherchait la maîtrise des voies fluviales aussi bien que des carrefours terrestres. Ils se les disputent souvent les armes à la main; c'est pour en user; ils voyagent, ils commercent encore plus qu'ils ne se battent. Strabon ne parle que des relations commerciales. Il faut tenir compte en outre des traditions morales et, en particulier, religieuses, des pèlerinages et des fêtes communes. Tous les peuples anciens, Grecs, Latins, Germains, ont lié la notion de leur communauté à des rites et à des sanctuaires communs. Leurs tribus diverses renouvelaient là, malgré les différends momentanés qui les séparaient, leur fraternité. Du Rhin aux Pyrénées, des Alpes à l'Océan, les Gaulois se reconnaissaient entre eux et ne manquaient pas d'occasions de s'exalter en commun à l'évocation de la gloire de leur nom, de leur ancêtre divin, des hauts faits de leurs aïeux, de leur force et de leurs traditions.

Par-delà les petits pays que représentent leurs *pagi*, au-dessus de leurs peuples et de leurs rivalités, ont-ils eu la notion d'une patrie embrassant toute la Gaule, terre et hommes?

Le grand historien de la Gaule, Camille Jullian, n'en doute pas; il reporte même l'origine de ce sentiment national gaulois, favorisé par la terre et par les dieux, jusqu'aux temps « ligures » de l'âge du bronze. Ces temps lointains, pour lesquels nous avons cru devoir abandonner l'épithète de « ligures », nous semblent plutôt ceux de la dispersion. Même en admettant que ces premiers envahisseurs indo-européens fussent des ancêtres des Celtes, il subsistait entre leurs troupes trop d'espaces étrangers et trop de lacunes pour qu'une idée nationale pût les réunir. Mais pour l'époque proprement gauloise, nous n'hésitons pas à suivre Camille Jullian.

Des objections retentissantes lui furent faites. Le premier chapitre du volume de son maître Fustel de Coulanges consacré à la *Gaule romaine* est intitulé : *Qu'il n'existait pas d'unité nationale chez les Gaulois.* « Les Gaulois », écrit au contraire C. Jullian (II, 447), « avaient à la fois la notion de leur unité présente et la mémoire d'une histoire commune. Ils se sentaient, dans les moments d'enthousiasme, solidaires de tous ceux qui vivaient sous leur nom et de tous les morts qui l'avaient porté; ils parlaient de toute la Gaule comme d'une personne vivante, presque immortelle, qu'il fallait servir, aimer et protéger. Elle représentait bien pour eux une patrie. » Qui croire, a-t-on demandé? A qui se confier?

Remarquons tout d'abord que *La Gaule romaine* de Fustel de Coulanges n'est que le début d'une œuvre consacrée à l'*Histoire des Institutions politiques de l'ancienne France.* L'objet en était seulement de rechercher quelles étaient les institutions politiques des Gaulois au moment où Rome les a soumis. Fustel de Coulanges constate qu'aucune institution politique ne manifestait à ce moment une unité politique quelconque chez les Gaulois. La Gaule ne formait donc pas un corps de nation. C. Jullian se trouve, sur ce point de fait, en plein accord avec lui. Il n'existait en effet ni conseil fédéral gaulois ni aucune institution politique commune. L'histoire même de la conquête romaine où, sauf peut-être à Alésia, César eut toujours des Gaulois avec lui, montre assez que la Gaule ne formait pas effectivement un corps de nation.

Historien de la Gaule, C. Jullian devait chercher plus loin que l'histoire des institutions. Au-delà des faits, l'historien ne doit-il pas reconnaître les idées et les sentiments? A défaut d'unité consacrée par les institutions, n'existait-il pas chez les Gaulois des tendances à l'unité? Ce sont ces tendances qu'il s'attache à mettre en lumière. Il n'a, pour le faire, qu'à suivre César.

Dès la première année de guerre, lorsqu'après avoir battu les Helvètes César s'apprête à attaquer les Belges, il note lui-même (II, 1) que certains Gaulois éprouvent à la vue de l'armée romaine la même impatience qu'à la vue des bandes d'Arioviste. L'année suivante (57-56), les Vénètes de Bretagne exhortent leurs compatriotes « à demeurer dans cette liberté qu'ils tenaient de leurs ancêtres et à la préférer à la servitude qu'apportent les Romains » (III, 8, 4). Lorsque, lassé de suivre César, l'Éduen Dumnorix s'en va et que César le fait tuer, il se défend l'épée au poing, criant qu'il était né libre et citoyen d'un peuple libre (V, 7, 8). Un instant, le chef Éburon Ambiorix fait figure de champion de l'indépendance nationale. Il déclare (V, 27, 5) que son soulèvement n'est que l'effet « d'un dessein commun à toute la Gaule... Des Gaulois ne pouvaient dire non à d'autres Gaulois, surtout quand le but proposé était la liberté commune ». Quant à Vercingétorix, il ressort clairement de tous ses actes qu'il veut réaliser l'union de tous les Gaulois en vue de la défense de la liberté gauloise. Et son idée est partagée par les siens. Au lendemain du désastre d'Avaricum, César s'étonne qu'une parole du chef suffise à ranimer ses troupes. « Par ses soins », annonce Vercingétorix, « va se réaliser l'union de toute la Gaule; à cette union le monde entier ne pourrait résister et elle est déjà presque accomplie » (VII, 29, 6). Lorsque, dans Alésia, il est contraint à capituler, Vercingétorix peut déclarer à ses compagnons — toujours d'après César, que « s'il a entrepris cette guerre ce ne fut pas pour des fins personnelles mais pour la liberté de tous ».

Il n'avait réussi, sans doute, qu'à constituer une ligue militaire et non pas à soulever véritablement une patrie. Si cette patrie n'existait pas en fait il y avait néanmoins chez les Gaulois un idéal national commun. Ce qu'était cet idéal, un autre chef gaulois, toujours à Alésia, le définit (VII, 77) : « Les Cimbres ont ravagé la Gaule », rappelle Critognat, « mais, à la fin, ils sont partis; ils nous ont laissé nos droits, nos lois, nos champs, notre liberté; les Romains, sachant notre nation glorieuse et nos armes puissantes, veulent s'installer chez nous et nous réduire à une éternelle servitude. — Nos droits, nos lois, notre terre et notre liberté, la gloire et la puissance de notre nation — n'est-ce pas ce qui constitue l'âme et le corps d'une patrie? »

Les Gaulois n'ont pas d'institution politique commune mais ils ont une institution religieuse et, chez les peuples anciens, les institutions religieuses ont toujours précédé les institutions civiles. L'assemblée annuelle des Druides et l'unité de leur sacerdoce ne représentent-elles pas déjà l'union de la Gaule dans une discipline nationale?

« Chaque année », dit César (VI, 13), « les Druides tiennent leurs assises en un lieu consacré, dans le pays des Carnutes qui passe pour occuper le centre de toute la Gaule. » En effet, les recherches d'un savant archiviste et archéologue de l'Orléanais, M. J. Soyer, ont établi que ce lieu consacré où se réunissaient les Druides de toute la Gaule se trouve dans la forêt d'Orléans, à Saint-Benoît-sur-Loire, près de la Fontaine Saint-Sébastien, à égale distance, remarque C. Jullian, de toutes les frontières de la Gaule : Rhin, Alpes, Pyrénées, Océan. Là, suivant les études d'un autre savant, J. Loth, se trouvait la pierre sacrée qu'on peut appeler l'ombilic de la Gaule et comparer à l'omphalos de Delphes, centre idéal de la Grèce. Cette assemblée de prêtres au cœur même du pays était en réalité une première assemblée nationale.

Elle accomplissait, en effet, plusieurs des fonctions que nous attribuons aujourd'hui au pouvoir civil. « Ce sont les Druides qui tranchent presque tous les conflits entre États ou entre particuliers et, si quelque crime a été commis, s'il y a eu meurtre, si un différend s'est élevé à propos d'héritage ou de délimitation, ce sont eux qui jugent, qui fixent les satisfactions à donner ou à recevoir. Un particulier ou un peuple ne s'est-il pas conformé à leur décision, ils lui interdisent les sacrifices. C'est chez les Gaulois la peine la plus grave. Ceux qui en sont frappés, on les met au nombre des impies et des criminels, on s'écarte d'eux, on fuit leur abord et leur entretien, craignant de leur contact impur quelque effet funeste, ils ne sont pas admis à demander justice ni à prendre part à aucun honneur... A l'assemblée des Druides affluent de toute part ceux qui ont des différends et ils se soumettent à leurs décisions et à leurs arrêts. » Voilà une juridiction commune dont l'autorité s'exerce sur l'ensemble de la Gaule. « Tous ces Druides, dit encore César (VI, 13), obéissent à un chef unique qui jouit parmi eux d'une grande autorité. A sa mort, si l'un d'eux se distingue par un mérite hors ligne, il lui succède, si plusieurs ont des titres égaux, le suffrage des Druides, quelquefois même les armes, en décident. »

On remarquera que c'est de la forêt des Carnutes, par conséquent du voisinage du sanctuaire des Druides, sinon du sanctuaire même, que partit en 52 le signal du soulèvement dont Vercingétorix prit le commandement. Sans que César le dise, il est fort probable que les Druides l'avaient ordonné au nom de ces traditions nationales dont ils étaient les dépositaires.

Dans les querelles même des Gaulois entre eux on aperçoit comme un reflet de cet idéal d'unité qu'a déjà réalisé la religion. Les peuples les plus puissants aspirent à l'hégémonie de toute la Gaule. Cette hégémonie aurait été réalisée autrefois par les Bituriges et le légendaire Ambigat. Nous la trouvons, au IIe siècle avant notre ère, entre les mains des Arvernes. La première conquête romaine brise cette unité et suscite l'ambition des Éduens. C'est contre cette ambition que les Séquanes font appel aux Germains, rêvant eux aussi de mettre la Gaule dans son ensemble sous leur dépendance. Dès qu'un peuple s'en croit capable, il s'efforce de réaliser autour de lui cette union que préconisait Vercingétorix et à laquelle, disait-il, rien ne pourrait résister.

Cette unité nationale à laquelle tendait la Gaule, ce furent les Romains qui la lui donnèrent effectivement. Ils en exclurent seulement la Narbonnaise. En 12 avant J.-C., Auguste institua, autour de l'autel consacré au culte de Rome et de l'Empereur, le Conseil des Gaules. A Lyon, la nouvelle capitale, l'autel était désormais « l'ombilic sacré » du pays devenu romain. Le Conseil des Gaules était, comme l'assemblée des druides, une réunion de prêtres venus de tous les peuples gaulois et ces prêtres choisissaient chaque année leur chef. L'objet de leur réunion était avant tout d'exprimer par des rites solennels le loyalisme de la province. Mais ces délégués à l'autel de Rome et d'Auguste possédaient aussi quelques attributions politiques; ils avaient droit de délibérer des intérêts communs et d'exprimer les désirs de la Gaule au légat de l'Empereur; ils pouvaient même s'adresser directement à l'Empereur et se plaindre à lui de son légat. L'institution était romaine. Mais elle rappelait par son essence intime la tradition nationale gauloise. Le libéralisme d'Auguste n'avait-il pas songé à ces souvenirs gaulois? César lui-même n'avait-il pas eu la pensée d'utiliser à son profit l'aspiration des Gaulois à des résolutions communes lorsque, chaque année, il convoquait auprès de lui les chefs des principaux peuples. C'étaient les Gaulois eux-mêmes qui, la première année de la guerre, aussitôt après la défaite des Helvètes, l'avaient prié de réunir cette assemblée. En instituant un Conseil des Gaules, Auguste ne faisait que consacrer cette tradition.

Les siècles de vie commune sous le gouvernement de Rome ont perpétué et renforcé l'idée que les différentes provinces de la Gaule constituaient vraiment un tout. Pour les Gaulois, la Gaule devint vraiment une patrie à l'intérieur de l'Empire. Lorsqu'au IIIe siècle Rome se trouva impuissante à les défendre, les Gaulois eurent leur Empereur propre et leur Empire romain de Gaule. L'idée de la Gaule ne fit que se fortifier à mesure que l'Empire s'affaiblissait. « Qu'on lise les écrivains du Bas-Empire », écrit C. Jullian (*Gallia*, p. 323), « et l'on verra comment, aux yeux des contemporains, la Gaule formait un État homogène et compact. C'est elle qui, dans ces derniers jours de Rome, allait lui rendre le plus de services et tenir dans son histoire la plus belle place. Elle est visiblement demeurée, grâce à son unité, la nation la plus solide, la plus personnelle de l'Empire affaibli. Elle le sait et elle en est fière. Ses soldats ne combattent pas volontiers loin de leur Gaule; il y a chez eux un attachement tenace au sol qu'ils défendent. Quand au IVe siècle on disait : les Gaulois, le mot ne désignait pas seulement les citoyens des provinces gauloises; il n'était pas, comme le terme d'Espagnols, d'Africains ou d'Illyriens, une expression de géographie administrative; on entendait par là une nation originale, forte et sympathique. »

Cette nationalité gauloise développée à l'époque romaine avait incontestablement ses racines profondes dans le sentiment des siècles de l'indépendance; ce n'est pas la vie romaine, ce sont les traditions celtiques qui l'ont créée. C'est jusque chez les Gaulois d'avant César qu'il faut chercher l'origine de cette idée de l'unité française à l'intérieur des frontières naturelles de la Gaule, idée qui, après un millénaire, dirigera encore la politique des rois Capétiens et reste celle des temps modernes.

6 LES GAULOIS CHEZ EUX

I. — Le gouvernement et la politique

« La forme de gouvernement la plus répandue chez les peuples gaulois avant la conquête romaine était », nous dit Strabon, « la forme aristocratique : en vertu d'un usage immémorial, chacun d'eux, tous les ans, choisissait un chef et, de même, en cas de guerre, chaque armée élisait son général. » Chez les Éduens et vraisemblablement chez bon nombre d'autres peuples, ce magistrat portait le titre de *vergobret*, qui paraît signifier, en gaulois : celui qui exécute les jugements, en somme, le pouvoir exécutif. Le vergobret avait droit de vie et de mort sur tous, mais ne devait pas franchir les frontières du pays qu'il gouvernait. Il avait, sans doute, sous ses ordres ou à côté de lui, d'autres magistrats inférieurs que nous ne connaissons pas pour l'époque de l'indépendance, et devait être assisté d'un conseil de chefs qui préparait les décisions à réaliser. Ensemble ils délibéraient des intérêts communs, fixant les impôts et, en tout cas, d'après une indication de César, affermant par adjudication les douanes et les péages; ils règlent les alliances et les ambassades et décident de la paix et de la guerre. Le peuple « qui ne compte guère plus que les esclaves », note César, ne participe sans doute au gouvernement que par l'intermédiaire de ses chefs. Seuls, détenaient le pouvoir les druides et les chevaliers. Il est probable qu'ils participent seuls à l'élection du vergobret. Les Gaulois ont, en somme, au moment où César paraît en Gaule, un gouvernement qui ne diffère pas essentiellement de celui de Rome elle-même.

Les règles de l'élection, au moins chez les Éduens, sont minutieusement fixées. L'année d'Alésia, César doit intervenir pour calmer les dissensions provoquées par le choix du vergobret. Deux personnages puissants se prétendaient légalement élus et il était à craindre que leurs partisans n'en vinssent aux mains. Se faisant arbitre, César se réfère aux coutumes gauloises. Il convoque auprès de lui les compétiteurs et tout le Sénat des Éduens; les nobles amenant leurs clients pour les appuyer, presque toute la Cité, nous dit-il, vint au rendez-vous. Il ressort de l'enquête que l'un des deux était l'élu d'une poignée d'hommes réunis en secret, ailleurs et à un autre moment qu'il ne convenait, que son frère, vergobret de l'année précédente, avait proclamé l'élection, alors que les lois interdisaient que deux membres d'une même famille fussent, du vivant l'un de l'autre, non seulement nommés magistrats, mais même admis au Sénat. César l'obligea donc à déposer le pouvoir qu'il attribua à celui qui avait été élu conformément aux usages, sous la présidence des prêtres et une fois la magistrature devenue vacante (VII, 33).

Les mêmes difficultés se présentent d'ailleurs pour l'élection du chef militaire (VII, 39). L'Éduen Éporédorix, « jeune homme de très grande famille et très puissant dans son pays » et Viridomaros, « du même âge et du même crédit, mais de moindre naissance », se disputaient le commandement tandis que des intrigues avaient fait confier à un troisième, gagné à la cause de Vercingétorix, le corps qui devait aller renforcer l'armée de César. La rigueur des règles, on le voit, n'empêchait pas le désordre.

Tout ce régime repose sur un système quasi féodal de clientèle.

Polybe signalait déjà l'importance de la clientèle chez les Gaulois d'Italie : « Le soin de leur clientèle était leur plus grand souci parce que l'on paraît chez eux d'autant plus redoutable et puissant que l'on semble posséder un plus grand nombre de serviteurs et de clients. » César répète la même indication (II, 17 et VI, 15, 2) : « Plus un chevalier est noble ou riche, plus il a autour de lui de vassaux et de clients; de là vient tout crédit et toute puissance. » Il nous montre ce principe en action. Chez les Helvètes, Orgétorix, cité en justice, se présente avec toute sa maison (*familia*), au nombre d'environ dix mille hommes, clients, obligés, débiteurs. Il compte, grâce à leur nombre, échapper au jugement. La cité est obligée d'appeler aux armes pour imposer sa sentence.

Ces grandes familles sont alliées entre elles de cité à cité. Dumnorix, chez les Éduens, a épousé la fille d'Orgétorix et jouit de la même puissance. « Il y a chez les Éduens », dit à César l'un de ses informateurs, « certains personnages qui ont sur le peuple une influence considérable et qui, sans aucun titre, sont plus puissants que les magistrats eux-mêmes » (I, 17, 1). « Il s'agissait de Dumnorix; l'homme était d'une extrême audace; sa grande autorité auprès du peuple venait de sa libéralité... Depuis de longues années il avait pris la ferme de douanes et de tous les impôts des Éduens parce que, sur ses soumissions, personne n'osait enchérir. Ainsi s'était-il enrichi et avait amassé d'amples moyens de faire des largesses. Il entretenait régulièrement un grand nombre de cavaliers qu'il avait toujours autour de lui; son pouvoir ne s'exerçait pas seulement dans son pays mais s'étendait largement chez les nations voisines. Pour développer cette puissance, il avait remarié sa mère chez les Bituriges à un personnage de haute noblesse et de grand pouvoir; lui-même avait épousé une Helvète; sa sœur du côté maternel et des parentes avaient été mariées par lui dans d'autres cités » (I, 18, 3).

La puissance de ces clientèles n'a pour limite que celle d'autres clientèles. Ainsi Dumnorix avait trouvé en face de lui son frère, Diviciac, lequel était druide et avait d'ailleurs été obligé de s'exiler. Il était venu à Rome où il s'était ménagé des amitiés, celle de Cicéron notamment, qui parle de lui comme d'un homme distingué avec qui il ne dédaigne pas discuter philosophie et sciences naturelles. Il était rentré en Gaule avec César et, au moins durant la première année de guerre, lui avait donné de précieuses indications. « En Gaule », constate le Proconsul, « non seulement toutes les cités, tous les cantons et fractions de cantons mais, peut-on dire, toutes les familles, sont divisées en partis rivaux. Les chefs de ces partis sont ceux qui semblent avoir le plus d'autorité auprès des magistrats chargés de régler les affaires et de prendre toutes les décisions. C'est là une institution ancienne qui paraît avoir pour origine le souci d'assurer à chaque homme de la plèbe une protection contre tout abus de puissance, car un chef ne tolère pas que ses clients soient victimes de l'oppression ou de la ruse; laisser faire serait pour lui perdre tout crédit. Le même système domine la politique de l'ensemble de la Gaule : les peuples se trouvent rangés en deux factions. »

Ces deux factions sont celles des peuples qui se disputent l'hégémonie de la Gaule; les Éduens et les Séquanes de Franche-Comté. Les uns et les autres cherchent également des appuis étrangers.

Ce système de clientèle n'était autre, en somme, que celui qu'avait connu jadis l'Italie, au temps des grandes *gentes* romaines primitives; il liait le faible au puissant, le pauvre au riche, pour la protection de l'un et la plus grande force de l'autre. Il faisait obstacle à l'exercice d'un gouvernement régulier. Ce gouvernement n'en existait pas moins et la minutie des règles marque le souci de libérer l'État de la prépotence des individus et des familles : séparation des pouvoirs civil et militaire, élections annuelles, interdiction du cumul des magistratures dans une même famille, droit de vie et de mort attribué au vergobret. Ces détails témoignent en outre d'une expérience déjà longue de la vie politique.

Les abus de la clientèle n'avaient pas supprimé l'importance des assemblées délibérantes : sénat des chefs de familles, ou même réunions plus larges auxquelles ceux-ci amenaient des troupes de clients. Ces réunions répondaient au goût pour l'éloquence que tous les écrivains anciens se sont accordé à reconnaître aux Gaulois. Strabon signale un trait du règlement intérieur de ces assemblées (IV, 4, 3) : « Si l'un des assistants interrompt bruyamment l'orateur ou cause quelque désordre, le licteur ou officier public s'avance, l'épée nue à la main, et lui impose le silence d'un air menaçant; s'il continue, le licteur répète deux ou trois fois son ordre et finit par couper au perturbateur un pan de son manteau, assez large pour que le reste ne puisse plus servir. »

Si les clientèles sont anciennes en Gaule, le régime aristocratique y paraît récent. Une ou deux générations avant César, les peuples gaulois avaient des rois, quelques-uns en avaient encore de son temps, surtout chez les Belges. Ces rois peuvent même être au nombre de deux. Ambiorix partage ainsi la royauté des Éburons avec Catuvolcus. Il ne ment peut-être pas entièrement lorsqu'il explique à César que son pouvoir est de telle nature que la multitude a autant d'autorité sur lui que lui-même sur la multitude. Dans quelques cités, César essaye, pour s'en servir, de rétablir la royauté. « Il y avait », nous dit-il, chez les Carnutes (d'Orléans), « un personnage de haute naissance dont les ancêtres avaient exercé la royauté héréditaire... César lui rendit le pouvoir royal. » Mais après trois ans de règne ce roi imposé fut assassiné et la royauté de nouveau abolie. Le père de Vercingétorix avait de même été mis à mort par les Arvernes pour avoir voulu rétablir en sa faveur le pouvoir royal de ses ancêtres. Les intrigues de l'Helvète Orgétorix et la migration préparée pour son peuple tendaient à le faire proclamer roi. Partout, c'est une révolution récente qui a substitué le régime aristocratique à la royauté et le peuple, semble-t-il, se souvient avec regret de ses rois.

Les historiens antiques nous ont transmis, de ces souverains gaulois, une image éclatante, conservée vraisemblablement par les chants des bardes. Le roi arverne Luern, qui vivait vers le milieu du second siècle avant notre ère, était resté célèbre par sa richesse et ses prodigalités. Il avait fait enclore, raconte Diodore, un carré de douze stades de côté (plus de deux mille mètres), à l'intérieur duquel étaient disposées des cuves pleines d'une boisson excellente et une telle quantité de victuailles que, pendant plusieurs jours, tous ceux qui le voulaient pouvaient entrer et profiter de ces provisions accumulées, servies sans interruption. Le roi avait fixé une date pour ce festin. Un des poètes qu'ont ces Barbares était arrivé en retard et, ayant rencontré le roi, il chantait sa magnificence tout en se lamentant d'avoir manqué au rendez-vous. Charmé, le roi, prenant une bourse pleine d'or, l'avait lancée au poète qui le suivait en courant. Après l'avoir ramassée, le barde avait entonné un nouveau chant : « Des ornières laissées dans le sol par le char royal, levait pour les hommes une moisson d'or et de bienfaits. » La royauté était sans doute plus favorable au peuple que l'aristocratie; c'est dans la plèbe qu'elle cherchait son soutien contre les nobles. La révolution avait empiré le sort de la classe inférieure.

Il est vraisemblable qu'en Gaule, comme dans les premiers temps de Rome, le roi avait été le chef religieux en même temps que politique; il représentait le dieu parmi les hommes de sa nation et commandait en son nom. Tel devait être, ou tel avait été imaginé, le roi patriarche Ambigat dont la légende avait conservé le nom et qui, à la fin du ve siècle avant notre ère, aurait exercé l'hégémonie sur toute la Celtique.

L'état social et politique des Gaulois apparaît en retard de trois ou quatre siècles sur celui des peuples classiques. Lorsque nous l'apercevons pour la première fois il présente un aspect analogue à celui de la Grèce homérique; il a suivi une évolution analogue à celle que l'histoire nous fait connaître en Grèce et à Rome. Au moment de la conquête, la Gaule se trouvait en pleine transformation politique à tendance constitutionnelle. Malgré les abus d'un régime encore mal établi et les inconvénients de l'oligarchie, cet état marque un effort d'organisation et un progrès de la civilisation générale. Consacrées et conservées par Rome, les traditions indigènes continuèrent à régir le pays durant la majeure partie de l'Empire. Le vergobret, ou les vergobrets — il est possible qu'ils aient déjà été deux — furent remplacés, au cours du premier siècle, par des *duumviri*, au nombre de deux, comme les consuls, assistés de questeurs et d'édiles; l'assemblée des nobles devint un Sénat. L'influence romaine ne semble pas avoir eu d'autre résultat que de préciser les institutions et d'en changer les noms. Sous la surveillance de Rome, les cités continuèrent à s'administrer comme l'avaient fait les peuples au temps de l'indépendance. Leur régime demeura foncièrement aristocratique, l'usage des clientèles se poursuivit mais les chefs, obligés de déposer les armes et de renoncer à la violence, devenus de simples magistrats municipaux, perdirent peu à peu leur autorité tandis que se développait le bien-être des plèbes urbaine et rurale. En réalité, la paix romaine accéléra une évolution qui jusque-là avait reproduit dans ses grandes lignes, mais avec un retard de plusieurs siècles, celle de la société romaine elle-même.

II. — La guerre

C'est à la guerre et par la guerre que les peuples classiques ont surtout connu les Gaulois. Il va sans dire que l'aspect des armées gauloises dut se modifier assez profondément entre le début du IVe siècle où elles rencontrèrent pour la première fois les Romains et le milieu du Ier siècle où elles succombèrent devant les légions. Ni Tite-Live, d'ailleurs, ni César, ne nous décrivent leur aspect avec précision; César est avare de détails et Tite-Live, la plupart du temps, oratoire et conventionnel.

Les Gaulois qui prirent Rome nous sont présentés par Tite-Live comme une multitude confuse et désordonnée. Ils sont « un ennemi inconnu apportant la guerre des rives de l'Océan et des dernières limites du monde ». Tout en eux épouvante les Romains, et le nombre des hommes occupant au loin un espace immense et leur stature gigantesque et la forme de leurs armes... « Le pays était couvert d'ennemis et cette nation qui se plaît par goût au tumulte faisait au loin retentir l'horrible harmonie de ses chants sauvages et de ses bizarres clameurs. » — En réalité, il semble que la bande qui attaqua Rome n'était qu'une troupe de Senons au nombre d'une trentaine de mille. Pour les marches comme pour la bataille, l'armée gauloise devait être articulée par *pagi*, groupes de guerriers, peut-être déterminés par la parenté; elle devait avoir avec elle des chariots, ne fût-ce que pour le ravitaillement. Après l'Allia, il est question de cavalerie éclairant la marche; il est douteux qu'à ce moment les Gaulois aient déjà possédé une cavalerie. Au moment de la bataille, si l'on pouvait se fier au récit de Tite-Live, Brennus aurait fait preuve d'un coup d'œil tactique remarquable. Un seul trait mérite d'être retenu, inspiré qu'il est par l'exemple d'autres batailles plus récentes : après la victoire, les Gaulois se mirent à dépouiller les morts et à entasser les armes par monceaux. Nous savons en effet qu'ils avaient coutume d'offrir le butin au dieu de la guerre.

Parfois ces monceaux étaient laissés comme trophées ou bien les vainqueurs y mettaient le feu, brisant tout et massacrant jusqu'aux animaux, comme firent les Cimbres et les Teutons après la bataille d'Orange.

Des indications plus précises nous sont données sur les Gaulois qui, un siècle après l'Allia, en 295, combattirent à Sentinum à côté des Samnites. Ils ont des cavaliers et, en outre, des chars que les Romains auraient vus alors pour la première fois. « L'ennemi tout armé, debout sur des chars, accourut avec un grand bruit de chevaux et de roues, et ce tumulte inconnu effraya la cavalerie romaine. Ces chars gaulois auraient été au nombre d'un millier. A la bataille de Télamon, en 225, il y aurait eu 20 000 Gaulois soit à cheval soit en chars. »

On a trouvé en Champagne et en diverses autres provinces de Gaule des sépultures où le guerrier repose couché sur son char à deux roues; en avant du timon sont déposés les harnachements de deux chevaux (ci-dessus, fig. 25, p. 80). Ces tombes datent des ve et ive siècles av. J.-C. César ne rencontra plus de combattants en chars que dans l'île de Bretagne. De même qu'aux héros d'Homère, le char servait aux Gaulois surtout à se rendre au combat; il était conduit par un cocher qui n'hésitait pas à se livrer à toutes sortes d'acrobaties jusque sur le timon. A toute vitesse, les chars défilaient devant l'ennemi sur lequel le guerrier lançait ses javelots puis sautait à terre pour combattre à pied. Le conducteur ramenait le char en arrière, suivant le combat de façon à ce que son maître pût le retrouver en cas de besoin. En Gaule, au temps de César, c'est à cheval que combattent les nobles, d'où leur nom d'*equites* (chevaliers).

Les cavaliers gaulois sont d'ailleurs surpris par la manœuvre des cavaliers germains de César qui conduisent avec eux des hommes de pied pour tuer les chevaux. Les Aquitains en usaient de même. Les Gaulois qui envahirent la Grèce au iiie siècle se faisaient accompagner de deux serviteurs à cheval pouvant au besoin remplacer le maître ou lui passer un cheval frais ou l'emmener s'il était blessé. Quand, en 121, le roi des Arvernes, Bituit, accourut à la tête de l'armée gauloise au secours des Allobroges attaqués par les Romains, il était monté sur un char garni d'argent; « il y rayonnait dans l'or et la pourpre de ses armes et de ses vêtements », au milieu de sa meute de chiens de chasse et de guerre. Lorsqu'il aperçut le carré de quelques milliers d'hommes que formaient les légions, « il eut une pensée d'orgueil et de confiance et déclara qu'il y avait là à peine de quoi nourrir ses chiens » (C. Jullian, III, 2 et 7, d'après Florus et Orose).

La cavalerie n'est d'ailleurs qu'en petit nombre; la masse des armées gauloises combat à pied; ces armées s'élèvent parfois à deux ou trois cent mille hommes, au dire des écrivains anciens. Vercingétorix ne veut que 80 000 hommes. Après Gergovie les Éduens lui envoient un contingent qui paraît extraordinaire de 15 000 cavaliers.

Les Gaulois sont naturellement braves; ils ont à un haut degré le sens du dévouement et de la gloire militaire, c'est-à-dire de l'honneur que confère le courage et la lutte victorieuse. César leur rend pleinement hommage à cet égard et cite de leur part des traits d'héroïsme qu'il admire.

Durant la septième année de la guerre, il assiège *Avaricum* (Bourges); avec leurs machines et leurs tours mobiles, les Romains se sont approchés des remparts, mais une contre-attaque gauloise a mis le feu à leurs travaux. « La nuit s'était écoulée et l'on combattait encore sur tous les points, l'espoir de vaincre se ranimait sans cesse chez les Gaulois; toujours de nouvelles troupes fraîches remplaçaient les troupes fatiguées; tout le sort de la Gaule leur paraissait dépendre de cet instant. Il se produisit alors, sous nos regards, un fait qui nous paraît digne de mémoire et que nous n'avons pas cru devoir passer sous silence. Il y avait devant une porte un Gaulois qui jetait vers la tour en feu des boules de suif et de poix qu'on lui passait de main en main. Un trait parti d'un scorpion lui perça le flanc droit et il tomba sans connaissance. Un de ses voisins, enjambant son cadavre, le remplaça dans sa besogne; il tomba de même, frappé à son tour par le scorpion; un troisième lui succéda, et au troisième un quatrième; le poste ne cessa d'être occupé par des combattants jusqu'au moment où l'incendie ayant été éteint et les ennemis repoussés sur tout le front de bataille, le combat prit fin. »

Le Gaulois, en effet, ne craint pas la mort. L'enseignement de ses Druides lui apprend qu'une autre vie l'attend au-delà du tombeau, sans doute, particulièrement heureuse pour les braves. La mort, il en est persuadé, n'est qu'un épisode au cours d'une longue existence.

D'autre part, le Gaulois est un soldat intelligent. Il excelle à imiter ce qu'il voit faire à l'ennemi et sait trouver le moyen de parer ses coups. C'est encore César qui rend ce témoignage aux défenseurs d'Avaricum :

« A l'exceptionnelle valeur de nos soldats, les Gaulois opposaient toute sorte de moyens; c'est une race d'une extrême ingéniosité et ils ont des aptitudes singulières à imiter ce qu'ils voient faire. A l'aide de lacets ils détournaient les coups de nos faux et, quand ils les avaient bien serrées dans leurs nœuds, ils les tiraient avec des machines à l'intérieur des remparts. Ils faisaient écrouler nos terrassements en creusant des sapes, d'autant plus savants dans cet art qu'il y a chez eux de grandes mines de fer et qu'ils connaissent et emploient tous les genres de galeries souterraines. »

Sans avoir le génie militaire inventif de César, Vercingétorix sait manœuvrer et sa stratégie apparaît, en général, assez habile. Dion Cassius, qui paraît avoir pour source les chapitres perdus de Tite-Live, rapporte que pendant les premières années de la guerre, il avait été au camp de César et au nombre de ses amis, c'est-à-dire de son état-major. Le fait n'a rien d'invraisemblable; la cité des Arvernes avait pu envoyer à César ce jeune homme remuant, à la fois pour s'en débarrasser et pour servir d'otage. Ainsi, plus tard, le Germain Arminius faisait-il partie de l'état-major du malheureux Varus. C'est à l'école de César que Vercingétorix aurait appris la guerre.

Et cependant, malgré leur courage, malgré leur intelligence, malgré leur nombre à peu près constamment supérieur à celui des Romains, les Gaulois furent presque constamment battus et la conquête de la Gaule fut pour Rome infiniment moins longue et moins difficile que celle de l'Espagne. A quoi tient cette infériorité?

Strabon nous l'indique. Les Espagnols faisaient la guérilla; ils n'étaient jamais vaincus que partiellement et se trouvaient toujours en état de continuer la lutte. Au contraire, c'est par masse que les Gaulois avaient l'habitude de combattre; ils livraient bataille avec toutes leurs forces; battus, ils se trouvaient réduits à l'impuissance. Ils aimaient le combat loyal, sans embuscade, même sans tactique et en considéraient l'issue comme une sorte de jugement de Dieu. S'ils étaient vaincus, c'est que leurs dieux les avaient abandonnés et n'approuvaient pas leur résistance; il ne restait donc qu'à se soumettre. César s'étonne parfois de leur empressement à capituler. Il venait à peine, dit-il, d'apprendre la victoire de son lieutenant Sabinus que les Gaulois accouraient déjà pour lui apporter leur soumission. « Autant les Gaulois », conclut-il, « sont enthousiastes et prompts pour prendre les armes, autant ils manquent de fermeté et de ressort pour supporter les revers. » Les autres écrivains antiques les accusent généralement de se fatiguer et de se décourager vite.

Ils avaient aimé passionnément, autrefois, la bataille qui exalte l'homme au-dessus de lui-même, la ruée en masse animée d'une irrésistible frénésie. Ils poussaient droit devant eux en frappant de grands coups, persuadés que la violence de l'attaque devait l'emporter sur toutes les manœuvres de l'ennemi et sur tous les obstacles. Civilisés et devenus sédentaires, ils avaient perdu de leur vigueur sans changer leur méthode et sans acquérir l'art de se battre.

Leur dernière bataille, celle que l'armée de secours vint livrer sous les murs d'Alésia est caractéristique à cet égard. Dès leur arrivée, les Gaulois se ruent à l'assaut des retranchements de César sans les avoir reconnus. Repoussés, ils s'en tiennent là. Cependant un cousin de Vercingétorix avait découvert un point faible de la circonvallation romaine et, dissimulant son approche, vint l'attaquer à l'heure de midi où les Romains avaient coutume de se reposer. Il avait avec lui ses soixante mille Arvernes, et Labienus, qui commandait en ce point, se trouva bientôt en fâcheuse posture. Craignant des attaques sur d'autres points, César n'osait lui envoyer des renforts. « Si vous ne pouvez plus vous défendre », se contenta-t-il de lui faire dire, « attaquez. » Mais le reste de l'armée gauloise ne paraît pas; elle est restée dans ses cantonnements et César a tout loisir de rétablir la situation en se portant lui-même avec toutes ses réserves au point menacé. Il lance alors ses cavaliers germains contre le camp gaulois au repos; ils ne sont guère qu'un millier, ils suffisent pour jeter la panique. Surprise, toute cette grande armée se disperse et s'enfuit. Vercingétorix n'a plus qu'à se rendre.

Les Gaulois se souviennent trop des succès remportés jadis soit sur d'autres Barbares soit sur des armées qui n'avaient pas la consistance de celle de César. Conservateurs, ils n'ont voulu changer ni leur organisation militaire, ni leurs méthodes, ni leur armement. Ils continuent à se battre comme des Barbares contre d'autres Barbares et ils ont en face d'eux César et ses légions.

Plus tard, pour la guerre civile, César recrutera chez eux de précieux auxiliaires et, sous l'Empire, les Gaulois fourniront aux armées romaines leurs meilleurs éléments. A la fin du règne d'Auguste, Strabon répète que les Gaulois sont, par nature, tous d'excellents soldats, supérieurs seulement comme cavaliers à ce qu'ils sont comme fantassins, « à l'heure qu'il est, c'est de chez eux que les Romains tirent leur meilleure cavalerie. On remarque d'ailleurs qu'ils sont plus belliqueux à mesure qu'ils sont plus avancés vers le Nord et plus voisins de l'Océan ».

La nudité guerrière et l'armement gaulois.

Comment les Gaulois, du temps de leur indépendance, étaient-ils armés pour la bataille?

Ce qui a le plus frappé les Anciens, c'est que, parfois, ils s'y présentaient nus, couverts seulement par un grand bouclier. Pour rendre confiance aux Romains après le siège du Capitole, Camille, raconte Appien, leur montrait les Gaulois nus. « Voilà », leur disait-il, « ces gens qui hurlent dans les combats, qui frappent leurs armes l'une contre l'autre, qui brandissent leurs longues épées et se font un haut chignon de leurs cheveux. Voyez leur inertie et la mollesse de leurs corps... En avant! » Et toujours à propos du même épisode, Denys d'Halicarnasse développe ainsi le discours de Camille :

« Nos armes sont supérieures à celles de nos ennemis : nous avons des cuirasses et des casques et des cnémides et des boucliers solides qui nous protègent tout le corps; nos épées sont à deux tranchants et, contre la lance, nous avons la flèche qui frappe juste; nos armes défensives font que nous sommes difficilement blessés. Eux, ils ont la tête nue, nus la poitrine et les flancs, nues les cuisses et les jambes jusqu'aux pieds; ils n'ont d'autre protection que leurs boucliers et, comme armes offensives, des lances et des sabres excessivement longs (ce dernier trait est anachronique). Quel mal peuvent nous faire et leur longue chevelure et leurs yeux féroces et leurs grimaces et même leurs danses désordonnées et le bruit de leurs armes frappées l'une contre l'autre et leurs boucliers qui résonnent et toutes les injures ou les menaces que la jactance barbare lance contre l'adversaire? » (XIV, 9).

Et un peu plus loin il décrit la manière de combattre des Gaulois : « Elle avait quelque chose de féroce et de furieux et manquait complètement de la science des armes. Tantôt, en effet, levant très haut leurs sabres, ils les abattaient d'une manière sauvage, de toute la force de leurs corps, comme des bûcherons, tantôt ils faisaient tournoyer leur arme, cherchant à frapper de côté, comme s'ils allaient trancher d'un coup tout le corps de l'ennemi; ils ne faisaient qu'ébrécher leurs glaives. La force des Romains et leur défense contre les Barbares étaient éduquées et visaient d'abord à se protéger. Tandis que le Gaulois levait son épée, le Romain se glissait sous son bras et, tenant haut son bouclier tandis qu'il se courbait lui-même, rendait vain et sans effet le coup porté trop loin puis, l'épée droite, frappait d'estoc au flanc ou à la poitrine, atteignant les entrailles. Si l'ennemi protégeait cette partie, coupant les genoux ou les chevilles, il l'étendait à terre poussant des rugissements terribles et mordant le bouclier. Les Gaulois, donnant des efforts excessifs, se fatiguaient, ne tenaient plus bien leurs boucliers ni leurs sabres et n'avaient plus la force de frapper. Au contraire, les Romains, entraînés à la lutte, supportaient la fatigue. »

Des rites archaïques et d'intention magique que ne comprenaient plus les Romains précédaient souvent le combat. « L'armée rangée en bataille, quelques Gaulois s'avançaient en avant des lignes », souvent en dansant, « pour provoquer à des combats singuliers les meilleurs de leurs adversaires; ils brandissaient leurs armes et les faisaient sonner pour effrayer l'ennemi. Lorsqu'un combattant répond à leurs provocations, ils entonnent un chant sur les exploits de leurs ancêtres et leur propre courage, ils injurient et rabaissent l'adversaire, espérant lui enlever par là toute confiance en lui-même » — en réalité, il s'agissait, par des incantations, de briser la force de l'ennemi et d'exalter la leur.

La nudité guerrière était de même un rite magique qui n'était plus compris et fut abandonné peu à peu. Les explications qu'en donne Polybe ne sont que des conjectures peu pertinentes : il s'agirait d'une jactance de courage ou encore d'être plus agile au combat, même parmi les broussailles. Le même Polybe décrit avec précision l'armée gauloise à la bataille de Télamon, en 225. On remarquera la distinction entre les Gaulois établis en Italie et leurs auxiliaires Gésates qui viennent de la rive droite du Rhin (II, 28, 8 et 9) : « Les Boïens et les Insubres (ce sont les Gaulois d'Italie) portaient de longs et larges pantalons et laissaient voler autour d'eux l'ampleur de leurs saies (manteaux). Mais les Gésates, par gloriole, avaient enlevé leurs vêtements et, tout nus, avec leurs seules armes, formaient la première ligne. C'était un spectacle frappant que l'apparition et les mouvements de ces hommes nus, pleins de jeunesse et de belle stature. Tous ceux du premier rang portaient des colliers et des bracelets d'or... Dans l'action, leur nudité leur était un grand désavantage, le bouclier gaulois ne pouvant couvrir l'homme tout entier, la partie du corps qui dépassait était particulièrement exposée aux traits. » A la bataille de Cannes, les Gaulois de l'armée d'Hannibal étaient nus jusqu'à la ceinture tandis que les Espagnols portaient une tunique de lin d'une blancheur éclatante bordée de pourpre.

Quelques stèles étrusques de Bologne, du IVe siècle, des urnes funéraires de Chiusi, du IIIe, ainsi que les statues des Galates de Pergame, nous présentent des combattants gaulois dans leur nudité. En Gaule, César ne fait jamais allusion à une telle coutume. Parmi les sculptures de la Gaule romaine figurant des combats de Gaulois et de Romains, les unes, comme les bas-reliefs du Monument des Jules à Saint-Rémy, montrent tous les combattants vêtus et armés souvent de même façon, si bien qu'il est difficile de distinguer Romains et Gaulois. L'art en est d'ailleurs très conventionnel. Sur l'Arc d'Orange, les combattants gaulois apparaissent souvent nus, mais l'art n'en est pas beaucoup plus réaliste que celui de Saint-Rémy. Cependant le Gaulois de Mondragon, debout derrière son grand bouclier, est nu, ne portant que son sayon dont les franges retombent sur le bord du bouclier. D'autres statues, également du début de l'ère romaine, sont celles de soldats vêtus et armés. Le guerrier de Vachères (Hautes-Alpes) a la cotte de mailles. On sait que, d'après Varron, la cotte de mailles aurait été une invention gauloise. Le guerrier de Grézan (Bouches-du-Rhône), plus ancien, a la cuirasse, de type grec. Au temps de Vercingétorix, les chefs ainsi que les chevaliers et tous ceux qui en avaient le moyen, devaient porter non seulement des vêtements, mais des armes défensives, souvent de type romain; la foule avait complètement oublié, semble-t-il, la nudité guerrière, non moins que la mise en scène primitive de danses, d'incantations magiques et de provocations de champions.

Tous ces rites qu'on nous signale chez le Gaulois, y compris la nudité, n'avaient-ils pas été courants en Grèce, chez les Achéens de l'époque mycénienne? On retrouve des combattants nus, après l'invasion dorienne, sur les vases du Dipylon et, plus tard encore, dans l'Italie ancienne, les plus anciennes statuettes étrusques figurent souvent des combattants nus. Jusqu'au VIe siècle, l'hoplite ne portait aucun vêtement sous sa cuirasse. C'est encore ainsi que, dans la Gaule romaine, apparaît le dieu Mars sur l'autel de Mavilly (Côte-d'Or) : nudité rituelle, dirons-nous.

Les chefs et les riches portaient le casque, soit acheté en Italie comme beaucoup d'autres bronzes, soit fabriqué en Gaule. C'étaient le plus souvent de simples calottes hémisphériques ou coniques, avec ou sans visière, garnies d'une crête transversale ou d'un cimier ou de cornes, tels qu'on les voit figurés parmi les trophées ou sur les bas-reliefs de la Gaule romaine. L'archéologie en a retrouvé quelques exemplaires : casque d'Amfreville, de Berru, de la Gorge-Meillet... datant des Ve et IVe siècles avant notre ère (fig. 29).

Au nord des Alpes, dit Déchelette, le casque constituait surtout une coiffure d'apparat. Les casques des Gaulois, remarque en effet Diodore, se terminent par des ornements énormes destinés à faire paraître encore plus grands ceux qui les portent; ce sont soit des cornes, soit l'image d'oiseaux ou de quadrupèdes, symboles des divinités qui doivent

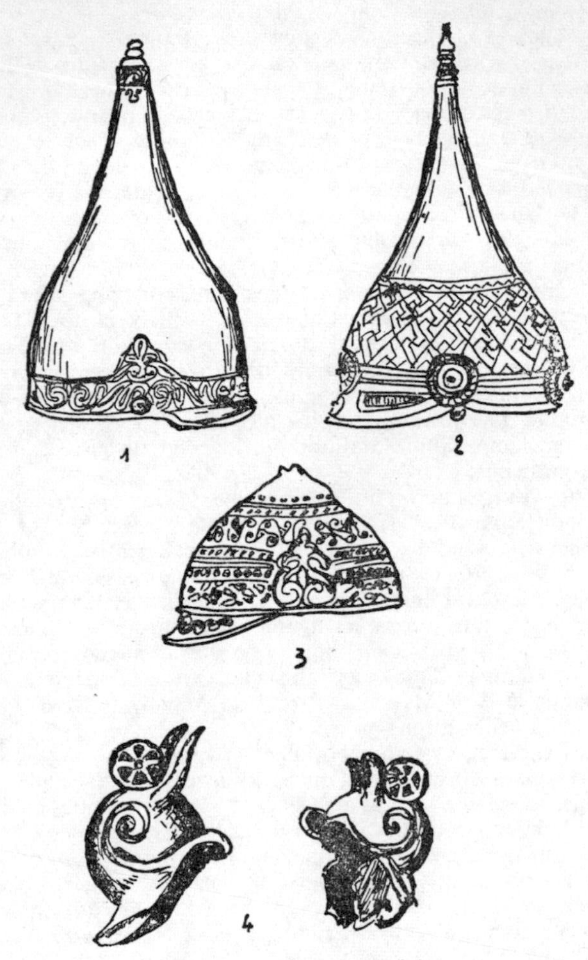

Fig. 29. — Casques gaulois.

1. Casque de Berru (Marne).
2. Casque de La Gorge-Meillet (Marne).
3. Casque d'Amfreville-sous-les-Monts (Eure).
4. Casques figurés sur les bas-reliefs de l'Arc d'Orange.

protéger le guerrier; les cornes notamment représentent le dieu de la guerre dont l'animal est le taureau.

L'arme défensive de tous était le bouclier, de grande taille, presque de hauteur d'homme, ovale ou hexagonal, tel qu'on en voit accumulés, en guise de trophées, sur les bas-reliefs de l'Arc d'Orange. Il était en bois, généralement bordé de

Fig. 30. — Face latérale de l'Arc de Carpentras. Trophée romain présentant des boucliers gaulois.

fer et, probablement, doublé de cuir. Celui du guerrier de Mondragon semble être en osier (fig. 30). La poignée en était assurée à l'intérieur par une armature en métal, fer ou bronze, rivée à la pièce de métal décorative qui marquait à l'extérieur le centre du bouclier, l'*umbo*, continué souvent par une longue arête qui pouvait affecter des formes diverses. Les boucliers étaient peints et ornés de motifs divers, simplement décoratifs ou figurant des animaux. C'étaient comme des blasons, propres à chaque guerrier ou à son groupe. Dans la Tamise ont été recueillis deux boucliers de bronze décorés, dans le style celtique, de corail (fig. 58, p. 251) et d'émaux. Le Gaulois était la plupart du temps enterré avec son bouclier, dont on retrouve couramment les parties métalliques : poignée, *umbo* et bordure.

La sécheresse du sable égyptien a conservé un bel exemplaire d'un bouclier de bois certainement gaulois (fig. 31). De forme rectangulaire, aux petits côtés arrondis, fortement bombé, il mesure 1, 30 m de haut sur 0,65 de large. Il est composé de trois couches de bois contreplaqué : à l'intérieur, une dizaine de grandes planches disposées dans le sens de la hauteur; sur elles, de chaque côté, sont appliquées, dans le sens de la largeur, d'étroites lamelles en bois de bouleau, travail fort habile tenant à la fois de la boissellerie qui donne au bois sa courbure et de la marquetterie qui assemble et maintient les pièces. L'*umbo* est également en bois; c'est une pièce massive en forme de losange aux côtés concaves, prolongée sur toute la longueur du bouclier par un épais filet. Le tout était recouvert sur les deux faces non pas de cuir mais d'étoupe de laine, plus résistante aux coups que le cuir. La poignée était faite également d'une pièce de bois; le fer n'était employé qu'à garnir les bords supérieur et inférieur. L'ensemble restait léger. Cette arme défensive, actuellement au Musée du Caire, doit provenir des auxiliaires galates qui, au IIIe siècle avant notre ère, se trouvèrent à plusieurs reprises au service des Ptolémées.

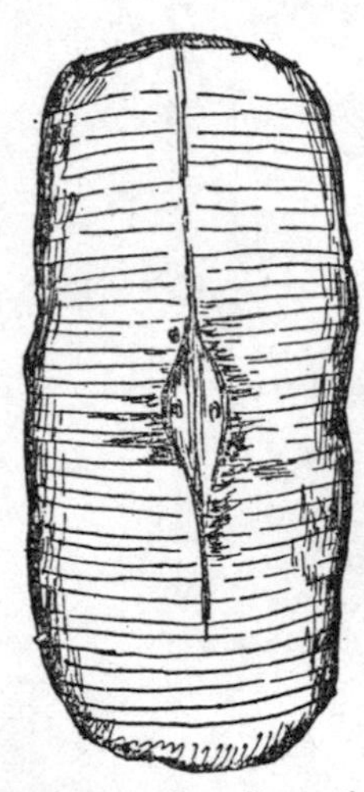

Fig. 31. — Bouclier gaulois en lamelles de bois contreplaquées trouvé en Égypte (*Germania*, 1940, p. 106, pl. III).

L'armement des Gaulois, dit Strabon, est en rapport avec leur haute stature. Il se compose en premier lieu d'un sabre très long qu'ils portent pendu à leur flanc droit, de piques, longues à proportion et d'une sorte de dard ou javelot appelé *madaris* (fig. 32). Quelques-uns se servent en outre d'arcs et de frondes. Ils ont encore, comme arme de jet, une sorte de haste en bois semblable à celle des vélites qu'ils lancent, sans *amentum* ou courroie et rien qu'avec la main, plus loin qu'une flèche, ce qui fait qu'ils s'en servent de préférence même pour tuer des oiseaux. Les tombes gauloises ont fourni des exemplaires nombreux de pointes de lances ou de javelots et d'épées.

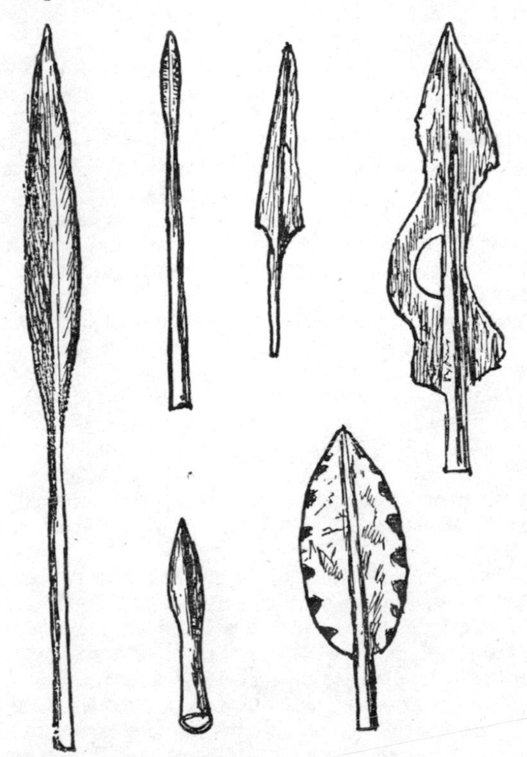

Fig. 32. — Pointes de lances et de javelots de La Tène (Déchelette, *Manuel*, II, fig. 478 et 479).

De la main gauche, en même temps que le bouclier, le combattant tenait deux ou trois traits de dimensions et de formes diverses. Plusieurs termes en désignaient les variétés; *madaris* ou *matara* et *gaesum*, chez les auteurs grecs : *gaison* ; *alpina gaesa*, disait Virgile — l'épithète d'alpin était sans doute arbitraire puisque c'est cette arme qui a valu leur nom aux Gésates transrhénans. Les écrivains grecs emploient couramment le terme *saunion*, javelot. Le mot *lancia*, terme celtique, désignait vraisemblablement la lance, arme de hast et non de jet. On ne saurait préciser quel nom convient à chacune des formes connues : fers longs ou courts, larges ou effilés. Il en est d'échancrés, il en est d'ondulés, quelques-uns sont ornés de ciselures. La pointe s'emmanche par une douille qui, généralement, se prolonge sur la lame par une nervure médiane. Parfois, la pointe minuscule, conique ou quadrangulaire, est unie à la douille par une longue tige de fer, une telle arme ressemble fort au *pilum* romain. On parle même de javelots d'une seule pièce entièrement en fer mais on n'en a trouvé d'exemplaires que chez les Celtibères d'Espagne.

L'arme favorite, l'arme nationale pour ainsi dire, du Gaulois est l'épée qu'il porte suspendue à un ceinturon souvent constitué par une chaîne métallique ou à un baudrier, à droite, du côté opposé au bouclier. Le type en a varié et peut servir d'indice chronologique.

L'épée la plus ancienne, à l'époque de Hallstatt et au début de La Tène, jusque vers 350 avant notre ère, est une arme courte et effilée, destinée à frapper d'estoc plus encore que de taille. Elle dérive de l'ancienne épée de bronze et, comme elle, s'élargit en forme de feuille allongée vers le milieu de sa longueur. Telles sont la plupart de celles que l'on trouve dans les tombes à char de la Marne, avec leur fourreau de fer plaqué de bronze mince. Cependant, une de ces épées, celle de Somme-Bionne, a déjà 0,90 de long, mais toujours avec une pointe aiguë (fig. 23, n° 2, p. 72).

A la deuxième phase de La Tène, à partir de 350, l'épée s'allonge et la pointe, de plus en plus faiblement marquée, finit par devenir tout à fait mousse. Elle ne peut plus servir qu'à frapper de taille; c'est un sabre de cavalerie et non plus une épée. On peut expliquer cette transformation par un engouement pour la cavalerie qui, vers ce moment, se substitue au char de combat. C'est cependant cette arme qui devint d'un usage général à l'époque de La Tène III (100 av. J.-C.). Ce sont des sabres de ce genre qui furent trouvés autour d'Alésia. On se demande par quelle aberration l'infanterie gauloise adopta une telle arme.

Dans son récit de la campagne contre les Insubres, en 223, Polybe prétend (II, 33) que les épées des Gaulois étaient de si mauvaise qualité qu'elles pliaient au premier coup. Si le soldat n'avait pas le temps de la redresser avec le pied, elle était impropre à assener un deuxième coup. L'indication, par elle-même, paraît peu vraisemblable. S. Reinach a supposé que Polybe n'a fait que répéter avec peu de critique une légende à laquelle avait pu donner naissance un rite que l'on observe dans de nombreuses tombes celtiques. L'arme enterrée avec le mort était pliée plusieurs fois sur elle-même ou brisée en plusieurs tronçons, c'est-à-dire tuée elle aussi et comme sacrifiée au défunt (fig. 33). L'usage, qui apparaît dans la plupart

Fig. 33. — Épée courte déposée pliée dans la tombe et poignard de La Tène I.

Warmériville (Marne). Hauviné (Ardennes). (Déchelette, *Manuel*, II, fig. 458).

Fig. 34. — Poignards anthropoïdes de l'époque de La Tène.

1. Provenant de Salon (Aube).
2. Voisinage de Chaumont (Haute-Marne).

des provinces celtiques dès le premier âge du fer, se rencontre dans l'Italie du nord. Il est possible que, trouvant dans les tombes gauloises des épées ainsi repliées, les colons romains aient imaginé qu'elles avaient été tordues sur quelque champ de bataille.

Les épées de La Tène témoignent au contraire d'une technique parfaite et l'acier en est d'excellente qualité. On remarque, observait le colonel de Reffye, que les tranchants ne sont pas du même fer que le corps de la lame. L'ouvrier, après avoir forgé cette partie avec un fer très nerveux étiré dans le sens de la longueur, soudait de chaque côté de petites cornières en fer doux pour former les tranchants. Le soldat pouvait de la sorte, après le combat, réparer par martelage les brèches de la lame, de la même façon que les moissonneurs rebattent leur faux lorsqu'elle est ébréchée.

Les fourreaux des épées sont souvent des œuvres d'art. Le Gaulois aimait le luxe des armes. Des gravures ornent le haut du fourreau ou même se développent sur toute sa longueur jusqu'à la bouterolle formée par une pièce décorative de fer ou de bronze fondu (fig. 48, p. 243). Parfois, sur le fourreau une petite gaine annexe était destinée à un couteau. On trouve aussi des poignards dont la poignée, faisant corps avec la lame, figure de façon très schématique un personnage humain les bras levés. C'est ce que les archéologues nomment le poignard anthropoïde (fig. 34).

On connaît aussi les trompettes gauloises : *carnyx* (*cornu*). Elles rendaient, dit Diodore, un son rauque et qui convient au tumulte guerrier. Ce sont des tubes droits, plus ou moins longs, à embouchure coudée, dont le pavillon, dressé au-dessus de la troupe, figure la gueule de quelque animal fantastique. On trouve de ces trompettes représentées sur des monnaies; on en voit une sur la cuirasse de la statue d'Auguste de Prima Porta; elles figurent parmi les trophées sur la plupart des monuments triomphaux de la Gaule romaine.

Chaque corps de troupe gaulois devait avoir son enseigne, signe de ralliement. On la plantait en terre lorsque la troupe s'arrêtait. Lors de la capitulation d'Alésia, les quatre-vingt mille hommes de Vercingétorix livrèrent à César 74 enseignes. L'Arc d'Orange présente plusieurs de ces enseignes : une perche surmontée d'un sanglier; un certain nombre de monnaies gauloises portent des enseignes semblables et, d'autre part, quelques petits bronzes figurant un sanglier et dont la base est munie d'une douille devaient appartenir à des enseignes. On connaît de même des chevaux en bronze creux qui durent servir d'enseignes.

Les armées gauloises, de tout temps, durent représenter des bandes plus ou moins bien organisées, mais difficiles à conduire. Leurs expéditions lointaines supposent, de la part des chefs, un effort souvent intelligent de stratégie. Pour franchir les Alpes et envahir l'Italie, les Cimbres et les Teutons se divisent en trois troupes qui devaient combiner leur action; mais l'exécution répondit mal à la conception. Les manœuvres des Gaulois au cours de leurs luttes contre les Romains en Italie apparaissent généralement peu heureuses. Nous voyons dans César avec quel soin les Helvètes avaient préparé les approvisionnements nécessaires à leur migration;

ils avaient même dressé l'état nominatif des rationnaires : combattants des différentes tribus et non-combattants. Le plan de campagne de Vercingétorix semble n'avoir pas été mal conçu; il faillit réussir. Le chef gaulois savait préparer et commander, César le reconnaît, mais il ne fut pas toujours bien compris ni bien obéi.

Strabon résume excellemment l'impression qui se dégage de l'histoire militaire des Gaulois (IV, 4, 2).

« Tous les peuples appartenant à la race celtique sont passionnés de guerre, irritables et prompts à en venir aux mains, du reste simples et pas méchants; à la moindre excitation ils se rassemblent en foule et courent au combat, cela ouvertement et sans aucune circonspection, de sorte que la ruse et l'habileté militaire viennent facilement à bout de leurs efforts. On n'a qu'à les provoquer quand on veut, où l'on veut et pour le premier prétexte venu, on les trouve toujours prêts à accepter le défi et à braver le danger, sans autre arme même que leur force et leur audace. D'autre part, si on les prend par la persuasion, ils se laissent amener aisément à faire ce qui est utile, témoin l'application qu'ils montrent aujourd'hui pour l'étude des lettres et de l'éloquence. Cette force dont nous parlions tient en partie à la nature physique des Gaulois qui sont tous des hommes de haute taille, elle provient aussi de leur grand nombre. Quant à la facilité avec laquelle ils forment ces rassemblements tumultueux, la cause en est dans leur caractère généreux qui leur fait ressentir l'injure à leurs voisins comme la leur propre et s'en indigner avec eux... Les migrations lointaines des Gaulois trouvent leur explication précisément dans cette tendance à procéder toujours tumultuairement et par levées en masse, dans cette habitude surtout de se déplacer eux et leurs familles dès qu'ils se voient attaqués sur leurs terres par un ennemi plus fort.

Strabon continue (IV, 4, 5) :

« A leur franchise, à leur fougue naturelle, les Gaulois joignent une grande légèreté et beaucoup de fanfaronnade ainsi que la passion de la parure car ils se couvrent de bijoux d'or, portent des colliers d'or autour du cou, des anneaux d'or autour des bras et des poignets et leurs chefs s'habillent d'étoffes teintes de couleurs éclatantes et brochées d'or. Cette frivolité de caractère fait que la victoire rend les Gaulois insupportables d'orgueil tandis que la défaite les consterne. Avec leurs habitudes de légèreté, ils ont cependant certaines coutumes qui dénotent quelque chose de féroce et de sauvage dans leur caractère mais qui se retrouvent, il faut le dire, chez la plupart des nations du Nord. Celle-ci est du nombre; au sortir du combat ils suspendent au cou de leurs chevaux les têtes des ennemis qu'ils ont tués et les rapportent avec eux pour les clouer comme autant de trophées aux portes de leurs maisons.

Posidonius dit avoir été souvent témoin de ce spectacle; il avait été longtemps à s'y faire, toutefois l'habitude avait fini par l'y rendre insensible. Les têtes des chefs ou personnages illustres étaient conservées dans de l'huile de cèdre et ils les montraient avec orgueil aux étrangers, refusant de les vendre même au poids de l'or. »

Cette coutume des têtes-trophées nous est en effet confirmée par des sculptures comme celles qui proviennent de l'oppidum celtique d'Entremont, près d'Aix-en-Provence, et qui sont antérieures à l'arrivée des Romains dans cette région en 125 av. J.-C. Sur la porte ou sur les murs de la citadelle indigène, des têtes sculptées perpétuaient le souvenir de celles qui avaient dû y être jadis fixées. Dans la tête, pensaient les Gaulois, résidait le génie de l'homme; en s'emparant de celle du vaincu il réduisait à son service l'ennemi qu'il avait tué, il tenait l'esprit en esclavage, c'est pourquoi il conservait précieusement le chef des personnages puissants dont il avait pu s'emparer. La tête coupée, plus ou moins grimaçante, est un motif courant de l'art gaulois, notamment comme applique sur vases de bronze.

Tous ces traits contradictoires sont bien le fait d'un peuple en évolution qui, à côté de nouveautés intelligentes, conserve des restes de l'ancienne barbarie. Nous retrouvons le même mélange dans leur vie du temps de paix.

III. — Les Gaulois en paix

La majeure partie des renseignements que nous possédons sur les Gaulois avant la conquête romaine vient du philosophe et historien grec Posidonius ou Poseidonios d'Apamée, en Asie Mineure. Appartenant à l'École de Rhodes, Poseidonios était venu à Rome aux environs de l'an 80 avant notre ère. Il s'était proposé de continuer l'histoire de Polybe et, d'autre part, comme philosophe et physicien, s'intéressait particulièrement à l'Océan et au phénomène des marées. De Rome, il était allé en Espagne, notamment à Gadès (Cadix) et il avait voyagé en Gaule. Son œuvre est perdue mais un certain nombre de fragments nous ont été conservés par des écrivains qui l'ont cité. La plupart de ceux qui ont écrit sur la Gaule, même lorsqu'ils ne le nomment pas, semblent s'être inspirés, fort utilement d'ailleurs, de cet observateur attentif et perspicace. Diodore et Strabon, César lui-même, lui doivent beaucoup. C'est de Poseidonios certainement que nous vient le portrait des Gaulois esquissé par Diodore (V, 28, sq.).

« Leur grande taille, bien proportionnée, leur donne belle allure. Leur voix est grave et rauque, leur langage, bref et souvent énigmatique; ils s'expriment la plupart du temps par allusions et raccourcis et font grand usage de mots excessifs, surtout pour se louer ou pour rabaisser les autres. Ils ont la menace et l'excitation faciles, ils aiment les attitudes tragiques, ils sont intelligents, d'ailleurs, et curieux. » Ils sont friands de nouvelles et aiment faire parler les étrangers. Conformément aux traditions de l'ancienne hospitalité, ils commencent par les inviter et c'est seulement après le repas qu'ils leur demandent qui ils sont et ce qu'ils veulent. Les peuples les mieux réglés, précise César (VI, 20), ont une loi qui ordonne à chacun de réserver aux magistrats ce qu'il a pu apprendre touchant la politique, pour éviter que de fausses nouvelles n'agitent la foule et ne la portent à des décisions fâcheuses. C'est aux magistrats de décider ce qu'ils veulent divulguer et il n'est permis de parler de politique qu'en public, devant le conseil.

Fig. 35. — Fibules gauloises de l'époque de Hallstatt (700 à 500 av. J.-C.).

Les Gaulois sont soigneux de leur personne; ils ont l'amour de la propreté; les plus pauvres mêmes ne sont jamais vêtus de haillons; quiconque en a le moyen recherche des vêtements magnifiques : tuniques de couleur vive et souvent bariolées, étoffes brochées d'or, saies (manteaux) épaisses ou légères suivant la saison, fixées sur l'épaule droite par une fibule, sorte d'épingle de nourrice, qui est souvent un bijou ciselé et émaillé (fig. 35 et 36). Le *sagum* de laine rude et épaisse

Fig. 36. — Fibules gauloises de l'époque de La Tène (400 av. J.-C. à notre ère).

s'appelait *laina*, mot qui est devenu pour nous celui de laine. Le costume gaulois, très différent de celui des Grecs et des Romains, a pour pièce principale la braie, *bracca*, un pantalon, large et flottant chez les Gaulois au temps de César, collant au contraire chez les Germains (voir fig. 68, p. 355). Le pantalon était aussi costume national chez les Perses et les Scythes. Son usage en Gaule peut être considéré comme une preuve des très anciennes relations qui unissaient le monde celtique aux régions intermédiaires entre l'Europe et l'Asie. La braie était maintenue à la taille par une ceinture; la boucle de ceinture se trouve couramment dans les tombes gauloises. Il s'y ajoutait une tunique, courte et ne dépassant pas le bas du dos ou le milieu des cuisses, tunique à manches, semblable en somme à une veste ou une blouse ajustée. A l'époque romaine, nous la voyons souvent munie d'un capuchon. La tunique des femmes était longue et formait robe; elle était serrée à la taille par une ceinture souvent d'anneaux métalliques, comme les ceinturons des guerriers, ou de cuir garni d'appliques de métal, souvent aussi, probablement, bien que nous n'en retrouvions plus trace, simplement d'étoffe brodée. Au début de l'époque de Hallstatt, au moins dans certaines régions comme l'Alsace, les femmes portaient un corselet de bronze orné au repoussé de dessins géométriques, semblable à ceux que l'on trouve fréquemment dans les tombes de l'Italie préétrusque du VIIIe siècle avant notre ère.

La toilette comportait, pour les deux sexes, de nombreux bijoux, tout d'abord le *torques* national, collier rigide fait généralement d'une tige assez épaisse de métal tordu, or ou bronze, aux deux extrémités terminées par des tampons sphériques. A la fin de la période gauloise, le torques n'était plus porté, semble-t-il, que par les femmes; il demeurait cependant l'insigne des chefs et des dieux. Il s'y ajoutait des bracelets, de bras, de poignets et de chevilles, de formes et de matières les plus diverses : or, bronze, quelquefois fer, ambre, jais et, parfois, verre coloré bleu, jaune ou blanc. Ceux des hommes étaient simplement moins nombreux et plus massifs que ceux des femmes. Bagues, pendants d'oreilles, colliers de perles de verre, d'ambre, de corail, rares à l'époque de Hallstatt, deviennent courants à celle de La Tène.

Les hommes décoloraient leurs cheveux par de fréquents lavages à l'eau de soude; ils connaissaient le savon dont ils faisaient grand usage. Ils conservaient souvent la chevelure longue, la ramenant d'avant en arrière et la tordant sur le haut du crâne en un volumineux chignon. « On dirait », estime Diodore, « des crinières de cheval », ou bien encore, il compare leur aspect à celui de Pans et de Satyres. La sculpture antique, en effet, donne couramment aux Gaulois les mêmes mèches hirsutes et raides qu'aux génies rustiques.

Nous disons encore « moustaches à la gauloise ». Les Gaulois sont en effet les seuls parmi les peuples antiques qui aient porté la moustache, mais il ne faudrait pas penser que cette mode fût chez eux générale. « Les uns », dit Diodore, « se rasent le visage, d'autres portent une barbe courte. Les plus nobles ne conservent que la moustache qu'ils portent tombante, si bien qu'elle leur cache la bouche et les gêne pour manger et pour boire. » Les Gaulois des sculptures de Pergame portent moustache. Quelques monnaies gauloises, d'ailleurs peu nombreuses, présentent à l'avers un profil moustachu.

Nous avons aussi la description de leurs repas et de quelques usages qui s'y rapportent.

« Les Celtes, pour leurs repas, s'assoient par terre, sur du foin étalé, sur des peaux de loups ou de chiens, autour de tables de bois très basses sur lesquelles on dépose les mets. » Un certain nombre de sculptures gallo-romaines nous présentent en effet des dieux assis par terre les jambes repliées, comme Bouddha. N'y voyons aucune influence de l'Inde. C'était l'attitude traditionnelle, demeurée sans doute rituelle pour les dieux; mais les hommes, sur maint bas-relief, sont assis sur des tabourets ou des fauteuils d'osier, devant des tables de hauteur normale semblables à des guéridons. On sait que les Romains, au contraire, mangeaient couchés. — « Ils sont servis », continue l'historien grec, « par les plus jeunes de leurs esclaves, garçons ou filles. Non loin d'eux sont les foyers allumés avec de grands chaudrons et des broches portant des pièces de viande entières. »

« Ils mangent peu de pain et beaucoup de viande soit bouillie soit rôtie sur la braise ou à la broche. Ces viandes sont présentées proprement mais ils les dévorent à la manière de fauves, saisissant à deux mains des morceaux entiers et mordant dedans; lorsqu'un morceau est trop difficile à déchirer, ils se servent pour le découper d'un petit couteau placé dans une gaine spéciale le long du fourreau de leur épée. On leur sert aussi du poisson de rivière ou de mer; ils l'accommodent au sel, au vinaigre et au cumin. Ils mettent également du cumin dans leur boisson. Ils n'usent pas d'huile parce qu'ils n'en ont guère et que, n'y étant pas habitués, ils en trouvent le goût désagréable. » Ils la remplacent par le beurre que ne connaissaient pas les peuples méridionaux.

« Les serviteurs font circuler la boisson dans des vases à deux anses, de terre cuite ou d'argent. Les plats sur lesquels ils servent les mets sont de ces mêmes matières ou encore de bronze; on utilise aussi des corbeilles de bois ou de vannerie.

« Quant à la boisson pour les riches c'est le vin qu'ils font venir d'Italie ou de la région de Marseille, le vin pur ou mélangé, parfois, d'un peu d'eau; pour les moins riches c'est la bière d'orge préparée avec du miel mais, chez la plupart, sans miel; on l'appelle *corma*. Ils boivent tous à la même coupe, n'absorbant chaque fois qu'une petite gorgée mais ils y reviennent souvent. Le serviteur passe la coupe de droite à gauche; c'est toujours dans ce sens qu'ils servent et même lorsqu'ils prient les dieux ils se tournent à droite. »

Le protocole des festins est rigoureusement réglé.

« Lorsqu'ils dînent à plusieurs », racontait Posidonius, « ils s'assoient en cercle; le plus éminent au milieu, comme un chef de chœur : c'est celui qui l'emporte sur les autres ou par sa valeur guerrière ou par sa naissance ou par sa richesse. Celui qui reçoit prend place à côté de lui puis, de chaque côté, les convives dans l'ordre de leur dignité. Les écuyers, ceux qui portent les boucliers, se tiennent debout derrière leurs maîtres mais ceux qui portent les lances s'assoient en rond en face des maîtres et festoient comme eux... Lorsqu'on présentait une pièce de viande, le meilleur levait le cuissot et si quelqu'un faisait opposition, les deux hommes se levaient pour se battre en duel à mort. »

Usage primitif commun ou tradition proprement celtique?

Diodore de Sicile (V, 28), rappelait à ce propos le passage de l'*Iliade* où l'on voit Ajax, vainqueur d'Hector, récompensé par le meilleur morceau, « le dos d'un bœuf tout entier ». Notant ce rapprochement, d'Arbois de Jubainville insiste sur divers épisodes analogues de l'épopée irlandaise (*Cours de Littérature celtique*, VI, p. 35, 44-45, 62 sq.). Le *Festin de Bricriu*, par exemple, amalgame, datant du XIe siècle, de compositions plus anciennes, montre réunis autour du roi les grands seigneurs de l'Ulster et leurs femmes. Parmi eux les trois plus célèbres guerriers du royaume se disputent le morceau du héros. Cûchulaïnn, fatigué par divers exploits qu'il vient d'accomplir, refuse de se battre avant d'avoir mangé et par conséquent de remettre le choix, selon l'usage, au combat singulier. Le poème est le récit des diverses épreuves fantastiques qui doivent décider de l'attribution du meilleur morceau.

La préséance reconnue dans le festin et consacrée par la « part du roi » ou « du héros » est un fait d'ordre général qu'on ne s'étonnera pas de retrouver aussi bien chez les Celtes soit des îles soit du continent que chez les Grecs des temps homériques. Ce qui est propre aux Gaulois, c'est que la désignation du « héros » se trouve parfois remise à une sorte de tournoi sanglant. Jusque dans ses fêtes, le Gaulois reste amoureux du combat; batailler, pour lui, fait partie de la fête.

Mais il aime également la poésie, la musique et les chants, ceux-là surtout qui flattent sa vanité. Dans toutes les cérémonies, un personnage tient une place importante : le barde. « Les Celtes », indique Poseidonios, « emmènent partout avec eux, même à la guerre, des parasites qui chantent leurs louanges soit dans les assemblées soit devant chacun de ceux qui désire les entendre. Ces chanteurs sont nommés bardes ; ce sont des poètes qui accompagnent leurs compositions de musique en se servant d'instruments qui resssemblent à la lyre.»

Nous avons déjà conté la mésaventure de ce barde arrivé en retard au festin que donnait le roi Luern et qui, néanmoins, avait bénéficié de la générosité du prince en chantant sa louange. Lorsque, en 121, le fils de Luern, Bituit, envoya une ambassade au proconsul Cn. Domitius Ahenobarbus en faveur des Allobroges, il lui adjoignit son barde. Celui-ci, en chantant, commença par exalter la gloire du roi Bituit, puis celle des Allobroges, puis celle de l'ambassadeur, de sa race et de son courage. Nous reconnaissons là comme les prédécesseurs des trouvères du Moyen Age, vagabondant parmi les assemblées ou cherchant quelque grand personnage à qui s'attacher et qu'ils célébreront, lui et ses ancêtres. Les chants de ces bardes, autant que pouvait se conserver le souvenir de ces poésies de circonstances, ont pu constituer une part de la tradition historico-poétique des Gaulois.

Les bardes ne se faisaient pas faute d'invectiver contre les ennemis de leurs maîtres et leurs satires étaient d'autant plus redoutées qu'elles passaient pour avoir un effet magique. Ils pouvaient nuire et se venger; ils flattaient la vanité, ils n'en étaient que plus honorés.

Au-dessous d'eux, les devins, *vates*, ne sont ni musiciens ni poètes; ils paraissent spécialisés dans la divination et les opérations de nature magique. « Interrogeant l'enchaînement des faits », dit l'historien romain Ammien Marcellin, « ils s'efforcent d'expliquer les mystères de la nature. » En fait, ils devaient surtout expliquer les songes et pronostiquer l'avenir à l'usage d'une clientèle populaire et naïve. Ammien déforme leur nom en *euhages* qui n'est, sans doute, qu'une mauvaise transcription du grec *ouateis*, latin *vates*. Quelques historiens modernes en ont fait autant en forgeant le mot *ovates*; il faut entendre tout simplement : devins. Ces devins, affirme Diodore, avaient toute la foule à leur dévotion; et lorsque César nous dit que les Gaulois sont adonnés à toutes les superstitions, il veut dire qu'ils usent de toutes les pratiques de la magie et de tous les moyens de divination. Les devins sont les ministres de ces superstitions.

A une toute autre classe appartiennent les druides; ce sont des prêtres formant, religieusement, une congrégation et, socialement, une caste. Eux aussi ont leurs poèmes, très abondants et qu'un scrupule religieux défend de mettre par écrit. Les novices passent souvent vingt ans à apprendre par cœur cette tradition druidique. Elle portait essentiellement sur tout ce qui, pour les peuples anciens, constituait la science. Les druides se livrent, dit César, « à de nombreuses spéculations sur les astres et leur mouvement, sur les dimensions du monde et celles de la terre, sur la nature des choses, sur la puissance des dieux et leurs attributions » : astronomie et, sans doute, géographie, physique, philosophie et, naturellement, théologie. Ils insistent surtout sur l'immortalité de l'âme qui, après la mort, passerait d'un corps dans un autre. « Hommes d'un génie plus élevé que les bardes », reconnaît Diodore, « ils forment une congrégation aux règles bien définies et s'élèvent à l'étude des questions les plus difficiles et les plus hautes. » Par le fait même qu'elle n'était pas écrite, leur doctrine devait être, d'ailleurs, singulièrement mobile et changeante.

Outre leurs fonctions religieuses et la part importante qu'ils prennent à la vie politique, ce sont eux qui instruisent la jeunesse. A leur école, remarque Camille Jullian (*Vercingétorix*, p. 96), le noble Gaulois s'habitue à honorer autre chose que la force. « Des druides, il apprend qu'il a une âme, que cette âme est immortelle et que la mort n'est que le simple passage d'un corps humain à un autre corps humain. Il sait bientôt par eux que le monde est une chose immense et que l'humanité s'étend au loin, bien au-delà des terres paternelles et des sentiers de chasse ou de guerre. Enfin ses maîtres lui font connaître ce qu'est la nation celtique, comment les Celtes ont une même origine et que tous, amis ou ennemis du moment, sont les descendants d'un même ancêtre divin. Ainsi le jeune homme s'imaginait peu à peu la grandeur du monde, l'éternité de l'âme, l'unité du nom gaulois. C'était chez lui un prodigieux effort pour élargir son horizon par-delà ces domiciles provisoires et restreints qu'étaient son corps, le domaine de son père, la cité de ses camarades, pour contempler au loin, dans les espaces infinis, la durée de son être et la grandeur de sa race. »

Le monde celtique, disait Mommsen cité par Camille Jullian, se rattache plus étroitement à l'esprit moderne qu'à la pensée gréco-romaine. Esprit moderne, soit, à condition d'entendre par là surtout l'enfance du monde moderne aux temps du Moyen Age. Il conserve en effet bon nombre de traditions oubliées du monde gréco-romain et qui viennent d'un lointain passé préhistorique. Elles coexistent avec un effort original pour aménager, dans un pays vaste et fécond, une société viable. De là l'aspect parfois incohérent de la civilisation gauloise. Le Gaulois est exubérant et batailleur, mais il n'est pas méchant; la violence et la force conservent chez lui un rôle éminent mais il a le sens de la justice; il a le goût de la richesse et des belles choses mais il sait pratiquer la bonne foi et la générosité; son souci de l'honneur ne porte pas uniquement sur des préjugés ou des conventions barbares. Le puissant protège le faible et le faible se dévoue au puissant. Les abus et les manquements sont évidemment nombreux; les règles imaginées pour y remédier n'ont pas encore réussi à s'imposer. A ce point de vue le monde féodal du Moyen Age peut apparaître comme une résurrection de l'état gaulois. Le savant celtisant allemand Windisch trouvait dans la tradition celtique l'origine de l'esprit chevaleresque du Moyen Age.

« Si l'on veut retrouver ceux qui ont ressemblé le plus aux Gaulois du temps de Vercingétorix », écrivait, de son côté, Camille Jullian, « il faut rechercher non parmi les Barbares du monde antique mais parmi leurs successeurs sur le même sol... En cherchant à comprendre Vercingétorix et ses congénères, j'ai toujours pensé malgré moi à Gaston Phébus, superbe d'or, d'argent et de brocart, tantôt lancé dans d'infernales chevauchées où des meutes haletantes se mêlaient aux chevaux d'escorte et tantôt trônant au milieu de ses convives, en face de la cheminée rayonnante, dans la grande salle de son château, entouré d'hommes d'armes, de chanteurs, de poètes, curieux lui-même de vers harmonieux et de récits imagés, beau conteur et beau diseur à son tour, intelligent, éloquent, rieur, têtu, cruel et dévot. »

IV. — Les personnes et les biens

« Dans toute la Gaule », indique César (VI, 13, 1), « il y a deux classes d'hommes qui comptent et sont considérées : les druides et les chevaliers; les uns président aux choses de la religion, les autres à celles de la guerre. Quant à la plèbe elle ne compte guère plus que les esclaves; elle ne peut rien faire par elle-même et n'est consultée sur rien. Écrasée sous le poids des dettes et des impôts, en butte à tous les dénis de justice, elle en était réduite à se mettre sous la protection des puissants qui prenaient sur elle à peu près les mêmes droits que des maîtres sur leurs esclaves. »

Dans quelle mesure César systématise-t-il des faits sans aucun doute plus complexes et probablement variables? Rien ne permet de le déterminer. Le même mouvement de recours à la protection tyrannique de patrons s'observe dans la Gaule romaine des IVe et Ve siècles ap. J.-C., lors de l'affaiblissement de l'autorité romaine; on le retrouverait aisément jusque dans la Rome de la République et de l'Empire; il n'exclut pas cependant de façon absolue l'existence de modestes colons libres, de moyens et de petits propriétaires, à côté des très grands seigneurs. En ce qui concerne la Gaule du temps de la conquête, nous ignorons surtout depuis quand la plèbe s'était trouvée ainsi asservie. Peut-être est-il permis de supposer que cette prépondérance de l'aristocratie n'était que la conséquence des ruines accumulées par l'invasion des Cimbres et des Teutons et de l'anarchie propagée par la chute de l'hégémonie arverne. De tout temps, en effet, les malheurs publics ont accablé surtout les humbles; les forts se relèvent les premiers et restaurent leurs fortunes au détriment des faibles. Quoi qu'il en soit, il faut entendre qu'au moment de la conquête romaine la masse de la population gauloise se trouvait sous la domination d'une caste à peu près toute-puissante.

Cette caste était celle qui possédait le sol; la partie de beaucoup la plus importante de la plèbe était rurale. Les villes restaient en effet peu nombreuses et leur population stable peu importante; l'industrie n'employait qu'une faible main-d'œuvre spécialisée et celle-ci pouvait être en partie servile. D'ailleurs nous voyons des *oppida* entiers, c'est-à-dire des agglomérations urbaines, placés dans la clientèle d'un chef. Ainsi Lucter, lieutenant de Vercingétorix, est le maître d'Uxellodunum. Les artisans et les commerçants qui pouvaient y résider ne devaient exercer leur industrie qu'avec sa permission et en lui payant redevance, de même que dans la campagne le laboureur cultivait la terre pour le seigneur.

Dans la ville de Bibracte, sur le mont Beuvray, les diverses industries apparaissent réparties par quartiers : ici celles qui travaillent le fer, là, les fondeurs de bronze, ailleurs les émailleurs, les armuriers d'une part, les bijoutiers de l'autre. La raison en est probablement que, dans cette capitale des Éduens, chacun de ces corps de métier relève d'un chef qui a fait les frais des installations et qui se charge de défendre les artisans, à moins qu'un seul et même grand propriétaire, quelque Dumnorix, n'ait ainsi organisé la ville. Hommes libres et esclaves devaient y travailler ensemble sans qu'une distinction bien nette les séparât.

Nous trouvons, dans Strabon (IV, 4, 3) une indication qui demeure énigmatique : « En ce qui concerne les hommes et les femmes, les occupations sont distribuées à l'inverse de chez nous; c'est une particularité commune aux Gaulois et à mainte autre nation barbare. » Que faut-il entendre par là? Que les femmes travaillent aux champs et à l'atelier tandis que les hommes resteraient à la maison? Aucune trace d'un tel état de choses n'apparaît à l'époque romaine. Les sculptures nous montrent toujours des hommes occupés aux travaux de l'agriculture et même au commerce; les inscriptions ne mentionnent aucune femme pratiquant un métier, sauf une fois à Metz, une femme médecin, *medica*, ce qui est évidemment un cas particulier. Il faut entendre sans doute, tout simplement, que les femmes participent activement aux travaux des hommes.

Contentons-nous donc de nous représenter en Gaule, au temps de César, une majorité de travailleurs surtout agricoles vivant sous la dépendance plus ou moins étroite d'une aristocratie religieuse et militaire.

La propriété.

Un tel état social était la conséquence de l'état économique. L'aristocratie est, avant tout, la classe de ceux qui possèdent, elle domine parce qu'elle est maîtresse de la source de vie qu'est la richesse; elle peut faire travailler et vivre autour d'elle. La richesse est représentée, à ce moment, par le bétail et par la terre; nous pouvons dire, essentiellement par la terre, puisque sans terre, pas de bétail. Comment l'aristocratie est-elle venue en possession de la terre?

La question a été longuement discutée mais, nous semble-t-il, sous une forme légèrement anachronique, c'est-à-dire en cherchant, pour les temps préromains, une solution qui répondît aux principes du droit romain. On s'est demandé si les Gaulois connaissaient la propriété privée comme l'entendaient les Romains ou si, au contraire, le sol chez eux, au temps de l'indépendance, n'appartenait pas à la communauté. Droit de propriété des individus ou possession collective? Les Gaulois n'ont peut-être jamais eu des conceptions aussi nettes.

Le grand celtisant, d'Arbois de Jubainville, soutenait que les Gaulois n'avaient connu, au temps de l'indépendance, que la propriété collective. Fustel de Coulanges et Camille Jullian, au contraire, ont pensé trouver chez César la preuve de l'existence de la propriété privée. H. Hubert, en dernier lieu, concluait que les deux types de propriété se rencontraient chez les Gaulois du temps de César.

Le raisonnement de d'Arbois de Jubainville apparaît logique mais abstrait. Les Gaulois, disait-il en substance, sont arrivés en Gaule comme conquérants. Qu'y cherchaient-ils? La terre. Les bandes victorieuses, celles qui ont fourni le noyau des peuples gaulois, se la sont donc attribuée et ils en ont gardé la propriété, de même que l'État romain demeurait le propriétaire éminent des terres conquises de l'*ager publicus*. Les chefs qui gouvernaient ces peuples avaient tout intérêt à maintenir cette propriété collective dont ils étaient seuls à pouvoir profiter. Seuls, en effet, ils possédaient le bétail, la principale richesse des Gaulois, d'après Polybe. Ils faisaient pâturer ce bétail sur les terres publiques. Seuls aussi ils disposaient des moyens matériels nécessaires à la culture : instruments, semences, main-d'œuvre. De même que l'aristocratie romaine du temps des Gracques, ils ont usurpé à leur profit le domaine qui aurait dû être commun à tous mais leur possession demeurait précaire. C'est seulement la conquête romaine qui l'a transformée en véritable propriété. De là vient l'extension considérable des domaines fonciers gallo-romains.

Nous remarquerons tout d'abord que la conquête gauloise remonte, dans l'ensemble, à de nombreux siècles avant notre ère et que nous en ignorons complètement les modalités. Les chefs, à ce moment, constituaient-ils une classe aristocratique comparable à celle du temps de César? Comment, dans les différentes provinces, les envahisseurs s'étaient-ils partagé la terre? Comment se sont-ils accommodés avec les anciens occupants? Rien ne nous l'apprend. Rien ne nous autorise à supposer une règle uniforme. Sommes-nous même en droit de prêter aux Gaulois de ces temps reculés ces notions précises de propriété collective et de propriété privée, de domaine éminent de l'État et de possession précaire?

En fait, les textes allégués par Fustel de Coulanges paraissent bien indiquer que les Gaulois du temps de César disposaient de la terre comme si elle leur appartenait en propre. Mais aucun n'établit de distinction entre ce qui pouvait être domaine privé et ce qui pouvait appartenir soit à l'ensemble de la communauté politique soit à des groupes locaux. Ils laissent donc champ à la discussion. Par exemple : les druides, dit César (VI, 13, 5), « sont choisis comme arbitres dans les procès d'héritage et de bornage ». Il y a donc propriété privée, dira-t-on. — Mais ne peut-il pas y avoir héritage d'une simple possession et bornage même d'un domaine public? Un chef trévire brouillé avec son gendre fait vendre ses biens à l'encan. Les terres ainsi vendues peuvent représenter des domaines publics plus ou moins légitimement occupés aussi bien que de vraies propriétés. — Le texte qui paraît le plus significatif est celui où César compare la manière de posséder des Gaulois à celle des Germains (VI, 21, 1; 22, 2 et 3) : « Les Germains ne ressemblent en rien aux Gaulois; personne chez eux ne possède une étendue de terre déterminée, avec des limites particulières. Les Germains veulent ainsi empêcher les puissants de chercher à étendre leurs domaines au détriment des humbles, ce qui est le cas en Gaule où les pauvres se trouvent écrasés par les abus des grands : *injuria potentiorum premuntur.* » Mais, répond-on, cet état de possession collective, demeuré intact chez les Germains, était précisément ce qui avait dû exister chez les Celtes et se trouvait obscurci en Gaule, au temps de César, par les usurpations des puissants. Il est vrai que Fustel de Coulanges, analysant les textes de César relatifs à la possession de la terre chez les Germains, établit qu'ils ne prouvent aucunement l'absence de propriété privée et que, d'une façon générale, les indications du Proconsul sur les choses de Germanie sont très superficielles et plusieurs fois nettement erronées.

Ce qu'il y a de certain, c'est que l'état social de la Gaule, tel que le décrit César, caractérisé par la prédominance d'une aristocratie qui tient la plèbe en son pouvoir, suppose de grands domaines fonciers dont le maître, qu'il soit propriétaire ou seulement possesseur, fait travailler et vivre ceux qui les cultivent ou les exploitent pour lui. Est-ce un droit, est-ce une usurpation qui a constitué ces domaines? Depuis quand existent-ils? Quel est le droit public ou privé qui les régit? A ces questions que pose l'esprit moderne mais qui se présentaient peut-être en de tout autres termes pour les Gaulois, il nous paraît impossible d'apporter une réponse.

Nous ne connaissons, en somme, de façon un peu précise que la Gaule du dernier siècle avant notre ère. Elle conserve certains usages primitifs : ce sont ceux que les historiens grecs ou romains qualifient de sauvages et brutaux. Les coutumes de la guerre et de la vie de société présentent une analogie évidente avec celles de la Grèce homérique, de même que l'on peut trouver dans l'art celtique du temps de Hallstatt des points de contact avec l'art géométrique de la Grèce archaïque, sans que l'on puisse dire s'il s'agit de développements parallèles issus d'une même origine ou des effets d'une civilisation générale largement répandue. Il serait donc imprudent de pousser l'assimilation entre la société gauloise et d'autres sociétés antiques plus loin que la constatation de coïncidences. Que la possession collective du sol ait prédominé chez les Slaves et même chez les Germains, il ne s'ensuit pas qu'elle ait dû être également la forme primitive de la propriété chez les Celtes et, à plus forte raison, chez le peuple celtique particulier que furent les Gaulois.

Les faits que nous apercevons en Gaule à la veille de la conquête romaine et le régime aristocratique que nous décrit César, montrent au contraire que la terre et la richesse qu'elle procure se trouvaient entre des mains individuelles. C'est à cette possession que les *equites* devaient leur puissance. Rien d'autre part n'interdit de penser qu'à côté des domaines des grands seigneurs, d'autres terres, des pâturages et des bois notamment, ne demeurassent, comme d'ailleurs à l'époque romaine, objet de possession collective. Et, de plus, toute une gradation pouvait conduire du grand domaine à la moyenne et à la petite propriété. La Gaule, lorsque parut César, s'acheminait vers un état économique analogue à celui que nous voyons en Italie vers le même temps et qui restera celui de la Gaule romaine. C'est pourquoi l'état social et économique de l'époque indépendante rejoignit sans heurt appréciable l'organisation romaine. La terre, en majeure partie, appartient en propre aux membres des grandes familles mais la propriété privée est accessible à tous et la possession collective n'est pas inconnue.

L'État social. La clientèle.

Le trait qui en Gaule a le plus frappé les écrivains antiques est le développement des clientèles. Rome également avait connu de tout temps des patrons et des clients. Néanmoins Polybe, dans l'Italie celtique du Nord et César, en Gaule, signalent l'importance particulière de cette institution. Elle paraît ancienne chez les Celtes et repose en Gaule sur des traditions demeurées très primitives.

La clientèle est un lien d'homme à homme entre chef et soldat, entre puissant et faible, entre riche et pauvre. Elle crée entre eux des obligations réciproques. On connaît ces *soldurii* signalés par César en Aquitaine (*B. G.*, III, 22) : un chef a six cents hommes à sa dévotion; il doit partager avec eux tous les biens de la vie mais, s'il périt de mort violente, tous ses *soldurii* doivent partager le même sort et, « de mémoire d'homme, il ne s'est encore vu personne qui refusât de mourir quand avait péri l'ami à qui il s'était dévoué ». Le devoir du patron est donc la générosité, celui du client, le dévouement jusqu'à la mort et même, sans doute, au-delà de la mort, puisque les Gaulois, au dire de César, n'hésitent pas à consentir des prêts payables dans l'autre monde.

C'est ainsi, vraisemblablement, qu'il convient de comprendre une pratique signalée par Poseidonios. « Certains », écrit l'historien-philosophe, « ayant reçu, dans la salle de cérémonie de l'argent ou de l'or ou bien un nombre déterminé de vases de vin et ayant fait attester solennellement la donation, la distribuent à leurs proches ou à leurs amis puis ils se couchent sur leur bouclier et un assistant, d'un coup de sabre, leur tranche la gorge. » Il s'agit de la formation d'un lien de clientèle pour l'autre vie.

La première phase au moins de la cérémonie est un acte juridique. Le futur client demande un don. S'il accepte la clientèle, le futur patron ne peut refuser. L'acte a lieu en public : « dans la salle de cérémonie » et l'assistance est garante du don; elle est garante aussi des contre-prestations dues par le client. Lorsque, exceptionnellement sans doute, celui-ci recourt à la mort, il ne s'en trouve pas pour autant dégagé de ses obligations. Il y a là une véritable cérémonie de l'hommage créant le lien personnel entre patron et client.

Le sociologue M. Mauss reconnaît, dans le texte de Poseidonios, la trace d'un usage primitif commun aux Thraces, aux Germains et aux Aryas de l'Inde (*Rev. Celtique*, 1926). Le héros demande à ses compagnons des présents déterminés et ceux-ci, mis au défi, doivent s'exécuter sous peine de perdre l'honneur. D'autre part, ces cadeaux créent entre les compagnons un lien qui va jusqu'à la mort. Ces pratiques rituelles, explique H. Hubert, sont la mise en scène mythique de l'institution fort ancienne que constitue l'hommage et on les retrouve dans l'épopée celtique du haut Moyen Age.

En Irlande, l'hommage se réalise par un échange de dons; celui qui reçoit l'hommage donne plus, le cadeau est proportionné à son rang, mais le cycle des prestations n'est pas clos, il peut aller jusqu'à la mort du vassal et il est difficile de dire qui a payé trop ou trop peu les avantages reçus. Le régime qui repose sur la clientèle suppose ainsi un échange indéfini de biens et de services, un système perpétuel de prêts obligatoires et d'emprunts nécessaires qui affectent la condition des personnes. Les *obaerati* dont César signale une multitude en Gaule devaient ressembler moins, pense H. Hubert, aux débiteurs de la Narbonnaise qui empruntent pour payer le fisc, qu'aux emprunteurs de bétail de l'Irlande qui, par leurs vaches, se trouvent liés à celui qui les leur a données. Jusqu'à une date récente, dans les campagnes françaises, les prêts de bétail ne constituaient-ils pas une sorte de lien personnel entre le propriétaire et l'emprunteur?

Le trait original de la clientèle gauloise est d'être fondée sur l'hommage, dont le principe et les caractères sont assez semblables à ce qui se retrouve chez nous au Moyen Age. Elle se distingue ainsi de la clientèle romaine qui n'est qu'une relation fortuite et de pur intérêt. On ne saurait en exagérer l'importance en Gaule. C'est elle qui fait la puissance de seigneurs comme Orgétorix chez les Helvètes et Dumnorix chez les Éduens. Elle y tient lieu d'autres systèmes d'organisation sociale comme la *gens* ou le clan. Lorsqu'il nous est parlé de la *familia* d'un chef celtique, il faut entendre le groupement des clients qui lui ont rendu hommage, qui ont bénéficié de sa générosité et se trouvent par là ses obligés. Un *De Officiis* celtique mettrait au premier plan les devoirs réciproques des patrons et des clients.

La famille.

Dans toutes les classes de la société, la famille apparaît la cellule primordiale. Leurs parents, leur femme, leurs enfants, représentent pour le Gaulois, ce qu'il a de plus cher; ce sont eux qu'invoque le plus sacré des serments. Lorsque, avant Alésia, les cavaliers éduens se préparent à charger follement l'armée de César en retraite, ils jurent « qu'ils ne rentreront pas sous leur toit, qu'ils ne reverront ni leurs enfants, ni leurs femmes, ni leurs parents avant d'avoir traversé au moins une fois, aller et retour, les rangs ennemis ».

On ne saurait en aucune façon transposer à la Gaule ni en général aux Celtes ce que nous dit César des Bretons de l'intérieur de l'île. Ils auraient pratiqué la polyandrie. « A dix ou douze, ils avaient des femmes en commun; c'étaient le plus souvent des frères ou le père et ses fils; les enfants étaient réputés appartenir à celui qui, le premier, avait épousé la mère. » Plus sauvages encore, au dire de Strabon, étaient les habitants de l'Irlande, car « ils sont anthropophages en même temps qu'herbivores; ils croient bien faire en mangeant les corps de leurs parents et en ayant publiquement commerce avec toute espèce de femmes, voire avec leur mère et leurs sœurs ». A vrai dire, croit devoir ajouter le géographe grec, ce que nous avançons là repose sur des témoignages peu sûrs. Entendons que le renseignement doit venir de l'explorateur marseillais Pythéas pour lequel les Grecs alexandrins professaient un dédain qui nous apparaît aujourd'hui tout à fait injustifié. Nous ne connaissons de Pythéas que ce que ses contradicteurs citent de lui; or chaque fois, c'est lui qui avait raison. Il est probable qu'il en est de même en ce qui concerne les indigènes de l'Irlande. L'île, à ce moment, avait été depuis longtemps celtisée; on pensera que, de même qu'en Bretagne, les mœurs des autochtones l'avaient emporté, s'il ne s'agit pas seulement de tribus autochtones demeurées réfractaires à l'influence des Celtes.

La famille apparaît en Gaule fortement et strictement constituée. Elle l'est, comme la famille romaine, sur le type patriarcal, c'est-à-dire que le père en est le chef et que par lui semble assurée la perpétuation de la race. Un Gaulois est officiellement désigné par son prénom suivi de celui de son père : *Vercingétorix Celtilli filius.* Si l'on ajoute quelque mention, c'est celle du peuple auquel il appartient : *Arvernus.* On ne trouve aucune trace de gentilice comme à Rome. Si jadis les familles gauloises avaient pu constituer de ces vastes associations fondées sur la parenté, il n'en est plus trace en Gaule à l'époque que nous connaissons. Sans doute la clientèle fondée sur le libre choix en avait-elle pris la place. Aucune trace non plus de ces clans que l'on trouve dans les Iles Britanniques et qui ont subsisté si longtemps en Écosse. On cherche aussi vainement en Gaule le souvenir d'un état matriarcal. Les cas où le nom de la mère se trouve indiqué seul à côté de celui du fils sont exceptionnels et dénués de toute valeur probante.

Le père est donc le chef de la famille gauloise. Il a, nous dit César, droit de vie et de mort sur ses enfants et sur sa femme. Le jurisconsulte latin Gaius remarque que les Galates sont le seul peuple chez qui la puissance paternelle se prolonge, comme à Rome, jusqu'à la mort du père, à moins d'émancipation. L'entrée d'un jeune homme dans la clientèle d'un chef devait évidemment l'émanciper; il en était ainsi au Pays de Galles au Moyen Age.

Les enfants étaient élevés par la mère. Tant qu'ils n'étaient pas en âge de porter les armes ils ne devaient pas paraître en public à côté de leur père. Dans les hautes classes le soin de parachever leur éducation était généralement confié aux druides. Dans la plèbe, chaque famille devait chercher, pour ses enfants, grâce à quelque protecteur, une terre à cultiver ou un métier à exercer.

Malgré la subordination dans laquelle se trouve la femme vis-à-vis de son mari, un ingénieux système de communauté assure son sort au point de vue pécuniaire. César le décrit en détail (VI, 19). « Les hommes, en se mariant, prennent sur leurs biens une valeur égale, après estimation faite, à ce qu'ils reçoivent de leur femme à titre de dot et le tout est mis en communauté; le conjoint survivant reçoit le capital grossi des intérêts accumulés. » Cette constitution d'un avoir de la communauté assure une sorte d'émancipation, au moins au point de vue matériel, au nouveau ménage en face du père de famille. Ce droit devait se trouver limité effectivement à la classe riche.

C'est également dans cette classe que pouvait s'exercer une sorte de justice familiale que décrit encore César. « Lorsque meurt un chef de famille de quelque noblesse, les parents s'assemblent et si la mort suscite quelque soupçon les femmes sont soumises à la question comme on fait des esclaves; si le soupçon se confirme elles sont mises à mort par le feu et toute sorte de tortures. » Nous trouvons là un véritable tribunal de famille, disposant du droit de vie et de mort qui appartenait au chef.

Il n'est pas question, ou il n'est plus question, au temps de César, du sacrifice plus ou moins volontaire de la veuve. La coutume a seulement persisté, jusqu'à une époque de peu antérieure, de brûler sur le bûcher tout ce qui avait tenu à cœur au mort, même des êtres humains, esclaves ou clients particulièrement chers. Les funérailles des Gaulois, dit César, « ont toute la magnificence et la somptuosité qui conviennent à leur amour du faste ». Ce sont les tombes, en effet, qui ont livré à l'archéologie à peu près tout ce que l'on possède non seulement des armes mais des ustensiles et des ornements ou bijoux gaulois. Le rite de l'incinération dont parle César ne s'est d'ailleurs généralisé en Gaule qu'à partir de La Tène III, c'est-à-dire deux générations avant son temps.

Mais, pour les siècles précédents, les tombes à inhumation contiennent parfois deux squelettes dont l'un semble bien celui d'une femme qui aurait été sacrifiée lors de la mort de son mari pour l'accompagner dans sa tombe et dans l'autre monde.

On remarque que dans le passage où il est question du tribunal de famille, César parle « des épouses » et non pas « de l'épouse » : *cum pater familiæ... decessit... de uxoribus quæstionem habent*. Il en résulte qu'au moins les chefs de grandes familles pouvaient avoir plusieurs femmes. On ne saurait cependant en citer d'autre exemple que celui du roi des Germains Arioviste qui avait deux femmes dont l'une était Gauloise. C'était là, pour les ambitieux, le moyen de multiplier les alliances, peut-être aussi la survivance d'un état ancien qui expliquerait la multiplication de la population gauloise. Il n'en est plus question ni immédiatement avant ni après la conquête romaine. La monogamie est la règle. Les bas-reliefs et les inscriptions de l'époque romaine nous présentent uniformément deux époux étroitement unis, entourés souvent des images de leurs enfants; il n'est question que de bon accord et de dévouement réciproque. On connaît la touchante histoire d'Éponine, femme de Sabinus, l'un des chefs de la révolte de 70 ap. J.-C. Après avoir accompagné pendant neuf ans dans sa fuite et ses retraites cachées son mari vaincu et proscrit et lui avoir donné deux enfants, elle voulut, lorsqu'il fut pris, mourir avec lui.

Chez les Gaulois d'Asie, au IIe siècle avant notre ère, les Grecs avaient noté d'héroïques exemples de fidélité conjugale que Plutarque a recueillis dans son traité *Des vertus des femmes.* L'histoire de Chiomara, femme d'Ortiagon roi des Tolistoboïens, viendrait de l'historien Polybe qui, à Sardes, aurait connu lui-même l'héroïne. Prise par les Romains, Chiomara avait été livrée à un centurion qui consentit à la rendre moyennant une forte rançon. La rançon payée, Chiomara fit signe à l'un de ses compatriotes de tuer le Romain au moment où il lui dirait adieu et elle apporta la tête à son mari. « Femme », lui dit Ortiagon, « la fidélité est une « belle chose. » — Oui, répondit-elle, « mais il est encore plus beau qu'il n'y ait de vivant qu'un homme à qui j'aie appartenu. »

D'autres récits paraissent plus romanesques mais, en fait de peinture de mœurs, le roman ne peut-il avoir aussi sa vérité? Une Galate, prêtresse d'Artémis, était courtisée assidûment par un parent de son mari. Voyant qu'il ne pourrait triompher de la fidélité de la femme, celui-ci assassina le mari et eut l'imprudence d'avouer à la veuve le crime commis par amour pour elle. Elle le repoussa avec horreur puis sembla s'adoucir et l'on fixa la cérémonie du mariage où les deux époux devaient boire à la même coupe. La femme avait empoisonné le breuvage et, en mourant, vengea son mari.

Pour la Gaule du dernier siècle avant notre ère, Diodore (V, 32), Strabon (IV, 1, 2; IV, 4, 3), Ammien (XV, 12), reproduisant, semble-t-il, des indications qui remontent à Poseidonios (chez Athénée, XIII, 79), vantent la taille, la force et la beauté des femmes gauloises; elles sont fécondes et bonnes nourrices, elles élèvent bien leurs enfants. « On verra », raconte Ammien, « n'importe quel Gaulois tenir tête, dans une rixe, à toute une troupe d'étrangers sans autre auxiliaire que sa femme et celle-ci, toute blonde, est encore beaucoup plus redoutable que lui; le cou gonflé de rage et toute frémissante, elle balance ses robustes bras d'une blancheur de neige et lance, des poings et des pieds, des coups qui semblent partir de la détente d'une catapulte. »

Une phrase de Strabon porte contre les mœurs des Gaulois une accusation dont on ne saurait préciser la portée. « On assure », dit-il, « que ces peuples n'attachent aucune idée de honte à ce que les garçons prostituent la fleur de leur jeunesse. »

On ignore la source de ce renseignement et, à l'époque gallo-romaine, aucun indice ne se rencontre qui vienne le confirmer.

D'une façon générale, la vie de famille apparaît, en Gaule, particulièrement saine et établie sur des principes qui, en substance, sont demeurés les nôtres. L'homme commande mais la femme se trouve étroitement associée à sa vie pour l'éducation des enfants et pour le travail quotidien.

V. — La population

A quel total pouvait se chiffrer l'ensemble de la population de la Gaule au moment de la conquête romaine?

En prenant pour base les effectifs indiqués par César, quelques érudits modernes ont essayé de le calculer. Leurs appréciations présentent des différences considérables. Tel savant allemand moderne évalue la population de la Gaule à 5 ou 6 millions d'habitants. Un érudit anglais du XVIIIe siècle, exagérant d'ailleurs en sens contraire, l'avait estimée à 48 millions. Quel rapport établir, en effet, entre le nombre des guerriers ayant pris les armes et le total de la population? Et puis, tandis que les uns admettent tels quels les chiffres donnés par César, les autres leur font subir de sensibles réductions. Il paraît évident, en effet, que le proconsul n'hésitait pas dans ses « communiqués » à exagérer le nombre des ennemis qu'il avait eu à vaincre.

L'impression que produisit la Gaule sur les écrivains antiques fut toujours celle d'un pays riche et bien peuplé. Chez les Belges au nord, comme chez les Helvètes à l'est ou chez les Arvernes au centre, Strabon note l'abondance des hommes et Diodore nous apporte une indication d'ensemble. « La Gaule », dit-il, « est occupée par de nombreux peuples d'importance différente; les plus grands d'entre eux comptent environ 200 000 guerriers et les plus petits, 50 000. »

On admet généralement que pour chiffrer la population il convient de multiplier par quatre le nombre des hommes en état de porter les armes. Un tel coefficient ne donne assurément qu'un minimum. La mobilisation générale semble avoir fourni à la France environ 5 millions de soldats; or, le pays compte 40 millions d'habitants. Acceptons-le néanmoins; nous aurions donc 800 000 âmes pour les grands peuples et 200 000 pour les petits. Si nous comptons en Gaule une vingtaine de grands peuples et une quarantaine de petits : nous trouvons 16 millions d'une part et 8 millions de l'autre, au total 24 millions.

Il faudrait évidemment pouvoir contrôler un tel chiffre par le détail. Ici commence la difficulté.

Strabon, par exemple (IV, 4, 3), indique pour les Belges un effectif de 300 000 hommes qui coïncide à peu près avec celui de 305 000 que donne César, avec détail à l'appui, pour l'armée que levèrent les Belges contre lui lors de sa campagne de 57 (II, 4, 4). Mais cette armée ne représentait qu'une partie du contingent que les Belges auraient pu fournir. Les Bellovaques (du Beauvaisis), par exemple, est-il spécifié, pouvaient lever 100 000 hommes; ils se contentèrent d'en envoyer 60 000. Si nous conservons, pour les autres peuples, la même proportion entre leurs ressources en guerriers et le nombre de combattants qu'ils envoyèrent, nous trouvons, en chiffre rond, pour 300 000 combattants effectifs, un nombre d'environ 500 000 hommes en état de porter les armes, ce qui donnerait une population d'au moins 2 millions d'âmes pour une douzaine de peuples réunis. Les peuples de la Gaule se trouvant au nombre d'une soixantaine, si l'on attribue à l'ensemble du pays la même densité qu'aux Belges, nous n'obtiendrions pour l'ensemble qu'une dizaine de millions d'habitants. Chiffre évidemment faible, soit que le coefficient 4 soit trop bas, soit que la Belgique ait été moins peuplée que le reste de la Gaule.

S'il est un chiffre qui paraisse présenter d'exceptionnelles garanties d'exactitude, c'est celui des Helvètes dont la tentative d'émigration fournit à César l'occasion d'intervenir en Gaule. Il aurait pour base en effet, César le dit expressément, un état nominatif des émigrants trouvé dans le camp gaulois. Le nombre des Helvètes aurait été de 263 000. Aux Helvètes s'étaient jointes diverses tribus ou portions de tribus : Rauraques, Tulinges, Boïens, etc., soit 105 000 individus. Le total des émigrants aurait donc été de 368 000.

Après sa victoire, César leur donna l'ordre de rentrer chacun chez soi. Il en restait, dit-il, 110 000. 30 000 Boïens avaient, en outre, reçu l'autorisation de s'établir chez les Éduens. Le déchet, 228 000 morts, paraît bien considérable pour quelques semaines de campagne : près des deux tiers auraient péri. Il n'est pas interdit de penser qu'un certain nombre put échapper à César et regagner son pays hors du contrôle romain.

A nous en tenir aux chiffres de César et sans faire entrer en ligne de compte ni les esclaves dont il n'est pas fait mention ni ceux des Helvètes qui, peut-être, ne suivirent pas les émigrants, nous avons donc pour ce peuple seul, 263 000 têtes. Or, remarque C. Jullian, la population des cantons qui se sont formés entre le Jura et les Alpes, sur l'ancien territoire des Helvètes, ne s'élevait, en 1850, qu'à un million et demi d'habitants et l'on sait que la Suisse s'est grandement peuplée durant le dernier siècle. La population était donc quatre ou cinq fois moins nombreuse du temps de César qu'au milieu du XIXe siècle.

Les Rauraques fournissent 23 000 émigrants. Or les cantons de Bâle-Ville et de Bâle-Campagne réunis, ne comptaient, en 1850, que 77 583 habitants, entre trois et quatre fois plus.

Mais, dans le Valais, les habitants auraient mis en ligne, contre un lieutenant de César, plus de 30 000 combattants (*B. G.*, III, 6, 2), « ce que le canton ne ferait certes pas aujourd'hui », note C. Jullian. « Je crois bien », ajoute-t-il, « que ce chiffre de 30 000 est fort exagéré, mais, d'autre part, il ne s'applique qu'à deux des tribus du Valais sur quatre. » Le canton du Valais compte aujourd'hui 128 000 habitants; il en aurait eu presque autant avant l'époque romaine. De même, les 400 000 habitants que représentent les 100 000 guerriers bellovaques sont une population égale à celle du Beauvaisis actuel.

On ne saurait faire état des chiffres indiqués pour l'armée que les Gaulois envoyèrent en 52 au secours d'Alésia. Vercingétorix avait demandé le soulèvement en masse. Mais après avoir recensé leurs combattants, les différents peuples se mirent d'accord pour n'en convoquer qu'une partie; ils craignaient la confusion que créerait une levée générale et de ne pouvoir nourrir tant d'hommes. Ils se contentèrent donc de constituer une armée de 250 000 fantassins et 8 000 cavaliers, ce qui semble le chiffre habituel d'une grande armée gauloise. Tous les calculs établis sur cette base, ceux de J. Beloch en particulier, dans son livre sur la population du monde antique, apparaissent purement arbitraires et dénués de tout fondement.

Récapitulant les succès de César en Gaule, Plutarque nous fournit une indication d'ensemble qui confirme l'impression que laissent ces différents textes : les dix légions du proconsul ont eu à combattre et ont vaincu, dans un pays très peuplé, une multitude d'ennemis :

« Au cours de moins de dix ans de guerre en Gaule, il prit de vive force plus de 800 villes et soumit 300 tribus; il eut à combattre successivement 3 millions d'hommes; il en détruisit un million sur le champ de bataille et en réduisit autant en esclavage. »

La source de ce sinistre tableau de guerre, ce sont fort probablement, suggère C. Jullian, les pancartes qui ornaient le triomphe de César. Elles arrondissaient les chiffres en les augmentant, sans doute, mais sans pouvoir les fausser trop effrontément. 800 villes représentent les oppida et les *vici* un peu importants qui purent être détruits; 300 peuples sont bien le chiffre des *pagi* que l'on comptait en Gaule; 3 millions d'hommes représentent approximativement le total des différentes armées que mentionnent les Commentaires; un million de morts, un autre million d'esclaves n'étonnent pas un lecteur des récits de César. De tels chiffres supposent une population de 12 à 15 millions d'habitants; fort vraisemblablement au moins 15 millions en comptant la Narbonnaise et les grands peuples comme les Lingons et les Rèmes qui ne combattirent jamais César.

Pour les 600 000 kilomètres carrés que mesurait approximativement la superficie de la Gaule, nous trouvons ainsi une densité moyenne de 20 habitants au kilomètre carré, à peu près égale à celle qu'admet J. Beloch pour l'Italie, à partir du IVe siècle avant notre ère : 21 au km². La Gaule, au temps de César, n'en était-elle pas à un état de développement égal à celui de l'Italie au temps de la Ligue latine?

Un tel chiffre, une quinzaine de millions d'habitants, est un minimum qui devait certainement être dépassé. Nous préférerions nous rapprocher de celui qui nous a semblé résulter des indications de Diodore : 24 millions. C'était la population de la France, plus petite que la Gaule, au temps de Louis XIV. Camille Jullian arrive, de son côté, à des chiffres du même ordre. « C'étaient donc », dit-il, « à l'ouest du Rhin, de 20 à 30 millions d'hommes qu'engendrait, portait et nourrissait, une nature à peine moins clémente que la nôtre. »

Que l'on songe en effet à l'abondance des vestiges que les anciennes populations de la Gaule ont laissés sur la plupart des points de son sol. L'archéologie nous fait connaître le long passé de travail ingénieux qui peu à peu avait créé la Gaule, ses champs, ses pâturages et ses bourgades industrielles. Elle nous montre toutes ses régions occupées, les différentes terres et même le sous-sol, depuis longtemps mis en valeur. De l'époque antérieure aux Romains, nous ne possédons guère de ruines monumentales, mais que l'on songe au total des dolmens et des menhirs, aux innombrables *tumuli* et aux tombes plates que découvre le hasard et à toutes ces enceintes dont le plus grand nombre remonte à la période antérieure aux Romains. « L'immensité des espaces sylvestres et marécageux n'était pas, en ce temps-là et sous ce climat salubre, rappelle Camille Jullian, un obstacle à la vie humaine; les bois et les palus avaient leurs habitants à demeure. Gaulois ou Ligures... ne fuyaient pas le contact des terres humides et ombragées... ce qui ne les empêchait pas de fréquenter aussi les hauts plateaux et les sommets aux rebords escarpés... Que de vestiges de cette époque ne trouve-t-on pas dans des régions que les époques suivantes ont à demi désertées, jadis foyers d'habitation constante, aujourd'hui lieux de rendez-vous temporaires : la cime glaciale du Mont-Beuvray, le Larzac infertile et les Causses pierreuses, les marais du Médoc et les sables des dunes... Polybe s'aperçut, non sans étonnement, que les Alpes étaient habitées au voisinage même de leurs sommets et Hannibal trouva en effet de nombreux barbares jusqu'aux lacets du Mont Cenis. »

La population de la Gaule apparaît donc particulièrement dense pour l'époque antique, d'une densité plus voisine de celle de l'Italie que de celle des autres provinces du monde barbare. Ainsi s'explique le développement de sa vie politique et sociale non moins que l'ingéniosité déployée par les Gaulois pour tirer de leur sol les ressources nécessaires à leur vie.

7 LE TRAVAIL. LES HABITATIONS. LES INDUSTRIES. LE COMMERCE ET LES MONNAIES

I. — Les habitations. La campagne et les villes

Composé, dans une proportion que l'on ne saurait définir, d'autochtones et d'envahisseurs plus ou moins anciens, le peuple gaulois apparaît dès le début de l'histoire, c'est-à-dire deux ou trois siècles avant notre ère, comme définitivement fixé à sa terre. Si le Celte fut autrefois instable et volontiers nomade, le Gaulois est devenu sédentaire. Il vit essentiellement d'agriculture et peuple la campagne.

Il s'y trouve distribué soit par famille, installée dans une habitation ou un petit groupe d'habitations isolées, soit dans des agglomérations réunissant quelques familles et correspondant à nos hameaux. César mentionne en effet à la fois des *aedificia*, bâtiments agricoles isolés, et des *vici*, qui sont un groupement d'*aedificia*. Les chefs habitent eux aussi des *aedificia*, situés le plus souvent, nous dit César, dans une clairière de la forêt ou au bord d'une rivière. A côté de l'agriculture et de l'élevage, la chasse et la pêche doivent être leurs distractions.

Comme à l'époque romaine, comme aujourd'hui encore, la proportion des habitats isolés et des groupements villageois devait varier suivant les régions. Au moment de leur migration, les Helvètes qui occupaient la plaine suisse entre le Rhin, de Bâle à Constance, et le Jura, avaient douze villes fortes ou *oppida* et quatre cents villages; il devait y avoir en outre chez eux bon nombre d'habitations isolées. Ils étaient 263 000. Chaque *vicus* pouvait compter deux ou trois cents habitants au maximum, ce qui donne une centaine de mille âmes. Les douze *oppida* ne devaient pas concentrer une population bien considérable; mettons une soixantaine de mille habitants. Il resterait donc une centaine de mille pour les occupants des *aedificia* isolés, c'est-à-dire au moins autant que dans les villages.

Ces *aedificia*, aussi bien d'ailleurs que les habitations des *vici*, sont des huttes de branchages enduits de terre glaise ou des cabanes de charpente. « Les maisons des Gaulois », écrit Strabon, « bâties en planches et en claies d'osier, sont spacieuses et ont la forme de rotondes; une épaisse toiture de chaume les recouvre. » Ils ne connaissent en effet ni la tuile ni le mortier. La base de ces habitations est souvent consolidée de murets en pierre sèche dans lesquels sont assujettis les poteaux qui tiennent les parois et portent la charpente de la toiture. Les Gaulois en sont demeurés, dans la construction de leurs demeures, au mode qui fut celui de toute la préhistoire dès l'âge de la pierre polie.

Le type le plus simple devait ressembler à nos huttes de charbonnier, avec cette différence que l'habitation s'enfonçait plus ou moins profondément sous terre : de 0, 50 m à 1, 50 m; elle ne comportait guère d'autre construction que la toiture oblique, soutenue par des pieux plantés obliquement et appuyés l'un sur l'autre. Au lieu d'être ronde, la cabane pouvait être oblongue ou en forme de fer à cheval. Ses dimensions les plus ordinaires paraissent avoir été de 3 à 5 mètres de diamètre. Le foyer en occupait le milieu, avec un orifice dans la couverture pour l'échappement de la fumée. Parfois un auvent soutenu par des poteaux précédait et abritait la porte. A proximité de l'habitation, d'autres huttes pouvaient loger le bétail; on trouve souvent aussi des silos à provisions qui ressemblent à des fonds de cabanes de diamètre plus petit et un peu plus profonds. Quelques-uns sont encore remplis de grains carbonisés. Dans le Midi, à Ensérune par exemple, ces silos, placés en avant de la maison, dans la cour qui la précède, sont garnis d'une grande jarre en terre cuite d'un mètre et quelquefois plus de diamètre et d'au moins 1, 50 m de haut.

Le type de l'habitation apparaît souvent perfectionné et agrandi. Rectangulaire ou dessinant un ovale allongé, la cabane mesure 8 ou 9 mètres de long sur 6 ou 7 de large. Le pourtour en est marqué par les trous de logement des poteaux de la cloison; cette cloison était souvent double; à l'intérieur, d'autres poteaux soutenaient la toiture. L'entrée se trouvait reportée à l'un des angles; l'intérieur de la cabane, jusqu'au foyer central, était protégé contre l'air du dehors par une cloison formant couloir; un second foyer, sur le côté opposé à l'entrée, doublait le foyer central. Nous avons là non plus une hutte mais une salle commune.

Ces cabanes de grandes dimensions sont toujours plus ou moins profondément enfoncées dans le sol, parfois d'une cinquantaine de centimètres seulement, parfois de toute leur hauteur. En Normandie, dans le Berry, en Bourgogne, en Lorraine, en Hesbaye, ces fonds de grandes cabanes apparaissent sous forme d'excavations de 2 à 5 mètres de profondeur, qu'on trouve le plus souvent remplies d'eau. On les dénomme *mardelles*. Certains ne veulent y voir qu'un jeu de la nature dont ils proposent des explications diverses. Bon nombre de ces mardelles, cependant, ont été fouillées, en Lorraine notamment. On y a trouvé des restes des poutres qui formaient la toiture et des poteaux de soutien intérieurs, des claies de vannerie qui devaient constituer des cloisons, quelques objets de la fin de l'époque gauloise ou même de l'époque romaine. Toutes les mares qu'on rencontre dans les forêts ne sont évidemment pas des mardelles mais on ne saurait douter que les vraies mardelles aient été des habitations. Ces demeures entièrement souterraines devaient être semblables à celles que Tacite (*Germanie*, XVI) décrit chez les Germains de son temps : « Les Germains ont, comme les Gaulois, des cabanes de bois brut qu'ils enduisent d'une terre parfois si pure et si brillante qu'elle a l'air d'une couche de peinture et rappelle même nos encadrements de couleur. Ils ont aussi l'habitude de creuser des retraites souterraines qu'ils chargent de gros tas de fumier; c'est un refuge contre l'hiver et une grange pour les moissons, car la rigueur du froid est adoucie par ces sortes d'abris et s'il arrive que l'ennemi survienne, il ravage tout ce qu'il trouve à découvert mais ces demeures cachées sous terre lui échappent du fait même qu'il faudrait les chercher. »

La construction des habitations varie naturellement suivant les ressources de chaque région : en pays de forêts, huttes de branchages et cabanes de charpente; en terrain rocheux, huttes en pierre sèche, même lorsque le bois ne manque pas aux environs. De toute façon, il était difficile d'augmenter beaucoup les dimensions de la demeure; on préfère construire à côté une nouvelle case, de même qu'Ulysse avait construit sa chambre nuptiale à côté de la maison de son père. Ces cases se groupent à l'intérieur d'une cour, entourée elle-même d'un mur en pierre sèche. C'est le type des maisons que l'on rencontre dans les oppida du Midi comme Ensérune, entre Béziers et Narbonne; c'est celui qu'on reconnaît dans quelques hameaux des Vosges, de l'époque romaine il est vrai, mais dont les habitants, isolés dans leur forêt, paraissent avoir conservé la tradition ancienne. La cour forme un parallélogramme irrégulier d'une cinquantaine de mètres sur 25 environ. L'un de ses angles est occupé par un petit réduit triangulaire de 5 à 6 mètres de côté où les trouvailles permettent de supposer une laiterie. Contre le long côté opposé de la cour, mais séparés du mur d'enceinte par un petit intervalle, sont rangés les locaux d'habitation : quatre pièces ouvrant également sur la cour. D'une profondeur à peu près égale, 2,50 m environ, ces cellules semblent se grouper deux par deux, une grande d'un peu plus de 7 mètres de large et une petite d'environ 4 mètres. Contre le mur de fond de l'une des grandes pièces est accolé un banc de pierre. Ces chambres s'enfoncent dans le sol d'environ un mètre. Un plan de maison identique a été reconnu à Bibracte, sur le Mont-Beuvray.

Quelques monuments, des stèles funéraires en forme de maison, nous donnent une idée de l'élévation et de l'aspect des cases gauloises. Sous une haute toiture angulaire ou ogivale, on distingue le colombage d'une charpente assez semblable à celle des vieilles maisons du Moyen Age; la surface lisse entre les madriers constituant l'ossature du mur représente des claies ou des branchages ou de la pierre sèche enduite d'argile, comme nous dit Tacite des maisons des Germains. Ce sont les Romains qui ont introduit en Gaule l'usage du mortier.

Dans ces demeures plus ou moins vastes et de construction plus ou moins soignée, le Gaulois vit sans meubles. Le sol est fait d'argile damée couverte de paille. « Ils couchent sur la dure », indique Strabon, « et prennent leurs repas assis sur de la paille. » Devant l'âtre sont des chenets de terre cuite ou de fer; de la poutre maîtresse pend une crémaillère dont on retrouve parfois des exemplaires parmi le mobilier funéraire. La vaisselle est abondante : chaudrons de bronze, jarres et marmites de terre cuite, bouteilles de formes assez élégantes, pots noirs lustrés ou ornés d'une décoration en couleur sur engobe blanc, assiettes, plats, bols, tasses, écuelles, de terre cuite et, sans doute aussi très souvent, de bois. La maison d'un chef doit grouper autour d'elle, dans une vaste cour, peut-être même une petite enceinte semblable à une forteresse, les cases de ses serviteurs, de ses valets d'armes et de quelques-uns de ses clients, sans oublier les étables et écuries, les granges et silos de provisions. La plèbe pouvait souvent partager sa demeure avec son bétail.

Les maisons d'habitation des villes ne devaient pas être très différentes de celles de la campagne. Il s'y ajoute, à Bibracte, la capitale des Éduens sur le Mont Beuvray, des ateliers parfois assez vastes, et des échoppes donnant sur la rue où l'artisan devait travailler en vue du passant, comme dans les villes arabes actuelles. Des constructions plus amples, avec un auvent bordant la rue, semblent des marchés; d'autres, avec de grandes cours, doivent être des caravansérails. De vastes espaces libres séparent les groupes d'habitations divers. Le tout est construit selon la méthode habituelle : murets de pierre sèche à la base, forte charpente de madriers et, sans doute, claies ou branchages enduits d'argile. Toutes ces constructions sont rectangulaires; beaucoup s'enfoncent assez profondément dans le sol, qu'elles aient été bâties sur cave ou aient été en partie souterraines. Il en était de même à Alésia. On a retrouvé dans le quartier populaire de nombreuses caves creusées dans le calcaire. On a toute raison de supposer qu'elles représentent les vestiges, aménagés en caves à l'époque romaine, d'habitations du temps gaulois.

Les oppida.

Ce qui caractérise la ville c'est d'être un *oppidum*, c'est-à-dire une place fortifiée. Dans la plupart des cas, le rempart doit même être antérieur à la ville; il a été l'origine et la raison d'être de l'agglomération.

La plupart des villes gauloises que nous connaissons, Bibracte, Gergovie, Alésia, apparaissent comme d'anciens refuges préhistoriques; ils n'étaient primitivement occupés qu'en cas d'alerte. Puis quelques-uns des réfugiés y étaient restés. Les premiers à s'y installer furent surtout les artisans dont le travail exigeait des installations un peu compliquées qu'ils voulaient mettre à l'abri d'un renouveau du danger, en particulier, les fondeurs de fer et de bronze. Il est d'ailleurs possible que l'on ait tenu à avoir au moins des fabricants d'armes dans la forteresse. Des commerçants aussi voulaient avoir leurs approvisionnements en lieu sûr. L'invasion des Cimbres et des Teutons, à la fin du IIe siècle, a dû contribuer à cette transformation des refuges temporaires en habitats permanents. Bien plus, l'oppidum était généralement lieu de culte. Les fêtes du dieu protecteur du canton devaient y attirer les pèlerins; à la fête religieuse se joint le plus souvent le rendez-vous commercial, la foire. L'*oppidum*, centre industriel, devenait, en même temps, centre commercial. Son importance comme lieu de groupement devait croître en proportion du progrès de la civilisation générale. On remarque en effet que les villes étaient plus nombreuses et paraissent plus anciennes dans le Midi méditerranéen que dans le reste de la Gaule; elles se font plus rares à mesure que l'on avance vers le nord. Au moment de la conquête romaine, tous les peuples de la Celtique du centre avaient leurs villes; on n'en peut dire autant des peuples belges.

Il est d'ailleurs différents types d'*oppida*. Si Bibracte, au sommet du Beuvray, se trouve à près de 900 mètres d'altitude, *Avaricum* (Bourges) que les Gaulois vantaient comme la plus belle, presque, de toutes les villes de la Gaule, n'était qu'une croupe émergeant au milieu de marais qui assuraient sa protection. « Le lieu est, par sa nature, facile à défendre », affirmaient les Bituriges à Vercingétorix, voulant faire brûler la ville; « de tous les côtés, il est entouré par la rivière et les marais; on ne peut l'aborder que par un passage très étroit. » A côté de l'oppidum de sommet il y a, en effet, l'oppidum de rivière. L'eau assure une protection aussi efficace que la montagne. Ainsi Besançon était encerclée dans une boucle du Doubs et, à la défense assurée par la rivière, s'ajoutait celle d'une hauteur : « L'espace que la rivière laisse libre ne mesure pas plus de seize cents pieds », dit César (environ 500 mètres), «et une montagne élevée le ferme si complètement que la rivière en baigne la base des deux côtés. Un mur qui fait le tour de cette montagne la transforme en citadelle et la joint à la ville. »

Le type de l'oppidum de rivière n'est pas moins fréquent en Gaule que l'oppidum de hauteur. Lutèce dans son île, Melun, dans la même position, *Genabum* (Orléans), derrière son pont, rentrent dans cette catégorie. Qu'on étudie le site de toutes les villes dont l'origine remonte aux temps gaulois, on y reconnaîtra des forteresses naturelles; ce sont toujours d'anciens refuges devenus habitats permanents.

Les remparts.

L'essentiel de la ville gauloise est donc le rempart qui l'enserre. En fait de fortification, les Gaulois sont les héritiers d'une vieille tradition. Lorsque les pentes sont abruptes on se contente de barrer par une levée de terre et un fossé le côté qui, généralement, réunit cet éperon à la hauteur qu'il termine. Ou bien le rempart entoure tout ou partie du sommet. L'entrée en est le point faible; le plus grand soin est apporté à son aménagement. Disposée en chicane, elle s'ouvre souvent près d'un angle. Au-dessus de la porte, des madriers épais portent un chemin de ronde, peut-être des tours. Le chemin qui y conduit est tracé de telle sorte que l'assaillant doive longer le rempart en présentant au défenseur le flanc droit, celui qui n'était pas protégé par le bouclier. Les Gaulois avaient pu apprendre ces principes élémentaires de la fortification par l'exemple des peuples classiques; ils étaient aussi fort capables de les inventer eux-mêmes.

Le rempart pouvait être construit de différentes sortes. Les plus anciens étaient faits d'un simple amoncellement de terre et de pierres, à peu près aussi large que haut : 5 à 6 mètres, surmonté probablement d'une ceinture de madriers destinée à abriter les défenseurs. Le progrès consista à assurer la solidité de l'amoncellement de terre. Un procédé ancien — il peut dater de la fin de l'âge du bronze ou en tout cas du début de l'âge du fer, vers 800 avant notre ère — est celui que les archéologues ont appelé la « vitrification ». On trouve le noyau du rempart constitué par une masse calcinée dure et entièrement compacte. Cette calcination de la pierre n'a pu être obtenue qu'en la brûlant sur place par du bois abondamment mélangé aux matériaux entassés, besogne techniquement difficile à réaliser. On a reconnu de ces enceintes vitrifiées à peu près dans toutes les régions de France.

Dans les pays de bonne pierre on a naturellement, en Gaule comme ailleurs, entassé pour en faire une défense, des blocs bruts aussi volumineux que possible. On trouve ainsi des enceintes de type cyclopéen datant de l'âge du bronze ou du premier âge du fer. Au second âge du fer, ce mode de construction apparaît singulièrement perfectionné. L'enceinte du Mont Sainte-Odile en Alsace est constituée de blocs d'environ 1,50 m de long sur 0,80 de haut et autant d'épaisseur, assez bien équarris et entassés en rangées à peu près horizontales. Ils sont tous fixés les uns aux autres par des tenons en bois de chêne, longs de 20 à 30 centimètres, épais de 5, taillés en queue d'aronde, que l'on retrouve logés dans des excavations de même forme préparées dans les blocs. Cette technique s'inspire bien évidemment de l'architecture méditerranéenne qui unissait, sans mortier, par des crampons, le plus souvent de métal, les blocs parfaitement taillés de ses grands monuments. On connaît des exemples où les crampons métalliques sont remplacés par des tenons de bois, taillés comme à Sainte-Odile en queue d'aronde. Telle est à Rome la construction des Rostres du Forum refaites par César et Antoine en 44 av. J.-C. Le mur de Sainte-Odile, le « Mur des Païens » comme on l'appelle, solide encore aujourd'hui bien que son épaisseur ne dépasse pas 1,70 m, se dresse à une hauteur parfois de plus de 3 mètres, tout autour d'un vaste plateau.

Un autre mode de construction marque, de la part des Gaulois, un effort original pour assurer une meilleure cohésion des matériaux divers. Dans le corps du rempart sont introduits les mêmes poutrages qui soutenaient les parois des maisons. « Tous les murs des Gaulois », dit César, « sont faits à peu près de la manière suivante. On pose sur le sol sans interruption, sur toute la longueur du mur, des poutres perpendiculaires à sa direction, séparées par des intervalles égaux de deux pieds (0,60), puis on les relie les unes aux autres à l'intérieur et on recouvre le tout d'une grande quantité de terre; le parement est formé de grosses pierres logées dans les intervalles des poutres. Un premier rang solidement établi, on élève par-dessus un deuxième rang semblable, en conservant le même intervalle de deux pieds entre les poutres, de façon qu'elles ne touchent pas celles des rangs inférieurs et que chacune soit solidement maintenue par des blocs de pierre intercalés. On continue toujours de même jusqu'à ce que le mur ait atteint la hauteur voulue. Ce genre d'ouvrage, avec ses pierres et ses poutres régulièrement alternées, fait un ensemble qui n'est pas désagréable à l'œil. Il se trouve parfaitement adapté à la défense des places, attendu que la pierre y préserve le bois de l'incendie et que les poutres, longues souvent de quarante pieds (13 à 14 mètres), reliées entre elles dans l'épaisseur du mur, ne peuvent être brisées ni détachées par le bélier. »

Ainsi étaient construits les remparts d'*Avaricum* (Bourges); c'est ce mode de construction que l'on a reconnu à Bibracte et en une douzaine d'autres cas. Le bois a naturellement disparu; des vides en marquent l'emplacement dans le parement du mur; à l'intérieur se retrouvent les fiches de fer qui fixaient les poutres les unes aux autres. De telles enceintes pouvaient comporter des tours. A Bourges, en face des terrasses d'approche de César, les Gaulois avaient garni tout le pourtour de leurs murailles de tours en bois protégées de tabliers de cuir. Charpentiers remarquables, les Gaulois n'étaient pas encore des architectes.

La vie urbaine et les voies commerciales.

A l'intérieur de ces remparts, dans les *oppida* gaulois, peut-on parler vraiment de vie urbaine? On se demande ce que pouvait être Avaricum, « la plus belle presque des villes de la Gaule ». Plus resserrée que Bibracte, elle devait laisser moins d'espaces libres entre les groupes d'habitations dont elle se composait. Ce devait être, comme Bibracte, un centre surtout industriel. César mentionne l'importance des mines et de l'exploitation du fer chez les Bituriges. Avaricum devait être un centre de forgerons, place d'industrie et aussi de commerce.

Sauf dans le Midi où s'exerçait depuis longtemps l'influence de la Grèce et où, depuis la fin du second siècle, s'était établie la domination romaine, les villes n'étaient pas encore devenues des centres politiques. Pour Vienne, chez les Allobroges, dans la province romaine, Strabon remarque qu'elle portait déjà le titre de métropole mais n'en était pas moins demeurée, jusqu'à Auguste, un simple bourg. A l'époque romaine seulement, l'aristocratie gouvernante vint se fixer dans les villes. Jusqu'à la fin de l'indépendance c'est, en Gaule, la campagne qui domine.

L'importance des villes dut cependant s'accroître au fur et à mesure qu'augmentait la circulation commerciale; or nous savons que les communications par voie d'eau aussi bien que par terre étaient développées dans l'ensemble de la Gaule.

Des ports existaient non seulement sur les côtes de la Méditerranée depuis longtemps animées par les Grecs, mais sur l'Océan où naviguait la marine armoricaine. César décrit la construction de ses navires, lourds et massifs mais solides et bien adaptés à la mer et à la nature des côtes. On y reconnaît les excellents charpentiers qu'étaient les Gaulois. « Les carènes de leurs vaisseaux étaient plus plates que les nôtres afin qu'ils eussent moins à craindre les bas-fonds et les marées basses; les proues en étaient très relevées et les poupes de même, appropriées à la hauteur des vagues et à la violence des tempêtes. Le navire entier était en bois de chêne pour résister à tous les chocs et à toutes les fatigues; les traverses avaient un pied d'épaisseur (0,30) et étaient assujetties par des chevilles de la grosseur d'un pouce; les ancres étaient retenues non par des cordes mais par des chaînes de fer; en guise de voiles ils employaient des peaux d'un cuir mince et souple, soit parce que le lin leur manquait ou qu'ils ne savaient pas l'employer, soit, ce qui semble plus probable, parce qu'on pensait que des toiles résisteraient mal aux tempêtes de l'Océan et à ses vents impétueux et qu'elles seraient peu capables de faire avancer des bateaux aussi lourds. »

Pour naviguer sur les fleuves les Gaulois avaient créé des types de péniches également bien adaptés, dont nous retrouvons des images au début de l'époque romaine. Là où ne pouvaient passer ces péniches ils se servaient de radeaux; souvent, dans la basse vallée du Rhône surtout, de radeaux montés sur des outres gonflées. Dans toutes les régions, les villes les plus importantes se trouvent ainsi sur une voie d'eau : Toulouse, dont l'oppidum ancien, Vieille-Toulouse, possédait depuis l'âge de Hallstatt son port sur la Garonne; Arles et en général toutes les villes du Rhône, Chalon-sur-Saône, *Cabillonum*, que se disputaient Éduens et Séquanes;

Genabum (Orléans), Lutèce, *Ratumagus* (Rouen), etc. Sur le lac Léman, des ports existaient dès l'époque gauloise à Genève et à Lausanne.

Il y avait certainement des routes aménagées, tout autre chose que des pistes préhistoriques. Camille Jullian observe que les marches rapides de César en Gaule — il lui arrive de couvrir, avec tous les bagages de son armée, jusqu'à 45 kilomètres par jour — supposent un réseau routier développé et bien entretenu. Les Gaulois avaient préparé au Proconsul de bonnes routes pour sa conquête. Le réseau romain paraît avoir adopté, en majeure partie, les tracés gaulois. Le développement des routes est lié à celui des villes qu'elles desservent. Ce que nous apercevons des unes et des autres avant la conquête romaine témoigne non seulement d'une vie économique active mais d'un progrès social qui favorise le groupement et multiplie les relations entre les groupes. L'aristocratie qui gouvernait le pays ne pouvait demeurer à l'écart d'un tel mouvement; elle y trouvait ses intérêts. Elle restait, sans doute, agitée et batailleuse mais, à côté d'elle, apparaît déjà et s'élève toute une population qui ne songe qu'au travail pacifique.

II. — Agriculture et élevage

Le souvenir effrayé que le monde gréco-romain avait conservé des invasions des IVe et IIIe siècles a valu aux Gaulois la réputation d'un peuple d'aventuriers avide uniquement de guerre. Au début de l'époque romaine, Strabon s'étonne de les trouver pacifiquement adonnés aux travaux des champs. « Ils armaient autrefois », répète-t-il à propos de plusieurs des peuples de la Gaule, « de nombreuses myriades d'hommes; aujourd'hui, ils cultivent soigneusement leur terre. » Ne faut-il pas se représenter que pour armer de nombreuses myriades d'hommes, les peuples celtiques, tant à l'intérieur du continent qu'en Gaule, devaient produire de quoi les faire vivre tout le temps que ne durait pas la guerre? Il leur fallait déjà cultiver la terre. Nous voyons d'ailleurs les Cimbres s'empresser de le faire dès qu'ils se sont arrêtés quelque part. Ce qu'ils réclament aux Romains, ce sont des terres à cultiver. Les peuples de l'Europe continentale et, avec eux, les Celtes, connaissaient et pratiquaient l'agriculture depuis les temps de la pierre polie.

Installées en Gaule, les tribus celtiques y trouvent la vieille tradition agricole indigène. On nous dit qu'elles préféraient les troupeaux à la terre; elles développèrent sans doute l'élevage mais paraissent avoir adopté rapidement les pratiques agricoles locales. Dès le temps légendaire du roi Ambigat (IVe s. ou même VIe s. av. notre ère, si l'on suit la chronologie de Tite-Live) la Gaule nous est présentée comme un pays particulièrement prospère. Plus tard, au moment de la conquête, César, au cours de ses huit années de guerre, y a toujours trouvé abondamment de quoi nourrir ses légions. Labourage et pâturage étaient déjà les deux mamelles de la Gaule.

En fait de labourage, le blé dont ils font du pain est, pour les Gaulois, la culture principale. Ils y ajoutent l'orge qui sert à la bière, le seigle, l'avoine, le millet, en somme toutes les céréales que nous connaissons aujourd'hui. Mais ils ont peu d'arbres fruitiers, peu de légumes, semble-t-il et pas de vigne, sauf près de Marseille. Leur bétail est abondant; ils mangent beaucoup plus de viande que les Romains; de nombreux troupeaux de moutons fournissaient la laine; à l'époque romaine elle s'exportait en grande quantité en Italie. Plusieurs provinces étaient des nourricières de chevaux réputés. Partout, dans les grandes forêts de hêtres et de chênes, vaguaient d'innombrables troupeaux de porcs. « N'étant jamais rentrés, les porcs acquièrent en Gaule », remarque Strabon, « une vigueur et une vitesse si grandes qu'il y a danger à s'en approcher quand on n'en est pas connu et qu'un loup lui-même courrait de grands risques à le faire. » Dès l'époque de Caton l'Ancien, les salaisons gauloises étaient réputées en Italie.

Les Gaulois avaient même introduit en agriculture des procédés nouveaux qu'admirèrent les agronomes latins. Ils savaient améliorer certaines de leurs terres en y répandant de la chaux. Varron et Pline s'étonnent de les voir fumer leurs champs par une autre terre : la marne. Le peuple celtique des Rhètes avait inventé la charrue à roues qui remplaçait avantageusement l'araire. Dans les grands domaines gaulois, on se servait pour moissonner d'une sorte de tombereau bas dont le bord antérieur était armé de dents qui coupaient les épis, lesquels tombaient dans le tombereau, véritable moissonneuse mécanique poussée par un animal. Ces inventions de matériel nous confirment l'existence de grands domaines auxquels l'aristocratie devait apporter ses soins. Dès les temps de l'indépendance, la guerre qui ravage devait être considérée, par la majeure partie des Gaulois, comme une redoutable calamité. C'est assurément sans regret qu'ils s'accommodèrent à la paix romaine.

III. — L'INDUSTRIE

La production industrielle avait atteint en Gaule un niveau qui tendait à se rapprocher de celui qu'on aperçoit chez les peuples du monde méditerranéen. La production du fer y apparaît particulièrement développée, chaque peuple s'ingéniant à produire le métal nécessaire pour ses armes et ses outils. César rend hommage à l'habileté des mineurs chez les Aquitains et chez les Bituriges (Bourges). « Leur race », dit-il à propos des défenseurs de la ville, « est extrêmement adroite à imiter et à réussir tout ce qu'on lui enseigne. Ils avaient appris à détourner les coups de nos faux à l'aide de nœuds coulants et lorsqu'ils avaient saisi la faux, ils la tiraient à eux à l'aide de treuils; ils savaient, en les sapant, faire écrouler nos terrassements, d'autant plus habiles qu'il y a chez eux de grandes mines de fer et qu'ils connaissent et emploient tous les genres de galeries souterraines. » D'autres mines importantes sont signalées par Strabon en Périgord. Dans presque toutes les provinces de France on trouve d'énormes amas de résidus de fonderie antique; très souvent on a recueilli à l'époque moderne ces laitiers mal épurés pour en extraire ce qu'ils contenaient encore de fer.

Un exemple ancien et particulièrement frappant de ces grandes exploitations minières de l'époque gauloise se reconnaît au Camp d'Affrique, près de Nancy. C'est un oppidum qui doit remonter tout au début de l'âge du fer. « Sur le plateau rocheux dominant Messein », écrit un archéologue lorrain, M. G. Goury, « les Celtes avaient édifié, en large demi-cercle, un double vallum haut de six mètres, étayé dans sa structure interne par une masse de calcaire calciné sur place. » C'est un spécimen de ces remparts vitrifiés dont nous avons parlé plus haut. « L'extrémité ouest du double vallum aboutit à la falaise calcaire; à l'est, l'épaulement extérieur se continue sur la pente et entoure, un peu au-dessous, un petit plateau de 70 mètres de large sur 200 mètres de long; du pied de ce plateau jaillit une source, autrefois très abondante... L'enceinte supérieure abritait les demeures des chefs. On y a trouvé, en effet, en certains points et surtout contre l'enceinte, des fonds de cabanes... A flanc de coteau s'ouvraient les galeries de mines s'enfonçant à une centaine de mètres, à l'intérieur desquelles on a reconnu des traces d'exploitation nettement datées de l'époque gauloise... Dans l'enceinte inférieure s'affairaient les gens de la plèbe; les uns activaient et chargeaient les fours établis près de la source, les autres martelaient les lentilles pour en épurer le métal; d'autres, enfin, dont on a retrouvé les fonds d'atelier, forgeaient le fer et le transformaient en poignards, épées ou mors de chevaux. » Refuge et établissement industriel, le Camp d'Affrique n'a pas donné naissance à une ville comme Bibracte ou *Avaricum* (Bourges). Il reste l'exemple d'une grande exploitation minière et sidérurgique gauloise.

Les autres industries ne sont pas moins pratiquées que celle du fer. Les Gaulois étaient des bronziers habiles, laminant le métal pour en faire des vases ou le fondant pour en tirer surtout des ornements : fibules, bracelets, colliers, en particulier ces colliers de métal tordu (*torques*), qui étaient comme l'insigne de la nationalité gauloise. Dans l'industrie du bronze ils avaient réalisé des inventions; ils savaient argenter et aussi étamer; ils argentaient notamment les tôles de bronze qui garnissaient les chars ou bien encore la vaisselle. Alésia, où l'on a trouvé les traces d'une industrie du bronze développée, avait été, nous dit Pline l'Ancien, le lieu de l'invention. *Cabillonum* (Chalon-sur-Saône) devait être, dès l'époque gauloise, un centre important de production du bronze.

On sait que l'émail avait été, peut-être, une invention et, en tout cas, une industrie propre de la Gaule. L'émail rouge y avait, entre 300 et 200 avant notre ère, remplacé le corail; de nombreux ateliers d'émailleurs travaillaient à Bibracte, Nous aurons à revenir sur cette industrie lorsque nous essaierons de donner une idée de l'art décoratif gaulois.

L'or et l'argent sont exploités activement. L'or surtout, connu dès l'époque néolithique, sert à fabriquer des bijoux. La Gaule était réputée comme un pays riche en or. Des mines d'or y sont signalées dans les Pyrénées et les Gaulois les auraient prétendues supérieures à celles d'Espagne. Dans la majeure partie du pays, c'est surtout l'orpaillage qui fournit le métal précieux. Les fleuves, en effet, explique Diodore, « en érodant le flanc des montagnes, amoncellent des alluvions et des sables pleins d'or. Les indigènes qui ne sont pas occupés à d'autres travaux recueillent ce sable et le criblent. C'est ainsi que les Gaulois ramassent de grandes quantités d'or dont ils font des ornements non seulement pour les femmes mais pour les hommes qui portent des bracelets, des colliers et même des cuirasses d'or. » On signale cet orpaillage particulièrement chez les Salasses, dans la région d'Aoste et chez les riverains du Rhin et du Danube. Sur le Rhin moyen, de Bâle jusqu'à Mayence, on trouve en effet, datant de La Tène I (500 à 300 av. J.-C.), des bijoux d'or nombreux et fort beaux. Le long du Danube on a recueilli en abondance des pièces d'or formées d'une goutte de métal partiellement écrasée, concave d'un côté et convexe de l'autre. Ces piécettes d'or ont été dénommées par les archéologues : rosée d'arc-en-ciel (*Regenbogenschuesselchen*).

La région la plus riche en or était celle de Toulouse. Là se rencontrent les plus beaux bijoux; là confluait en effet l'or des mines pyrénéennes et celui des rivières descendant des Pyrénées aussi bien que des Cévennes. L'or de Toulouse était célèbre (voir ci-dessus, p. 111). Posidonius notait chez les Gaulois ce fait extraordinaire : sur le sol même des temples et lieux sacrés dont est parsemé le pays, l'or est répandu à profusion comme offrande aux dieux et nul n'ose y toucher, quelle que soit la cupidité des gens.

IV. — Le commerce

Dotée de ressources naturelles abondantes et occupée par une population industrieuse, la Gaule demeure un pays riche malgré les ravages d'invasions comme celle des Cimbres et des Teutons et malgré les guerres intérieures. Chacun des peuples gaulois s'ingénie sans doute à produire lui-même tout ce qui est nécessaire à sa vie, néanmoins la nature a établi entre eux des relations tellement faciles qu'ils se trouvent pour ainsi dire invités aux échanges. Par les vallées de la Saône et du Rhône, toute la Gaule de l'Est depuis la Moselle et le Rhin, est mise en rapport avec Marseille et la Méditerranée. De Dijon à Alésia, on passe de la vallée de la Saône à celle de la Seine. L'Yonne prend sa source à quelques kilomètres du Beuvray. L'importance du pays des Éduens tient précisément à ce qu'il est le passage entre la Gaule de l'Est et celle de l'Ouest, entre celle du Midi et celle du Nord. Par la vallée de l'Allier, les Arvernes dominent de même les communications entre le Sud et le Nord. Dans la partie méridionale du pays, de l'Océan à la Méditerranée, la Garonne, puis l'Aude, tracent des routes faciles et brèves, tandis qu'à l'Ouest, des Pyrénées vers les passages de la Loire, se poursuivent de grandes voies naturelles presque sans obstacle. Les caravanes qui, à dos de cheval et de mulet, apportent à Marseille ou à Narbonne l'étain des Iles Britanniques, traversent la Gaule en quarante jours ou en trente, suivant qu'elles vont de *Gesoriacum* (Boulogne) à Marseille ou de *Corbilo*, dans l'estuaire de la Loire, vers Narbonne. Le géographe grec Strabon, insistant sur cette heureuse disposition des régions gauloises les unes par rapport aux autres, y voyait une des raisons, et non des moindres, du développement général de la civilisation dans l'ensemble du pays.

Les relations commerciales avec les régions extérieures à la Gaule apparaissent également développées et cela, depuis l'âge du bronze. Du côté du Midi, les métaux, les armes et jusqu'à la poterie de la Péninsule ibérique se répandent des Pyrénées à la vallée du Rhône. Du Sud-Est arrive, dès la première période de La Tène, le corail des mers de Campanie et, plus tard, des îles d'Hyères. Des vases grecs et étrusques apparaissent autour de Marseille. Mais, à notre avis, et c'était celui de Déchelette, ce n'est pas par Marseille que parviennent en Franche-Comté et en Bourgogne, dès l'époque de Halstatt, les produits de l'industrie hellénique ou italienne qu'on y rencontre.

Jusqu'à ce que la présence des Romains dans le Midi de la Gaule ait multiplié les relations avec l'Italie, l'axe principal du commerce gaulois apparaît orienté est-ouest. De l'Europe centrale, il gagne le sillon du Rhin et, de la région rhénane, à travers la Gaule, il atteint l'île de Bretagne. La Gaule avant les Romains apparaît comme une région essentiellement continentale. C'est par le continent, soit le long du Danube, soit plutôt depuis l'Adriatique et le passage des Alpes Juliennes, que parviennent les vases céramiques grecs dont on trouve les tessons dans les *tumuli* franc-comtois et bourguignons des VIe et Ve siècles. Ce même courant commercial introduit dans l'Est de la Gaule les beaux vases de bronze fondu dont les plus anciens viennent certainement de Grèce : ceux qu'on appelle *stamnoi*, grands récipients à deux anses, avec un col large et court, une épaule nettement marquée et un corps en forme de tronc de cône renversé (fig. 51, p. 245), on les trouve parfois avec leur couvercle conique et le trépied de bronze destiné à les porter. De provenance grecque sont également les cruches à verser, les *œnochoés* de bronze, à bec trilobé, avec une grande anse d'une courbe élégante qui part du versoir et vient se fixer sur la panse par une palmette moulée à laquelle s'ajoutent parfois des figures d'animaux, de personnages ou d'êtres fantastiques. Ces vases de bronze se rencontrent en Suisse, dans le Sud de la Bavière, en Wurtemberg, sur les deux rives du Rhin, de Strasbourg à Bonn, dans le Jura et la Bourgogne; quelques-uns parviennent en Champagne, jusqu'en Bretagne et dans la basse vallée de la Garonne. Une telle distribution indique nettement le chemin d'arrivée : la haute vallée du Danube depuis le point où elle est rejointe par la route qui vient de l'Adriatique. Plus tard, toujours par la même route, les bronzes grecs céderont le pas à ceux de Capoue. L'établissement des Gaulois dans la plaine du Pô au cours du IVe siècle eut déjà pour effet de multiplier les relations, à travers les Alpes, entre l'Italie et les pays celtiques du continent.

Ces splendides vases de bronze, *stamnoi*, œnochoés, avec les coupes de terre cuite de fabrication attique ou les autres récipients de céramique grecque, sont des services à boire. Dans le stamnos se fait le mélange de vin et d'eau que l'œnochoé sert à verser. Les vases devaient être importés en même temps que le vin que ne produisaient pas les Celtes, dont ils étaient très gourmands mais qui demeurait le luxe des chefs. Jusqu'au IIe siècle avant notre ère, ce sont les vins grecs qui parviennent à l'intérieur du continent. Évidemment ils suivent, en sens inverse, la très ancienne voie commerciale qui avait été celle de l'ambre, décrite par Hérodote (IV, 33) : « des mythiques Hyperboréens chez les Scythes, puis, de là, de proche en proche, jusqu'aux dernières limites de l'Occident, sur l'Adriatique. De là, tournant vers le Midi, les objets sacrés qu'envoient les Hyperboréens atteignent Dodone puis descendent au Golfe Malien pour le traverser et entrer dans l'Eubée et de là à Delos. » Ce commerce grec avec l'Occident explique l'existence ancienne des ports étrusques de Ravenne, Spina et Adria, qui ouvrent la route classique de l'Adige vers le Brenner et Innsbruck. Plus à l'est, Aquilée, colonie romaine en 101 av. J.-C., devait être depuis longtemps un marché actif, ouvrant aux produits, non seulement de Grèce mais de toute l'Italie et de Sicile, la voie particulièrement facile des Alpes Juliennes. De là, les caravanes s'acheminaient vers le Danube, l'Elbe et le Rhin. Par les mêmes voies, le fer réputé de Norique parvenait d'une part en Italie et de l'autre dans les pays celtiques.

Au nord de la Suisse, entre les lacs de Neuchâtel et de Bienne, sur la route qui, du Rhin, conduit vers les passages du Jura, la station de La Tène semble avoir été un poste de péage. L'abondance et la longue série des trouvailles qui y furent faites lui a valu de donner son nom à la période spécifiquement celtique de l'âge du fer. Le nombre considérable d'armes et en particulier d'épées qui y ont été trouvées, paraissent provenir du Norique et représentent peut-être des prélèvements douaniers sur les cargaisons introduites en Gaule.

C'est cette voie continentale vers l'Occident que décrit la légende des Argonautes. On sait que les Grecs, de tout temps, depuis l'*Odyssée*, ont mêlé volontiers géographie et poésie. Les vagabondages héroïques de Jason leur fournissaient le thème de véritables romans de voyage et d'aventure où le véridique sert d'aliment à la fantaisie. C'est ainsi qu'Apollonius de Rhodes, au IIIe siècle avant notre ère, prête à ses Argonautes un itinéraire qui les amène d'abord dans les parages de Corfou, puis à l'extrémité nord de l'Adriatique. Là, ils s'engagent dans le fleuve mythique de l'Éridan qui les conduit au Rhône. « Venant des extrémités de la terre, près des portes de la Nuit », expose le poète, « ce fleuve se divise en trois bras : le premier s'écoule vers l'Océan, le second (c'est celui que viennent de suivre les Argonautes) se jette dans la mer Ionienne; le troisième se dirige vers la mer de Sardaigne et, dans un golfe immense, répand ses flots par sept bouches. » On reconnaît ici l'embouchure du Rhône, familière depuis longtemps aux navigateurs grecs.

C'est dans le premier de ces bras, celui qui se dirige vers le Nord et l'Océan, qu'au sortir de l'Éridan, s'aventurent les héros. Ils traversent tout d'abord d'immenses lacs orageux qui s'étendent au loin dans le pays des Celtes. Le courant les aurait entraînés se perdre dans l'Océan, si une intervention d'Héra, du haut des Monts Hercyniens, n'avait repoussé leur navire et ne l'avait conduit dans le bras méditerranéen.

Il y a, dans cette géographie fantastique, des traits véridiques. La mention des « lacs orageux qui s'étendent au loin dans le pays des Celtes » et celle des Monts Hercyniens au nord de ces lacs n'est pas imaginaire. L'itinéraire des Argonautes, a fait remarquer C. Jullian, n'est autre que celui des marchands qui trafiquaient avec la vallée du Rhin. Le long du Pô, continué par le Tessin, ils arrivaient au Saint-Gothard. De là, par le cours supérieur du Rhône, la rive nord du lac Léman et le lac de Neuchâtel, ils atteignaient la station de La Tène que ne pouvaient peut-être pas dépasser les étrangers. L'apparition de Héra, repoussant le navire vers le Sud, symboliserait cette interdiction. Le poète s'inspirait de renseignements authentiques provenant de trafiquants italiens ou grecs qui avaient fréquenté ces régions.

La conquête romaine modifia profondément ces vieux courants commerciaux de la préhistoire. A partir de la fin du second siècle avant notre ère, Marseille devient la porte de la Gaule. Mais ce ne sont plus les Grecs qui viennent y trafiquer; ce sont des commerçants et hommes d'affaires italiens, en particulier, de l'Italie méridionale et surtout de Campanie. Leur activité l'emporte d'ailleurs de beaucoup, en Gaule comme dans le reste du monde, sur celle que pouvaient déployer leurs prédécesseurs grecs ou étrusques. « Quelle splendide affaire », remarquait Cicéron, « que de commander au monde. » — « Pas une pièce d'argent », dit ailleurs l'orateur, « ne se déplace en Gaule sans figurer sur les livres de citoyens romains. »

Ceux-ci y faisaient donc la banque, servant d'intermédiaires entre l'administration romaine et les cités gauloises accablées de tributs, d'amendes, réquisitions et contributions de toute sorte, pour lesquelles ces *homines honestissimi* leur avançaient de l'argent à des taux usuraires. L'étude des monnaies gauloises nous montre précisément à ce moment la substitution de types imités des deniers romains aux pièces plus anciennes dérivant de modèles grecs.

Le vin reste toujours la marchandise la plus demandée, mais c'est maintenant celui de l'Italie méridionale qui est maître du marché. Dans les *oppida*, on trouve des amphores avec des marques latines. C'est à cette période que se rapportent les renseignements circonstanciés fournis par Diodore de Sicile. Le vin, dit-il, « inspire aux Gaulois une véritable passion; ils absorbent pur celui qu'introduisent chez eux les marchands et leur gourmandise les portant à en boire largement, ils s'enivrent jusqu'au sommeil ou à l'égarement. C'est pourquoi de nombreux commerçants italiens, poussés par leur habituelle cupidité, font de ce penchant des Gaulois pour le vin une source de profits. Par bateaux, sur les fleuves navigables ou bien par voie de terre et par chariots, ils importent du vin et reçoivent en échange de la boisson, l'esclave qui l'a servie. » Ils procèdent, en somme, comme ceux qui, aujourd'hui, vendent de l'alcool aux nègres d'Afrique.

Un discours de Cicéron pour la défense de Fonteius, gouverneur de la province romaine de Gaule en 76, accusé de prévarication, nous apporte des détails sur ce commerce. Fonteius a frappé la circulation du vin de droits élevés qui produisaient, reconnaît l'avocat, des sommes considérables. Il avait ainsi soulevé la colère des importateurs. Le fait était grave, « car il s'agit d'un impôt qui pèse sur l'une de nos productions » et qui touchait les viticulteurs de l'Italie méridionale en même temps que les intermédiaires. Les péages étaient établis le long de la route contrôlée par Rome de Narbonne à Toulouse et ils s'additionnaient. A la dernière station romaine, de nouveaux péages frappaient les vins passant en Gaule indépendante : six deniers par amphore d'environ vingt-cinq litres; l'amphore avait déjà payé à peu près autant pour atteindre la frontière. Ces droits ne semblent pas avoir restreint les importations. Des tessons d'amphores de la fin de la République se sont retrouvés à Essalois, dans la Haute-Loire, à Corrent et à Gergovie, en Auvergne, à Bibracte chez les Éduens, au camp de Pommiers dans l'Aisne, bien que les Belges, au dire de César, soient demeurés beaucoup plus étrangers au commerce avec Rome que les autres Gaulois. Une marque d'amphore à Périgueux et une autre à Coblence, semblent être celles de clients de Cicéron, de Rabirius pour qui il avait plaidé et d'un Galeo dont il avait recueilli l'héritage. Au temps de César, une importante colonie de négociants romains était installée à Orléans où elle fut massacrée au début du soulèvement de Vercingétorix en 52. Dès avant la conquête, la Gaule était entrée, par l'intermédiaire de la Province romaine, dans l'orbite du commerce méditerranéen.

D'autre part, la marine armoricaine et celle des Belges maintenaient des relations suivies avec le Sud et l'Est de l'île de Bretagne. Peu avant César, un roi des Suessions (Soissonnais) avait en effet réuni sous son commandement une partie de la Belgique et de l'île bretonne. Dans l'Est de la Gaule, les Trévires (Trèves) demeuraient en communication constante avec leurs voisins d'outre-Rhin, tandis que, dans le Sud-Ouest, les Aquitains poursuivaient leurs antiques relations avec les peuples du sud des Pyrénées.

En ajoutant, par la conquête, l'Occident à son empire, Rome ne fit que hâter un mouvement depuis longtemps commencé; elle réalisa politiquement une emprise déjà esquissée par ses négociants. Peuple intelligent et qui n'éprouvait nulle répugnance pour l'étranger, qui en avait au contraire la curiosité, les Gaulois avaient développé avec Rome et l'Italie les rapports commerciaux qu'ils avaient toujours recherchés avec le monde méditerranéen. La conquête eut pour effet de les isoler de l'Europe continentale et, momentanément, de la Bretagne insulaire. A l'axe est-ouest, elle substitua un axe commercial sud-nord. Ce fut au détriment de l'Italie elle-même. Dès le premier siècle de notre ère, la Gaule fournissait à l'Italie plus qu'elle n'en recevait; elle s'enrichissait tandis que l'Italie commençait à s'appauvrir. Sous le règne de Tibère, des insurgés gaulois opposaient à la pénurie italienne l'abondance de la Gaule. Au milieu du siècle on vit, fait paradoxal, des industries gauloises comme celle de la céramique concurrencer victorieusement, dans la péninsule même, les fabrications qui avaient fait la gloire d'Arezzo en Toscane et de la Campanie. Les potiers gaulois s'étaient assimilé les techniques italiennes; s'ils l'avaient emporté, ils le devaient à d'antiques traditions indigènes jointes à l'habileté que reconnaissait César à leur race pour mettre à profit les enseignements qu'ils recevaient de l'étranger.

V. — Les monnaies gauloises

Une série de documents témoignent de l'activité commerciale des Gaulois : ce sont leurs monnaies. On les trouve répandues dans l'ensemble du monde celtique, depuis les Iles Britanniques jusqu'en Hongrie. Les types en sont extrêmement divers et il est souvent difficile de les attribuer à un peuple gaulois plutôt qu'à un autre, précisément parce qu'ils se trouvent mélangés les uns aux autres. La date de chacun d'eux demeure également discutable; un même peuple a frappé des pièces différentes. L'étude des monnaies gauloises est compliquée et, malgré des travaux remarquables, demeure assez confuse. Leur abondance et leur diffusion suffit cependant à indiquer le développement des transactions dont elles furent les instruments.

Ces monnaies, dans leur ensemble, sont assez tardives. Celles qui sont proprement gauloises ne remontent pas plus haut que le début du IIIe siècle avant notre ère. Mais la monnaie proprement dite dut être précédée, en Gaule comme ailleurs, d'autres moyens de paiement. Les Romains employèrent longtemps à cet effet l'*aes rude*, fragment de métal brut que l'on pesait. En Gaule et dans les régions de l'Europe centrale qui furent celtiques, on rencontre fréquemment, réunis dans des cachettes, des fragments de bronze et des haches. Cachettes de fondeurs ou trésors? Ces haches, souvent, sont trop petites ou trop légères pour avoir pu servir d'armes; elles apparaissent parfois brisées intentionnellement en fragments de poids sensiblement égal; il y a toute apparence qu'elles étaient destinées au même usage que, plus tard, les monnaies. Lorsqu'au second âge du fer cessa la fabrication des haches de bronze, des bracelets ou fragments de bracelets de bronze ou des rouelles purent, pense-t-on, répondre au même office. En Grande-Bretagne, César signale comme servant de monnaies des barres de fer; on en a en effet trouvé quelques exemplaires. Dans les pays classiques, en Grèce et dans l'Italie étrusque, on sait que des tiges de fer semblables à des broches avaient été employées anciennement comme monnaies; c'est le mot *obelos*, broche, qui a fourni le nom de l'obole, la menue monnaie grecque. Des tiges de fer ont fort bien pu, en pays celtique, remplacer comme moyen de paiement, les morceaux de bronze et les haches de même métal.

En Gaule, les plus anciennes monnaies véritables sont, comme on pouvait s'y attendre, celles de la colonie grecque de Marseille. Elles ne datent que de la fin du ve ou même du début du ive siècle. Jusque-là, Marseille n'avait employé que des monnaies étrangères, provenant de différentes villes d'Asie Mineure. On a retrouvé à Auriol (Bouches-du-Rhône) un trésor composé de plus de deux mille pièces de ce genre, petites monnaies d'argent datant de la première moitié du ve siècle. A leur début, les frappes marseillaises s'inspirèrent, pour l'avers, de la tête d'Aréthuse des belles monnaies de Syracuse et, pour le revers, du lion des pièces de la colonie phocéenne de Velia en Sicile avec laquelle Marseille se trouvait en relations étroites. Plus tard, au ive siècle, vint le type au taureau cornupète qui fut imité au début du iiie siècle plutôt qu'à la fin du ive, par les peuples de la vallée du Rhône. Ces pièces, de petits bronzes coulés et non frappés, pénétrèrent jusque chez les Éduens de la Saône, les Séquanes du Jura et les Helvètes.

Les colonies espagnoles de Marseille avaient également créé des types monétaires. Les pièces de Rhodé (Rosas, sur la côte ibérique), portant au revers une rosace, symbole de la ville, ont pénétré largement dans tout le Languedoc; elles datent de la fin du iiie siècle et furent imitées par les Volques Tectosages de la région de Toulouse. La rosace se transforme sur ces imitations en une croix cantonnée de divers emblèmes : ce sont les pièces d'argent dites « à la croix », très répandues dans le bassin de la Garonne.

Marseille et ses colonies ibériques frappaient de la monnaie d'argent; la Gaule du centre et du nord adopta l'étalon or. Ses modèles furent les beaux statères d'or de Philippe de Macédoine. Philippe avait été assassiné en 336 mais la monnaie d'Amphipolis semble avoir continué à frapper en grande quantité des « philippes », pièces connues et réputées dans tout le monde antique. Dès le temps d'Alexandre, les Celtes s'étaient trouvés en rapport avec la Macédoine; c'est sa monnaie qu'ils copièrent (fig. 37).

A quelle date et par quel chemin les « philippes d'or » pénétrèrent-ils en Gaule? On a prétendu qu'ils y furent introduits seulement par l'arrivée des Romains en 125 av. J.-C. Une date aussi tardive est peu vraisemblable. C'est leur monnaie propre ou des pièces imitées des leurs et non celles de la Macédoine, quelle que fût leur vogue, que les Romains introduisirent en Gaule. Du reste, une génération avant leur apparition, le roi des Arvernes, Luern, semait du haut de son char des pièces d'or et d'argent, nous dit-on; rien ne permet, il est vrai, d'affirmer que ce fussent des pièces macédoniennes. Est-ce par l'Italie du Nord que la monnaie aurait pénétré en Gaule? Sans doute, au début du second siècle, les Gésates des Alpes et du Rhin étaient-ils venus à la solde des Gaulois de la plaine du Pô; mais, depuis longtemps, des relations suivies unissaient les Celtes de part et d'autre des Alpes et des rapports non moins suivis mettaient les Gaulois en rapport avec leurs congénères de la vallée du Danube. Depuis le IVe siècle, des mercenaires gaulois ser-

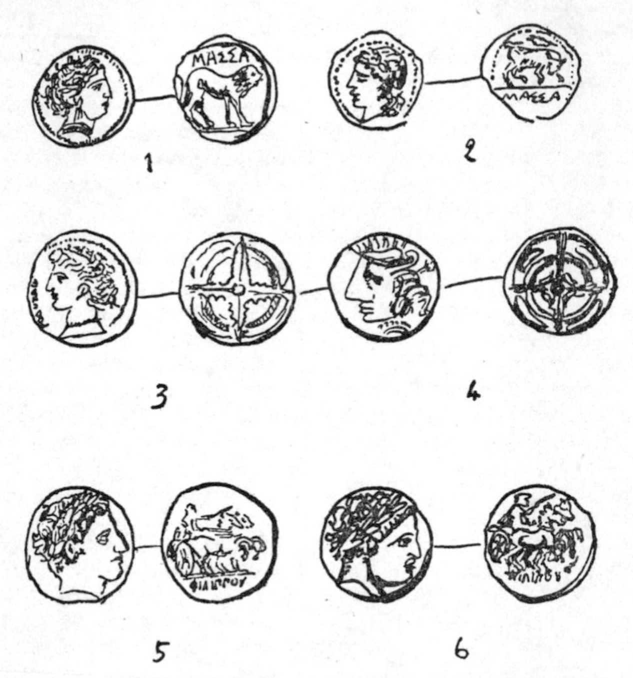

Fig. 37. — 1 et 2 : Monnaies de Marseille. — 3, 4 : Pièce de Rhodé (colonie marseillaise d'Espagne) et sa déformation gauloise. — 5,6 : Statère de Philippe de Macédoine et ses premières déformations gauloises.

vaient les princes helléniques. L'un de ces princes, Antigone Gonatas, roi de Macédoine de 272 à 242, aurait donné à ses mercenaires gaulois une pièce d'or par tête. N'est-ce pas directement de Macédoine, à travers l'Europe centrale, ou peut-être par la voie si fréquentée de l'Adriatique et des Alpes Juliennes, que les « philippes » ont atteint la Gaule, par le même chemin, en somme, que parcouraient depuis des siècles les produits de l'industrie grecque? Cette pénétration date du cours du IIIe siècle avant notre ère.

Une difficulté a longtemps arrêté les spécialistes de la numismatique gauloise. Les pièces d'aspect le plus barbare semblaient logiquement devoir être les plus anciennes; tous les indices, au contraire, leur attribuaient une date récente. C'est qu'en effet elles furent les dernières. Les premières imitations copièrent fidèlement le modèle; on a même supposé qu'elles pouvaient être l'œuvre d'artistes grecs au service des Gaulois. Puis les copies de copies se barbarisèrent progressivement (fig. 38 et 39). Au modèle oublié, les graveurs gaulois substituèrent peu à peu des conceptions propres et aboutirent à des types qui ne rappellent l'original lointain qu'à un œil fort averti. Les pièces gauloises sont d'autant plus récentes que la gravure en est plus celtique et moins grecque.

Les exemplaires authentiquement macédoniens de statères d'or demeurent extrêmement rares en Gaule. On n'en connaît que deux, l'un provenant de l'Hérault et l'autre de la Creuse. Des imitations anciennes d'une bonne qualité de gravure et que l'on peut dater de la fin du IIIe siècle ont été trouvées notamment en Suisse. Mais c'est seulement au cours du second siècle que se multiplièrent les imitations. Quelques autres pièces furent également prises comme modèles, en particulier une pièce de Tarente au type d'Amphitrite avec, au revers, les Dioscures; ce fut celle que copièrent des statères gaulois de Belgique. Chez les Arvernes, les Séquanes, les Éduens, les Bituriges, les Senons, dans toute la Gaule du centre, jusqu'en Armorique, les « philippes » macédoniens inspirèrent toutes les émissions locales. Les Boïens de Bohême frappèrent également des « philippes » d'or. Les Celtes de Hongrie, par contre, préférèrent l'étalon d'argent et imitèrent les tétradrachmes macédoniens au même type que les statères. Lorsque les Gaulois, remarque M. A. Blanchet, eurent emprunté les types macédoniens, ils ne cherchèrent guère, sans doute, à en pénétrer la signification; ils ignorèrent probablement que, d'un côté on y voyait la tête d'Apollon et de l'autre un bige qui rappelait la victoire remportée par le char de Philippe, probablement aux Jeux Olympiques. Ils transformèrent donc ces images de la façon la plus variée ou même, parfois, les remplacèrent par d'autres (fig. 40).

Généralement une tête de profil est conservée à l'avers, mais les boucles de la chevelure ou les feuilles de la couronne de laurier reçoivent un développement sans rapport avec l'original ; l'œil prend une importance excessive jusqu'à devenir, parfois, le seul élément reconnaissable; le champ est encombré d'ornements stylisés de type celtique, fleurons, signes en S, triscèles (fig. 41), chaînettes ou guirlandes se terminant par de petites têtes qui semblent des têtes coupées. Au revers, les deux chevaux du bige grec sont remplacés par un seul, souvent très déformé ou bien auquel on donne une tête humaine; le char n'est plus représenté que par une roue sous le ventre du cheval. On voit apparaître des attributs nouveaux qui devaient avoir, pour les Gaulois, une signification : très souvent, le sanglier, le taureau, inspiré, peut-être par celui des monnaies de Marseille, un oiseau, un serpent, le loup, plus rarement, un ours; ou bien une épée à large lame semble conduire le cheval ou se trouve placée sous son ventre; d'autres fois, c'est une lyre ou un vase, ou bien un personnage ailé vole sous le cheval, souvenir, probablement, des Victoires qui se voient sur des pièces grecques ou romaines. Les types sont extrêmement nombreux et divers (fig. 38, 39, 40).

Les déformations les plus fantastiques se trouvent sur les statères des peuples armoricains : l'œil, projeté en avant, semble sortir de la tête, une sorte de haste surmonte le crâne, comme un faisceau lumineux, les traits deviennent des ornements géométriques contournés. On a cru récemment pouvoir reconnaître dans ces déformations désordonnées quelques-uns des traits qu'en Irlande, l'épopée médiévale prête au héros Cûchulaïnn. Dans sa fureur guerrière, Cûchulaïnn est saisi de contorsions qui font de lui un être méconnaissable : « Il avala un de ses yeux dans sa tête au point qu'à peine un héron sauvage aurait réussi à l'amener du fond de son crâne à la surface de sa joue; l'autre saillit et alla se placer sur sa joue à l'extérieur. Sa bouche se convulsa fantastiquement, ses joues se retirèrent si bien que son gosier devint visible... Sa chevelure se tordit alentour de sa tête comme des rameaux d'épine rouge dans les trous d'une haie... Une pomme se serait fichée sur chacun de ses cheveux à cause du hérissement tordu qui s'élevait de sa chevelure au-dessus de lui. La lune du héros sortit de son front, aussi longue, aussi épaisse que la pierre à aiguiser d'un guerrier, aussi large que le nez... Aussi haut, aussi épais, aussi robuste, aussi fort, aussi long que le mât d'un grand navire amiral, était le jet de sang noir qui s'éleva juste au milieu du sommet de sa tête, perpendiculairement, si bien qu'il s'en formait une noire nuée druidique, semblable à la fumée

Fig. 38. — Monnaie gauloise de la région de Bayeux (Hucher, *L'art gaulois*, 2e part. p. 3, fig. 1).
Déformation gauloise du statère macédonien. Avers : tête d'Apollon, Revers : le char de Philippe vainqueur aux Jeux Olympiques.

Fig. 39. — Avers : sur les boucles de la chevelure, le sanglier gaulois, Revers : cheval à tête humaine; sous le cheval, Génie volant (Hucher. *L'art gaulois*, p. 7, fig. 3).

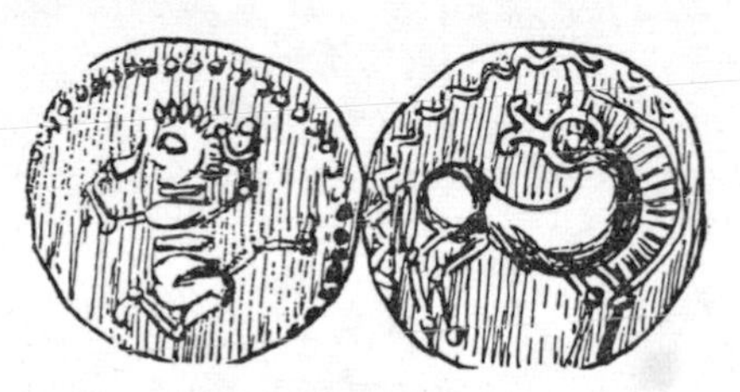

Fig. 40. — Avers : personnage dansant, tenant un couteau et un torques. Revers : un cheval regardant en arrière (Hucher, *L'art gaulois*, p. 23, fig. 29 *ter*).

qui sort d'un palais royal... » Ces traits qui sont du domaine de l'imagination pure, remarque Mme Sjoejstedt : émanations sortant de la tête, hérissement de la chevelure mêlée de motifs globuleux, déplacement de l'œil, flots de feu jaillissant de la bouche, surtout « la lune du héros » sortant de son front ou le jet de sang noir qui s'élève perpendiculairement au sommet de sa tête, trouvent d'exacts correspondants dans les figures du droit des statères armoricains. Serait-ce les monnaies qui auraient inspiré les fantasmagories de l'épopée ou bien monnaies et épopée ont-elles leur origine commune dans la tradition légendaire des Celtes?

Fig. 41. — Monnaies gauloises : Triscèles et fleurons stylisés (Hucher, *L'art gaulois*, 2e part., p. 65, fig. 93, p. 134, fig. 215).

On pensait autrefois que les Gaulois avaient souvent représenté leurs dieux sur leurs monnaies. Les identifications proposées ont été reconnues vaines. Tout au plus trouve-t-on de façon certaine le dieu Cernunnos sur des monnaies de Reims. Il y est figuré assis, les jambes croisées, dans la même posture que sur le bas-relief célèbre de la même ville; ces pièces doivent être d'une époque voisine de la conquête romaine. On a pensé aussi pouvoir reconnaître des portraits sur un certain nombre de pièces imitées des deniers de la

République romaine. Mais à Rome même, ces têtes ne sont que des têtes idéales. César, le premier, reçut en 44, l'année même de sa mort, le droit de faire figurer son image sur ses monnaies. Les têtes casquées ou non qu'accompagne le nom de Vercingétorix ne présentent aucun trait individuel; ce sont des figures idéales. M. A. Blanchet fait remarquer que ç'eût été une singulière imprudence, de la part du chef déjà soupçonné d'aspirer à la royauté, que de mettre son effigie sur les pièces qu'il émettait. Les profils que l'on voit à l'avers de monnaies portant les noms de chefs connus par les Commentaires de César ne paraissent pas davantage des portraits.

Quant aux légendes, elles prêtent à bien des incertitudes. Laissons de côté les monnaies de Marseille qui portent le nom de la ville; elles sont grecques et non gauloises. Pendant longtemps, les seules légendes qui apparaissent sur les pièces gauloises sont le nom de Philippe, plus ou moins altéré et réduit souvent à de simples bâtonnets. Plus tard, à une date qui ne saurait être antérieure au milieu du second siècle avant notre ère, apparaissent des noms qui, soit en caractères grecs soit en caractères latins, sont gaulois; on les trouve d'ailleurs réduits, le plus souvent, à des abréviations dont le développement reste douteux. Avons-nous à faire à des noms de peuples ou à des noms de personnes? Tantôt aux uns et tantôt aux autres, semble-t-il. Ainsi, la réunion des mots AULIRCO au droit et EBURO ou EBUROV au revers indique assez nettement qu'il s'agit des Aulerques Eburovices d'Évreux. Mais, sur d'autres pièces, le mot EBUROV se trouve joint à des mots tels que AMBILI ou DURNAC qui sont bien des noms de personnes. La légende CALEDU, sur des pièces d'argent ou de bronze, représente-t-elle un nom d'homme ou bien l'ethnique des Calètes du pays de Caux? On interprétera sans hésitation LIXOVIO : les Lixoviens de Lisieux; MEDIO et MEDIOMA : les Médiomatrices de Metz; ROMO, REMOS : les Rèmes de Reims. Cependant les noms de personnages semblent les plus nombreux mais ne paraissent dater que du Ier siècle avant notre ère. On a reconnu parmi eux, outre le nom de Vercingétorix, celui d'une vingtaine de chefs gaulois nommés par César, sans pouvoir affirmer qu'il s'agisse bien d'eux plutôt que de quelque homonyme inconnu : Orgétorix, Dumnorix, Divitiacus, Correus, Epasnactus, etc. A côté d'un nom, se lit sur des monnaies de Lisieux, le titre VERGOBRETO, vergobret, porté par les chefs élus des peuples gaulois. Ces interprétations certaines représentent d'heureuses exceptions; le plus grand nombre des identifications proposées, soit noms géographiques soit noms de personnes, demeurent discutables. La décision est particulièrement difficile lorsqu'il s'agit de noms qui peuvent appartenir à des hommes ou à des dieux. Ainsi AESU, ESUVIO, sur des monnaies de Jersey et de Bretagne, ont d'abord été compris comme désignant le dieu Ésus; on pense aujourd'hui qu'il s'agit d'un personnage nommé Esuvius. CAMULO sur une monnaie des Arvernes représente-t-il le dieu Camulus qui fut plus tard assimilé à Mars ou ne doit-il pas plutôt être développé *Camulogenos*, nom d'homme? BELINOS est-il le dieu Belenus, plus tard Apollon, ou un simple mortel?

Les noms d'hommes eux-mêmes peuvent être ceux de rois ou de chefs ou bien aussi ceux des magistrats chargés de la frappe des monnaies. En plusieurs cas se lit le titre ARCANTODAN qui signifie clairement maître de la monnaie (*arcanto*, argent, *dan*, *dannos*, maître). En bien des cas on put omettre le titre à côté du nom.

A partir du premier établissement des Romains dans le midi de la Gaule, à la fin du IIe siècle av. J.-C. et depuis le moment où le commerce avec l'Italie se fit plus actif, les deniers romains deviennent les modèles les plus ordinaires des monnaies gauloises. A côté de l'or, les pièces d'argent ou d'argent mêlé de cuivre appelé « potin », ou même de bronze, se multiplient, non seulement dans la vallée du Rhône mais dans toute la Gaule. Malgré une tendance toujours marquée au fantastique, la gravure des types apparaît plus régulière et plus sobre; elle manifeste même parfois de belles qualités de netteté, de vigueur et de finesse. A l'époque de César, la plupart des peuples gaulois en étaient arrivés à frapper, au nom de leurs chefs, des pièces portant au droit une tête de profil généralement assez bien venue et, au revers, une figure, char ou cavalier, d'un beau mouvement. L'art du graveur renonce, en partie, à ce caractère désordonné qui déconcerte dans les imitations des monnaies macédoniennes. La monnaie est devenue abondante; chaque peuple frappe la sienne propre et la circulation est active. Dans la plupart des *oppida* de La Tène III se trouvent mêlées des pièces locales et étrangères; des trésors composés d'espèces très diverses ont été enfouis. Dans le voisinage de quelques mines d'argent se rencontrent, avec des lingots de métal brut, des flans préparés pour la frappe et des quantités de pièces prêtes à être mises en circulation.

Après la conquête, quelques villes devenues colonies romaines, comme Nîmes et Vienne, conservèrent jusque sous

Tibère le droit de battre monnaie, mais seulement de la monnaie de bronze. Leurs types, bien connus, sont de style romain. Lyon, la nouvelle capitale des Trois Gaules, devint le siège d'une Monnaie romaine, frappant or et argent, qui fut supprimée par Caligula.

Parmi les monnaies celtiques étrangères à la Gaule, nous signalerons ces petites pièces d'or concaves que les Allemands nomment « petites coupes d'arc-en-ciel : *Regenbogenschuesselchen* ». Elles appartiennent à la haute vallée du Danube, depuis la région rhénane jusqu'en Bavière et en Bohême, c'est-à-dire aux pays encore occupés du temps de César par des Volques et des Boïens. Sans être particulièrement primitifs, les types en sont assez rudimentaires; les pièces sont d'ailleurs fort petites, ne mesurant guère qu'un centimètre ou un centimètre et demi de diamètre. Les déformations des signes qui figurent sur ces pièces : globules en nombre variable, serpent enroulé en bordure de la pièce, se rencontrent tout le long du Rhin jusqu'en Hollande et dans la Gaule du Nord. Entre la Seine et l'Oise et jusque chez les Santons de Saintes, des pièces globuleuses, le plus souvent en argent et simplement marquées d'une croisette, présentent un air de parenté avec ces monnaies danubiennes. De ces ressemblances on peut conclure à des relations suivies entre la Gaule et les Celtes de l'Europe centrale.

D'une façon générale, si les monnaies ne présentent qu'un intérêt artistique médiocre, si, d'autre part, elles n'ont guère fourni jusqu'ici de renseignements sur les conceptions religieuses des Gaulois ou si les indications qu'on croit en pouvoir tirer demeurent hypothétiques, cependant elles constituent un document important sur la civilisation gauloise, ses attaches et les influences subies. Elles témoignent notamment des relations des peuples gaulois entre eux et avec leurs voisins au-delà de toutes leurs frontières : Rhin, Manche, Pyrénées, Alpes. L'empire celtique en Europe ne fut peut-être jamais une réalité politique bien cohérente; il apparaît, grâce aux monnaies, comme le domaine d'une civilisation nettement caractérisée et un ensemble de relations développées entre les différentes provinces qui le constituaient. Le nom celtique représente, au premier chef, une unité économique.

L'ART GAULOIS **8**

I. — Caractère général

Les monnaies sont déjà des œuvres d'art. Par les déformations même qu'elles font subir aux profils gravés sur les pièces grecques, par les motifs qui figurent aux revers, elles manifestent nettement le style spécifique de tout l'art celtique. La civilisation qui s'est développée en Gaule depuis le ve siècle avant notre ère jusqu'à la domination romaine se trouve en effet liée à une forme d'art bien caractérisée et qui est propre aux Celtes. Essentiellement décoratif, épris de la ligne courbe dont il combine les éléments avec une fantaisie insouciante du réel, il rappelle, dans une certaine mesure, cet art contourné, dérivé du décor floral, qui chez nous, vers la fin du siècle dernier, s'était qualifié de « modern

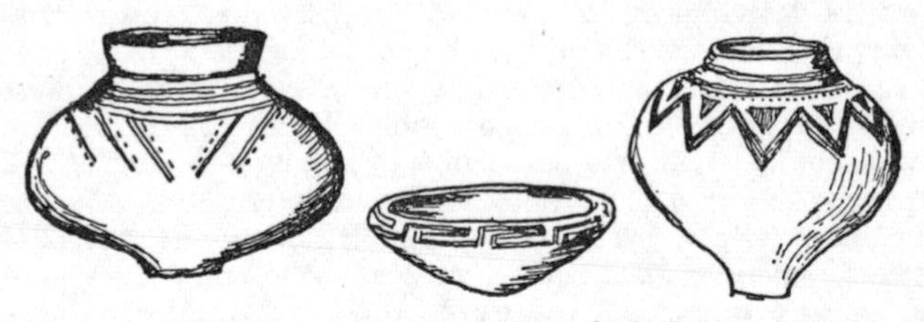

Fig. 42. — Art géométrique de Hallstatt
(Déchelette, *Manuel*, fig. II, 326, 327, p. 812, 813).

style » tout en se prétendant dérivé de notre Moyen Age et pensant plonger ses racines dans une veine autochtone. En somme, cette prétention n'était pas fausse. Il aurait pu tout aussi bien se rattacher à la tradition celtique.

Par la prédominance qu'il accorde à la ligne, cet art celtique de La Tène continue celui de l'âge de Hallstatt qui l'avait précédé. Hallstatt jouait surtout de la ligne droite (fig. 42); à la « dent de loup » angulaire, aux combinaisons de triangles, à la grecque, il ajoutait cependant la rosace et la spirale; il aimait alterner et opposer les couleurs. Ce goût de la couleur, tous ces motifs géométriques, reparaissent dans l'art de La Tène, mais les dérivés de la spirale deviennent l'élément prépondérant. Il s'y ajoute une influence du décor

Fig. 43. — Poterie de La Tène. Les formes sont différentes de celles de Hallstatt. Au début persiste le décor géométrique remplacé ensuite par des courbes stylisant les formes végétales et animales. (Déchelette, *Manuel*, II, 3, fig. 659-661, p. 1462, 1464.)

végétal grec, feuilles et palmettes. Les Celtes décomposent la palmette grecque, ils en opposent les vrilles qu'ils combinent avec la spirale pour en tirer un ornement en S dont ils font l'emploi le plus varié. Les feuilles prennent une forme que l'on a comparée à la vessie de poisson. Le monde animal n'est pas moins déformé que le végétal et s'y trouve étroitement mêlé (fig. 43) : un corps se termine par un fleuron, une figure se trouve complètement entourée de motifs floraux ou de leurs dérivés. La forme vivante devient un simple décor. Cet art abstrait, pour ainsi dire, et séparé du réel est animé d'un mouvement désordonné; il surprend par sa fantaisie; il n'en réussit pas moins à composer des motifs divers dont il joue avec virtuosité. Son style est fait à la fois d'exubérance et d'équilibre, il reste élégant dans sa complication, il est profondément original (fig. 44). C'est l'art d'un peuple sensible à la souplesse des lignes, qui comprend et apprécie le jeu, qui ne se soucie même pas d'exprimer quelque chose et cherche seulement une forme particulière du beau.

Fig. 44. — Anse en bronze d'un vase celtique d'Angleterre (Déchelette, *Manuel*, II, 3, fig. 702, p. 1526).

Comme l'ensemble des arts du Nord et du Centre de l'Europe pendant toutes les périodes de la préhistoire, cet art est un art de surface, c'est-à-dire qu'il enveloppe la matière, il ne la pénètre pas, à l'inverse de l'art classique dont la plastique pétrit, pour ainsi dire, le bronze ou le bloc de pierre jusqu'à sa profondeur. Le Gaulois se contente de la ligne incisée, de la surface légèrement entamée ou d'un modelé tout superficiel; il a le sens de la ligne et de la valeur colorée mais non pas du volume.

II. — La sculpture gauloise

Les Gaulois eurent-ils des sculpteurs ? Il est possible qu'ils aient taillé le bois; de ces œuvres, si elles ont existé, il ne peut naturellement rien nous rester. De véritable sculpture sur pierre, on n'a trouvé que quelques morceaux et seulement dans le Midi de la Gaule; on y peut reconnaître l'influence de Marseille, de l'Italie et des Ibères d'Espagne. Malgré de nouvelles découvertes, les monuments demeurent encore trop rares et les trouvailles sont trop étroitement localisées pour qu'on puisse parler d'une sculpture sur pierre gauloise.

« Les Gaulois », dit César, « possèdent de Mercure de nombreux simulacres. » Que faut-il entendre par le mot *simulacre*? Des statues ou des symboles? Des statues — il serait étrange que, dans l'ensemble de la Gaule, on n'en ait jamais trouvé trace. L'expression « *plurima simulacra* » désignerait, a pensé M. S. Reinach, les très nombreux menhirs ou pierres dressées qui peuvent, en effet, avoir représenté le dieu ou même simplement avoir servi de reposoir à la divinité.

De l'extrême fin de l'âge du bronze ou plutôt même du début de l'âge du fer, datent en Gaule des monuments que l'on appelle les « statues-menhirs » (fig. 45). Ce sont des stèles de 1,50 m à 2 mètres de haut portant, sur l'une de leurs faces, une image de divinité, le plus souvent d'une déesse, incisée plutôt que sculptée. Très grossièrement taillées, se rattachant à l'art rudimentaire de l'époque néolithique et n'ayant rien de celtique, ces statues-menhirs sont particulières aux départements de l'Aveyron, du Tarn, du Gard et de l'Hérault, c'est-à-dire étrangères à la Celtique propre. On n'en connaît pas d'exemple pouvant dater de l'époque de La Tène. Sur un menhir de Bretagne, à Plobanalec, ont été sculptées, à l'époque romaine, plusieurs images de divinités parmi lesquelles figure Mercure. Les menhirs, en a-t-on conclu, représenteraient donc la grande divinité celtique. Mais ils sont, pour le plus grand nombre, très antérieurs à l'arrivée des Celtes. Déchelette pensait donc que les « *simulacra* » de César sont,

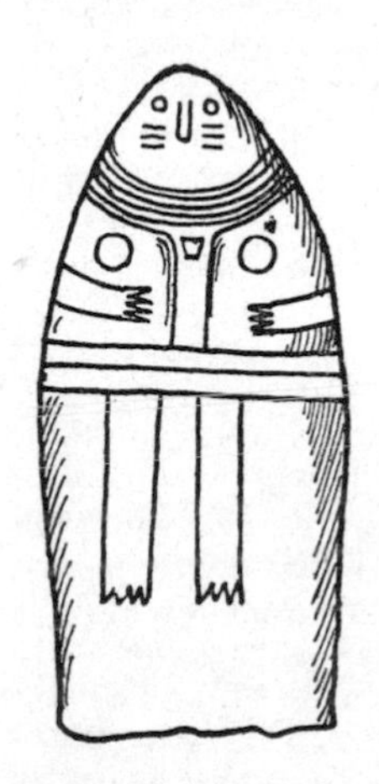

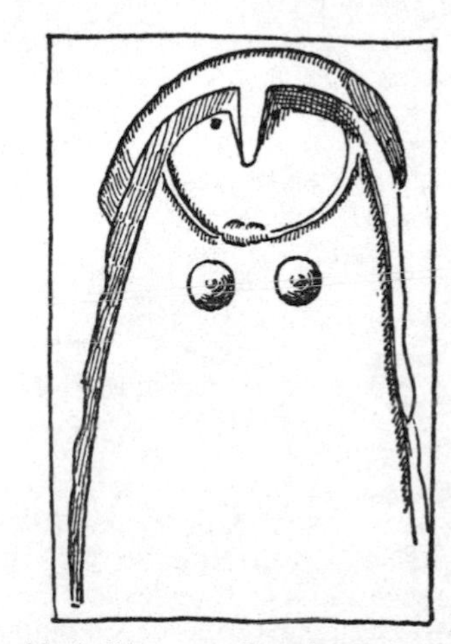

Fig. 45. — *A gauche* : Statue-menhir de l'Aveyron (Age du Bronze). — *A droite* : Divinité féminine sculptée sur la paroi d'une grotte sépulcrale de la Marne (Age néolithique).
(Cartailhac, *La France préhistorique*, fig. 105, p. 242.)

non pas les menhirs, mais les chenets en terre cuite ornés de têtes de béliers dont on a retrouvé d'assez nombreux exemplaires. Quoi qu'il en soit, il paraît bien que si les Gaulois avaient des symboles de leurs dieux, ils n'en possédaient pas, anciennement, de véritables images.

Ce que l'on sait de leurs idées religieuses porte en effet à penser qu'ils n'ont prêté que très tard et seulement sous l'influence gréco-romaine la forme humaine à la divinité. L'anthropomorphisme grec est une conception qui leur était primitivement étrangère. Lorsqu'à Delphes ils virent la statue d'Apollon enfermée dans son temple, ils s'en étonnèrent et rirent beaucoup, relate Diodore de Sicile. Il est inutile de supposer chez eux, comme chez les peuples sémitiques, une interdiction religieuse proscrivant les images. Nous croyons plutôt qu'ils n'en avaient pas l'idée. Une pierre dressée, un arbre remarquable, peut-être aussi, le chenet garnissant le foyer, pouvaient être le siège de la divinité invisible et sans forme. C'est ce que César a pu vouloir indiquer en parlant d'innombrables simulacres.

Quelques pierres, évidemment sacrées, sont ornées de sculptures décoratives. L'une d'elles, à Saint-Goar sur le Rhin, en forme de petit obélisque, porte, en relief peu saillant, un masque humain entouré de palmettes à trois feuilles, de « vessies de poisson » et d'ornements en S (fig. 46). Déchelette la croyait carolingienne, à tort, nous semble-t-il. Il reproduit lui-même des pierres gravées de dessins analogues, l'une de Kermaria dans le Finistère et l'autre d'Irlande, qui sont certainement celtiques. « L'art décoratif du Moyen Age », remarque-t-il, « présente d'étroites affinités avec celui du second âge du fer. » Il s'agit, en effet, de décoration linéaire incisée et non de sculpture véritable.

Seuls, les Gaulois du Midi, mêlés aux Ligures, ont donc taillé dans la pierre quelques statues ou bustes.

Ce sont tout d'abord, dans le voisinage de Marseille, des débris divers, ceux d'un oiseau en ronde-bosse, en particulier, et deux statues complètes auxquelles ne manque que la tête, recueillies dans le sanctuaire indigène de Roquepertuse à Velaux, près de Rognac. La statue représente un personnage assis les jambes croisées à la mode gauloise. Il est vêtu d'une sorte de dalmatique ornée de dessins géométriques. C'est un dieu, fort vraisemblablement. Le voisinage de Marseille explique la présence de sculptures dans ce sanctuaire. Sauf la posture accroupie, qui n'était certainement pas particulière aux Celtes, la statue dans sa raideur archaïque n'offre aucun des traits spécifiques de l'art gaulois. En 1943 ont été découverts, sur l'oppidum des Salyens, à Entremont, près d'Aix-en-Provence, plusieurs nouveaux fragments de statues, des têtes et des bustes ainsi qu'un bas-relief, moins raides que les sculptures de Velaux et qui datent des environs de 150 av. notre ère.

Dans la région de Nîmes, à Sainte-Anastasie, deux bustes trouvés quelques années auparavant représentent des personnages coiffés d'un casque probablement de cuir, en forme de vaste capuchon et pourvu d'une crinière qui se prolonge sur le dos. Des coiffures de ce genre paraissent avoir été inconnues chez les Gaulois. La sculpture paraît très archaïque. Elle peut être attribuée aux influences ibériques qui se sont exercées jusque dans cette région. Moins ancien, certainement, et pouvant

Fig. 46. — Pierres sculptées celtiques.
A gauche : Pierre de Kermaria (Pont-l'Abbé, Finistère) (Déchelette, *Manuel*, II, 3, fig. 700, 2, p. 1523).
A droite : Pierre de Turoé (cant. de Golway, Irlande) (*Ibid.*, fig. 700, 1).
En bas : Pierre de Saint-Goar (Pfalzfeld, Pays Rhénan) (*Germania*, 1932, fig. 6, p. 34).

refléter des influences grecques sinon déjà romaines, est le fragment de statue trouvé à Grézan, toujours dans le Gard. Comme les bustes de Sainte-Anastasie, c'était un guerrier et non un dieu. Il porte le même casque-capuchon, de dimensions plus réduites et, en outre, une cuirasse de type gréco-italique, en usage en Italie dès le IVᵉ siècle mais qui peut, en Gaule, être beaucoup plus tardive. L'œuvre n'est certainement pas antérieure à l'arrivée des Volques dans la région et doit dater, comme les derniers fragments d'Entremont, du IIᵉ siècle av. notre ère. L'art en demeure rudimentaire. On le comparera à celui de la belle statue, malheureusement sans tête, du guerrier de Mondragon, debout, tout nu, derrière son grand bouclier sur les bords duquel retombent les franges d'un manteau, véritable œuvre d'art qui ne doit remonter qu'au début de l'époque romaine. Ce sont les Gréco-Romains qui ont appris aux Gaulois à sculpter une statue.

III. — L'IMAGERIE CELTIQUE

Originairement, pour l'artiste gaulois, la forme humaine n'est qu'un motif de décoration. Les têtes coupées, bien qu'elles impliquent un souvenir, ne sont pas autre chose; ce sont, pourrait-on dire, des natures mortes à intention décorative. Bien différente est l'idée qui inspire une véritable image : il s'agit, par la reproduction de formes imitées de la réalité, de suggérer une idée ou un sentiment. Que la figure représente un dieu, c'est-à-dire qu'elle soit l'expression concrète d'une conception idéale, ou qu'elle soit un portrait, c'est-à-dire qu'elle reproduise une impression visuelle, elle vise à se rapprocher de la réalité vivante. Chez l'artiste comme chez ceux à qui s'adresse son œuvre, une telle création suppose une série d'opérations mentales particulières. Le dieu, tout d'abord, doit être imaginé semblable à un homme; ensuite, la personnalité d'un homme doit apparaître comme représentée, par une combinaison de traits et de volumes, par un jeu de lumières et d'ombres. Le dessin ou le modelé se substitue à la réalité, il l'évoque, l'apparence devient la réalité même; l'image est le dieu, elle est l'individu. De là l'effort de l'artiste pour reproduire aussi exactement que possible l'aspect d'un modèle vivant. L'histoire de l'art grec que l'on suit depuis ses débuts nous montre le progrès par lequel, de figures d'abord schématiques puis idéales, le sculpteur et le peintre sont arrivés peu à peu à une reproduction de plus en plus exacte de la nature. Rien de tel chez les Gaulois. La production d'images est pour eux une leçon apprise; elle part de modèles et non pas de l'imitation des apparences naturelles.

Dès avant la conquête, nous les voyons passer de la figure simplement décorative à celle qui doit exprimer quelque chose. Les artisans du métal étaient les grands décorateurs;

ce furent eux qui produisirent les premières images; ils les firent au moyen de leurs techniques habituelles : le repoussé et le burin. Ce ne furent tout d'abord que des sortes de masques encore très voisins de pièces simplement décoratives mais dont l'intention apparaît nouvelle. Telle est une tête de dieu, bien plutôt que d'un homme, qui se trouve au Musée de Tarbes et doit provenir de la région. Ce n'est probablement qu'une partie d'une image plus complète, buste ou personnage entier, à moins que la tête de bronze ait été simplement fichée sur un corps en bois. Les traits du visage sont extrêmement schématiques : le nez, aux arêtes rectilignes, n'est qu'une figure géométrique, la bouche, un simple sillon sans lèvres; les orbites des yeux sont des ovales bordés d'une ciselure conventionnelle, destinés à enchâsser une pierre ou une pâte vitreuse. Ni les arcades sourcilières ni le front ne se trouvent marqués; immédiatement au-dessus du nez et des yeux surplombe la masse de la chevelure représentée par une superposition de doubles spirales ciselées; la barbe, encadrant les joues et le menton, est faite de petits traits ondulés; le cou est un simple cylindre. Si rudimentaire que soit la technique et le dessin, l'intention de l'ensemble est nette : nous avons là l'imitation d'un visage réel, la figure d'un être vivant, qu'il soit dieu ou homme, en somme, les éléments d'un portrait.

De quel siècle dater une telle œuvre? Elle est indépendante de toute influence classique. Le motif de la double spirale qui représente les boucles de cheveux appartient au répertoire le plus courant de la décoration celtique. Mais il se retrouve ailleurs et la région d'où provient cette tête était soumise aux influences ibériques. Ce bronze de Tarbes peut être antérieur de deux ou trois siècles à l'arrivée des Romains, comme il peut être le travail d'un artisan de village beaucoup plus tardif. Contentons-nous de le qualifier d' « aquitain ».

La même technique se retrouve dans quelques œuvres gauloises dont on ne saurait non plus préciser la date. Un dessin moins rudimentaire, des essais de modelé pour les joues, les lèvres, le menton, indiquent une époque moins ancienne; ils accusent une influence romaine; ils peuvent remonter aussi bien aux temps antérieurs à la conquête où les monnaies témoignent d'un art au moins aussi habile, qu'au siècle qui l'a suivie. Ce sont une demi-douzaine de masques ou de têtes en bronze, en argent ou même en fer, provenant du Vieil-Évreux, de la forêt de Compiègne et de Notre-Dame d'Alençon (Maine-et-Loire), étudiés par R. Lantier dans les Monuments Piot en même temps que le masque de Tarbes. L'aboutissement en est la tête de bronze de l'ancienne collection Danicourt trouvée dans le lit de la Saône près de Lyon, dont le type fortement individualisé par une chevelure plate, de gros yeux globuleux et la moue esquissée par les lèvres, fait penser à un portrait plutôt qu'à l'image d'un dieu. En bronze fondu et non plus repoussé, elle ne doit dater que de l'époque romaine.

Encore plus évolué et nettement gallo-romain est le buste d'homme ou de femme, divinité ou portrait, trouvé à Beaumont-le-Roger près d'Évreux et que conserve le Musée de Saint-Germain. C'est un ex-voto comme l'indique l'inscription *Esumopas Cnusticus v*(*otum*) *s*(*olvit*) *l*(*ibenter*) *m*(*erito*) : un nom propre suivi du patronymique et de la formule de dédicace. L'œuvre représente une vraie figure humaine d'un type individuel et dont le modelé ne manque pas d'habileté. Les yeux taillés en amande, comme ceux du masque de Tarbes, sont comme eux bordés de menues incisions figurant les cils; les pupilles, placées haut contre la paupière supérieure, donnent une expression de rêverie ou de contemplation pieuse; la bouche est assez bien dessinée mais le nez est encore très schématique; un effort a été tenté pour indiquer les muscles du cou, les boucles de la chevelure qui encadre tout le visage sont encore traitées suivant la convention ancienne par des spirales ou des courbes symétriquement disposées. On constate la fusion du style décoratif celtique et de l'art du portrait romain. Comme la tête Danicourt, elle est en bronze fondu.

Le monument le plus curieux de cette série est la statuette de cuivre en partie fondu et en partie repoussé, haute de 0,42 m, trouvée à Bouray (Seine-et-Oise), restaurée au Musée de Saint-Germain et publiée par les soins de R. Lantier. C'est un dieu, représenté assis, les jambes pliées en avant de lui; il ne lui manque que les bras. « La statuette était primitivement composée de six pièces de métal indépendantes : deux plaques de cuivre repoussé pour chaque face du tronc et des membres inférieurs, deux cylindres pour les bras, enfin deux plaques fondues assez épaisses constituant-l'une le visage et la partie antérieure du crâne et du cou, l'au, tre, l'occiput et la nuque. Les divers morceaux, soudés les uns contre les autres, ont les joints recouverts de petites languettes de cuivre plates qui les dissimulent. » Ce n'est encore, suivant l'expression de R. Lantier, « qu'un travail de chaudronnerie ». Le soin apporté au traitement des pectoraux contraste avec le dessin à peine reconnaissable des jambes et des pieds et la complète méconnaissance du volume de la partie inférieure du corps. Pour la tête et la poitrine, l'artisan avait pu voir des modèles; il lui a fallu composer lui-même le reste et il n'y a pas réussi; il s'est contenté d'un tracé très approximatif qui lui a semblé indiquer suffisamment une posture connue de tous. « La tête, qui occupe à elle seule la moitié du monument, repose sur un cou volontairement trop massif » qui n'est qu'un long cylindre interrompu par le renflement du torques. « Le visage, aux traits accentués mais figés, est lourd »; le modelé fait presque complètement défaut. A la racine du nez s'attachent deux puissantes arcades sourcilières qui se prolongent en arc de cercle jusque vers le haut des oreilles saillantes. Cils et sourcils sont indiqués par des lignes de points ou de stries. Les orbites étaient faites pour enchâsser des pâtes de verre dont l'une est encore en place, maintenue par du plomb. La pupille bleue et le blanc de l'iris donnent à la figure un semblant de vie. Comme l'indique le traitement des cheveux, semblable à celui de la tête Danicourt, l'image ne date probablement que de l'époque romaine. Elle n'en présente pas moins tous les caractères des premiers essais d'art figuré gaulois.

En bronze coulé et creux à l'intérieur étaient un certain nombre d'images, notamment celles d'animaux servant d'enseignes, comme ces sangliers que l'on voit représentés sur l'arc d'Orange parmi les boucliers et trophées d'armes gauloises. Ce type du sanglier, avec sa hure puissante et sa crinière dorsale hérissée, représente une stylisation vigoureuse et si heureusement réussie qu'elle a été mainte fois reproduite par de petits bronzes d'époque romaine. M. R. Lantier a publié deux enseignes d'un autre type provenant des régions d'Auxerre et de Châlons-sur-Marne. Ce sont des chevaux, de 20 à 30 centimètres de long, soudés sur une plaque de fer servant de base. La plaque de fer et le ventre du cheval sont percés d'un trou destiné à l'emmanchement de la hampe. Les chevaux sont de deux modèles différents, l'un, mince et allongé, dans le genre des images anciennes datant de l'époque de Hallstatt, l'autre, plus réaliste et dont la lourdeur est encore accusée par la disproportion entre l'avant-train d'un volume excessif et l'arrière-train trop maigre. Nous avons là non pas deux espèces de chevaux, mais deux styles artistiques divers.

IV. — Le chaudron de Gundestrup

On ne saurait manquer de tenir compte pour l'histoire de l'imagerie gauloise d'un monument insigne trouvé dans une tourbière du Danemark, le chaudron de Gundestrup, en argent, orné de plaques repoussées figurant des images et des scènes diverses. Restauré, il est aujourd'hui l'un des joyaux du Musée de Copenhague.

Ce chaudron de Gundestrup est un vaste récipient de 0,63 m de diamètre et de 0,33 m de profondeur, évidemment destiné au culte. Il était orné, à l'extérieur, de sept images de divinité, quatre dieux et trois déesses — l'une des plaques, figurant probablement une déesse, est manquante; et, à l'intérieur, de cinq reliefs plus grands — l'un fait également défaut — représentant des scènes diverses. Les divinités figurées à l'extérieur du chaudron ne sont représentées que par des bustes très schématiques; il ne peut être question de les identifier. Les dieux, reconnaissables à leur barbe, ont uniformément les bras levés; l'un serre dans ses poings deux hippocampes, un autre tient deux cerfs par les pattes de derrière, un autre, deux hommes; le quatrième a également les poings fermés mais les deux personnages apparaissent libres de part et d'autre de sa tête et un petit cavalier caracole sur son épaule. Les déesses dont le buste est semblablement entouré de personnages plus petits et d'animaux réels ou fantastiques ont les bras croisés au-dessous de seins minuscules; l'une cependant soutient au bout de l'une de ses mains, levée à hauteur de la tête, un petit oiseau tandis qu'au-dessus d'elle, deux oiseaux plus gros déploient héraldiquement leurs ailes : c'est une déesse aux oiseaux. Sur les épaules d'une autre, un petit personnage semble danser, de l'autre côté se voit un Hercule imberbe luttant contre le lion de Némée. Autour de la troisième, deux bustes plus petits, un dieu barbu et une déesse, tous deux les bras levés, peuvent représenter ses enfants.

Les scènes figurées à l'intérieur du chaudron sont plus complexes. C'est, tout d'abord, une déesse, faisant le même geste que celles de l'extérieur; au-dessous d'elle sont deux rosaces, au-dessous encore, deux griffons et peut-être un loup ; en haut, s'approchent d'elle deux éléphants bien reconnaissables à leurs défenses et à leurs trompes. Une autre plaque nous présente le dieu accroupi à ramure de cerf; à sa droite se tient un cerf surmonté d'un taureau, à gauche, deux lions sont affrontés et deux chiens ou loups se superposent, un homme chevauche un dauphin; devant lui, un taureau haut encorné semble immobile. Sur la troisième plaque, un dieu, toujours représenté en buste, tient la roue qu'un guerrier casqué, agenouillé auprès de lui, paraît essayer de tourner; tout autour, bondissent des animaux : trois griffons ailés avec le serpent cornu et, au registre supérieur, deux chiens ou loups. Deux scènes, empruntées au monde humain et non plus divin, complètent la décoration : une lustration de l'armée partant en campagne; au registre supérieur, quatre cavaliers précédés du serpent cornu, au-dessous, six fantassins suivis d'un chef qui semble porter l'épée sur l'épaule et de trois joueurs de trompe. En avant de ce double défilé, occupant en hauteur tout le champ, un personnage gigantesque a saisi par la taille et par une jambe un petit être humain qu'il va plonger, la tête la première, dans un bassin : le sacrifice par suffocation à Teutatès, tel que le décrit un scoliaste antique. Vient enfin une chasse ou plutôt un sacrifice de trois taureaux. Les bêtes sont immobiles; de chacune d'elles s'approche un homme dirigeant vers leur poitrail la pointe de son épée. Trois chiens courent en avant des hommes, trois guépards bondissent au-dessus des taureaux. Un médaillon au fond du vase représente, vu d'en haut, un taureau immolé avec l'homme qui l'a tué et son chien. Sur tous ces reliefs les espaces entre les figures sont remplis de folioles du plus pur style de La Tène.

La composition et l'exécution de ces images est nettement celtique. L'inspiration en apparaît extrêmement diverse. Quelques-uns des motifs proviennent de l'art indigène de l'Europe centrale aux temps hallstattiens, tel le défilé des troupes qui présente d'étroites ressemblances avec des scènes analogues figurées sur des vases de bronze de l'Italie du Nord et des Alpes Juliennes ou des ceinturons métalliques des mêmes régions, ou encore sur la lame d'une épée de Hallstatt. Mais d'autres sont étrangers. Les uns, griffons, hippocampes, animaux fantastiques, viennent d'Ionie, à travers la Grèce peut-être, ou par les côtes de la Mer Noire. Le lion, le léopard, les éléphants sont asiatiques. Le groupe d'un homme luttant avec un lion est une figuration ancienne du mythe d'Hercule. Le geste des deux bras levés et des mains tenant soit des animaux soit des hommes, est celui du Maître et de la Maîtresse des hommes et des animaux d'Asie Mineure. D'autres motifs viennent de plus loin, de Mésopotamie; on ne saurait dire par quels intermédiaires : les déesses tenant leurs seins dérivent de la déesse nue babylonienne. En somme, les influences orientales prédominent. Cette imagerie celtique est copiée sur des modèles exotiques ou, du moins, en majeure partie, inspirée d'eux.

On n'en aperçoit pas moins un effort original pour exprimer des imaginations proprement celtiques ou même reproduire des choses vues. D'origine asiatique, comme il semble, dieux et déesses portent le torques, insigne pour ainsi dire de la nationalité celtique. Ce ne sont donc pas des figures quelconques mais bien des divinités celtiques. L'un des dieux tient une roue, attribut du dieu céleste des Gaulois; le personnage qui essaye de faire tourner cette roue est coiffé d'un casque orné comme celui des Gaulois de cornes de taureau bouletées; c'est l'expression, évidemment, d'un mythe gaulois inconnu. La déesse aux oiseaux dont une servante tresse les nattes est probablement l'image précise d'une déesse des Celtes aux oiseaux. Deux personnages qu'un dieu a saisis par l'un des bras élèvent chacun de l'autre bras au-dessus de sa tête un sanglier, symbole proprement celtique. Sur l'une des plaques du chaudron se voit la première représentation du dieu gaulois Cernunnos à la tête couronnée d'une ramure de cerf. On y reconnaît tous les éléments qui seront plus tard représentés sur des bas-reliefs d'époque romaine : le dieu cornu est assis les jambes repliées en avant de lui, il tient d'une main le serpent à tête de bélier, et, de l'autre, élève un torques; il a à côté de lui un cerf et un taureau. Sur la grande plaque représentant la lustration et le défilé de l'armée abondent des détails nouveaux et précis qui n'ont pas été empruntés au répertoire d'un art étranger. Les musiciens soufflant dans la « carnyx » gauloise au pavillon formé par la gueule ouverte d'un dragon tiennent leur instrument haut levé, verticalement au-dessus de leurs têtes, de toute la hauteur d'un homme. Nous avons sur cette même plaque la représentation unique d'un sacrifice humain. Les fantassins portent le grand bouclier oblong des Gaulois; les casques des cavaliers sont surmontés de cornes, d'une roue, d'un oiseau ou de petits sangliers. En avant de la troupe apparaît le serpent cornu. On est frappé de la précision avec laquelle sont rendus les détails du costume, de l'armement et même du harnachement des chevaux. Le talon des cavaliers est armé d'un éperon; c'est cette particularité qui permet d'assigner au chaudron la date du premier siècle avant notre ère.

Quant à savoir où et par quel peuple celtique l'œuvre a été faite, il faut se contenter d'hypothèses. L'abondance des motifs d'origine orientale a fait supposer la basse vallée du Danube; on a même parlé des Scordisques que nous trouvons au premier siècle vaguant entre la Mer Noire, la Drave et la Save. Comment le chaudron a-t-il abouti au Danemark? Il a été déposé dans la tourbière en pièces détachées; il pouvait avoir été apporté de loin; chacun en peut imaginer à son gré l'odyssée.

Si l'on compare le style de toutes ces figures celtiques, masques et têtes ou personnages complets comme le dieu de Bouray, reliefs comme ceux du chaudron, avec celui des ornements simplement décoratifs, on est frappé du contraste qui les sépare. Autant l'un est aisé, habile, fantaisiste, élégant, autant l'autre est maladroit et lourdement appliqué. On dirait l'art de deux peuples différents. La même opposition se remarque entre l'art de La Tène et l'art gallo-romain, l'un stylisant jusqu'à l'outrance les formes naturelles, l'autre pesamment réaliste. Les premiers essais d'art figuré accusent cette dernière tendance et lorsque, plus tard, sous l'influence romaine, les Gaulois se sont mis à sculpter la pierre, ils se sont généralement asservis au modèle; le scrupule du détail leur a fait oublier l'harmonie de l'ensemble; ils ont cherché le vrai plus que le beau. L'art gréco-romain, cependant, pouvait leur enseigner l'idéalisme autant que le réalisme. Contrairement à ce qu'eût fait attendre sa tradition, la Gaule adopta le naturalisme de la veine populaire italienne. On dirait la revanche d'une tendance naturelle comprimée par la fantaisie des Celtes.

Les quelques exemples que l'on peut rassembler d'art figuré celtique demeurent, en somme, des exceptions. Leur maladresse même témoigne assez que les essais n'avaient pas été très poussés et que les œuvres de cette catégorie étaient rares. Le véritable art des Celtes avant la conquête romaine est essentiellement décoratif; il est tout entier au service du luxe de l'aristocratie gauloise. Le bronzier, le bijoutier, l'émailleur, celui qui coule le métal, qui cisèle, qui burine, se donne pour tâche non pas de reproduire ce qu'il voit, non pas d'imiter la vie, mais simplement de l'orner.

C'est donc l'art décoratif qu'il convient d'étudier chez les Gaulois, et, en première ligne, celui du métal.

V. — Le décor celtique

Nous avons déjà signalé, en étudiant l'armement gaulois, un type de poignard caractéristique de l'époque de La Tène, dit poignard anthropoïde (ci-dessus, p. 173); la poignée figure en effet un petit personnage, les bras levés et les jambes écartées (fig. 47). L'image est extrêmement stylisée et, souvent, simplement indiquée : c'est l'ornement qui l'a inspirée et non pas le réel. Les bras levés dérivent des antennes qui, à l'époque de Hallstatt, garnissaient le pommeau des épées. Entre les antennes, le pommeau sphéroïde est devenu une tête humaine; la poignée elle-même forme le corps et les jambes font la garde. L'artiste joue avec les formes; il ne se soucie ni de proportions ni de vérité.

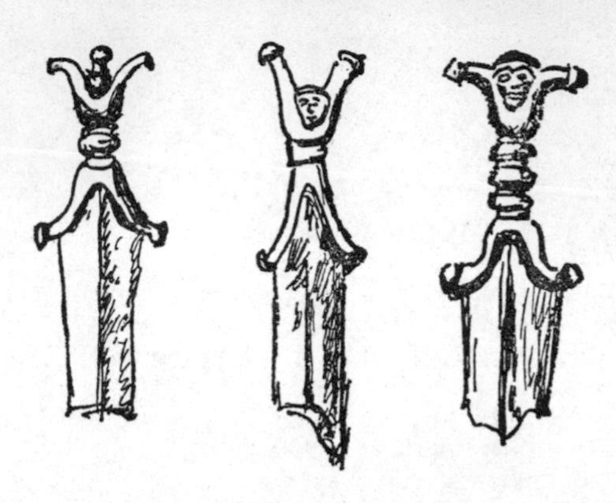

Fig. 47. — L'évolution formatrice du poignard anthropoïde.
(Déchelette, *Manuel*, 11, fig. 474.)

Il donne libre cours à sa fantaisie décorative sur les fourreaux de bronze des épées, les ornant de ciselures qui se développent depuis le haut jusqu'à la bouterolle, rinceaux de toute sorte, signes en S, triscèles, quelquefois même, à la partie supérieure, petites figures d'animaux fantastiques, le tout tracé avec une sûreté, une verve et un sens du décor remarquables (fig. 48).

On retrouve le même style et les mêmes ornements sur les phalères, sur les bijoux et notamment sur les bandeaux d'or ajourés des riches sépultures de Champagne et surtout de la région rhénane. Les bijoux gaulois, colliers, bracelets et fibules, les agrafes de ceinturons sont souvent de véritables œuvres d'art. « Partout », écrit Déchelette, « des feuilles de palmettes présentant souvent la même forme, des larmes ou des vessies de poisson, dessinent des courbes gracieuses et composent un thème décoratif d'une incontestable élégance. »

Le centre de civilisation qui a, non pas créé mais au moins développé, dès le début du ve siècle avant notre ère, ce style décoratif qui restera celui de La Tène, se localise sur les deux rives du Rhin moyen, en particulier sur la rive gauche, entre le fleuve et l'Eifel, dans les régions qui furent celles des Médiomatrices et des Trévires, entre Metz, sur la Moselle, et Cologne. C'est là qu'ont été trouvées les sépultures les plus anciennes et les plus riches, avec de beaux bijoux d'or et la plus grande abondance de vaisselle de bronze de provenance grecque ou italienne. Les voies du commerce conti-

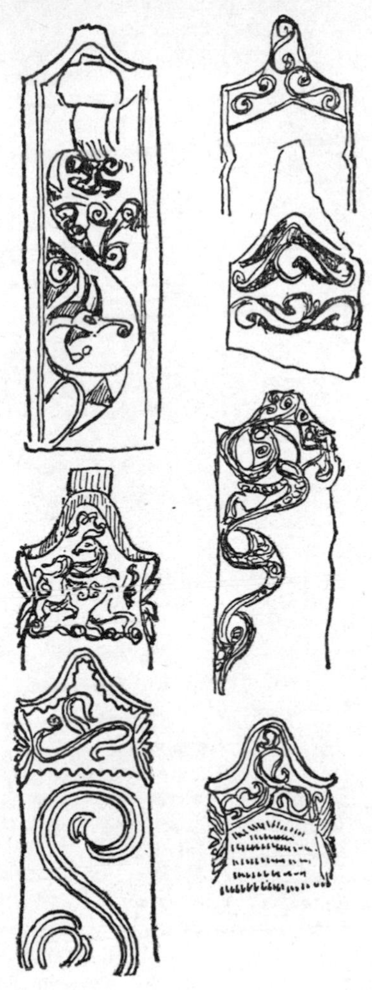

Fig. 48. — Décoration de plaques de bronze revêtant des fourreaux d'épées celtiques (Déchelette, *Manuel*, II, 3, fig. 463, p. 625).

nental atteignaient ce pays et les objets précieux qu'elles y faisaient parvenir suscitaient l'effort des artisans locaux. Les trouvailles de bronzes des grands *tumuli* rhénans nous permettent de comparer les imitations celtiques à leurs modèles grecs.

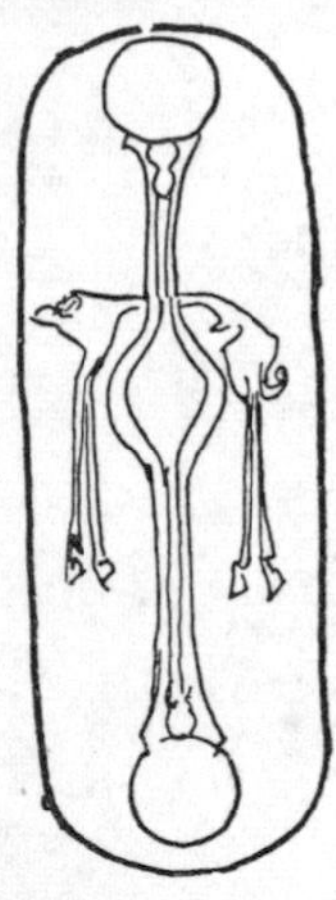

Fig. 49. — Bouclier en bronze orné d'un sanglier stylisé (Angleterre), long. 1,10 m (Déchelette, *Manuel*, II, 3, fig. 497, p. 691).

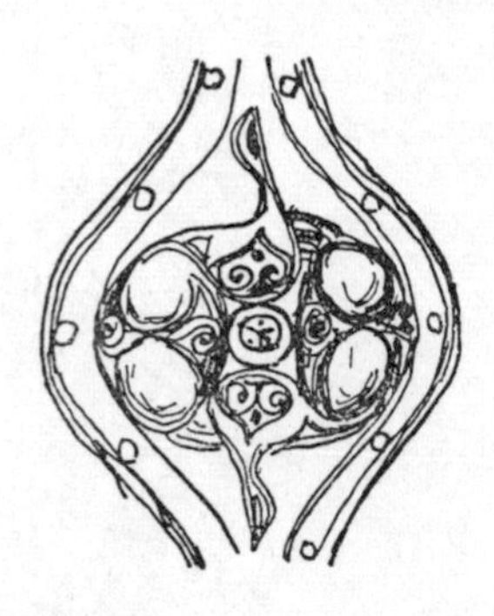

Fig. 50. — Détail de l'*umbo* (pièce centrale du bouclier, fig. 49).

Voici, par exemple, les trois vases trouvés à Bouzonville, dans la région messine, qui ont abouti au British Museum (fig. 51). L'un est un grand récipient de fabrication grecque, un *stamnos* de forme ovoïde, sans ornement, fait d'un métal très mince et d'une belle patine, indice de sa qualité. Il mesure de 40 à 45 centimètres de haut; il est en bronze fondu. L'une des poignées, détachée, l'autre encore en place, sont en métal massif. Les deux vases qui l'accompagnaient, également en bronze fondu, sont des produits indigènes. Ce sont des cruches, hautes de 38 centimètres. Leur galbe concave, leur épaule anguleuse, leur décoration chargée, sont de style celtique. Les anses, les boutons du couvercle, figurent des animaux de formes très stylisées et sur lesquels sont en outre gravés des ornements spiraliformes. Les oreilles ressemblent à des feuilles. On ne saurait préciser quel est l'animal représenté. Au bout du versoir se trouve un petit canard semblable à ceux que l'on trouve fréquemment représentés en Étrurie. Cet art a ses origines à la fois en Grèce et en Italie mais il tient aussi de très près à celui de l'Europe centrale pendant le premier âge du fer; il accuse même des influences venues de très loin vers l'Est, par l'intermédiaire des Scythes, ou peut-être des Sigynnes que mentionne Hérodote : « La région au-delà de l'Ister (Danube) paraît être un désert immense. Tout ce que j'ai pu en apprendre, c'est qu'il s'y trouve une peuplade qu'on nomme les Sigynnes, faisant usage du costume médique (tunique courte et pantalon : la saie et les braies comme les Celtes). Leurs chevaux sont couverts, sur tout le corps, de crins dont la longueur est de cinq travers de doigt; ces chevaux sont de petite taille, camus et

Fig 51. — Vases de bronze de Bouzonville (Moselle). — *Au milieu* : un *stamnos* grec; *de part et d'autre* : deux *oenochoés* de fabrication gauloise.

incapables de porter des hommes. Attelés à un char, leur rapidité est extrême, aussi les Sigynnes sont-ils conducteurs de chars. Ils étendent leurs limites jusqu'au voisinage des Énètes, de ceux qui demeurent devant l'Adriatique... »

Cette région de l'Adriatique, Alpes Juliennes et Norique, est précisément celle où se développe, vers la fin du premier âge du fer et le début du second, un art remarquable du bronze repoussé qui exerce son influence jusque sur l'Italie du Nord. La décoration florale des bronzes d'Este n'est pas sans une certaine analogie avec celle que l'on trouve chez les Celtes. Le passage oriental des Alpes et la vallée du Danube conduisent au Rhin.

Leurs modèles de diverse origine, les Celtes les ont amalgamés pour en tirer un style propre.

Revenons aux vases de Bouzonville. A la base et au bord du goulot une décoration originale résulte de l'association de deux matières dont l'emploi est à peu près exclusivement celtique : le corail et l'émail. Dès le milieu de l'époque de Hallstatt, le corail apparaît employé comme grains de colliers ou serti dans le métal. Il devient beaucoup plus abondant à la première période de La Tène. Il semble qu'il soit arrivé de la Méditerranée orientale par le commerce campanien ou l'Adriatique. Plus tard, on le recueillit aux îles d'Hyères. Puis, sans qu'on en saisisse la cause, à la seconde période de La Tène, le corail devient rare. Peut-être le courant commercial grec qui le fournissait s'est-il, depuis Alexandre, détourné vers l'Inde. Il est, à partir de ce moment, remplacé par un succédané, l'émail rouge. Rarement on trouve, comme ici, les deux matières employées en même temps; l'une ou bien l'autre décore les fibules, bracelets ou colliers. D'où vient aux Celtes cet art de l'émail? De l'Orient, bien évidemment, où il était depuis longtemps connu. Comme intermédiaire, il nous faut toujours supposer ces peuples qui, depuis les steppes russes ou par le nord de la Mer Noire, remontaient la vallée du Danube. L'industrie s'en développa brillamment en Gaule et, durant la troisième période de La Tène, c'est la Gaule qui fournit l'émail à l'Europe centrale. Les émaux de Bibracte sur le Mont Beuvray se retrouvent en Bohême à l'oppidum (Hradischt) de Stradoniç. A l'époque romaine, cette industrie devient la spécialité des Celtes de Bretagne. Peut-être avait-elle subsisté obscurément en Gaule où nous la voyons renaître à la fin du IIe et durant le IIIe siècle.

Pour les vases de Bouzonville, la présence du *stamnos* grec fixe la date du Ve siècle avant notre ère. L'usage développé qui est encore fait du corail confirme cette ancienneté; les émaux rouges qui s'y mêlent sont l'un des exemples les plus anciens que l'on connaisse. La facture des vases témoigne d'une technique déjà parfaite et leur décoration, d'un sens artistique original et élégant.

VI. — La céramique gauloise

Une autre industrie gauloise témoigne encore d'un même goût artistique : c'est la poterie. Sans doute la plus grande partie des vases d'usage courant est-elle fabriquée assez grossièrement soit dans la famille soit par quelque artisan

Fig. 52. — Vases gaulois des Ardennes et de la Marne et bande d'ornements peints sur vases (Déchelette, *Manuel*, II, 3, fig. 659-661, p. 1462).

local, sans autre souci que l'utile. Mais dans les tombes riches on trouve de beaux vases d'une facture très soignée, dont les formes et parfois la décoration font de véritables œuvres d'art. Par la couleur de la terre, variant du noir au brun, toujours parfaitement épurée et lustrée, cette poterie cherche l'apparence du bronze. Elle imite soit les formes anguleuses du métal laminé et rivé, soit les courbes élégantes de la vaisselle de bronze fondu. Elle n'est que le substitut des produits de la toreutique (fig. 52).

Parmi les vases de luxe, quelques-uns manifestent une tendance différente : ils sont peints. Sur un enduit de couleur blanche ou jaunâtre sont tracés, en brun ou en rouge, des ornements de même style que sur les bronzes : de grands rinceaux à volutes compliquées, des signes en S, quelquefois, des silhouettes d'animaux, notamment de chevaux (fig. 53). On en trouve de beaux exemplaires dans les tombes de Champagne dès la première période de La Tène; le Musée de Reims en possédait autrefois, avant 1914, une magnifique collection. Les vases peints apparaissent plus abondamment répandus à la fin de la période indépendante; ils sont encore fabriqués, pendant un certain temps, au début de la période romaine; on en trouve à Montans, dans le Tarn, à Lezoux, en Auvergne, dans la Loire et la Haute-Loire (fig. 54) et en Suisse (fig. 55). Les Musées de Roanne, de Bâle et de Genève, en ont de beaux exemplaires. Les teintes sont plus variées qu'au début; au rouge et au brun vient notamment s'ajouter le violacé.

Fig. 53. — Vase de Bétheny (Marne) orné d'une silhouette de cheval (Déchelette, *Manuel*, II, 3, fig. 661, p. 1645).

L'Armorique et les Iles Britanniques usaient, pour la décoration de leurs vases de luxe, non de la peinture mais du relief. Les ornements sont les mêmes mais ils sont produits par incision ou par impression. Le mode de décoration par zones estampées se répand en Gaule vers la fin de La Tène, mais industrialisé. Les motifs, de dimensions minuscules, réduits parfois à de simples bâtonnets obliques ou en arête de poisson, sont imprimés tout autour du vase à l'aide d'une molette. On a trouvé des tessons de ce genre au Beuvray. Il est incontestable qu'en Gaule l'art apparaît appauvri et réduit durant la troisième période de La Tène. Cette décadence est proba-

Fig. 54. — Vases peints celtiques, décor floral et géométrique, de Lezoux au Musée de Roanne (Déchelette, *Manuel*, II, 3, fig. 682, p. 1490).

Fig. 55. — Vase peint gaulois du Musée de Genève (*Rev. Études Anciennes*, 1908, pl. XVI).

blement l'effet des ravages exercés par les Cimbres et les Teutons et de la situation politique difficile qui suivit la conquête des régions méridionales du pays par les Romains. C'est dans les Iles Britanniques, qu'à ce moment il faut chercher les beaux spécimens de l'art gaulois (fig. 58).

Fig. 56. — Vases gaulois de Bretagne, à décor incisé. (Déchelette, *Manuel*, II, 3, fig. 662, p. 1468).

Fig. 57. — Vases bretons à décor incisé, de Grande-Bretagne (Déchelette, *Manuel*, II, 3, fig. 668, p. 1374).

VII. — Conclusion

Sans avoir connu les grands arts de l'architecture et de la sculpture, sans avoir possédé d'artistes au sens propre du mot, les Gaulois n'en ont pas moins eu un art dont leurs artisans furent les ouvriers.

Cet art, ils se l'étaient créé eux-mêmes; ils lui avaient imprimé un style propre et original auquel ils sont restés fidèles et dont le caractère fortement accusé se reconnaît au premier coup d'œil.

L'originalité de cet art gaulois ne signifie pas qu'il fût sans racines anciennes. Il continue au contraire la tradition préhistorique de l'Europe continentale. Conformément à elle, il cherche l'effet décoratif dans la seule combinaison de lignes.

Fig. 58. — Bouclier breton en bronze, trouvé dans la Tamise à Battersea (Londres), long. 0,80 m (Déchelette, *Manuel*, II, 3, fig. 498).

Le végétal, l'animal, la figure humaine, sont également déformés, étirés et réduits à des ornements linéaires. C'est ainsi que, sur les monnaies, les graveurs gaulois ont traité les profils de leurs modèles grecs. Les images, pour eux, se réduisent à des silhouettes et les silhouettes à des agencements de lignes et d'ornements linéaires. L'artiste gaulois dessine, il incise, il grave le métal ou le repousse; il ne modèle pas. Ce n'est pas là impuissance, c'est la forme même de son imagination. Il aime et recherche la couleur qui anime les surfaces déterminées par ses traits. Par des moyens primitifs il parvient à exprimer le mouvement; il réalise des compositions compliquées, souvent harmonieuses et généralement d'un bel effet décoratif (fig. 58, 59).

Ce qui a nourri l'art gaulois et l'a distingué de ses antécédents préhistoriques, ce sont, principalement, les modèles grecs. Il ne les a pas copiés; il s'en est inspiré et les a développés de façon nouvelle. De la palmette grecque provient l'essentiel de ses motifs. Au début, la palmette se reconnaît encore dans les imitations gauloises. Mais bientôt, les spires prennent la place des feuilles, elles multiplient leurs courbes qui s'opposent l'une à l'autre; le rinceau devient double spirale, on voit apparaître des combinaisons nouvelles proprement celtiques. La fantaisie semble se donner libre jeu; cependant tout est ordonné mais de façon nouvelle et inattendue, avec une élégance parfaite.

Cet art, à la fois barbare et inspiré d'hellénisme, création

Fig. 59. — Phalères de harnachement en bronze gravé, trouvées à Ecury-sur-Coole (Marne) (Déchelette, *Manuel*, II, 3, fig. 693, p. 1515).

des Celtes, est demeuré leur apanage. Par eux, il a régné sur la majeure partie de l'Europe pendant les derniers siècles précédant notre ère. En Gaule, il s'est trouvé momentanément étouffé par la floraison romaine. Mais on le voit reparaître, lorsque s'affaiblit l'Empire, avec ses agencements de lignes et de couleurs, avec l'émail et les verres colorés, nouveau substitut du corail, avec la stylisation opiniâtre des formes végétales et animales. Ces tendances se trouvent renforcées par l'afflux des Germains qui, demeurés à un stade de civilisation voisin de celui de La Tène, rapportent en Gaule un art dérivé de celui des anciens Celtes. On retrouve les traditions celtiques, notamment dans les bijoux, durant tout notre haut Moyen Age et à l'époque romane.

Dans les Iles Britanniques, dans les parties surtout où n'ont pas pénétré les légions, en Irlande tout particulièrement, l'art celtique se reconnaît intact et à peine modifié. Il s'y épanouit à partir du VIe siècle jusqu'au XIIe, dans les miniatures des manuscrits irlandais (fig. 60) non moins que dans l'art populaire dont la décoration des croix de pierre élevées dans tout le pays nous conserve d'insignes monuments. L'art chrétien d'Irlande continue la veine celtique.

Fig. 60. — Enluminure de manuscrit irlandais (Livre de Durrow, VIIIe s. ap. J.-C.) (Déchelette, II, 3, fig. 701).

Mlle F. Henry, étudiant la décoration des croix irlandaises, y a retrouvé tous les motifs jadis en vogue chez les Gaulois. Cet art s'est ainsi perpétué, pense-t-elle, parce qu'il exprimait de façon parfaite l'esprit même des Celtes. « Voir dans cette persistance de motifs qui se déforment et varient mais dont les principes restent les mêmes, les effets d'un accord profond entre certaines formes et une certaine tournure d'esprit, c'est, écrit-elle, chose tentante... Analyser cet art subtil et fluide qui aime, comme on bâtirait un paradoxe, à équilibrer une masse par son contraire, dont le jeu habituel est de faire paraître obscur ce qui est clair, et net ce qui est embrouillé, qui se délecte à donner un air de folie à ses constructions les plus raisonnables et qui préfère d'emblée les fantaisies de l'esprit aux formes de la nature, n'est-ce pas, jusqu'à un certain point, définir et résumer ce que nous savons des Celtes? La longue carrière de l'art de La Tène parmi les Gaulois, puis les Celtes des Iles, l'obstination qu'ont mise ceux-ci à ne pas l'abandonner, ne sont pas le fait d'un simple hasard. »

La vitalité de l'art celtique prouve en effet combien la création en avait été originale. Cet art fut vraiment, pour les Gaulois, un art national.

Fig. 61. — Fond de bassin en bronze gravé, de Les Saulces-Champenoises (Ardennes) (Déchelette, *Manuel*, II, 3, fig. 655, p. 1552).

9 LA LANGUE GAULOISE ET LES LITTÉRATURES CELTIQUES

I. — L'étude du celtique

Nous ne voulons pas essayer de donner ici une grammaire, même aussi résumée que possible, de la langue gauloise, mais seulement indiquer de quelle façon on parvient à en comprendre quelques éléments.

Les notions certaines que nous possédons aujourd'hui ont été précédées de longs tâtonnements. Depuis le XVIe siècle, l'étude du peu qui subsistait du gaulois avait sollicité la curiosité. On avait tenté de l'expliquer par le français, par l'allemand, par le grec, le latin, par l'hébreu surtout. A la fin du XVIIIe siècle, Court de Gébelin avait enfin pensé à recourir aux langues celtiques modernes, le breton et le gallois.

Ces recherches, d'une fantaisie sans méthode, n'étaient guidées que par des idées préconçues. Ce fut encore la manière des deux savants qui contribuèrent le plus à mettre en honneur l'étude du breton : Le Brigant (1720-1804) et son ami La Tour d'Auvergne-Corret (1743-1800). Ancien officier de l'armée royale, capitaine dans l'armée républicaine, La Tour d'Auvergne, atteint par la limite d'âge, avait rengagé comme simple soldat pour remplacer le fils de son ami Le Brigant. C'est lui le « premier grenadier de la République », tué à Hohenlinden en 1800.

On peut consulter encore, par simple curiosité, les œuvres de Le Brigant : *Éléments de la langue des Celto-gomérites ou Bretons. Introduction à cette langue et, par elle, à celle de tous les peuples connus*, Strasbourg, 1779; et *Observations fondamentales sur les langues anciennes et modernes ou Prospectus de l'ouvrage : La langue primitive retrouvée* (1787). Le breton, selon lui, était la plus ancienne de toutes les langues et donnait la clef de toutes les autres. C'était, si l'on veut, un premier essai de grammaire comparée, mais fondé sur l'imagination. Le principe et la méthode de La Tour d'Auvergne étaient les mêmes, comme en témoigne le titre seul de son ouvrage : *Origines gauloises, celles des plus anciens peuples de l'Europe, puisées dans leur vraie source* (1re éd., Bayonne, 1792).

C'était le début de ce qu'on appela la « celtomanie » qui, mêlant le patriotisme à la curiosité et gonflant le tout de romantisme, tendait à faire des Gaulois le plus ancien peuple du monde et, de leur langue, représentée par le breton, la première de toutes. « Le breton », écrivait l'un de ces précurseurs, dans la préface d'une grammaire bretonne, « n'était pas une langue composée par les hommes, comme les autres; c'était celle qui avait été donnée par Dieu à Japhet, à son fils Gomer et à sa famille, dans le pays de Sennaar. »

A côté de cet enthousiasme, d'autres tendances se faisaient jour. Le développement des sciences naturelles avait appris l'observation et l'analyse. Les faits du langage sont évidemment d'autre nature que ceux de la physique et de la chimie. Néanmoins on se mit à les observer en eux-mêmes et à les soumettre à des analyses soutenues par la comparaison des langues entre elles. En même temps et par l'effet des mêmes tendances positives, se développait l'histoire et le sens historique. On en vient à concevoir les langues comme le résultat d'une évolution dans le temps. L'observation des faits remplaça les théories conçues *a priori*.

On se mit ainsi à rapprocher systématiquement le grec, le latin, le germanique et le sanscrit. L'étude du sanscrit, avec son système phonétique éminemment conservateur, permit d'établir une filiation. Ce fut l'œuvre de Franz Bopp, né à Mayence en 1791 et qui travailla longtemps à Paris où il avait suivi attentivement le déchiffrement par Burnouf des anciens textes de l'Avesta. Appelé à l'Université de Berlin en 1821, il publia, en 1833, la première livraison de sa *Grammaire comparée* qui ne devait être terminée qu'en 1849. Le celtique n'y figure pas, bien que Bopp l'ait étudié dans un Mémoire présenté à l'Académie de Berlin. Mais en 1853 paraissait la *Grammatica Celtica* de Gaspard Zeuss, né en Bavière, en 1806, professeur d'enseignement secondaire à Munich, puis à Spire, mort en 1856. Zeuss fut le véritable fondateur des études celtiques. C'est lui qui, le premier, a rassemblé tout ce qui subsistait du celtique ancien, qui a comparé les différents dialectes celtiques modernes et les a classés.

Les progrès ainsi réalisés n'ont sans doute pas étouffé toutes les fantaisies pseudo-scientifiques; on en voit paraître encore aujourd'hui. De Zeuss procèdent non seulement tous les celtisants allemands, Windisch, Zimmer, Kuno Meyer, Thurneysen, mais les Anglais comme Sir John Rhys et toute l'école française qui se continue de d'Arbois de Jubainville à J. Loth et à J. Vendryes.

Les restes que nous possédons du vieux celtique se réduisent à trop peu de chose pour permettre une reconstitution de la langue.

Tout d'abord les écrivains grecs ou latins indiquent comme gaulois quelques mots dont ils nous disent la signification. Leur témoignage ou celui des gloses, censées nous apporter des explications, suscitent souvent bien des difficultés.

Voici, par exemple, le nom de Lyon, *Lugdunum* ou *Lugudunum*, et de plusieurs autres villes du domaine celtique depuis Saint-Bertrand-de-Comminges, près des Pyrénées, *Lugdunum Convenarum*, jusqu'à *Lugdunum Batavorum*, Leyde, en Hollande. Le second terme, *-dunum* est un des composants les plus fréquents de la toponymie celtique; plusieurs témoignages antiques nous disent qu'il signifie : sommet, lieu élevé. Le site de Fourvières où s'élevait la capitale de la Gaule romaine, non moins que celui de Saint-Bertrand-de-Comminges, étaient en effet des « dunum ». Mais que penser du premier terme *Lug*? Nous connaissons un dieu celtique : *Lug*; Lugudunum serait le « Sommet de Lug ». D'autre part, un texte ancien nous apprend qu'en gaulois, *lougos* signifiait : corbeau. Un fragment de vase gallo-romain représente, en effet, le Génie de la colonie de Lyon sous forme d'un éphèbe aux pieds duquel est figuré un corbeau. On sait que le corbeau était, pour les Gaulois, un oiseau sacré. Peut-être s'identifiait-il en quelque façon avec le dieu Lug, à moins qu'il ne s'agît d'une confusion d'étymologie populaire. L'incertitude se trouve encore augmentée par un autre renseignement qui nous vient d'un très court glossaire celtique trouvé sur un manuscrit de Vienne (Autriche) et connu sous le nom de son inventeur, Endlicher. Ce glossaire explique : *Lugduno : desiderato Monte*, Mont regretté ou, si l'on veut, désiré, ce qui ne signifie pas davantage. Un autre texte, dans une *Vie de saint Germain*, nous donne : *Lugdunum id est lucidus mons* : Clair-mont, *lug* pouvant en effet se rattacher à la même racine que le latin *lux*, lumière. Parmi tant d'explications antiques, laquelle choisir?

S. Reinach préférait *Lugdunum* Clermont, supposant, à l'origine de la glose du lexique d'Endlicher, une confusion entre le mot grec *photeinos : lucidus*, clair et *potheinos : desideratus*, en notant que Potheinos était précisément le nom de l'évêque-martyr de Lyon, saint Pothin. A toutes les indications nous venant de l'Antiquité, ne convient-il pas de préférer l'étymologie sans référence ancienne par le nom du dieu Lug?

Les éléments de vocabulaire qui nous sont ainsi fournis se réduisent d'ailleurs à peu de chose : quelques noms de plantes ou d'animaux, les noms de quelques parties du corps, noms qui ont souvent passé en français : *becco*, bec; *gamba*, jambe; des sobriquets, comme le latin *Galba* qui, selon Suétone, aurait été un mot gaulois signifiant gras. Le mot, en réalité, doit se rattacher à la même racine que l'allemand *Kalb*, veau. Nous connaissons encore des noms d'objets, véhicules : *reda*, char à deux roues, *petorritum*, char à quatre roues, d'où l'on peut déduire, *petor* = quatre = latin, *quatuor*; ustensiles, comme *brocus* = broc; des noms de mesures : *arepennis* = arpent, *leuga* = lieue; d'instruments de musique : *carnyx*, trompe, *chrotta*, rote, etc. Nous ne connaissons de façon certaine que deux verbes : *cambiare* = changer, *rem pro re dare*, traduit le Glossaire d'Endlicher et *tannare* = tanner (breton moderne : *tann*, chêne; cf. allem. *Tanne*, sapin).

Ces indications ne permettent même pas de comprendre de façon complète les quelque soixante inscriptions gauloises qui ont été recueillies, si brèves soient-elles. Un précieux thesaurus du vieux celtique, dû au savant allemand Holder, *Alt-Celtischer Sprachschatz*, a paru de 1891 à 1914; il contient plus de 30 000 mots, pour la majeure partie des noms propres, dont beaucoup d'ailleurs ne sont pas certainement celtiques. Il n'en rend pas moins de grands services. Un petit lexique a été placé par G. Dottin à la suite de son traité *La Langue gauloise* (Paris, Klincksieck, 1920) et un supplément en a été publié en 1930 par M. L. Weisgerber, dans le 20e *Annuaire de la Commission romano-germanique de l'Institut allemand*, à Francfort, p. 146-236, avec la bibliographie récente.

Une langue n'est pas seulement un vocabulaire; c'est aussi un système de sons et de formes, une phonétique et une morphologie; on n'ose, à propos du gaulois, parler de syntaxe. La comparaison entre les deux groupes de langues celtiques encore parlées aujourd'hui, le gaélique d'Irlande et le brittonique du Pays de Galles et de la Bretagne française, a permis de remonter à une unité primitive dont ils relèvent. Au point de vue de l'évolution des sons, le gaulois apparaît plus voisin de la famille brittonique. Sa phonétique connue permet de rapprocher avec certitude bon nombre de ses mots de leurs correspondants insulaires et d'en reconnaître le sens. On peut retrouver à peu près la flexion des noms et, bien plus incomplètement, celle des verbes. En renvoyant pour le détail au livre précieux de G. Dottin, nous nous contenterons ici d'indications très sommaires sur la phonétique et la morphologie du gaulois. Elles nous permettront de montrer, à titre d'exemples, le sens que l'on arrive à dégager de quelques-uns des textes que nous possédons.

II. — Éléments grammaticaux du gaulois

A) *Phonétique.* — *Voyelles.*

Le Gaulois a conservé les voyelles brèves indo-européennes :

a : gaul. *allo*; irl., gall., *all*, autre : *Allobrogae*, les Allobroges, le peuple actuel de la Savoie. Une scolie de Juvénal explique le nom : *ex alio loco translati*, transférés d'une autre région, nous trouvons en effet, en gallois et en breton, un mot *bro* signifiant pays. Les Allobroges sont « les immigrés », les gens qui viennent d'un autre pays.

o : gaul. *doro*, porte; gall. et bret., *dor* (cf. allem. *Thüre*). C'est le mot qui a fourni le terme *durum*, si fréquent en composition : proprement : la porte fortifiée, la forteresse : *Isarnodurum*, la Porte de Fer (*isarno* = de fer), *Brivodurum*, Brioude, l'entrée fortifiée du pont (*briva* = pont.). L'*o* est souvent passé à *u* dans les transcriptions latines.

u : gaul. *dubro*, eau; gall. *dwfr*, bret. *dour*, irl. *dobur*. *Vernodubrum*, nom de rivière, le Verdouble : l'eau aux vernes (*verna* = aulne, irl. *fern*; gall. bret. *gwern*).

e : gaul. *seno*, vieux; irl. *sen*, gall. bret., *hen* (lat., *senex*); *Senomagus*, le vieux Marché.

i : gaul. *bitu*, irl. *bith*, gall. *byd*, le monde : *Bituriges*, les rois du monde (le peuple dont Bourges est la capitale).

Les voyelles longues ont une tendance plus marquée à l'altération :

e : long ancien est devenu *i* : lat., *rex*, gaul., *rix*; lat., *verus*, vrai, gaul. *viro*; irl. *fir*, vx. bret. *guir*.

Les diphtongues se sont généralement conservées en gaulois tandis qu'en gaélique et en brittonique, elles se réduisent à une voyelle longue.

gaul. *vellauno*, bon; vx. bret. *wallon*.
gaul. *roudo*, rouge; irl. *ruad*, gall. *rud*.
gaul. *teuto*, le peuple; irl. *tuath* (italique *touto*).
gaul. *deivo*, *devo*, dieu.
gaul. *Aedui*, les Éduens; irl. *sed*, feu; (il faudrait écrire *Haedui*).

Consonnes.

Les consonnes indo-européennes ont subi en gaulois des modifications plus considérables. Le trait le plus frappant est la disparition du p.

gaul. *are*, près; irl. *air*, vx. gall., *ar* (grec : *para*, lat. *prae*).
gaul. *ver*, très; irl. *for*, gall. *gor* (grec, *huper*).
gaul. *ritu*, gué; gall. *rit* (lat. *portus*).
gaul. *lanum*, plaine; lat. *planum*. *Mediolanum* = *Medioplanum* : le milieu de la plaine ou la plaine du milieu.

Le *p* que l'on rencontre en gaulois provient du *K* vélaire = *qu* : gaul. *petor*, quatre (*quatuor*); *pempe* = *quinque*, cinq; gaul. *epo*, cheval, lat. *equus*.

Une inscription de Ventabren (Bouches-du-Rhône) donne, en caractères grecs, le nom *Qouadronia* = *Kuadronia*. Le nom gaulois devrait être *Petronia*; nous sommes, à Ventabren, en pays ligure. Les noms qui conservent le *k* vélaire, comme *Sequana*, la Seine, paraissent, par conséquent, étrangers au gaulois et, probablement, antérieurs à l'arrivée des Celtes.

Le *g* indo-européen est devenu *b* : gaul., *bena*, femme; grec, *gunè*.

Dans les groupes *sp* et *ps*, le *p* devient guttural : au grec *hupselos*, très haut, correspond le gaulois *Uxello* que l'on trouve dans *Uxellodunum*, la très haute forteresse; au latin *Crispus*, frisé, le gaulois *Crixos*; gall. *crych*.

Quelques sons apparaissent particuliers au gaulois. Le groupe *ct* est devenu *cht*. C'est le son que l'on trouve à l'intérieur du nom de *Lucterius*, le compagnon de Vercingétorix; il s'écrit en grec avec un *chi*. Le mot irlandais *luchtaire* est glosé par *lanista*, maître de gladiateurs; v. irl. *lucht*, troupe.

Un son équivalait au *th* anglais; il est noté par la lettre grecque thêta *θ* qui devient à l'époque romaine un *d* barré ou un double D; il s'écrit aussi *s*, *ss*, *ds*, *sd*, *st*. C'est le son que l'on trouve à l'initiale du nom de la déesse *Sirona* ou *Dirona* (avec *d* barré), compagne d'Apollon. Par ce son, s'expliquent les graphies *Veliocassi* et *Veliocaθi* (sur les monnaies), *Assedomarus* et *Addedomarus*, nom d'homme. De même, en gallois, le nom d'Yseult se présente sous les formes *Etthilt*, *Ethylt* et *Essylt*.

Les consonnes doubles et les groupes de consonnes étaient fréquents en gaulois, ce qui faisait dire à Diodore que les Celtes avaient un parler tout à fait rude et, au latin Florus, que le nom de Vercingétorix était bien fait pour produire la terreur.

B) *Morphologie. — Déclinaison.*

Elle correspond, dans l'ensemble, à celle du grec et du latin. On reconnaît des thèmes nominaux en *a*, en *o* ou *u*, en *i* et des thèmes consonantiques divers. Le nominatif singulier a ou n'a pas la désinence *s*; au pluriel, on trouve *i*, *is* ou *es*; l'accusatif est en *n* au singulier, en *s*, *es*, *as*, ajoutés au thème, au pluriel; le génitif en *i*, *is*, *s*, au singulier, est en *ou* au pluriel; on a des datifs pluriels du type *Matrebo Nemausicabo*, aux déesses-Mères Nîmoises, peut-être d'ailleurs inspirés du latin.

Adjectifs.

La forme du superlatif est *-samo*, lat. (*s*)*im* : *mag-simus*. On note un possessif *to*, lat. *tuo* et un pronom enclitique *ebo*, irl. *ib*, à vous, après une préposition.

Conjugaison.

On ne peut guère identifier que quelques désinences : une première personne du singulier en *o* ou *u*; irl., *caru*, j'aime; et une troisième personne en *t* ou *it*. La première personne du pluriel est en *mos*, *mo* : *voraimo* = *oravimus*; et la troisième, en *ont*; bret., *caront*, ils aiment. On trouve une forme en *ontio* qui doit correspondre au participe présent. Une forme *legasit*, rapprochée de l'irlandais *carsit*, il a aimé, permet de conclure à l'existence d'un prétérit en *s* : bret. *carsont*, ils ont aimé.

Dérivation et composition.

Comme le grec et le latin, le gaulois use largement de ces deux procédés de formation des mots.

L'un des suffixes caractéristique du gaulois est *-acus* qui a formé des noms de personnes et surtout de lieux : *Dumnacus*, nom d'homme, cf. *Dumno-rix*; *Senacus*, cf. *Seno-rix*; *Togiacus*, cf. *Togi-rix*; *Congonnetiacus*, cf. *Congonnetodubnus*. Noms de lieux : *Nemetacum*, Arras, de *nemet* = sanctuaire; *Turnacus*, Tournai, cf. *Turno-durum*. C'est ce suffixe qui, ajouté la plupart du temps à des noms de personnes, a formé, à l'époque romaine, ces noms de domaines dont dérivent bon nombre des noms de villages modernes. Le suffixe *-acus*, *-acum*, a pris une forme diverse suivant les régions : *Floriacus* donne Fleury dans le Nord et Florac dans le Midi; *Carantiacus*, Carency (Pas-de-Calais), Charencey (Côte-d'Or), Cransac (Aveyron), Chérancé (Mayenne, Sarthe, Manche), Charencieu (Isère).

Un autre suffixe, *-cnus* paraît marquer la filiation : *Taranos Taranucnos*, issu de Taranos; *Tanotalos*, *Tanotaliknos*, fils de Tanotalos; *Lucotius*, *Loukotiknos*; *Toutissa*, *Toutissicnos*.

Les autres formations par des consonnes ou des groupes de consonnes apparaissent extrêmement nombreuses :

nc : *Morincum* (*mori*, la mer), *Lemincum*, le nom de Chambéry : *lemo*, irl. *lem*, orne; *saliunca*, nard; *Bodincum*, le nom du Pô.

rc : *Cadurci*, *Aulerci*.

t : *Nemausatis*, de *Nemausus*, Nîmes; *Teutates*, de *teuto*, peuple; *Loucetius*, cf. *Leuco-Louco*.

nt : *Carantus*, irl. *cara*, *carant*, parent; *Mogontia*, Mayence, cf. *Mogounos*, surnom d'Apollon.

rn : *isarno*, de fer; irl. *iarn*, lat. *aes*, allem. *Eisen*, fer.

l : *Teutalus*, *brogilus*, *Giamillus*, *Boudillus*...

n : *Alisanus*, cf. *Alisia*; *Morini*, *mori*, la mer; *Caletinus* cf. *caletes*; *Cavarinus*, cf. Cavari; *Redones*, *Senones*, etc.

m : *Uxama*, Ouessant, *Belisama*, la Minerve gauloise sont peut-être des superlatifs. *Segomo*, surnom de Mars, est dérivé d'un nom *sego* (allem. *Sieg*), victoire.

Quant aux composés, ils sont innombrables.

On peut y distinguer des composés déterminatifs où le second terme conserve sa valeur nominale propre : *Vinomagus*, le champ blanc; *Isarnodorus*, *Lugudunum*, *trimarchisia*, le groupe de trois cavaliers, *Toutiorix*, le roi du peuple et, d'autre part, les composés possessifs indiquant qu'une personne ou un objet possède la qualité indiquée par le composé, *pempedula*, qui a cinq feuilles; *vergobretos*, le magistrat suprême notamment chez les Éduens, composé de *vergo*, qui accomplit, vx. bret, *gwerg*, efficace et *breto*, irl. *breth*, jugement; le vergobret est l'agent du pouvoir exécutif.

Une inscription de Mayence qualifie quatre personnages de *platiodanni vici novi*; on traduira : les agents voyers du quartier neuf.

Platia, *platea*, signifie en effet rue ou chemin; une autre inscription nous donne : *platea dextra euntibus Niddam* : le chemin de droite pour aller à Nidda (C. XIII, 7263, 7264; les *platiodanni*, *ibid.*, 6776). Nous avons déjà signalé une formation analogue sur certaines monnaies gauloises : *arcantodanni*, que nous avons traduite : les maîtres de la monnaie. Le mot *dannus* peut se trouver seul : *per dannum Giamillum* (C. XIII, 4228); il désigne l'intendant du domaine.

La composition fournit au gaulois noms propres et titres.

Ajoutons-y de nombreux composés à particule :

ad : *Adnamatus*, cf. *Namatius*.

ambi : autour, *Ambigatus*, nom propre de personne; *Ambarri*, le peuple des deux rives de l'Ain.

ande : bret. *an*, intensif : *Ande-camulos*, cf. *Camulus*.

are : près, devant; *arepennis*, arpent; *Aremorici*, *Arverni*...

co, *con*, *com* : avec : *combennones*, les gens assis dans le même char (*benna*, char), la charretée; *combroges*, les frères.

su : bien (grec, *heu*) : *Sucellus*, le bon frappeur, surnom d'un dieu.

ver : intensif (grec, *huper*, lat. *super*) : *Vercassivellaunus*, *Vercingetorix*, *vernemetis*.

Le premier ou le second terme d'un composé peut être lui-même un composé, comme on le voit dans les deux derniers noms propres que nous venons de citer.

La morphologie est en somme celle des langues indo-européennes assez purement conservée.

Numéraux.

Les comptes de potiers trouvés parmi les débris des ateliers céramiques de la Graufesenque, écrits en gaulois bien qu'ils ne datent que de l'époque romaine, ont permis de reconstituer les dix premiers chiffres ordinaux :

cintuxos, premier
alos, *allos*, second (lat. *alter*)
tritos, troisième
petuar, quatrième
pimpetos, cinquième
svexos, sixième
sextametos, septième
oxtumetos, huitième
nametos ou *nammetos*, neuvième
decametos, dixième

Un calendrier gaulois sur des tables de bronze d'ailleurs très mutilées trouvées à Coligny (Ain), a fourni les noms des douze mois :

Samonios	*Ogroni(os)*	*Equos*
Dumann(osios?)	*Cutios*	*Elembiv(ios)*
Riuros	*Giamonios*	*Edrinios*
Anagantios	*Simivisonna(cos?)*	*Cantlos*

En tête de chaque mois se trouve le nom; en tête de la deuxième moitié du mois figure le mot *atenoux* de sens inconnu et qui paraît désigner la pleine lune. Le second terme est le mot *noux* qui peut signifier nuit.

III. — Quelques inscriptions gauloises

L'inscription gauloise la plus anciennement connue, copiée dès 1492, se voyait encore à Nevers au XVIIIe siècle; elle a été perdue depuis. La copie n'en laisse rien à désirer :

ANDE	*Andecamulos* (nom propre).
CAMV	
LOSTOVTI	*Toutissicnos* patronymique formé grâce au suffixe *cnos* : fils de Toutissos.
SSICNOS	
IEVRV	*Ieuru* (?)

Le mot de sens inconnu qui occupe la dernière ligne est évidemment le verbe; d'après sa terminaison, il semble à la première personne. On peut supposer : « Moi, Andecamulos, fils de Toutissos, j'ai fait... j'ai dédié... » ou quelque chose d'approchant. Ces suppositions doivent être éprouvées et précisées par la comparaison avec les autres textes où se retrouve le même mot.

Dottin, n° 33, p. 160. Inscription provenant d'Alésia; au Musée d'Alise.

MARTIALIS	*Martialis, fils de Dannotal,* nom propre, sans aucun doute, le dédicant.
DANNOTALI	
IEVRV VCVETE SOSIN	
CELICNON ETIC	
GOBEBDI DVCIIONTIO	
VCVETIN	
IN ALISIA	à Alésia.

Les éléments intelligibles de prime abord se réduisent à la première et à la dernière lignes.

Le mot *ieuru* apparaît bien à la place où on l'attendrait s'il signifie : je dédie ou quelque chose d'analogue. Un mot se rencontre deux fois, à la seconde ligne et à l'avant-dernière, chaque fois avec une désinence différente : *Ucuete* et *Ucuetin.* D'après ce que nous avons vu de la déclinaison, nous aurions là un datif et un accusatif, le datif après *ieuru*, l'accusatif après *dugiiontio*; ou *dugeontio* (le signe II, provenant de l'*èta* grec, représente souvent *e*); l'un et l'autre seraient donc des formes verbales. Mais qu'est-ce que ce mot *Ucuete?* Il nous est connu par une autre inscription d'Alésia, trouvée en 1908 : *Deo Ucueti et Bergusiae.* C'est le dieu, fort probablement, des forgerons et bronziers dont l'industrie était florissante à Alésia. Son nom peut être rapproché de celui du forgeron légendaire de l'épopée irlandaise, *Ughden. Bergusia*, sa parèdre, doit être la déesse de la mine. On reconnaît en effet dans son nom la racine *berg*, la même que dans *briga*, colline, montagne; elle est la divinité de la mine au flanc de la montagne.

Voici comment M. J. Toutain décrit la trouvaille de l'inscription latine de 1908 (*Alésia gallo-rom. et chrét.*, p. 34 sq.) : « Sur le plateau, au cœur de la cité, près du Forum, une large cour entourée d'un portique à deux étages était flanquée d'une crypte, profondément creusée dans la roche vive, à laquelle on accède par une baie en plein cintre et un escalier parfaitement conservé. Ce sanctuaire, bien dégagé, est aujourd'hui l'un des monuments les plus frappants d'Alésia. Au centre de la crypte, dans un bloc de chaux calcinée, était enfermé un chaudron sur lequel était gravée la dédicace : « A Ucuetis et à Bergusia, Remus, fils de Primus, *v(otum) s(olvit) l(ibenter) animo* : s'est acquitté de son vœu volontiers et de tout cœur. »

La dédicace gauloise à Ucuetis doit entrer dans la même série que l'inscription latine du chaudron; nous admettrons provisoirement que le mot *ieuru* corresponde approximativement à la formule : *v(otum) s(olvit)*. Mais l'inscription celtique comporte une seconde partie liée à la première par le mot *etic* dans lequel on reconnaît l'équivalent " et " *et* ou *atque* latin. Le mot *Gobedbi* qui suit, au début de la quatrième ligne, peut se traduire : les forgerons; c'est un nominatif pluriel; on rapproche le mot du breton *gof*, gallois, *gob*, irl., *goba*, *gobann*, forgeron; on connaît le nom propre gaulois : *Gobannitio*. Le sens du mot suivant, *dugiiontio*, reste inconnu; c'est évidemment une forme verbale liant le nominatif : les forgerons, à l'accusatif *Ucuetin* de la ligne 5; on y reconnaît cette désinence *-ontio*, forme participiale à valeur de relative; elle convient fort bien ici : les forgerons qui... Ucuetis à Alésia. Ce n'est pas être bien téméraire que de prêter au verbe inconnu, le sens de honorer ou quelque chose d'approchant. Les forgerons dévots d'Ucuetis s'associent à la dédicace de Martialis.

L'objet de cette dédicace se trouve évidemment désigné par l'accusatif : *sosin celicnon*. *Sosin* est un démonstratif (irl. *so*, particule démonstrative), le neutre *sosio*, ceci, se rencontre dans d'autres inscriptions, (Dottin, p. 166 et 172). Le sens du substantif demeure indéterminé; on a rapproché le mot du gothique *kelikn*, tour, qui aurait été emprunté au celtique. L'inscription est gravée sur un cartouche avec moulures en queue d'aronde qui pouvait, en effet, être encastré dans une construction. Elle a été trouvée entre le monument à crypte, sanctuaire d'Ucuetis et le cimetière de basse époque qui occupait en partie l'ancien forum romain; la pierre avait pu être prise au temple et réemployée au cimetière. Le sens : tour, est peu satisfaisant; on entendra plus volontiers une construction quelconque qui aurait pu appartenir au monument à crypte. Résignons-nous à ne pas savoir au juste quelle fut l'offrande. Le sens du verbe *ieuru* : offrir, dédier, paraît bien confirmé par l'ensemble du texte. On comprendra donc : *Martialis, fils de Dannotal, j'ai dédié ce monument...* (?), *ainsi que les forgerons qui honorent Ucuetis à Alésia.*

Les autres inscriptions dans lesquelles il reparaît, sont toutes des inscriptions votives :

Dottin, nº 37, p. 162; gravée en pointillé sur le manche d'une patère en bronze trouvée à Couchey (Côte-d'Or), au Musée de Dijon :

DOIROS SEGOMARI
IEURU ALISANU

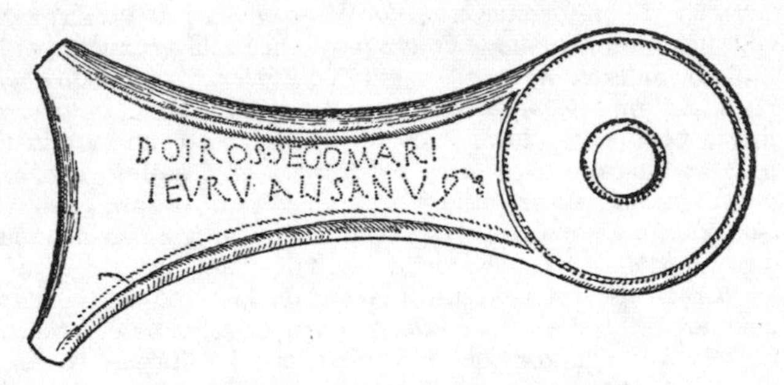

Fig. 62. — Inscription gauloise en pointillé sur le manche de la patère de Couchey.

Le dieu Alisanus est connu par une inscription latine de la même région (*Corpus*, XIII, nº 2843) : *Deo Alisano Paullinus pro Conte(d)oio fil(io) suo. V(otum) S(olvit) L(ibens) M(erito).*

Dottin, nº 38. Pierre trouvée à Auxey (Côte-d'Or) au XVIIIe siècle. Au Musée de Beaune.

ICCAVOS. OP	Iccavos
PIANICNOS. IEV	fils d'Oppianos
RV. BRIGINDONI	
CANTALON.	

Lejay traduisait : a fait pour Brigindu ce cantalon (?). *Brigindo* est une déesse, la même sans doute que la *Brigantia* des inscriptions latines de l'Ile de Bretagne et que la *Brigit* de l'épopée irlandaise. Le sens de « a dédié » convient donc pour *ieuru* tout aussi bien que celui de « a fait ». Ce que pouvait être le « cantalon » demeure incertain; il doit s'agir d'un objet matériel, peut-être un collier.

Dottin, n° 39; sur pierre, trouvée à Autun; au Musée de la ville (*Corpus*, XIII, n° 2733) :

. . . .
LICNOS. CON — la fin du patronymique. *Contextos* est le surnom.

TEXTOS. IEVRV
ANVALONACV
CANECOS EDLON

Le dieu *Anvalo* ou *Anvallo* est connu chez les Éduens. Pourquoi, ici, ce dérivé en *-acus* qui signifie l'appartenance et sert souvent à former des noms de lieux? Avons-nous à faire ici à un nom de divinité au datif ou à une localisation qui serait à l'ablatif? Le dernier mot, *edlon*, s'interprète *sedlon* = *sella*, siège; mais le terme qui précède : *canecos*, demeure de sens incertain. Est-ce le génitif d'un nom apparenté à l'irlandais *cain*, loi, tribunal? Ou bien, indique-t-il simplement la matière dont était fait le siège? Sans que l'on puisse préciser l'objet, il semble bien que le sens de *ieuru*, je dédie, se confirme.

Dottin, n° 51, p. 770. Inscription du Vieux-Poitiers, près de Cenon (Vienne); gravée sur un menhir trouvé en 1783 près de la rive du Clain (*Corpus*, XIII, 1171).

RATIN BRIVATIOM
FRONTV TARBELSONOS — Fronto fils de Tarbelsonos.
IEVRV

Le premier mot, *Ratin*, doit se rattacher à l'irlandais *raith*, *rath* et signifier : fortification, plus précisément même, rempart de terre; on le retrouve en composition dans des noms de lieu tels que *Argentorate* (Strasbourg), *Carpentorate* (Carpentras). Le mot est à l'accusatif, complément de *ieuru*. *Brivatiom* peut être soit un adjectif dérivé de *Brivates*, soit, plutôt, un génitif pluriel du même mot. Le mot *briva*, gué, puis *pont*, seul ou en composition, a formé de nombreux noms de lieux. On peut entendre la première ligne : la forteresse des gens du gué, ou de ceux qui surveillent le gué, ou des gens de Briva. Pour le verbe, le sens de « j'ai fait » conviendrait mieux que celui « j'ai dédié », qui n'est cependant pas exclu.

Dottin, n° 7, p. 149-150, inscription provenant de Vaison, en caractères grecs. Au Musée Calvet à Avignon.

CΕΓΟΜΑΡΟC	Segomaros
ΟΥΙΛΛΟΝΕΟC	fils de Ouilloneos
ΤΟΟΥΤΙΟΥC	citoyen
ΝΑΜΑΥCΑΤΙC	nîmois
ΕΙΩΡΟΥ ΒΗΛΗ	... à Belesama (déesse assimilée à Minerve)
CΑΜΙ CΟCΙΝ	ce
ΝΕΜΗΤΟΝ	sanctuaire.

La forme « *eiorou* » paraît bien correspondre à « *ieuru* » en caractères latins; le sens doit toujours être le même, ici, « je dédie » plutôt que « je fais ». Sur une inscription de Néris-les-Bains (Allier), on croit trouver la forme *iorebe*, qui représenterait le parfait; d'autres savants croient devoir y rattacher les deux lettres *su* qui précèdent et, lisant *suiorebe*, proposent de traduire : *sororibus*, peut-être les déesses souvent désignées ainsi (Dottin, n° 478, p. 167).
Le sens qui convient le mieux au mot *ieuru*, dans ces différents textes, est bien : je dédie.

Il est une autre formule dont l'interprétation a suscité également bien des discussions et dont l'étude nous fournira l'occasion d'examiner encore quelques textes gaulois. Ils proviennent tous, cette fois, du Midi de la Gaule et sont écrits en caractères grecs. Nous en donnerons seulement la transcription en minuscule latine.

Dottin, n° 1, p. 146. Gravée sur un petit cippe de pierre provenant d'Orgon (Bouches-du-Rhône) :

Ouebromaros dede Taranoou bratoude kantem.

Dottin, n° 2, p. 147. Gravée sur un cippe, servant de support de croix à l'entrée de l'église de N.-D. du Grosel, près de Malaucène (Vaucluse).

...lous...lliacos (G)raselou (b)ratoude kantena.

Nous réunissons ces deux inscriptions car il semble que la lecture du dernier mot de la première doive être corrigée par la seconde et que la formule soit : *bratoude kantena.*
On cherche une explication de *bratoude* dans le gallois *brawd*, jugement, irl. *bratha* (cf. *vergo-bretos*, ci-dessus, p. 262).

Le mot serait augmenté soit d'une postposition *de*, soit d'une désinence casuelle qui en ferait un ablatif. Il pourrait correspondre aux termes consacrés des formules latines, *merito*, à juste titre, ou bien *ex jussu*, par l'ordre de tel ou tel dieu.

Le mot *kantena* est d'une explication plus difficile. On connaît en gaulois un mot *canto*, que l'on rapproche du gallois *cant*, *can*, brillant et qui a pu fournir le nom de rivière *Cantia*, la Cance : la brillante. Mais *cantus* en gaulois semble également signifier la jante de roue. C'est par ce sens que l'on a cherché à expliquer le mot *cantalon* (cercle, peut-être, collier), qui figure dans l'une des inscriptions précédemment citées. Le douzième mois, sur le calendrier de Coligny, se nomme *Cantlos*, peut-être « celui qui ferme le cycle ».

Ces divers rapprochements ne conduisent, il faut l'avouer, à aucune solution satisfaisante. On remarquera, dans le premier de ces deux textes, la forme *dede*, équivalent de *dedi* latin = j'ai donné, et peut-être influencée par lui. *Taranoou*, qui en dépend, est un datif : j'ai donné à Taranos. Dans la seconde inscription, après les noms mutilés du dédicant, *Graselou* doit être de même un datif. C'est évidemment le nom de la divinité du Grosel dont les eaux alimentaient l'aqueduc de Vaison.

Dottin, n° 20, p. 155; inscription sur un bloc de pierre trouvée à Nîmes :

Kassitalos Ouersicnos dede bratoude kantena lami einoui.

Les deux derniers mots, qu'il faut peut-être lire en un seul, sont un datif dépendant de *dede* et doivent représenter une divinité. On a trouvé en Angleterre une dédicace *Lamiis tribus*, aux trois *Lamii* ou *Lamiae*. Nous aurions ici les mêmes. La place un peu différente qu'occupe dans cette inscription la formule *bratoude kantena* ne modifie en rien le sens qu'on peut lui supposer.

Trois autres fragments de Nîmes la répètent, toujours avec le nom du dédicant et celui d'une divinité au datif (Dottin, n° 19, 27, 28). On la retrouve à N.-D. de Laval près de Collias (Gard), toujours avec le même schéma (Dottin, n° 32, p. 159).

E(k)olios Rioumanos Andoounnabo dede bratoude kantena.

Andouonnabo est un datif pluriel, comme sur l'inscription de Nîmes, Dottin, n° 19 :

Kartaros Illanouiakos dede Matrebo Nemausicabo bratoude.

Il faut sans aucun doute sous-entendre *Matrebo*, les déesses-Mères de Andooun. Si *bratoude* correspond à *merito*, *kantena* doit être quelque adverbe équivalent au *libenter* des dédicaces latines.

Voici encore un autre mot fréquent dans les inscriptions du Midi de la Gaule et dont le sens peut-être précisé grâce à un texte bilingue, fortune exceptionnelle.

Sur une inscription de Saignon (Vaucluse), après une série de mots incomplets, se lit : *Aiotei* ou *Anotei karnitou. Aiotei* doit être un datif. *Karnitou* semble de même racine que le gallois *carn*, *cairn*, amas de pierres.

Une autre inscription de la même région (Dottin, n° 17) semble contenir le même mot mais dans le corps et non à la fin du texte et sous la forme *karnitous* ou *kairnitous.* A Novare, en Piémont, dans le cloître de la cathédrale, sur une stèle provenant probablement de la localité voisine de Briona, se lit, en caractères étrusques, une série de noms propres qui se termine par la forme *karnitus.* C'est un pluriel en face de *karnitou* singulier et fort vraisemblablement un verbe, toujours à la première personne.

En Italie également, à Todi, en Ombrie, région qui apparaît pénétrée d'influences celtiques, a été trouvée une pierre gravée sur ses deux faces, aujourd'hui au Musée Grégorien au Vatican. Le haut de chaque colonne est en latin et le bas, en celtique. Les textes se répètent sur chaque face, permettant de remédier aux lacunes l'un de l'autre (Dottin, n° 17 *bis*, p. 153, 154). Ils donnent l'épitaphe : *Ategnati Drut*]*ei urnum. (C)oisis Druti f(ilius), frater ejus minimus, locavit et statuit.*

Le mot *urnum*, inconnu du latin classique, doit signifier tombeau, monument funéraire : Tombeau d'Ategnatus, fils de Drutus. Coisis, fils de Drutus, son plus jeune frère (d'Ategnatus), l'a placé et élevé.

Les deux textes gaulois ne sont pas exactement les mêmes. Sur l'une des faces, on lit :

At]*egnati Trutikni* [*kar*]*nitu locan Ko*[*isis Tr*]*utiknos* et sur la seconde :

Ategnati Trutikni karnitu artuass Koisis Trutiknos.

Trutiknos = Druti filius. Le mot *Karnitu* se retrouve sur les deux textes celtiques; dans le second, un mot *artuass* correspond à *locan* du premier. Ils semblent l'un et l'autre des accusatifs, l'un au singulier, l'autre au pluriel. *Locan* pourrait être rapproché de *locus*, *loculus* et correspondrait à *urnum* dans le texte latin; *artuass* doit en être le synonyme (cf. irl. *art*, pierre) : monument funéraire. Le mot *Karnitu* est donc bien un verbe; il rend les deux verbes latins, *locavit et statuit* mais, comme *ieuru*, il est à la première personne : *Moi, Coisis, j'ai construit le tombeau.*

Ces quelques exemples permettront de se faire une idée de ce que fut la langue des Gaulois et aussi des difficultés qu'elle présente. C'est par la comparaison constante et sans cesse plus poussée avec les langues celtiques encore vivantes aujourd'hui que l'on avance dans l'intelligence des faits gaulois. Cette étude a permis de mettre le celtique à sa place parmi les langues indo-européennes. A défaut des langues celtiques vivantes, ce sont souvent les racines indo-européennes communes qui fournissent l'explication des mots ou des noms gaulois. La langue elle-même s'est évanouie sur le continent dès le début de l'histoire. On a vu combien sont peu de choses les monuments qui nous en restent et combien souvent en échappe la signification précise. Les matériaux de beaucoup les plus abondants et les plus sûrs sont les noms de personnes et de lieux celtiques. Ne serait-ce que pour l'intelligence de ces noms dont beaucoup subsistent dans la toponymie moderne, l'étude des restes de la langue gauloise appuyée sur celle des parlers du pays de Galles, de Bretagne et d'Irlande, n'est pas une recherche vaine.

IV. — Littérature gauloise et littératures celtiques

Tous les témoignages antiques nous confirment que les Gaulois ont eu une littérature. Abondante mais orale, elle n'a rien laissé. Les poésies lyriques des bardes ne devaient survivre qu'exceptionnellement à leurs auteurs. Les poèmes didactiques et épiques des druides avaient sans doute une durée plus longue. Ils étaient transmis de maîtres à élèves et appris par cœur. On peut les imaginer sous la forme des épopées primitives de l'Inde et de l'Iran : un ensemble de morceaux en vers pour les passages les plus importants, enchâssés dans une prose plus ou moins rythmée que chaque récitant traitait à sa manière en l'adaptant au goût de sa génération. C'était ainsi une tradition vivante. Les druides ne l'avaient pas écrite, non par ignorance; l'usage de l'alphabet grec était courant dans la Gaule ancienne, mais parce que, comme l'explique M. G. Dumézil, il ne paraissait pas convenant de confier à la lettre, chose morte et immuable, la parole vivante des poètes. Au moment de la conquête, il ne s'est trouvé personne, ni Romain ni même Grec, pour en recueillir un écho.

Il serait inutile de mentionner cette littérature disparue, si, à l'extrémité du monde celtique demeurée indépendante de Rome, d'autres littératures ne paraissaient le prolongement de celle des Gaulois. Leur langue et leur art ont connu, notamment en Irlande, une brillante renaissance. N'est-ce pas également la poésie des anciens Celtes qui a fleuri de nouveau dans les Iles Britanniques?

Cette littérature celtique insulaire ne remonte sans doute qu'au Moyen Age. Ses plus anciens textes n'ont guère été rédigés avant la fin du XIe siècle ou même le cours du XIIe siècle; mais, comme les poèmes des druides, elle avait été l'objet, auparavant, d'une longue tradition orale. Cette tradition rejoint-elle celle des Gaulois du continent? Se trouve-t-on en droit, par conséquent, d'y chercher une image de leur littérature poétique? Est-il permis, en outre, d'en tirer un complément d'informations sur les Celtes en général et ceux de Gaule en particulier? La question demeure discutée.

Amédée Thierry, dans son *Histoire des Gaulois*, Henri Martin et les celtomanes de son école, ont fait grand état, jadis, des anciennes lois du Pays de Galles, croyant pouvoir y retrouver le droit des Gaulois d'avant notre ère. Depuis lors, l'attention s'est portée surtout sur la poésie épique de l'Irlande. D'Arbois de Jubainville croyait pouvoir y retrouver non seulement des souvenirs de la tradition gauloise mais une image de l'état social des Celtes du Continent.

La littérature de l'Irlande ancienne, font remarquer les celtisants, est extrêmement riche; un millier de manuscrits contiennent des romans épiques, des poèmes, des chansons, des vies de saints, des annales, des traités de géographie historique, des recueils de droit coutumier, qui ont régi la vie publique et privée depuis le paganisme jusqu'au temps de Henri VIII. De même, disent-ils, que la connaissance de la langue celtique n'a vraiment progressé qu'à partir du jour où fut créée la grammaire comparée des langues celtiques et que le rapprochement des dialectes a permis de retrouver les formes plus anciennes dont ils dérivent, de même la comparaison des littératures celtiques doit conduire à isoler les éléments les plus anciens qu'il sera parfaitement légitime d'attribuer aux Gaulois. La littérature des Celtes insulaires conserve, affirme Henri Hubert, d'importants éléments qui remontent plus haut que l'arrivée des Celtes dans les Iles Britanniques; ils permettent de reconstituer l'image de temps beaucoup plus anciens... « il serait antiscientifique de ne pas s'en préoccuper ».

A ces rapprochements et, surtout, aux conclusions qu'on

en prétendait tirer, les historiens de stricte observance ont fait de sérieuses objections. « J'avoue », écrivait Fustel de Coulanges dans la première note de sa *Gaule romaine*, « n'avoir pas la hardiesse de ceux qui se servent des lois galloises ou irlandaises du Moyen Age pour en déduire ce que furent les Gaulois d'avant notre ère... Ces savants hardis prétendent retrouver le droit de l'ancienne Gaule dans de soi-disants codes irlandais ou gallois dont l'existence même comme codes est problématique, qui ne nous sont connus que par des manuscrits du XIIe siècle et sur lesquels il faudrait se demander tout d'abord s'ils représentent un droit antérieur à l'ère chrétienne. »

Camille Jullian exprime les mêmes réserves dans son *Histoire de la Gaule* (II, p. 13, n. 3) : « J'hésite beaucoup à utiliser les documents du Moyen Age irlandais, gallois ou autres, pour interpréter les textes anciens relatifs aux institutions celtiques et gauloises, à l'organisation politique et sociale et la langue elle-même. Ces pays, Irlande, Écosse, Cornouaille, Pays de Galles, sont précisément ceux où la conquête gauloise a été ou fort tardive ou très incomplète. C'est la chose du monde la plus hypothétique que l'origine gauloise des êtres et des traditions de ces pays; c'est arbitrairement et *a priori* qu'on répète, à propos de l'Irlande et de l'Armorique, les expressions de Celte et de Celtique. Nous trouvons plutôt, dans ces régions, des vestiges des choses indigènes antérieures à l'expansion du nom gaulois... Bien plus, les rapports de parenté entre les traditions irlandaises et la civilisation gauloise seraient-ils prouvés qu'il ne paraîtrait pas d'une saine méthode d'interpréter celle-ci par celles-là : les choses ont pu tellement changer dans les douze siècles qui ont suivi l'ère chrétienne... Il faut remarquer, en troisième lieu, que tous ces documents britanniques, y compris le cycle mythologique irlandais, sont des œuvres artificielles, dues à l'imagination ou à l'érudition. Elles contiennent trop de fantaisie individuelle, trop de remaniements s'y sont produits, pour constituer une source sûre... Enfin, les analogies que l'on constate entre le monde gaulois et le monde irlandais ne sont pas différentes de celles que l'on peut retrouver entre le premier et les Germains ou les Grecs... » En effet, l'œuvre magistrale de Camille Jullian ne renvoie pour ainsi dire jamais à la littérature celtique insulaire.

Pour juger de la question il importe tout d'abord de voir comment se présente cette littérature celtique.

C'est dans la Bretagne française que l'on chercherait plus volontiers des souvenirs gaulois. Il faut cependant observer que le celtique breton ne rejoint pas la langue parlée par les

Gaulois. En Armorique, comme dans le reste de la Gaule, cette langue avait été étouffée par le latin. Le parler celtique y fut rapporté aux vᵉ et vɪᵉ siècles de notre ère par des Bretons d'Angleterre fuyant les invasions des Angles et des Saxons. La Cornouaille française n'est qu'une colonie de la Cornouaille insulaire. La littérature celtique de Bretagne se réduit d'ailleurs à peu de chose.

Jusqu'au milieu du xɪxᵉ siècle, écrit G. Dottin (*Les Littératures celtiques*, p. 39) : « Si l'on met à part quelques livres de piété, une collection de Noëls anciens (1650), un dictionnaire intitulé le *Catholicon* (1664)..., les seuls genres en honneur furent la tragédie et la chanson. Les tragédies sont issues ou imitées des Mystères du Moyen Age; elles traitent de sujets bibliques, de vies de Saints ou d'épisodes de romans de chevalerie... La plupart ne datant que de la fin du xvɪɪɪᵉ ou du commencement du xɪxᵉ siècle. Ce théâtre populaire est évidemment sans valeur historique. » Les chansons de la Basse-Bretagne constituent un ensemble à part dans les littératures celtiques; par leurs sujets comme par leur composition, elles sont propres à la péninsule armoricaine. Dans la collection qu'il publia en 1839, Hersent de la Villemarqué avait cru trouver les souvenirs les plus lointains de l'histoire de Bretagne. On s'est aperçu depuis que les plus anciens ne remontent pas au-delà du xvɪᵉ siècle et que, pour le reste, il s'agit de thèmes du folklore universel. En somme, il n'est rien, dans l'ensemble de cette littérature qui, de près ou de loin, se rapporte aux temps gaulois.

La littérature du Pays de Galles est plus riche. Nous y trouvons d'abord un recueil de lois codifiées, semble-t-il, au début du xᵉ siècle. Il y est notamment question des bardes. Ces lois peuvent contenir quelques traditions de l'ancien temps celtique mais tellement mêlées d'éléments hétérogènes que des celtisants convaincus, comme d'Arbois de Jubainville, renoncent à en faire usage.

Au pays de Galles appartiennent quelques pièces lyriques attribuées à des poètes du vᵉ siècle. Sous le nom de l'un d'eux, Taliesin, nous sont parvenus des chants d'époques diverses, pour la plupart d'inspiration guerrière mais dont quelques-uns font mention de la métempsychose, doctrine attribuée aux druides. L'ensemble ne représente cependant qu'une compilation tardive, contenant tout au plus quelques éléments anciens épars au milieu de traditions qui ne remontent qu'au Moyen Age.

Au xɪɪᵉ siècle, l'évêque érudit Geoffrey de Monmouth rédigea en latin une *Histoire de Bretagne* où il y a peut-être quelques échos d'une tradition indigène ancienne mais surtout des emprunts à l'érudition de son temps. Il avait écrit également une histoire de Merlin l'Enchanteur, poète et magicien. Nous sommes au temps, en effet, où se développe le cycle des romans d'Arthur et des chevaliers de la Table Ronde. Ces romans peuvent contenir, sans doute, des traditions d'origine celtique. Mais ils ont subi également l'influence de la littérature romanesque du continent. Comment y démêler ce qui, par-delà la période où se constitua la société féodale, par-delà les invasions normande et saxonne, peut remonter jusqu'à l'époque purement celtique?

L'œuvre la plus importante de la littérature galloise est un recueil de contes, les *Mabinogion*, dont les divers manuscrits datent des XIIe et XIIIe siècles. Petits romans d'aventure, récits de batailles, de duels et de tournois, ces contes mêlent le merveilleux et le surnaturel à la réalité. On y reconnaît, sous une forme légendaire, quelques souvenirs anciens. Dans le cycle des enfants de Llyr (le roi Lear de Shakespeare), dans le roman de Lud, dans d'autres encore, apparaissent quelques souvenirs de la mythologie païenne. Le *Songe de Maxen* évoque nettement l'usurpateur Maxime qui passa de Bretagne en Gaule et fut empereur quelques années, de 383 à 388. Enfin se forme, lors de l'invasion saxonne (450-510), le cycle d'Arthur et des chevaliers de la Table Ronde, d'abord combiné avec d'autres cycles, puis renouvelé sous l'inspiration des romans arthuriens du continent. « On a l'impression », dit G. Dottin, « que les auteurs des *Mabinogion* mettent au pillage d'anciennes traditions dont ils ne possèdent plus complètement le secret. » De leurs récits on ne peut guère tirer de renseignements sur l'ancienne civilisation celtique.

La littérature cornique ou de Cornouaille est presque exclusivement religieuse et chrétienne; le reste ne représente que du folklore commun sans aucun intérêt documentaire.

Celle de l'Écosse, beaucoup plus riche, est moderne; elle ne remonte qu'au XVIe siècle. Elle se confond, pour les éléments anciens qu'elle a pu conserver, avec celle de l'Irlande. L'organisation sociale des clans écossais, telle qu'on l'aperçoit dans les romans de Walter Scott, peut rappeler, d'une façon générale, ce que l'on sait de la clientèle celtique. Il n'en serait pas moins téméraire d'y chercher un modèle de ce qui put exister vingt siècles auparavant en Gaule.

Comme la langue de l'Irlande, le parler celtique d'Écosse relève du dialecte gaélique, distinct par son caractère plus archaïque du brittonique du Pays de Galles, de Cornouaille et de la Bretagne française. Le gaulois appartenait, on le sait, au groupe brittonique. Les traditions écossaises et irlandaises peuvent donc remonter à un passé celtique plus ancien que celui des Gaulois du temps de César. Il faut tenir compte aussi de tout ce qui, au cours des siècles, put s'y mêler de non celtique.

La littérature irlandaise se présente sous une forme essentiellement poétique; ce sont des épopées mélangées de prose et de vers ; elles correspondent aux sagas scandinaves ou encore, dans une certaine mesure, à nos Chansons de Geste. Comme les romans gallois, toutes ces œuvres ont été rédigées postérieurement à l'an Mille mais reposent sur une tradition orale très antérieure. Cette tradition peut même remonter au-delà de l'ère chrétienne; le fond en est essentiellement païen, dieux et druides y sont mentionnés couramment. Œuvres des bardes qui se sont perpétués en Irlande tels qu'ils existaient jadis en Gaule, elles ont maintenu des traits d'un celtisme incontestablement ancien.

Dans l'épopée irlandaise se distinguent plusieurs cycles :

1° Un cycle proprement mythologique ou cycle des *Dêdanann*, peuple de dieux et de magiciens qui, venant des îles septentrionales, aurait conquis l'Irlande au milieu de batailles et d'aventures merveilleuses. On n'en possède que des fragments et des analyses dont les plus anciennes remontent au XIe siècle.

2° Le cycle des *Fénians*, les hommes du héros Find dont les annales irlandaises mentionnent la mort au IIIe siècle de notre ère. Les Fénians sont des aventuriers qui, en dehors de l'organisation sociale régulière, cantonnés chez l'habitant pendant une partie de l'année et vivant à ses dépens, passent le reste de leur temps à la chasse et à la guerre. Leurs combats ont pour objet l'application stricte de la justice, la lutte contre l'arbitraire des chefs et la garde du pays contre les incursions étrangères. Leurs aventures, batailles, poursuites, fêtes, donnent lieu à des récits de caractère épisodique que le surnaturel apparente souvent à des contes de fées. A ce cycle, qui s'est développé jusqu'au XVIIIe siècle, se rattachent les poèmes ossianesques. La publication fameuse de Macpherson, en 1760, n'est que la paraphrase peu fidèle de poèmes dont les manuscrits ne furent reconnus que plus tard. Ossian, à qui étaient attribuées ces aventures, était un barde écossais, fils du roi légendaire Fingal qui aurait combattu et repoussé les Romains.

3° Le cycle le plus important est celui des *Ulates* ou de l'Ulster, dont le centre est l'épopée du héros Cuchulaïnn et du roi Conchobar. Alors que les cycles des Dêdanann et des Fénians sont mélangés d'éléments divers, pour la plupar-mythologiques, le cycle des Ulates a plus d'unité et d'originat lité. Moins populaire que le cycle des Fénians, il a été moins remanié et a gardé, le plus souvent, son ancienne forme » (G. Dottin, *Les littératures celtiques*, p. 75). Il comprend à peu près tous les genres : razzias, batailles, sièges, morts héroïques, rapts, festins, exils, amours. D'après les indications que l'on peut tirer des Annales irlandaises pour quelques-uns des personnages ou des faits qui apparaissent dans ces épopées, le noyau du cycle serait antérieur au IIe siècle de notre ère. Le roi Conchobar aurait été à peu près contemporain du Christ. Les légendes devaient être fixées dans leurs traits essentiels à la fin du Ve siècle, sans que cela ait empêché de nouveaux épisodes de venir s'y ajouter. C'est de ce cycle qu'à juste titre on a essayé de tirer le plus de renseignements sur la plus ancienne civilisation celtique.

4° Le cycle de l'Au-delà. « Depuis les temps les plus lointains dont ils aient gardé le souvenir, les Gaëls ont peuplé leur île solitaire, où les brouillards des lacs et des rivières servent de voile aux apparitions, d'une foule d'êtres invisibles qui, parfois, consentent à se révéler aux hommes ; ce sont les *sidhes* ou fées, survivants, disait la tradition, des anciens Dêdanann. Les sidhes habitent sous la terre, dans les collines ou à l'intérieur des *tumuli* antiques : les tertres des Fées. Là s'ouvrent des palais somptueux, pleins de trésors, que quelques mortels privilégiés ont visités... Avides de l'inconnaissable, les Gaëls voulurent aussi pénétrer les mystères de l'Océan et chercher, sur les mers lointaines, les îles invisibles où demeurent ceux qui sont partis pour toujours » (G. Dottin, *ibid.*, p. 97).

Expéditions ou Aventures, Navigations, Périples, Visions ou Extases, composent une véritable épopée de l'Au-delà. Cet Au-delà est une île enchantée, plaine de la Joie, pays de la Jeunesse, qui se dresse sur des piliers de bronze au milieu de la mer. Elle rappelle par plus d'un trait le pays bienheureux des Hyperboréens que décrit Diodore de Sicile et qui, pour les Gaulois, aurait représenté l'autre monde. Les aventures mystérieuses qui mettent les vivants en rapport avec les morts sont d'inspiration païenne; quelques détails, seuls, ou des modifications, y expriment des idées chrétiennes. On peut trouver là, certainement, au moins quelques-unes des idées que les Celtes se faisaient de l'Outre-tombe.

5° A l'épopée sont venues s'ajouter, d'une part, des parodies et, de l'autre, des compositions savantes, les *Dinsenchus* ou Antiquités. Ces dernières sont, dit G. Dottin, les épopées des paysages et des monuments; toutes les légendes sur l'origine des noms de lieux ou sur les héros du pays s'y trouvent racontées en prose ou en vers, compilations d'œuvres connues ou inconnues qui marquent l'attachement des Irlandais à leur sol et à leur passé; elles fournissent bon nombre de renseignements utiles.

Toute cette littérature n'est vraiment étudiée que depuis une soixantaine d'années. On n'en méconnaît plus aujourd'hui la valeur ni l'intérêt. Si mêlée qu'elle soit d'éléments divers, elle n'en plonge pas moins ses racines dans un passé lointain dont l'isolement de l'Irlande a conservé la tradition. Tandis que le continent subissait le bouleversement des invasions barbares, le celtisme insulaire s'est développé, conservant une image de l'ancienne civilisation.

Il est certain que des ressemblances générales rapprochent la société dépeinte par l'épopée irlandaise de celle que les textes des écrivains antiques nous font connaître sur le continent avant la conquête romaine.

Le caractère des peuples semble être le même : « Tous les peuples appartenant à la race celtique », disait Strabon, « sont fous de guerre, irritables et prompts à en venir aux mains, du reste simples et pas méchants... On les trouve toujours prêts à accepter un défi et à braver le danger... » — « Ces guerriers », reconnaît un celtisant allemand, Windisch, parlant des héros de l'épopée irlandaise, « aiment la bataille et se réjouissent du sang versé; mais ils sont loyaux et ne tuent qu'en combat régulier avec des adversaires dignes d'eux; ils épargnent le cocher du char de leur ennemi, ils laissent aller l'adversaire désarmé, ils ne font de mal ni aux femmes ni aux enfants... »

Comme jadis les Gaulois, les héros irlandais vont au combat en char; ils n'ont ni casque ni cuirasse et se protègent derrière de vastes boucliers; leurs armes sont l'épieu, la lance et l'épée; ils sont blonds ou roux et s'habillent avec recherche de couleurs éclatantes. L'archéologue anglais Ridgeway a montré que l'armement et les vêtements décrits dans le cycle de l'Ulster correspondent exactement aux types de la civilisation gauloise de La Tène. Les fêtes de l'épopée irlandaise sont des festins où règne un protocole semblable à celui qui nous est connu chez les Gaulois; la préséance y est âprement disputée, le « morceau du roi » y fait l'objet de contestations passionnées qui vont jusqu'au défi et au duel à mort.

Les rois et les chefs, en Irlande comme en Gaule, vivent entourés de leurs fidèles; des bardes chantent la noblesse et les exploits de leurs protecteurs; ils se font redouter par leurs satires qui sont en même temps des incantations malfaisantes Combats singuliers de deux champions en présence des armées rangées en bataille, discours, défis, injures préalables, rite des têtes coupées, se rencontrent dans l'épopée comme chez les Celtes de l'ancien temps. On ne peut surtout manquer d'être frappé de la concordance entre druides, bardes, devins gaulois et prêtres ou souvent druides irlandais, bardes et *filid*, devins, parfois poètes eux aussi, mais voués le plus souvent aux pratiques de la divination la plus vulgaire. Même grandiloquence; des expressions identiques se retrouvent, comme des formules traditionnelles, dans le serment prêté par les Celtes d'Illyrie au temps d'Alexandre et dans celui du roi de l'Ulster, Conchobar : « Si nous n'observons pas nos engagements », juraient les Gaulois à Alexandre, « que le ciel tombant sur nous nous écrase, que la terre s'entrouvrant nous engloutisse, que la mer, débordant, nous submerge. » — « Si le firmament, avec ses pluies d'étoiles, ne tombe pas sur la terre », dit Conchobar, « si la terre, par suite d'un tremblement, ne se brise, si l'Océan sinueux aux bords bleus ne déborde sur le front chevelu du monde, je ramènerai chacune des vaches à son étable et chacune des femmes à sa demeure. »

L'unité morale ne se manifeste pas moins par la croyance des deux peuples à l'immortalité de l'âme et par une conception analogue de l'autre monde. Les Celtes croyaient, nous est-il dit, à la métempsychose. Nous trouvons des exemples de métempsychose dans l'épopée irlandaise : Tuan, fils de Cairell, est successivement homme, cerf, sanglier, faucon, saumon, puis redevient homme. En Pays de Galles, un personnage mythique renaît sous le nom de Taliesin, après avoir pris la forme de divers animaux. Nous ne connaissons sans doute rien de tel chez les Gaulois; mais rien n'interdit de penser qu'ils ont pu avoir des légendes de ce genre.

Les souvenirs de mythologie païenne que l'on trouve dans l'épopée fournissent quelques noms qui paraissent avoir été ceux de dieux gaulois. Le héros *Lug*, l'homme universel qui connaît tous les métiers, peut représenter le dieu Lug, l'éponyme de *Lugdunum. Ogmios* était en Gaule le dieu ou le héros que les Grecs ont assimilé à Hercule. On le trouve dans l'épopée irlandaise, en qualité de champion renommé pour sa force. Des inscriptions romaines de Bretagne font connaître un dieu celtique *Nodons* qui semble bien reparaître dans *Nuada*, roi des Dêdanann. La déesse gauloise *Brigantia* a été couramment rapprochée de la *Brigit* irlandaise. Dans la Bataille de Mag-Tured, Brigit n'est, sans doute, qu'une femme mais, dans d'autres poèmes, elle apparaît sous une triple forme rappelant les trois déesses-Mères honorées en Gaule. La Brigit païenne semble n'avoir pas été étrangère à la grande diffusion du culte de sainte Brigitte en Irlande. *Nemetona*, parèdre du Mars gaulois, serait représentée par l'héroïne *Nemon*, femme de Nète. *Catubodua* gauloise, divinité de la bataille et du carnage, est évidemment la même que *Bobd-Catha* irlandaise qui, dans l'épopée, assume exactement les mêmes fonctions. On pourrait multiplier les rapprochements en observant que, presque toujours, les anciens dieux sont déchus, à l'époque chrétienne, au rang de simples héros.

L'étude des sculptures qui décorent les croix irlandaises du haut Moyen Age a rappelé de même à Mlle F. Henry des représentations de divinités gauloises. Le cerf divin, animal de richesse et de mort, qui entraîne les chasseurs vers toute sorte d'aventures mystérieuses, forme animale du dieu gaulois *Cernunnos* à la ramure de cerf, apparaît souvent sur ces croix. La déesse *Épona* s'y reconnaîtrait de même, avec ses poulains. « Derrière légendes, épopée, contes, bas-reliefs », dit Mlle F. Henry, « on sent les grandes lignes immuables d'une mythologie qui fut un jour la même d'un bout à l'autre du monde celtique, de l'Irlande aux confins de la Scythie. » En somme, les rapprochements, inaugurés jadis par d'Arbois de Jubainville, entre la civilisation des Celtes de l'Antiquité et celle des Celtes d'Irlande du Moyen Age, se multiplient et se précisent chaque jour. Quelle conclusion convient-il d'en tirer?

Il est tout d'abord évident que nous avons en Irlande et en Galles, au début du Moyen Age, une civilisation de même nature et de même caractère qu'en Gaule avant César. Cependant les ressemblances de caractère général n'ont pas la signification précise qu'on serait tenté de leur attribuer.

Les traits communs aux Irlandais de l'épopée et aux Celtes du continent ne leur sont pas exclusivement propres; ils se retrouvent dans d'autres civilisations qui n'ont rien de celtique et qui, simplement, représentent un même stade de développement. Le fait même que les armes des Irlandais sont à peu près les mêmes que celles des Gaulois de La Tène, que les uns et les autres combattent en char, qu'ils se couvrent d'un grand bouclier de bois, ne leur est pas particulier. Tout un volume du *Cours de Littérature celtique* de d'Arbois de Jubainville est consacré à un rapprochement suivi entre la civilisation des Celtes et celle des Grecs de l'épopée homérique (T. VI, *La civilisation des Celtes et celle de l'épopée homérique*, 1899). L'illustre celtisant retrouve en effet chez Homère le chef qualifié de roi avec ses compagnons et le rhapsode jouant le rôle du barde; les fêtes sont des festins où le meilleur morceau est attribué à celui que l'on veut honorer; combats singuliers précédés de sonores invectives, armes brillantes, chars, mille détails de la vie domestique et de l'organisation sociale, composent un tableau qui ressemble de près à celui que nous offre l'ancienne littérature de l'Irlande.

Une telle civilisation, en effet, n'est proprement ni celtique ni homérique; elle représente simplement une phase primitive de la société humaine ou, si l'on préfère, du développement indo-européen. Tels étaient les Grecs huit cents ans avant notre ère, tels étaient demeurés les Irlandais mille ans après J.-C., tels devaient être les Gaulois entre 500 et 300, vers le moment où leurs expéditions conquirent la majeure partie de l'Europe continentale et où ils ensevelissaient leurs chefs dans les belles tombes de Champagne. On ne saurait légitimement imaginer cette manière d'être comme spécifiquement celtique.

D'Arbois de Jubainville étudiait l'épopée irlandaise surtout pour elle-même. Il serait injuste de prétendre que les douze volumes de son *Cours de Littérature celtique* n'apportent rien à l'intelligence des institutions et des coutumes des anciens Gaulois. Il serait cependant excessif d'affirmer qu'ils ajoutent beaucoup d'éléments nouveaux et assurés aux indications qui nous viennent des écrivains antiques. Ses comparaisons contribuent beaucoup plus à la connaissance de la civilisation des Irlandais au commencement du Moyen Age qu'à celle de l'antiquité gauloise.

La question qui se pose est de savoir si un certain nombre de ressemblances constatées entre l'une et l'autre nous autorisent à transposer, sans plus, chez les Celtes du continent, des traits qui n'apparaissent que chez ceux des Iles Britanniques à l'époque chrétienne.

Sans doute est-il permis d'imaginer une civilisation « panceltique » commune, représentée en des régions et en des temps divers par les différents peuples celtiques. De même les linguistes supposent une langue celtique commune à l'origine des différents parlers celtiques, de même ils évoquent une langue indo-européenne, mère des parlers de cette famille. Mais ce n'est là de leur part qu'une hypothèse de travail; ils ne se dissimulent pas qu'elle représente une simple conception de l'esprit. Ils savent fort bien que ni l'indo-européen ni le celtique commun n'ont jamais été parlés nulle part. Une civilisation panceltique ne correspond pas davantage à une réalité. Ce n'est, en fait, qu'une abstraction. Elle sert à fixer et à expliquer les rapports des peuples celtiques entre eux et à rendre compte des analogies observées. On ne saurait s'en autoriser pour attribuer à tous les peuples reconnus celtiques tous les traits qui caractérisent chacun d'eux, pas plus que les linguistes n'ont jamais songé à prêter à chacune des langues indo-européennes tous les mots dérivant de racines indo-européennes connues. Aucun celtisant n'a jamais eu l'idée d'attribuer aux Gallois ou aux Irlandais des institutions propres aux Gaulois comme la constitution de dot attestée par César. Pourquoi irait-on prêter à la famille, à la tribu, à la société gauloise, des traits que l'on n'aperçoit qu'en Irlande ou que mentionnent des lois du Pays de Galles?

Il n'en convient pas moins de reconnaître l'extrême intérêt que présente, pour l'intelligence des faits gaulois, l'étude de la langue et de la littérature et même de l'art des Celtes insulaires, si tardifs qu'en soient les monuments. Pour la langue, ce sont les parlers celtiques modernes qui ont livré la clef de celui des Gaulois antiques. Dans l'art, le style et les tendances se retrouvent les mêmes, dans l'Irlande du haut Moyen Age et à l'époque de La Tène. Les œuvres littéraires fournissent, surtout, bon nombre de traits sinon identiques du moins comparables. Ce serait un manque de curiosité insigne que de négliger de tels rapprochements. On s'apercevra, notamment en ce qui concerne la religion des Gaulois, quel précieux secours apportent à son intelligence les souvenirs du paganisme conservés par l'épopée chrétienne irlandaise. Ces souvenirs sont sans doute profondément déformés. Il ne s'agit pas de les transporter tels quels dans la Gaule d'avant la conquête. Mais les indications que nous possédons par ailleurs sont également postérieures à cette conquête ; elles se trouvent, elles aussi, déformées par l'interprétation gréco-romaine. La comparaison de ces deux images inexactes permet souvent la correction et l'on peut parvenir ainsi à saisir la conception vraie. De même, lorsqu'il s'agit des institutions, des usages ou des mœurs, les écrivains antiques n'ont pas toujours bien compris les faits qu'ils rapportent ou ils les ont travestis de diverses façons. Les indications qui se peuvent tirer de la littérature insulaire permettent parfois d'expliquer et souvent de critiquer les leurs. Elles aident en tout cas à les mieux comprendre. Il n'est pas superflu, pour se faire une idée juste de l'une quelconque des civilisations celtiques, de tenir compte de ce que nous savons des autres. A ce point de vue et dans ces limites, la comparaison entre ce que nous savons des Gaulois et ce que les littératures galloise et irlandaise nous apprennent sur les peuples celtiques à qui elles sont dues, multiplie chaque jour des renseignements précieux.

10 LA RELIGION GAULOISE

L'étude de la religion gauloise nous ramène aux mêmes problèmes que nous nous sommes posés à propos des Gaulois eux-mêmes : dans quelle mesure la religion, comme la population, différait-elle de province à province; dans quelle mesure s'étaient trouvées mélangées, dans chaque province, les traditions autochtones et celles des Celtes? En un mot, faut-il parler d'une religion gauloise ou « des religions de la Gaule »?

Les idées religieuses avaient dû, nous semble-t-il, subir en Gaule la même fusion que les hommes. Au point de vue politique il s'était constitué, sous la prépondérance celtique, au moins un embryon d'unité nationale. Nous avons vu, dans l'ensemble des pays celtiques, l'art accuser des tendances et un style d'une impressionnante unité. De même, en ce qui concerne la religion, les conceptions diverses avaient dû se résoudre en une sorte de fond commun où celles des Celtes avaient pris la prépondérance. D'ailleurs un même clergé, celui des Druides, exerçait son influence sur l'ensemble, ou du moins, la plus grande partie des pays gaulois; ces théologiens avaient dû diffuser partout une doctrine sensiblement la même. Cherchons donc la « religion gauloise » mais en nous représentant bien qu'elle était le fruit d'une évolution déjà fort longue et complexe dans laquelle des idées primitives et d'origines diverses se sont trouvées mêlées à d'autres plus récentes. Essayons de distinguer les couches différentes qui l'ont constituée, comme nous avons essayé, plus haut, de reconnaître les différents éléments qui ont composé la population gauloise.

La religion gauloise nous est connue par trois sortes de

documents : les indications des écrivains grecs et romains, les inscriptions et les monuments figurés de la Gaule romaine, enfin, par les souvenirs de l'ancienne religion païenne que l'on rencontre dans les littératures celtiques du Moyen Age chrétien. Aucune de ces trois sources n'est pleinement satisfaisante.

Les écrivains classiques, persuadés que les dieux étaient partout les mêmes et que les noms seuls différaient, n'ont prêté qu'une attention distraite à ce qui était le propre de la religion gauloise; ils l'ont déformée pour la ramener à leurs idées. Les textes épigraphiques et les images de l'époque romaine ont également subi, au moins en partie, la contagion gréco-romaine. De la religion gauloise, ils nous donnent ce qu'on a appelé « l'interprétation romaine ». Quant aux renseignements qui nous viennent du Pays de Galles ou d'Irlande, nous avons vu qu'ils prêtent toujours à la question préjudicielle : dans quelle mesure la religion de ces insulaires concordait-elle avec celle des Celtes du continent? Ne risquons-nous pas de prêter aux Gaulois des traits qui ont été ceux des indigènes non celtiques des Iles Britanniques?

On ne saurait donc s'en tenir à l'une de ces séries de renseignements; il faut, sur chaque point, en confronter les données en s'efforçant, autant que possible, de compléter ou de rectifier l'une par l'autre : travail délicat dans lequel on ne s'étonnera pas de voir subsister des incertitudes.

I. — Les plus anciennes conceptions religieuses de la Gaule

La conception religieuse qui a laissé les traces les plus anciennes paraît très antérieure aux Gaulois eux-mêmes et à leur arrivée en Gaule. Elle remonte à l'époque néolithique; elle appartient par conséquent aux populations qui occupaient primitivement le sol de la France. Les monuments de cette époque nous permettent en effet de reconnaître un culte de la Terre-Mère, divinité à la fois de la vie et de la mort. De la matrice féconde de la Terre divine sort la race des hommes, des animaux et des plantes. La Terre est la mère commune de tout ce qui vit et tout ce qui vit revient finalement se confondre en elle; après avoir enfanté tous les êtres, elle accueille et protège leur dernier sommeil; mère de la vie, elle est aussi maîtresse des morts. Cette idée, d'une poésie grandiose, n'était pas propre aux néolithiques de Gaule; il semble bien qu'on la retrouve dans l'ensemble du bassin méditerranéen. Elle était faite pour frapper et s'est conservée, durant toute l'époque classique, dans les mythes de l'Asie Mineure pour envahir de nouveau l'Occident romain sous la forme du culte de la Grande Mère des dieux.

C'est la divinité de la Terre protectrice des morts que l'on trouve représentée sur la paroi souterraine de quelques-unes des grottes sépulcrales néolithiques de la vallée du Petit-Morin (fig. 63 et fig. 45, à droite, ci-dessus, p. 231). Elle y

Fig. 63. — Entrée de la grotte de Courjeonnet, vallée du Petit-Morin (Marne) (Déchelette, *Manuel*, I, fig. 160, p. 457).

apparaît sous un aspect extrêmement fruste. L'image, dit Déchelette, « a la forme d'un panneau rectangulaire dont le sommet cintré représente un visage humain. Le dessin du visage est lui-même tout conventionnel ». Le nez se détache nettement au-dessous des arcades sourcilières, les yeux ne sont que des globules plus ou moins saillants, la bouche n'est pas marquée ou très légèrement tracée. Un collier orne le cou; une ceinture à franges ceint la taille. Sans aucun doute, la polychromie ou plutôt une sorte de tatouage en couleur complétait les détails négligés par la sculpture. La Dame ainsi figurée était censée veiller sur les nombreux squelettes déposés à l'intérieur de la grotte.

On la retrouve, plus schématique encore, gravée sur les dalles qui soutiennent les allées couvertes des bassins de la Seine et de l'Oise. Elle se reconnaît, dessinée avec plus de détails, dans les sépultures dolméniques de l'âge du bronze, dans le Tarn et dans le Gard et sur les menhirs sculptés des départements de l'Aveyron, du Tarn et de l'Hérault. Telle est l'analogie entre ces figures de la France néolithique et les petites idoles de terre cuite rencontrées par Schliemann dans la seconde, par ordre d'ancienneté, des villes recouvertes par la Troie homérique, qu'on ne saurait mettre en doute l'identité de la divinité qu'elles représentent (fig. 64). Il s'agit bien de celle qui, dans l'Orient méditerranéen, sera nommée plus tard Cybèle ou Déméter. Cette déesse de la terre féconde semble jouer spécialement, chez nous, le rôle de gardienne et protectrice des morts.

Fig. 64. — Vase et idole de terre cuite de la seconde ville de Troie.

Sous des formes diverses, ce culte, le plus ancien de ceux que nous distinguions sur notre sol, semble être demeuré de tout temps, l'un des plus vivants et des plus populaires. Les innombrables déesses-mères, Matrones, Tutèles, Proxumes, Fées, du Midi et de l'Est de la Gaule romaine, apparaissent comme les héritières de la Terre-Mère des tribus néolithiques. Nous les trouvons figurées parfois sous les traits, familiers encore aujourd'hui au culte catholique, de la mère dorlotant son poupon. Seules ou, plus souvent, groupées par trois, elles tiennent dans leur giron des enfants ou des petits des animaux ou des fleurs et des fruits. On a des raisons de penser qu'elles étaient également des déesses funéraires; on a, parfois, retrouvé de leurs statuettes à l'intérieur des tombes. Épona, la déesse-mère propre aux chevaux et à leurs poulains, se trouve également en relation avec l'outre-tombe. La nymphe de la source souterraine et de la rivière, la Dame de la forêt, maîtresse des arbres et du gibier, *Arduina* dans les Ardennes, *Abnoba* dans la Forêt-Noire, la Fée favorable ou méchante des hauts lieux déserts, ne sont que des hypostases diverses de la grande divinité maternelle primitive, la Terre.

La Terre-Mère avait pour compagnon un dieu Père, probablement dieu du Ciel. Sur la paroi des grottes du Petit-Morin apparaît parfois, concurremment avec la divinité féminine et une fois même associée à elle, l'image d'une hache emmanchée (fig. 63 et 65). Quelques menhirs du midi de la France paraissent représenter non une déesse mais un personnage masculin. Sur les dolmens de Bretagne le signe de la hache se rencontre fréquemment. Ici encore nous pouvons reconnaître, dans la France de la pierre polie ou des premiers âges du bronze, sinon une influence méditerranéenne, du moins une analogie avec les plus anciens symboles religieux du monde méditerranéen. Dans la Crète de Minos, la double-hache est le symbole du dieu céleste; elle est adorée comme le signe de la toute-puissance divine. Sur les dolmens bretons qui sont souvent des tombes, la hache représenterait plutôt un dieu du monde souterrain, un dieu des morts.

On a souvent remarqué que les dieux des religions primitives ne se trouvaient pas, comme ceux de la mythologie grecque, étroitement confinés en des fonctions bien déterminées. Il sont des dieux bons à tout. Celui du ciel règne également sur la terre et sous la terre, il est le dieu, à la fois, des vivants et des morts. Il semble qu'il en ait été ainsi en Crète; il en était probablement de même dans la Bretagne des dolmens.

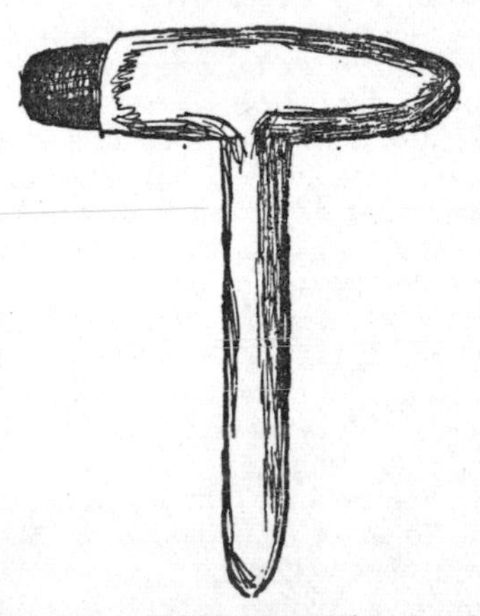

Fig. 65. — Hache emmanchée gravée sur la divinité féminine de la grotte de Courjeonnet (fig. 63).

Les druides, selon César, faisaient descendre tous les Celtes d'un père commun qui fut identifié au *Dis Pater* latin. *Dis Pater* était une sorte de Pluton; la divinité paternelle des Gaulois aurait donc été un dieu infernal, maître de la mort mais, en même temps, de la vie. Peut-être ce père commun évoqué par les généalogies druidiques conservait-il quelque souvenir du dieu à la hache des temps dolméniques, époux de la Terre-Mère et père de la race des hommes. On peut se demander s'il n'y aurait pas lieu de rapprocher la hache préhistorique du maillet, attribut d'un dieu fréquemment représenté à l'époque romaine et que les inscriptions nomment *Sucellus*, c'est-à-dire le bon frappeur ou *Silvain.* La hache, l'arme maîtresse d'autrefois et symbole de la toute-puissance, était devenue, à l'époque romaine, le paisible outil du bon tonnelier, mais du tonnelier divin qui présidait à la boisson mystique, aliment et joie de la vie d'outre-tombe. Quoi qu'il en soit de ses antécédents, le dieu au maillet apparaît comme l'un des très grands dieux de l'époque romaine; nous le retrouverons.

II. — Les éléments d'origine nordique

Les plus anciens Celtes ont été souvent identifiés par les écrivains classiques avec les Hyperboréens, peuple mystérieux qui habitait au-delà des montagnes où naît le vent du Nord. Les Grecs avaient longtemps conservé des relations avec les riverains de l'Océan nordique d'où leur venait l'ambre. Quelques historiens, depuis Hérodote, avaient recueilli sur eux des indications assez précises. Diodore de Sicile, d'après Hécatée d'Abdère, nous dit que leur dieu principal était Apollon, c'est-à-dire le Soleil. En effet, bon nombre de monuments, provenant du centre et du nord de l'Europe, représentent le soleil sur son char tiré par un cheval ou dans sa barque conduite par des cygnes comme Lohengrin. Des oiseaux aquatiques, des roues, des rosaces, la croix gammée ou non, rappelant les rayons de la roue, le triscèle à trois branches courbes, le signe en S cher à l'art gaulois, paraissent avoir été originairement des symboles du dieu Soleil et leur extrême diffusion indique celle du culte.

César assimile l'un des grands dieux gaulois à Apollon, dieu du Soleil et dieu guérisseur. Ses noms indigènes que nous trouvons à l'époque gallo-romaine sont divers : *Grannus*, comme à Aix-la-Chapelle, *Aquae Granni*, et à Grand, dans les Vosges, *Belenus*, le dieu de l'astre brillant, *Borvo*, *Bormo*, *Bormanus*, le bouillonnant, associé aux eaux salutaires, éponyme de tous nos *Bourbon*, *Bourbonne*, *La Bourboule*, dieu du feu souterrain. Les sources thermales plus encore que les autres sources et le dieu qui, souvent, les réchauffait pour la santé des hommes, furent de tout temps adorés comme des divinités tutélaires. *Damona*, à côté de Borvo, *Dunisia*, près de Feurs, les *Niskae*, à Amélie-les-Bains, *Segeta*, à Saint-Galmier, *Ilixo* à Luchon et *Lugovius*, à Luxeuil, le même nom probablement, *Ivaos* à Évaux (Creuse), *Moritasgus* à Alésia, sont des divinités thermales, comme *Nemausus* à Nîmes, *Arausio* à Orange, *Vasio* à Vaison. *Moritasgus* est un Apollon mais il se rapproche également de *Dis Pater*. Le dieu des sources thermales de Bouhy (Nièvre) est assimilé à Mars : *Mars Bol-*

vinnus. Le grand dieu solaire des Hyperboréens dut se confondre, auprès des sources, avec le dieu autochtone, l'ancien dieu à la hache, maître du Ciel aussi bien que des profondeurs de la terre.

Le dieu céleste des Gaulois que les Romains ont appelé Jupiter a comme attribut la roue, symbole du dieu solaire. L'Apollon nordique, en Gaule, n'est pas seulement Belenus; il est devenu aussi le dieu de la foudre, de l'ensemble du ciel et du monde, le père de la race gauloise, comme jadis l'époux de la Terre-Mère l'était de la race indigène. Le dieu de l'Océan extérieur a rejoint celui de la Méditerranée.

Parlant du culte des Hyperboréens pour leur Apollon, Diodore de Sicile précise qu'en face de la Gaule, dans l'Océan, se trouve une île aussi grande que la Sicile, sise sous le Septentrion, dont la terre est fertile et le climat tempéré. Il s'agit évidemment de l'île de Bretagne. C'est là que serait née Latone; là se serait trouvé le centre le plus sacré du culte d'Apollon. Tous les jours, indique Diodore, les indigènes célèbrent leur dieu, chantant constamment ses louanges; ils sont tous comme des prêtres d'Apollon. Il y a là un bois sacré merveilleux et un temple remarquable par sa forme circulaire ainsi qu'une ville tout entière consacrée au dieu; la plupart de ses habitants sont joueurs de cithare car c'est en jouant de la cithare qu'ils chantent les hymnes en l'honneur de leur dieu. Ce temple circulaire dans l'île qui fait face à la Gaule, c'est, on n'en saurait douter, le grand cercle de pierres levées de Stonehenge, le plus monumental des cromlechs. Des fouilles récentes ont appris qu'il remonte à l'âge de la pierre polie et n'a pas cessé d'être fréquenté jusqu'à l'époque romaine inclusivement. On connaît d'autres cercles de pierres levées en Angleterre et dans la Bretagne française; ces cromlechs ont toujours été considérés comme des lieux de culte. Le texte de Diodore nous permet d'y reconnaître les monuments d'un culte solaire préhistorique qui, bien qu'antérieur à l'arrivée des Celtes, fut adopté par eux et s'est perpétué jusqu'à la fin du paganisme.

Dans son sanctuaire de l'île de Bretagne, Apollon apparaissait à ses fidèles tous les dix-neuf ans, jouant lui-même de la cithare pendant la nuit et conduisant des chœurs dans le ciel depuis l'équinoxe de printemps jusqu'au lever des Pléiades. Là est certainement le centre d'un culte répandu sur toutes les côtes où, depuis la Scandinavie jusqu'en Portugal, se rencontrent les monuments mégalithiques. Groupées en cercle comme à Stonehenge ou alignées à perte de vue comme à Carnac ou même isolées, ces pierres levées ou menhirs, représentent des temples primitifs du grand dieu céleste, c'est-à-dire des espaces ou des points consacrés à sa divinité pour être le siège de sa présence constante ou momentanée.

La pierre où vient résider le dieu participe à sa nature et à sa puissance; elle devient elle-même divine; elle est vraiment le simulacre du dieu. On sait que menhirs et cromlechs ne se trouvent pas confinés en Bretagne. De la côte, ils ont largement essaimé dans toute la Gaule. En Alsace, sur un sommet voisin du Donon, on a récemment reconnu un cromlech parfaitement constitué. Le culte des hauts lieux se rattache à la même conception. Les sommets sont un séjour aimé du dieu du ciel. Dans toute la France, les enceintes préhistoriques des sommets ont été lieux de culte en même temps que forteresses; plusieurs n'ont même jamais été que des lieux de culte.

III. — Cultes naturistes primitifs

Il est difficile, en l'état de nos connaissances, d'attribuer spécialement tel ou tel culte aux diverses populations qui ont formé le peuple gaulois. Une telle localisation, d'ailleurs, aurait toute chance d'être inexacte; les concepts religieux débordent d'un peuple à l'autre; bien plutôt qu'un groupement ethnique ils représentent un état social, ils sont liés à une forme de civilisation et, avec la civilisation, ils se répandent parmi des groupes ethniques divers. La religion de la Terre-Mère était celle de tous les hommes s'initiant à l'agriculture; celle du dieu solaire intéressait à la fois les agriculteurs dont le soleil règle et féconde les travaux et les marins à qui il montre la voie. Qu'on imagine l'Europe et la Gaule primitives avec leurs forêts immenses peuplées d'animaux redoutables à l'homme ou à son travail, qu'on se représente les efforts et les soins de ceux qui, les premiers, domestiquèrent certains animaux et demandèrent à l'élevage des moyens de vie, on comprendra que les peuples les plus divers aient eu leurs animaux divins et leurs arbres sacrés. On trouve des traces de ces cultes naturistes en Gaule; ils y étaient fort vraisemblablement indigènes mais devaient correspondre à des cultes analogues des envahisseurs celtiques.

Les dieux de l'époque gallo-romaine apparaissent souvent en compagnie d'animaux qui sont leurs attributs : Mercure a pour lui le bélier; le taureau, semble-t-il, était consacré à Mars; le cerf se voit à côté du dieu appelé *Cernunnos* (le cornu), bien plus, ce dieu est figuré avec une ramure de cerf; il a pu être précédemment un dieu-cerf. La tête du taureau est fréquemment représentée en pierre ou en bronze et, souvent, avec trois cornes terminées par une petite boule. *Épona*, la divinité des chevaux, a dû être anciennement, comme l'indique son nom (*epos* = *equus*, cheval), une déesse-jument. Le nom d'*Artio* (ours) se trouve inscrit sur un roc dans une forêt du pays trévire et une statuette de Berne figure une divinité assise vers laquelle s'avance un ours; cette déesse est nommée *Artio*. Le loup est parfois figuré sur les monnaies; le sanglier s'y trouve fréquemment, on rencontre de ses images dans quelques tombes; le sanglier des enseignes militaires est devenu comme le symbole même du peuple gaulois.

Des oiseaux jouaient également un rôle dans la mythologie gauloise, grues, corbeaux ou colombes : ce sont des corbeaux divins qui guident Bellovèse et Sigovèse vers les conquêtes qui leur sont assignées; des corbeaux ou colombes, surtout en pays éduen, semblent parler à l'oreille d'un dieu. Sur les bords de l'Océan, un port, au dire de Strabon, aurait été dénommé le Port des Deux Corbeaux : des oiseaux à l'aile blanche y décidaient entre les plaideurs, en culbutant ou en mangeant les gâteaux déposés par eux.

Tous ces animaux avaient été probablement considérés comme des dieux avant de devenir leurs messagers ou leurs attributs. Mais il peut y avoir différentes formes du culte des animaux. L'une d'entre elles, fréquente chez les peuples demeurés à l'état primitif, est ce qu'on a nommé le « totémisme ». L'animal est représenté comme l'ancêtre de la tribu; on l'honore en conséquence comme le dieu du groupe, son image est le symbole de la tribu. Ainsi en Gaule, le sanglier ou le cheval ou la grue servent d'enseignes militaires ou d'épisèmes sur les boucliers. On se garde de tuer l'animal-totem. Les Bretons, nous dit César, s'abstiennent ainsi de manger le lièvre et la poule. C'est parce que le cheval était un animal-totem, explique S. Reinach, que Vercingétorix, à Alésia, aurait renvoyé sa cavalerie au lieu de garder les chevaux pour les manger. On peut répondre qu'au début du siège, avant que l'investissement fût complet, le chef gaulois pouvait ne pas prévoir la pénurie de la fin et que d'ailleurs ses *equites* étaient chargés de lever une nouvelle armée. A certains jours seulement, l'animal-totem est l'objet d'une grande chasse; en le mangeant, son peuple croit s'en assimiler de nouveau la substance divine et renouveler ainsi sa parenté. Rien ne prouve de façon péremptoire que les Gaulois aient connu des rites de ce genre. Ils ont eu des animaux divins, c'est tout ce qu'on peut dire.

Ils ont eu également des dieux arbres. Des inscriptions de la région pyrénéenne mentionnent un *deus Fagus*, dieu hêtre, et un dieu Six Arbres, *deus Sex Arbores*; dans la région d'Angoulême était adoré un dieu Chêne, *deus Robur*. Le dieu *Alisanus* était probablement celui de l'alisier et *Abellio*, celui du pommier (*abella* = pomme). Dans toute la Gaule, un beau chêne, un arbre particulièrement élevé ou même un tronc ébranché, était considéré comme le siège du dieu suprême et le gui, apparaissant sur les branches du chêne, ce qui est rare, manifestait la présence du dieu.

Toutes ces imaginations représentent le fonds le plus ancien de la religion populaire, aussi bien chez les autochtones que chez les Celtes des divers bans. Elles sont la religion même du sol, qui s'imposa à tous ses occupants.

IV. — La religion des Celtes

Par opposition aux populations indigènes de la Gaule, les Celtes représentent les envahisseurs indo-européens. On cherchera donc à leur attribuer en propre les cultes qui peuvent se rapprocher de ceux des autres peuples de même origine. Mais, chez tous ces peuples, les conceptions religieuses apparaissent mélangées de tant d'éléments étrangers qu'il est bien difficile d'y discerner une religion indo-européenne fondamentale. Quoi qu'il en soit, il semble bien que chez les Indo-Européens le ou les dieux du Ciel aient eu la primauté sur ceux de la Terre. Le dieu solaire des Hyperboréens devait être indo-européen et correspondre à Zeus grec, à Jupiter latin, à Zio ou Tyr des Germains en même temps qu'à Apollon. Quel était le grand dieu céleste des Celtes? Le père de leur race est assimilé par César à *Dis Pater*, c'est-à-dire qu'il était conçu comme un dieu souterrain. Nous avons cependant vu, déjà, que ce dieu avait conservé les attributs solaires de la roue et du signe en S. Le Jupiter gaulois était donc en même temps dieu du ciel et de l'outre-tombe. Quel nom portait-il?

Contrairement à une opinion exprimée par S. Reinach, il faut, nous semble-t-il, tenir le plus grand compte de l'indication donnée par Lucain (*Pharsale*, I, 444 sq.).

> *... Immitis placatur sanguine diro*
> *Teutates, horrensque feris altaribus Esus*
> *Et Taranis Scythicae non mitior ara Dianae.*

« Ils apaisent par un sang horrible le féroce Teutatès, le hideux Esus et, dans de sauvages sanctuaires, Taranis, aux autels non moins cruels que ceux de la Diane scythique. »

Deux scolies nous fournissent un commentaire de ce passage et l'on n'en saurait négliger les indications bien qu'elles ne concordent pas entièrement :

« Mercure, en langue gauloise, est dit Teutatès... voici comment l'apaisent les Gaulois : dans un bassin plein d'eau on plonge la tête de la victime jusqu'à ce que l'étouffement s'ensuive. Pour apaiser Mars, qui est Ésus, la victime est suspendue à un arbre et on l'écartèle. En l'honneur de Tanaris, on brûle des hommes dans un mannequin de bois. » (C'est le genre de sacrifice que mentionne César.)

La seconde scolie donne d'autres explications : « Mars est Teutatès; *sanguine diro* fait allusion soit à ce que Mars règne sur les batailles, soit au fait que les Gaulois avaient coutume autrefois de lui sacrifier, ainsi qu'aux autres dieux, des victimes humaines. Mercure, pour eux, est Ésus, c'est du moins sous ce nom que l'honorent les commerçants. Le maître des guerres et le plus grand des dieux célestes est Taranis-Jupiter; on lui offrait jadis des sacrifices humains; il se contente aujourd'hui d'animaux. »

Taranis, dont le nom reparaît d'ailleurs dans une inscription, associé comme surnom à celui de Jupiter : *Jupiter Taranucnus*, fils de Taranis, est donc le grand dieu céleste, bien que ce texte épigraphique en fasse le père de Jupiter. C'est qu'en effet il est à la fois Jupiter, et autre chose que Jupiter. Il est, comme Jupiter, le dieu tonnant; le gaulois *taran* paraît signifier tonnerre, mais il est aussi dieu solaire; des monuments gallo-romains lui mettent à la main la foudre aussi bien que le symbole solaire de la roue; une fois même, il tient l'épée : dieu des batailles, disait la scolie. Il n'a pas la sérénité de Zeus ou de Jupiter, il est cruel comme Saturne et il règne sur les morts comme Pluton ou Dis Pater. C'est lui que représentent, à l'époque romaine, ces groupes sculptés, dits du cavalier à l'anguipède, nombreux surtout dans l'Est de la Gaule : le dieu, costumé en guerrier soit romain (on l'a pris pour un empereur) soit gaulois, est à cheval ou, parfois, en char et sa monture pose les pieds de devant sur un être monstrueux dont les jambes se terminent en serpents; ce géant anguipède doit être le génie de la terre. Le groupe s'élève généralement au sommet d'une colonne, comme pour préciser que le dieu est bien celui du ciel. C'est Taranis, le grand dieu gaulois.

Mercure, qui nous est donné par César comme le principal des dieux gaulois et qui, à l'époque romaine, apparaît en effet comme le plus populaire, est-il *Teutatès* ou est-il *Ésus*? On a vu que les scolies hésitent entre ces deux interprétations. C'est qu'il est l'un et l'autre.

Les identifications proposées par les Romains sont aussi superficielles que les distinctions qu'ils établissent. Mercure en Gaule se sépare difficilement de Mars. Dans l'ouest de la Gaule, en Normandie et en Bretagne particulièrement, le dieu le plus fréquemment invoqué est non pas Mercure, mais Mars. C'est Mars qui, dans l'ensemble de la Gaule, compte le plus grand nombre de surnoms; plus d'une soixantaine, noms locaux ou noms des divinités locales qui ont été assimilées au dieu romain. Le mot Teutatès, signifiant quelque chose comme « national » (*teuto*, *touto*, peuple), est une qualification qui convient aussi bien à Mars qu'à Mercure. Les noms romains Mercure et Mars expriment seulement deux aspects d'un seul et même dieu, protecteur de son peuple dans toutes ses activités, à la guerre comme dans la paix. Teutatès pacifique, Mercure dut la prépondérance que lui reconnaît César, peut-être à l'hégémonie arverne des IIIe et IIe siècles avant notre ère. Une inscription lui attribue le surnom d'*Arvernorix*, roi des Arvernes et le centre de son culte paraît être demeuré chez les anciens maîtres de toute la Gaule. Son grand sanctuaire se trouvait en effet sur l'un des principaux sommets du Massif Central, le Puy-de-Dôme, où s'élevait le temple de Mercure Dumias. C'est là, ou à Clermont, la capitale des Arvernes, que fut consacrée, sous Néron, la statue colossale de Mercure assis, œuvre du Grec Zénodore. Plus heureux que la dynastie qui avait institué son éminente dignité, Teutatès conserva jusque sous la domination romaine sa primauté sur la majeure partie de la Gaule.

Ésus, que deux bas-reliefs gallo-romains mettent en relation avec le taureau, attribut de Mars, a été assimilé tantôt à Mars et tantôt à Mercure. Une statue trouvée dans le grand centre céramique de Lezoux (Puy-de-Dôme) figure un Mercure barbu, engoncé dans un lourd manteau, coiffé d'un bonnet de laine, et plus semblable à un paysan arverne qu'à un dieu. Il porte, sur sa poitrine, une dédicace à Mercure et, dans le dos, un texte gaulois : *Apronios ieuru sosi Esu* : Apronios a offert ceci à Ésus. C'est sous le nom d'Ésus, disait la scolie, que les commerçants honorent Mercure. A lui s'applique encore ce que nous apprend César du Mercure gaulois : « Il fut l'inventeur de tous les arts, le maître des chemins et des voyages. » Les nautes parisiens, sous Tibère, honorent Ésus; l'image de l'un des bas-reliefs trouvés sous le chœur de Notre-Dame de Paris nous montre en lui le défricheur de forêts et, sans doute, le bon charpentier qui construit les péniches.

Teutatès, Ésus et Taranis, forment une sorte de trinité aux personnes peu définies et facilement interchangeables. Si

Taranis a pour domaine principal le ciel, Ésus et Teutatès, pour leur part, ont la terre. Mais Taranis règne aussi sur la terre et même sur les morts, comme Ésus et Teutatès; il est un dieu de la bataille comme Mars. Les dieux qui ont été assimilés à Mercure, d'autre part, étaient, comme Mercure lui-même, les dieux du monde souterrain. Guide des chemins de la terre, Mercure l'était aussi de celui qui conduit aux Enfers. Trinité également cruelle mais de façon différente, trois dieux distincts mais composant une même divinité. Ésus se réjouissait du sang ruisselant, Teutatès n'en voulait pas et l'on suffoquait ses victimes; quant à Taranis, c'est par le feu qu'on lui sacrifiait des hommes. Mais leur nature n'était pas diverse et ils assumaient indifféremment les mêmes rôles. Leurs autels pouvaient être réunis dans les mêmes sanctuaires sauvages.

Il est encore d'autres dieux dans le Panthéon celtique. Chacun semble dominer en différentes parties de la Gaule et y représenter une image particulière des grandes divinités nationales. Nous avons déjà mentionné le dieu au maillet, assimilé à Silvain dans le midi de la Gaule et nommé ailleurs *Sucellus* ou le bon frappeur. Dans sa personnalité se retrouvent certains traits de Taranis, notamment son caractère de dieu de la vie et de la mort. Dans la Celtique centrale et jusque chez les Rèmes, nous rencontrons le dieu accroupi, dans une posture qui est la même que celle de Bouddha. Il est inutile de chercher à ce propos des rapports entre la Gaule et l'Inde; la pose semblable tient uniquement à ce que les Hindous, comme les Gaulois, comme bien d'autres peuples primitifs, avaient coutume de s'asseoir par terre. Le chef du dieu accroupi est ordinairement couronné d'une ramure de cerf. C'est un ancien dieu-cerf, pensera-t-on. C'est fort possible. Le cerf, dans l'imagination populaire, est un animal mystérieux et aisément fantastique; il entraîne les chasseurs, à travers des chemins inconnus jusqu'à l'Au-delà; il est un animal de richesse mais aussi de mort. C'est sous ces aspects que nous apparaît *Cernunnos*, le dieu à la ramure de cerf. Sur un bas-relief de Reims, il est assis, les jambes croisées sur un trône bas; d'un grand sac qu'il tient sur ses genoux s'échappe un flot de monnaies auquel semblent venir s'abreuver un cerf et un taureau. Il est donc un dieu qui donne l'abondance; son sac de monnaies ressemble à la bourse, attribut ordinaire de Mercure gallo-romain. D'ailleurs, de part et d'autre du dieu accroupi, se tiennent debout un Apollon et un Mercure de types purement classiques. *Cernunnos* a donc des rapports, non seulement avec Mercure, mais avec Apollon, dieu solaire et guérisseur. Le cerf cependant paraît une allusion au monde souterrain. Comme Mercure, *Cernunnos* serait donc un dieu de l'outre-tombe en même temps que de la fécondité. Nous nous trouvons toujours dans le même cercle d'idées qu'avec la trinité Taranis, Teutatès, Ésus.

Les Gaulois, nous dit le satirique grec Lucien, auraient eu un culte particulier pour Hercule. En effet, les légendes antiques attribuent à Hercule un rôle important dans les origines gauloises. Il aurait fondé Alésia et, ayant épousé la belle Galatée, il aurait été le père de la race. Mais l'Hercule que nous décrit Lucien et dont il y aurait eu en Gaule de nombreuses représentations — aucune cependant n'est parvenue jusqu'à nous — était assez différent du héros grec. Les Gaulois le nommaient *Ogmios*; c'était un vieillard entraînant les hommes par des chaînes d'or qui joignaient ses lèvres à leurs oreilles; en somme un dieu éloquent, mérite que les Grecs n'ont jamais prêté à Hercule. Des monnaies gauloises, assez nombreuses et qui proviennent des provinces du Sud-Ouest, portent au droit une tête barbue entourée de chaînes ou de cordons perlés qui se terminent par d'autres petites têtes. On a voulu, autrefois, y reconnaître cet Ogmios, mais l'hypothèse semble devoir être abandonnée. L'épopée irlandaise connaît un héros, *Ogma*, combattant divin redoutable par sa force et maître de la poésie et de l'éloquence; il aurait été l'inventeur de l'écriture dite oghamique.

Des dieux gaulois ont été parfois représentés sous les traits d'Hercule. Tel est celui d'une stèle récemment trouvée au Donon, sanctuaire célèbre de Mercure. Le dieu, de face, ressemble à Hercule, mais il est chaussé comme Mercure. Dans le pli de sa saie, jetée sur l'épaule gauche comme la peau du lion de Némée, il porte des fruits et une pomme de pin, comme Silvain. Comme Silvain encore, il tient de la main gauche une sorte de serpe au manche aussi long que celui d'un maillet. Ce n'est cependant pas le dieu au maillet, car sa main droite s'appuie sur la ramure d'un cerf figuré tout entier derrière lui. C'est encore une de ces figures hybrides, à la fois Taranis, dieu céleste et suprême, Mercure-Cernunnos, dieu de la richesse et du monde souterrain, peut-être en même temps Hercule qui, pour les Grecs et les Romains, pouvait personnifier certaines attributions du dieu suprême des Gaulois. De toute cette théologie, élaborée probablement de façon systématique par les druides mais dont il ne nous reste que des souvenirs tardifs et déformés par des interprétations étrangères, nous ne pouvons saisir que des traits épars et notre exégèse demeure foncièrement hypothétique.

Nous avons déjà mentionné les déesses-mères, celles des sources, des rivières et des forêts, bonnes fées tutélaires de la vie journalière. Elles portent un surnom local, formé le plus souvent du nom même du district qu'elles protègent : *Matres Ubelnae*, Mères de l'Huveaune (petite rivière des environs de

Fig. 66. — Bas-relief gallo-romain. Vénus associée à une Junon portant la corne d'abondance, divinités protectrices de la fécondité.

Marseille), *Matres Treverae* (de Trèves), souvent *Matres domesticae* ou même *Paternae*. Elles sont l'objet d'un culte assidu dans chaque famille, dans chaque canton où elles ont leur sanctuaire. Leurs images, bas-reliefs ou modestes terres-cuites, sont partout extrêmement nombreuses. *Épona*, protectrice des chevaux, semble de même nature qu'elles; à l'époque romaine on leur adjoint Vénus, considérée comme déesse de la fécondité; on les nomme souvent *Junones*, génies féminins de la famille (fig. 66). Ce sont toutes des divinités étroitement attachées à la terre, protégeant les hommes, leur famille, les enfants, le bétail et les champs, veillant également sur les tombes, dans lesquelles on retrouve parfois leurs images.

Une seconde catégorie de divinités féminines est formée par les compagnes que l'on attribue généralement aux dieux : *Rosmerta* ou *Maia*, suivant les régions, à Mercure, *Nemetona*, à Mars, *Nantosuelta*, à Sucellus, *Sirona*, compagne d'Apollon mais souvent représentée seule, *Damona*, à côté de Borvo, etc. Ces déesses n'ont guère de caractère propre; elles ne semblent que la personnification féminine de la divinité à laquelle elles sont associées. On remarquera que les dieux de type purement celtique, Taranis, Teutatès, Ésus, Cernunnos, ne sont pas dotés d'une parèdre. C'est peut-être l'influence romaine qui a formé ces couples.

César ne mentionne, chez les Gaulois, qu'une seule divinité féminine qu'il nomme Minerve; comme Minerve, elle aurait enseigné le travail et les métiers. Sauf dans les pays rhénans où elle semble avoir eu un autre caractère, Minerve ne semble avoir joui en Gaule que d'une médiocre popularité; peu de monuments lui sont consacrés. Son nom gaulois, *Bélisama*, peut apporter quelque indication sur sa nature originale : on y retrouve la même racine que dans le nom du dieu solitaire *Bélénus*, le Brillant, le Flamboyant, suivi d'un suffixe *-sama* qui peut être soit un superlatif soit le correspondant du grec *homos*, *homoios*, semblable. *Bélisama* serait donc, ou la Très brillante, ou bien celle qui ressemble à Bélénus, divinité du feu, probablement une sorte de Vesta, déesse du foyer familial et aussi, d'après l'indication de César, des industries du feu, de la forge, de la poterie, de l'émail, industries dont on sait le développement en Gaule.

Dans les pays rhénans, Minerve apparaît surtout comme divinité guerrière. Un peu partout en Gaule, nous trouvons honorée une déesse Victoire qui n'est pas seulement la Victoire romaine. Cette divinité, c'est l'*Andarta* des Voconces de Savoie, la même que l'*Andrasta* de l'île de Bretagne, l'Invincible, celle que la reine bretonne Boudicca essaye de se rendre favorable à force de sacrifices humains. Dès l'époque de l'indépendance, les monnaies gauloises portent assez souvent à leur revers la représentation d'un être féminin (fig. 67) nu ou vêtu, ailé ou non, armé parfois d'une épée et d'un bouclier, à cheval ou survolant un cheval parfois à tête humaine. Elle apparaît aussi comme une véritable Victoire ailée conduisant un cheval. L'épopée irlandaise nous fait connaître de féroces déesses de la bataille et du carnage, volant comme des oiseaux au-dessus des combattants et jetant la panique chez l'ennemi. Telle est *Bobd-Catha*, la Corneille des combats, dont nous retrouvons le nom dans la *Cathubodua* de Haute-Savoie, voisine, par conséquent, de *Andarta*. Ces déesses qui règnent sur les champs semés de morts, forment souvent, en Irlande, une triade; ce sont les trois *Morrigan*, vraisemblablement les *Lamiae tres*, les Trois Vampires, auxquelles est adressée une inscription romaine de Grande-Bretagne; ce sont aussi la *Brigit* ou les trois *Brigit* irlandaises, dont le nom rappelle de près celui de *Brigantia* de plusieurs inscriptions latines et du peuple des *Brigantes*. Elles sont devenues, en Gaule, à l'époque romaine, les nombreuses Bellones ou Victoires. L'image

Fig. 67. — Statères d'or gaulois provenant de l'arrondissement de Falaise (diam. 0,016). Divinité nue, probablement la fureur guerrière assimilée plus tard à Bellone romaine.

inquiétante des monnaies gauloises correspond au souvenir qu'en a conservé l'épopée celtique du Moyen Age irlandais; elle se trouve, sans aucun doute, plus proche de l'idée gauloise que les froides traductions romaines.

Un trait commun à toutes ces divinités gauloises, masculines ou féminines, est la facilité avec laquelle elles se sont laissées assimiler à celles du Panthéon gréco-romain. Elles étaient, sans doute, originairement apparentées à ses dieux : Zeus-Jupiter dérivait de la même conception que Taranis. L'évolution grecque et celle de la religion romaine n'en avaient pas moins été profondément différentes de celles des religions celtiques. Celles-ci en étaient restées à un état voisin de celui que nous trouvons dans le plus ancien Latium : un animisme diffus dans toute la nature avec des dieux peu individualisés, doués de fonctions multiples, puissances abstraites, pour ainsi dire, manifestées par les phénomènes physiques, et génies protecteurs des groupes sociaux, sans personnalité marquée. Ce caractère avait, dans l'Italie ancienne, facilité la fusion de ses dieux avec ceux de l'Olympe. Ainsi ceux de la Gaule se laissèrent-ils transformer sans trop de difficulté en dieux romains. C'est sous les types classiques qu'ils prirent la forme humaine.

VI. — Mythologie gauloise

Ne doutons pas que les Gaulois aient possédé une mythologie développée, plus ou moins semblable à la mythologie germanique des *Eddas* scandinaves ou à celle qui transparaît dans l'épopée irlandaise. Les poèmes des druides avaient dû mettre en forme les contes qui se disaient des héros et des dieux; ils en avaient dû faire une sorte de théologie. L'incuriosité du monde classique n'en a rien recueilli. Nous n'en apercevons quelque reflet que dans certaines œuvres plastiques de l'époque gallo-romaine.

Ce sont bien évidemment des souvenirs de l'ancienne mythologie qui ont inspiré des figures aussi étrangères au type classique que celle du Mercure barbu de Lezoux ou des compositions comme le tricéphale, le dieu à trois visages, l'un de face, les deux autres de profil, ou encore le taureau à trois cornes bouletées. Que signifie au juste l'image à triple visage? Peut-être, avons-nous supposé, la Trinité celtique. Faute d'indication ancienne, nous en sommes réduits à des commentaires de pure imagination.

Ces mythes sont certainement anciens. Ils ont dû commencer à se fixer entre le IIIe et le Ier siècle avant notre ère, au moment même où les Celtes empruntent leur monnaie à la Macédoine et où l'antropomorphisme méditerranéen influe sur leur conception de la divinité. La décoration du chaudron de Gundestrup (ci-dessus, p. 237) nous en a apporté la preuve. Jusque-là les dieux s'étaient dérobés à l'art; à partir de ce moment les Celtes, eux aussi, s'essayèrent à figurer leurs dieux. Ils copièrent d'abord leur image sur celle de divinités étrangères, puis ils firent effort pour composer des scènes représentant leurs mythes à eux. Ainsi trouvons-nous sur le chaudron le serpent à tête de bélier dont l'art méditerranéen n'offrait pas de modèle et dont le caractère hybride correspond bien aux imaginations habituelles des Celtes. Il exprimait certainement un mythe populaire puisque nous en rencontrons couramment l'image à l'époque gallo-romaine. Il en est de même du dieu à la roue et surtout du Cernunnos à la ramure de cerf, flanqué du cerf et du taureau. L'analogie est frappante entre l'image du récipient sacré et le bas-relief de Reims. Le motif, à l'époque romaine, était donc de tradition; il signifiait quelque chose de bien connu. Quoi? Nous avons dû nous contenter d'essayer de le deviner.

C'est toujours par hypothèse que l'on peut chercher le sens de quelques autres scènes figurées sur des bas-reliefs gallo-romains dont l'inspiration provient certainement de la mythologie des Celtes.

Sur deux des faces de l'autel dédié à Tibère qui fut découvert au XVIIIe siècle sous le chœur de Notre-Dame de Paris, on voit, d'un côté, le dieu Ésus ébranchant un arbre et, sur la face adjacente, parmi des feuillages faisant suite à ceux que taille Ésus, un taureau sur la tête et la croupe duquel sont perchés trois oiseaux : *Tarvos trigaranos*, le taureau aux trois grues, explique l'inscription. A Trèves, la sculpture latérale d'un bloc, dont la face principale est consacrée à Mercure et à sa compagne Rosmerta, représente un bûcheron attaquant le tronc d'un arbre dans lequel nichent trois grues et parmi le feuillage duquel s'aperçoit une tête de taureau. C'est évidemment la représentation de la même fable que sur l'autel de Paris : le dieu Ésus abat la forêt où s'est réfugié le taureau et où s'abritent les trois oiseaux ses alliés. Un épisode de l'épopée irlandaise de Cûchulaïn montre de même le héros, à la poursuite du taureau divin, coupant le bois où l'animal s'est enfui. Nous avons à faire, évidemment, à un mythe populaire qui s'est perpétué longtemps chez les Celtes insulaires. Mais dans quel rapport précis se trouvent, en Gaule, Ésus et le taureau et que viennent faire ici les Trois Grues?

L'épithète de *Trigaranos* attribuée au taureau suggère que la présence des oiseaux n'est peut-être due qu'à un jeu de mots étymologique. Le *c* et le *g* étaient facilement confondus en gaulois; il faut peut-être entendre : *tricaranos*, le taureau aux trois cornes, dont les représentations sont en effet fréquentes. Ce mot *Tricaranos* peut aussi signifier : aux trois têtes. N'y aurait-il pas eu confusion et passage progressif de la trinité figurée par le dieu tricéphale au dieu taureau aux trois cornes puis aux trois grues? L'image reste énigmatique. Elle n'en a pas moins l'intérêt de nous montrer associés en une action commune, un dieu à figure humaine, un animal et des oiseaux divins ainsi que des arbres, que nous savons avoir été parfois divinisés par les Gaulois.

Chez eux, comme partout ailleurs, le mythe avait dû viser souvent à présenter l'explication de rites dont l'origine et la vraie signification avaient été oubliées. Nous ne pensons sans doute pas que le mythe de Tarvos Trigaranos abattant la forêt ait quelque rapport avec l'un des rites les plus connus des Gaulois, celui de la cueillette du gui. Remarquons cependant que dans la description faite par Pline de cette cérémonie nous trouvons également associés la divinité suprême, l'arbre et le taureau (*Hist. Nat.*, XVI, 249).

« Les druides ne connaissent rien de plus sacré que le gui et que l'arbre sur lequel il pousse, à condition que ce soit un chêne. C'est dans les bois de chênes qu'ils ont leurs sanctuaires et ils n'accomplissent aucun rite sacré sans feuilles de chênes. Ils croient que la présence du gui révèle la présence du dieu dans l'arbre qui le porte. Quand ils en ont découvert sur un chêne, ils le cueillent en grande cérémonie. Ils choisissent de préférence le sixième jour de la lune, parce que ce jour-là l'astre possède, pensent-ils, toute sa vigueur et n'a pas encore accompli la moitié de sa course. Ils font sous l'arbre sacré les préparatifs d'un banquet et d'un sacrifice; ils amènent auprès de lui deux taureaux blancs dont les cornes sont vierges du joug. Un prêtre vêtu d'une robe blanche monte sur l'arbre : il coupe, avec une faucille d'or, le gui que l'on recueille dans un drap blanc. Les druides immolent enfin les victimes en demandant à la divinité que le gui porte bonheur à ceux à qui elle l'a donné. »

VII. — Rites et fêtes. Superstitions et magie

L'essentiel du culte pour les Gaulois paraît avoir consisté en sacrifices et le sacrifice, comme l'explique fort bien César, représentait, à leur idée, une sorte d'échange avec la divinité. « Ils pensent », notait César, « que la vie d'un homme ne peut être rachetée que par une vie humaine... par conséquent, ceux qui sont atteints de maladies graves, ceux qui se trouvent exposés au risque des combats ou à d'autres périls, immolent des hommes en guise de victimes ou font vœu d'en immoler. Les druides sont les ministres de ces sacrifices. Au nom de l'État, ils ont institué, pour le salut public, des sacrifices de ce genre... » Et César nous décrit ces mannequins colossaux en osier qu'ils remplissent d'hommes et qu'ils brûlent. « Les criminels sont considérés comme les victimes les plus agréables aux dieux mais, à défaut de criminels, on prend des innocents pour les immoler. » Ces holocaustes s'adressaient spécialement, nous l'avons vu, à Taranis, les autres dieux préférant d'autres modes d'immolation : suffocation ou pendaison.

Ces sacrifices humains qui ont retenu l'attention des écrivains antiques n'étaient que le prolongement de rites qui avaient été autrefois en usage en Italie aussi bien qu'en Grèce. Comme les dieux des pays classiques, ceux des Gaulois admettaient des substitutions aux victimes humaines : des vies d'animaux et même l'offrande de simulacres, l'image de la victime remplaçant la victime. Ainsi s'expliquent, dans les sanctuaires gallo-romains, les trouvailles abondantes d'ex-voto représentant non seulement des hommes ou des animaux mais des parties du corps : bras, jambes, parties sexuelles, ventres, yeux... La maladie, en effet, est le signe de la colère d'un dieu : le dieu s'est emparé du malade; on cherche à lui faire lâcher prise en lui offrant l'image de la partie du corps qu'il a frappée; il voudra bien, peut-être, s'en contenter. Le fait d'ailleurs n'est pas particulier à la Gaule; il est également courant dans les sanctuaires italiens.

Comme les Grecs et les Romains, les Gaulois devaient pratiquer des cultes privés à l'intérieur des familles et des différents groupes sociaux. C'est pourquoi, sans doute, nous trouvons à l'époque romaine un si grand nombre de dieux aux noms divers et pourquoi, souvent, ces noms de divinités celtiques correspondent au nom du village ou du canton dont provient le document. A l'époque romaine chaque famille gauloise possède à son foyer un laraire avec les statuettes de ses dieux, bronze ou terre-cuite, expression romaine d'une piété sans doute ancienne.

Cependant le culte apparaît essentiellement public. C'est un acte collectif qui réunit la foule; la ferveur religieuse s'y exalte par contagion; le culte est une fête. Le sacrifice n'en est que la conclusion.

Nous trouvons trace de processions. Un tumulus d'Alsace, par exemple, à Ohnenheim près de Sélestat, contenait un pacifique char à quatre roues avec d'abondantes garnitures en bronze fondu d'un travail extrêmement soigné, véhicule non pas d'usage courant mais char servant à promener à travers le territoire de la tribu quelque simulacre de la divinité ou bien, comme on voit sur des monnaies de Macédoine, un grand chaudron, rite peut-être destiné à attirer la pluie et à favoriser la fertilité de la terre. Tacite décrit chez les Germains des bords de la Baltique une procession qui dut avoir ses analogues en Gaule (*Germanie*, chap. 40) :

« Ils adorent en commun la déesse Nerthus, c'est-à-dire la Terre-Mère. Il est dans une île un bois consacré et, dans ce bois, un char dédié à la déesse... seul le prêtre a le droit d'y toucher. Il sait le moment où la déesse est présente dans son sanctuaire et, quand elle s'avance sur son char traîné par des génisses, il la suit avec les marques d'une profonde vénération. Ce sont alors des jours de liesse : toutes les localités que le char de la déesse honore de sa visite et de son séjour sont en fête. Alors on n'entreprend pas de guerre, on ne prend pas les armes, tout fer est caché... jusqu'à ce que le prêtre rende à son sanctuaire la déesse rassasiée du commerce des mortels. Puis le char et, si on les croit, la déesse elle-même, sont baignés dans un lac mystérieux. Des esclaves font ce service et sont immédiatement engloutis dans le lac. De là une terreur secrète, une sainte ignorance de la nature d'un mystère que ne peuvent voir que ceux qui vont périr. »

Le culte a ses lieux consacrés, non pas des édifices mais une enceinte dans une lande ou une clairière au cœur d'une forêt; le terme gaulois est *nemeton* qui signifie simplement espace délimité; il a servi à former des noms de lieux jusqu'à l'époque romaine, par exemple *Augustonemetum*, Clermont-Ferrand. Outre le sanctuaire central de la forêt d'Orléans, chez les Carnutes, où se réunit chaque année la grande assemblée des Druides, les Gaulois devaient posséder d'innombrables sanctuaires. Les lieux de culte apparaissent extrêmement nombreux à l'époque romaine et chacun semble avoir derrière lui une longue tradition. Chaque peuple, chaque canton, a le sien et bien des cantons devaient en compter plus d'un. De l'un à l'autre, ce sont des pèlerinages constants dont témoigne l'abondance des ex-voto. Ces voyages pieux témoignent de la confiance des Gaulois dans la sollicitude de leurs dieux; ils plaisaient en outre à leur humeur vagabonde.

Grands et petits, ces rendez-vous religieux ont leurs dates régulièrement fixées. Comme à la réunion solennelle des druides chez les Carnutes, on offre des sacrifices et les gens règlent leurs affaires. La fête religieuse est aussi fête foraine; culte et marché vont de pair, avec tout ce que de telles assemblées comportent de réjouissances. A l'époque romaine, la fête du dieu Lug se célèbre à Lyon au milieu d'un grand concours de peuple; elle coïncide avec la fête de l'autel de Rome et d'Auguste et se trouve marquée de réjouissances de tout genre, spectacles, concours, notamment concours d'éloquence où les vaincus doivent récompenser le vainqueur, faire son éloge et même, s'ils ont été jugés trop mauvais, effacer leur écrit avec la langue ou être plongés dans le Rhône. Nous avons là, sans doute, un souvenir des compétitions entre bardes.

On ne sait si l'on est en droit de transporter à la Gaule la fête saisonnière, la plus grande de l'année, telle qu'elle se célébrait en Irlande le premier novembre, réunissant pour quelques jours, en un sanctuaire traditionnel, les populations habituellement dispersées.

« Le 1er novembre et le 1er mai », dit Mme M. L. Sjoestedt (*Dieux et Héros des Celtes*, p. 71), « divisaient l'année en deux saisons, la saison froide (gaul. : *giamon*) et la saison chaude (gaul. : *samon*), division commune à tout le domaine celtique et dont on retrouve la trace dans le calendrier gaulois de Coligny aussi bien que dans l'usage gallois actuel. Chaque saison est, du moins en Irlande, partagée à son tour en deux trimestres par les fêtes du 1er février, maintenant fête de sainte Brigitte, et de *Lugnasad*, le 1er août. On voit que le calendrier celtique se règle non sur l'année solaire, sur les solstices et les équinoxes mais sur l'année agraire et pastorale, sur le début et la fin des travaux de l'élevage et de la culture. Ainsi le monde mythique des Celtes est-il dominé par les déesses du sol, alors qu'on y cherche en vain les divinités solaires. »

Les faits sont moins nets en Gaule. On voit, par le calendrier de Coligny, que c'est la lune et non le soleil qui règle les mois et l'année. La prédominance des déesses du sol est peut-être un fait insulaire plus que généralement celtique. Nous avons cependant trouvé en Gaule la fête de Lug, le premier août, correspondant au *Lugnasad* irlandais; nous y pouvons aussi supposer la fête du début de novembre qui est restée, pour nous, celle des Morts.

« Cette fête du 1er novembre », continue M. L. Sjoestedt, « n'est pas la fête de telle ou telle divinité tutélaire mais celle du monde tout entier des esprits dont l'intrusion dans le monde humain revêt alors un aspect menaçant et belliqueux. *Samain* est le temps où l'on offre aux esprits, au seuil de la saison stérile, les dîmes prélevées sur les fruits de la saison féconde qui finit. Ces sacrifices revêtent le caractère de lourds tributs imposés à l'homme par les puissances destructrices... Ainsi jusqu'à l'arrivée de saint Patrice, les Irlandais offraient, le 1er novembre, le premier-né de chaque portée et l'aîné de chaque progéniture. »

Nous ne trouvons aucune trace en Gaule de cette barbarie. Les sacrifices humains devaient y suffire à l'apaisement des dieux. Ce culte sanglant à base de terreur apparaît accompagné, dans l'épopée irlandaise, d'une sorte de folie orgiastique dans laquelle « l'homme, envahi par le peuple des esprits, se jette à son tour à l'assaut de leurs demeures mystérieuses, pour une nuit, enfin, accessibles et béantes... La fête crée à nouveau les conditions de la période mythique confondant les morts, les vivants et les dieux ».

Les écrivains anciens mentionnent, chez les Gaulois, quelques rites étranges pratiqués par des femmes et, tous, localisés au voisinage des côtes de l'Océan. Dans une île des Namnètes, en face de l'embouchure de la Loire, île dans laquelle aucun homme ne met le pied, des femmes cherchent, « par des mystères et d'autres cérémonies religieuses, à apaiser le dieu qui les tourmente ». Elles ont coutume, une fois par an, d'enlever la toiture du temple de leur île et de le recouvrir, dans la même journée, avant le coucher du soleil. Chacune d'elles apporte sa charge de matériaux; celle qui laisse tomber son fardeau est aussitôt mise en pièces par ses compagnes qui promènent autour du temple les membres de la victime et ne s'arrêtent que quand la crise furieuse dont elles sont saisies cède à l'épuisement. Or le travail ne s'achève jamais sans qu'une d'elles se soit laissée choir et n'ait été ainsi sacrifiée.

Dans l'île de Sein, des prêtresses au nombre de neuf auraient fait vœu de virginité et seraient douées de pouvoirs singuliers : par leurs incantations elles soulèvent la tempête ou calment la mer, elles se transforment en animaux, elles guérissent les maux inguérissables, elles prédisent l'avenir, mais seulement aux marins qui ont mis à la voile pour venir les consulter.

On connaît le tableau que trace Tacite de l'arrivée de l'armée romaine dans l'île de Mona (Anglesey) (*Ann.*, XIV, 30) : « Sur le rivage se tenait l'armée ennemie, compacte et hérissée d'armes; à travers les rangs couraient des femmes semblables à des Furies, en vêtements noirs, les cheveux épars et des torches en mains; autour d'elles des druides, les bras levés au ciel, se répandaient en affreuses prières. » Après la victoire, les Romains rasèrent les bois « consacrés à de sauvages superstitions, car le culte faisait un devoir aux prêtres de l'île d'arroser les autels du sang des prisonniers et de consulter les dieux dans les entrailles humaines ».

Ce mode de divination nous est en effet signalé, chez les Gaulois, par divers auteurs. On nous dit aussi qu'ils frappaient la victime d'un coup d'épée au bas des côtes et, d'après ses convulsions, prédisaient l'avenir. Ils pratiquaient d'ailleurs tous les autres genres de divination, par les songes, par les présages divers et, en particulier, par le vol des oiseaux. Le druide Diviciacus prévoyait l'avenir, rapporte Cicéron, par le vol des oiseaux et par conjecture raisonnée. Le client du grand orateur, le Galate Dejotarus, roitelet dans son pays, était un augure renommé. Les devins avaient, chez les Gaulois, le plus grand crédit. Ce peuple, disait César, est extrêmement adonné aux superstitions.

Superstitions de toute sorte, plantes porte-bonheur, emblèmes écartant le mauvais sort, talismans, amulettes... Le torques, les bracelets, l'ambre, le jayet, le corail, la couleur rouge, étaient autant de talismans. Les Gaulois ne différaient pas en cela des autres peuples de l'antiquité. Pline mentionne une amulette originale : l'œuf de serpent; il s'agit probablement de l'oursin fossile. Il assurait le bonheur en tout, il faisait gagner les procès et donnait accès auprès des princes. Mais il fallait le recevoir sur une saie avant que, lancé en l'air par les serpents, il ait touché la terre et s'enfuir à cheval car les serpents poursuivaient le ravisseur jusqu'à ce qu'ils fussent arrêtés par un cours d'eau. Un chevalier romain du pays des Voconces (Savoie) possédait un de ces infaillibles porte-bonheur et, plaidant un procès devant l'empereur Claude, l'avait caché sous sa toge. Claude s'en aperçut ou on le lui dit et, pour montrer l'inanité de cette superstition, il fit mettre à mort le malheureux.

Florissante à l'époque gallo-romaine, la magie ne devait pas l'être moins aux temps de l'indépendance. Les *sagas* germaniques et l'épopée irlandaise la font intervenir perpétuellement en tout. Les dieux les plus forts sont les dieux magiciens et, parmi les héros, les plus illustres sont magiciens. Pour les écrivains romains, les druides, dès le temps de Pline, ne sont plus que des « mages », c'est-à-dire des magiciens. Plus tard, on nous parle de druidesses qui ne sont autres que des magiciennes et diseuses de bonne aventure. La médecine gauloise était essentiellement magie; un certain empirisme avait pu discerner les vertus des plantes mais ces vertus étaient censées magiques. En tout ce qui concerne les Gaulois, il ne faut pas oublier l'intensité de leurs croyances religieuses et même superstitieuses.

VIII. — Le clergé gaulois. Les druides

Nous avons eu, déjà à plusieurs reprises, l'occasion de mentionner les druides et le rôle important qu'ils jouaient dans la vie sociale et politique des Gaulois. Nous n'avons pu également traiter de l'activité intellectuelle de la Gaule sans rappeler leurs compositions poétiques. Ils étaient en outre les éducateurs attitrés de la jeunesse aristocratique, non seulement des jeunes gens qui se destinaient au druidisme mais des autres. Leur rôle religieux consistait à présider à tous les sacrifices car, explique Diodore, on croyait indispensable l'intermédiaire de ces hommes qui connaissaient la nature des dieux et parlaient la même langue qu'eux. Leur nom de druides, en effet, paraît signifier « ceux qui savent » : *dru*, particule intensive et un second terme de même racine que le latin *videre*, voir, savoir, étymologie préférable à celle qu'indiquaient les Anciens rapprochant le mot du grec *drus*, chêne. Ce sont les druides qui détiennent la tradition concernant les dieux et leur culte. Tout le monde s'accorde à reconnaître en eux les maîtres et les ordonnateurs de la religion gauloise.

Ce que ce clergé a de propre, c'est qu'il constitue une caste sacerdotale, presque une congrégation : *sodaliciis adstricti consortiis*, « ils sont liés par une communauté corporative », dit Ammien Marcellin. Tous les druides de la Gaule reconnaissent l'autorité du chef élu, à moins que la compétition n'entraîne à des luttes armées et qu'il ne se soit imposé par la force. C'est là une organisation que ne connaissent ni la Grèce ni Rome. Quelle en est l'origine? Quel est le caractère propre de ce sacerdoce?

Tout d'abord le sacerdoce des druides est-il particulier aux Gaulois ou commun à tous les Celtes?

Tous les peuples celtiques, naturellement, ont eu des prêtres; on en trouve mentionnés dans l'Italie du Nord; à l'époque romaine, les prêtres affectés à un temple ou à un culte spécial portent le titre vraisemblablement celtique de *gutuater*; ce ne sont pas des druides. Nulle part, si ce n'est en Gaule et dans l'île de Bretagne, il ne nous est parlé de druides.

Cependant la première mention qui soit faite de ce nom provient d'un écrivain grec qui avait dû entendre parler surtout des Celtes de l'Europe centrale. Elle nous est parvenue par une citation de Diogène Laërce dans la Préface de ses *Vies de philosophes*. Voici cette citation : « Quelques-uns disent que les études philosophiques ont commencé chez les Barbares. Les Perses ont eu leurs mages, les Babyloniens et les Assyriens, leurs Chaldéens, les Celtes et les Galates, leurs druides et semnothées. C'est ce que nous apprennent Aristote dans son traité de la Magie et Sotion dans le XXIIIe livre de l'ouvrage qu'il a intitulé : *Succession des philosophes.* »

Aristote pouvait avoir parlé des Chaldéens, la mention des Celtes et des Galates doit appartenir à l'inconnu Sotion; le nom des Galates est en effet postérieur à Aristote et nous reporte au début du IIIe siècle avant notre ère. Le mot *semnothée*, de formation grecque et qui signifie celui qui honore la divinité, peut représenter la traduction, par les Grecs voisins des Galates, du nom de druide aussi bien que de tout autre terme signifiant « prêtre ». Que vers 200 av. J.-C., le druidisme ait existé chez les Celtes du Danube ou, du moins, chez certains d'entre eux, cela ne prouve rien touchant son origine et sa diffusion. Il est d'ailleurs possible que l'écrivain grec n'attribue les druides qu'à une partie des Celtes et les semnothées à une autre partie, notamment aux Galates, terme qui, de son temps, désignait les Celtes de l'Europe centrale.

L'origine de ce sacerdoce serait orientale, a-t-on dit; les Celtes l'auraient emprunté aux Gètes avec lesquels ils se sont en effet trouvés en contacts fréquents et généralement belliqueux. On trouve en effet, chez les Gètes, qu'un ancien esclave de Pythagore, Zalmoxis, aurait prêché une doctrine assez voisine de celle que l'on prête aux druides et l'un de ses successeurs, « choisissant dans les familles royales des hommes à l'âme noble et à l'esprit sage, leur persuada de se vouer au culte de certaines divinités et d'honorer leurs sanctuaires » (Strabon, VII, 3, 5). Bien plus, il est rapporté que, lors de l'invasion de la Gétie par Philippe de Macédoine, quelques prêtres de ceux que les Gètes nomment « les pieux », vêtus de robes blanches et des harpes à la main, se seraient avancés à la rencontre de l'ennemi en chantant des hymnes en l'honneur des divinités protectrices de la nation Gète. Les Macédoniens auraient fait la paix et seraient retournés chez eux. De même façon, des druides se seraient parfois jetés entre des armées prêtes à en venir aux mains et auraient réussi à empêcher la bataille. Bien que cette intervention des druides rappelle un peu la tentative manquée des druides et des prêtresses de l'île de Mona, elle n'est peut-être qu'un thème de folklore. Les ressemblances entre les doctrines des Gètes et celles des druides demeurent bien vagues et ce qui nous est dit de l'institution du clergé gétique paraît trop conventionnel pour établir un lien avec le sacerdoce druidique.

De telles indications peuvent-elles prévaloir contre l'affirmation si nette de César : « La discipline des druides a été trouvée en Bretagne et c'est de là, suppose-t-on, qu'elle est passée en Gaule; actuellement encore, ceux qui veulent l'étudier à fond s'en vont, la plupart du temps, terminer leur formation dans l'île. » Est-ce les Celtes qui l'ont introduite en Bretagne? En ce cas, pourquoi se serait-elle développée là de façon si particulièrement brillante, alors que les Bretons étaient loin d'être les plus avancés des Celtes? Rappelons-nous ce que narrait Diodore du culte d'Apollon Hyperboréen dans l'île située en face de la Gaule, de son temple merveilleux et de cette ville peuplée presque exclusivement de joueurs de cithare occupés à chanter les louanges du dieu. Le druidisme ne serait donc que le développement d'un vieux sacerdoce indigène lié au cercle mégalithique de Stonehenge. La doctrine se serait ensuite enrichie de toutes les idées qui pouvaient circuler dans le monde celtique depuis la Mer Noire et les Balkans jusqu'aux côtes de la Gaule. Le centre en serait resté dans l'île parce que là en était l'origine. Ce n'est qu'une hypothèse qu'il sera sans doute bien difficile de prouver mais à laquelle on ne voit pas quelle objection opposer.

Quel est le vrai caractère de la classe sacerdotale constituée par les druides?

« Rien ne ressemble plus aux druides », propose Henri Hubert dans son savant ouvrage sur les Celtes (II, p. 229 sq.), « que les brahmanes de l'Inde et les Mages de l'Iran, si ce n'est le Collège des Pontifes de Rome et les Flamines qui y étaient agrégés. Le *flamen* porte le même nom que le brahmane. M. Vendryes a montré l'analogie, en sanscrit et en celtique, de termes relatifs aux prêtres et aux sacrifices. Il s'agit non seulement de sacerdoces comparables mais de sacerdoces identiques qui ne se sont bien conservés qu'aux deux extrémités des peuples indo-européens. Entre les deux avaient subsisté des débris de pareils sacerdoces, en Thrace et chez les Gètes, par exemple. »

Il y a un demi-siècle, Alexandre Bertrand avait même rapproché l'organisation des druides de celle des moines chrétiens et des lamaseries du Thibet.

Qu'il y ait un élément commun à toutes ces institutions sacerdotales et même, de-ci de-là, quelques détails analogues, la chose est naturelle. Un sacerdoce a partout à peu près le même rôle. Mais ce qui importe, c'est le caractère propre de chacun et il ne faut pas, pour les rapprocher, oublier les différences essentielles qui les séparent.

On éliminera tout d'abord le rapprochement avec Rome. Comment comparer les neuf ou douze pontifes romains avec le clergé druidique? Il y a un chef des druides comme il y a un *Pontifex maximus*, sans doute, mais les pontifes sont un collège et non pas une classe sacerdotale, un collège de magistrats, chargé de l'administration de la chose religieuse; ils se recrutent par cooptation et les druides par vocation. On ne voit pas plus de rapports entre pontifes et druides qu'entre pontifes et brahmanes. Le mot brahmane est sans doute originairement le même que *flamine* mais le propre des brahmanes est de constituer une caste sainte; le flamine est le prêtre d'une divinité particulière; il est subordonné au grand pontife mais ne fait pas partie de son collège. Aucun des termes de la prétendue équation : druide, pontife, flamine, brahmane, ne correspond l'un à l'autre. Rappelons-nous que des mots formés de la même racine peuvent prendre dans des langues diverses des sens assez différents.

Les brahmanes de l'Inde sont, comme les druides, soumis à de longues études d'initiation; ce n'est là, pour eux, qu'un élément secondaire; c'est la naissance qui fait le brahmane. Chez eux ne s'aperçoit aucune trace de l'organisation qui caractérise les druides : pas de chef élu, rien de ces conciles annuels qui réunissent les druides de toute la Gaule, aucune ingérence dans la vie sociale et politique. Dans l'Iran, les Mages ont sans doute, comme les druides, le monopole des cérémonies religieuses; sans eux il n'est point de sacrifice mais, à la différence des druides, ils forment une tribu et paraissent unis entre eux par des liens de parenté; comme le brahmane, c'est la naissance qui fait le mage. Rien de tel chez les druides.

Les druides, en Gaule, constituent une classe sociale qui s'impose par sa doctrine et ses accointances avec la divinité. Ils sont les spécialistes de la religion et ne sont pas astreints au service militaire; ils n'en partagent pas moins avec les guerriers le soin de la politique. Ils savent ce que veulent les dieux et les dieux sont censés régler dans tous ses détails la vie de la nation. Une indication de Dion Chrysostome (Ier siècle de notre ère) fait des druides le conseil des rois. Ceux-ci ne pourraient rien décider sans les druides, versés dans la divination et les autres sciences, « si bien qu'il serait juste de dire que les druides commandent et que les rois, sur leurs trônes d'or, dans leurs palais, ne sont que leurs ministres et les serviteurs de leur pensée ». En Irlande, nous voyons encore que si personne ne peut parler avant le roi, le roi ne peut prendre la parole qu'après son druide. Le prestige de la classe sacerdotale avait dû diminuer en Gaule avec la révolution qui substitua l'aristocratie à la royauté. D'après Strabon, c'est uniquement à leur supériorité morale et à leur réputation de justice que les druides devaient encore leur autorité d'arbitres dans les affaires privées et dans les contestations politiques. On pensera néanmoins que cette autorité reposait aussi sur une ancienne tradition et sur leur caractère sacré de prêtres.

Le druide ne va pas à la guerre et il est savant; à part cela, il vit comme les autres hommes : rien ne l'écarte de la vie familiale. Le druide Diviciac, chez les Éduens, a dû s'exiler parce qu'il refusait de livrer ses enfants en otages à Arioviste; Il reste le chef d'un parti politique opposé à celui de son frère Dumnorix. On ne voit pas que le fait d'appartenir à la classe sacerdotale impose des restrictions à son activité.

Cherchant encore un modèle à Rome mais, cette fois, dans

la personne du *rex sacrificulus*, Camille Jullian proposait de reconnaître dans les druides les héritiers des roitelets déchus des trois cents et quelques *pagi* ou cantons de la Gaule. Primitivement, remarquait-il, pouvoir politique et pouvoir religieux se confondent : le roi est prêtre et il n'est roi que parce qu'il est prêtre, c'est-à-dire, parce qu'il se trouve en relation particulière avec le dieu; puis la fonction politique et militaire se détache de la fonction religieuse : le prêtre se sépare du chef. Ainsi à Rome, à côté du roi, apparaît le roi des sacrifices. De même en Gaule, les druides auraient hérité du pouvoir religieux des anciens rois de petites tribus. Ils pourraient être rapprochés des trois cents conseillers qui se réunissent autour des douze tétrarques de Galatie, dans un endroit appelé *drunemeton*, le grand sanctuaire.

Que les rois des *pagi* celtiques aient primitivement possédé le pouvoir religieux, puis qu'ils l'aient abandonné aux spécialistes qu'étaient les druides est, en effet, des plus vraisemblable. Mais il reste à expliquer le fait caractéristique : la communauté corporative du clergé druidique. Elle semble bien remonter à l'origine même de l'institution. Sinon, comment et pourquoi les substituts religieux des roitelets de tribus diverses auraient-ils imaginé de s'associer sous un chef commun, en dehors et au-dessus de ces tribus dont ils servaient le dieu?

H. Hubert croyait trouver le type d'institutions telles que le brahmanisme et le druidisme dans les « soi-disant sociétés secrètes de la Colombie Britannique et de la Mélanésie qui sont, en réalité, des confréries constituées à côté des clans totémiques et à leur image. L'origine de chaque société remonte à une révélation qui figure dans des mythes analogues à ceux d'un Zalmoxis ou d'un Pythagore. Elles se recrutent par cooptation et qualifient par des initiations leurs membres appartenant à des générations successives ».

On n'aperçoit aucun trait commun entre ces sociétés secrètes primitives et le clergé officiel que constituaient les druides. Y avait-il chez eux initiation? Y eut-il, à l'origine de leur institution, une révélation? Nous n'en savons absolument rien.

En fait, nous ne connaissons le druidisme que tardivement, à une époque déjà très avancée de la civilisation celtique, à un moment où il est devenu un clergé raisonnant, « une classe de philosophes », disent certaines sources antiques. Nous ne le trouvons mentionné que dans une partie bien déterminée du domaine celtique, en Gaule et en Bretagne. Rien ne nous autorise à en faire une institution « panceltique ». Il est naturel d'en chercher les origines et de procéder par comparaisons. Mais il ne faut comparer, suivant le conseil de Fustel de Coulanges, que des éléments de même nature et il ne nous semble pas que le passé indo-européen fournisse rien de semblable au sacerdoce druidique. Force nous est donc de nous contenter des indications de César et des quelques sources antiques, tout en reconnaissant combien elles sont incomplètes et insuffisantes.

Reste la doctrine religieuse et morale des druides. Là encore nos renseignements demeurent sommaires puisque rien ne nous a été conservé des longs et nombreux poèmes dont César mentionne simplement l'existence. Nous avons essayé, par conjecture, de retrouver quelques traits de leur théologie. Ce qui a le plus frappé les Grecs et les Romains c'est que, à la différence de leurs religions, celle des Gaulois comportait une morale. Ils en reconnaissent l'élévation et la résument en ce triple précepte : « Honore les dieux — Sois brave — Ne fais rien de mal. »

Ils ont insisté aussi sur la croyance des druides à l'immortalité de l'âme et prononcé à ce propos le nom de Pythagore; les Gaulois auraient cru à la métempsychose. « L'un des points principaux de la doctrine des druides », dit César, « est que les âmes ne meurent pas mais qu'après la mort, elles passent en d'autres corps; ils estiment qu'en procurant le mépris de la mort, une telle doctrine est le meilleur ressort du courage. » Lucain, exposant la même idée, parle d'un « autre monde » : « Selon vous », dit-il en s'adressant aux druides, « les ombres ne gagnent pas les demeures silencieuses de l'Érèbe et les pâles royaumes du Dieu souterrain; le même esprit régit les membres dans un autre monde; la mort, si vos poèmes sont vrais, n'est que le milieu d'une longue vie. »

On a beaucoup discuté sur le rapport que les doctrines druidiques pouvaient avoir avec celle de Pythagore. Il ne s'agit que d'une ressemblance lointaine, et en somme assez vague, puisque pour les Pythagoriciens, seules les âmes impures qui avaient à expier revenaient en ce monde animer des corps divers tandis que celles des justes gagnaient les espaces célestes. Le nom de Pythagore n'a d'ailleurs été prononcé à ce propos que fortuitement et par un écrivain latin de basse époque, Valère Maxime. Les Gaulois croyaient à l'immortalité de l'âme; leurs usages funéraires l'indiquent assez; cette croyance leur était commune avec beaucoup d'autres peuples. Nous chercherons, un peu plus loin, à en préciser la teneur propre. D'une façon générale, on peut s'en tenir à une observation de Camille Jullian : « Avec les habitudes de généralisation rapide propres aux Anciens, les druides ont pu passer pour être à la fois les plus sanguinaires et les plus sages des prêtres alors que, selon toute vraisemblance, leurs pratiques et leurs théories étaient la banalité même. »

IX. — L'OUTRE-TOMBE CELTIQUE

On se rappelle que les Gaulois n'hésitaient pas à se prêter entre eux des sommes remboursables dans l'autre monde, qu'ils brûlaient ou enterraient avec les morts non seulement les choses qui leur avaient servi pendant la vie, ornements, bijoux, instruments, armes, mais même les êtres qui leur avaient été chers; ils imaginaient donc, au-delà de la tombe, une existence assez semblable à celle de ce monde.

Si l'on en juge par l'épopée irlandaise, l'Au-delà occupait une grande place dans leur pensée. Il ne se trouvait qu'incomplètement séparé de la terre des vivants. Le peuple des Fils de Dann, les Tuatha dé Danann, sont une race de magiciens, à la fois des dieux et les hommes qui avaient autrefois occupé l'Irlande. Ils ont reçu pour leur lot le sous-sol du pays et les *tumuli* où reposent les morts. Monde des dieux et monde magique, monde des morts et monde des vivants, paraissent en relation étroite jusqu'à se confondre. Les Fées, qui sont des divinités, sont aussi des revenants, des êtres qui ont vécu autrefois; elles habitent l'intérieur des tertres et des collines où leurs palais sont pleins de merveilles; elles en sortent pour se mêler de nouveau aux vivants, avec des pouvoirs divins.

Le domaine des Morts, ce sont aussi les îles mystérieuses de l'Océan vers lesquelles des navigations audacieuses entraînent parfois les marins qui n'en reviennent plus. Là se trouve la Terre de Promesse, la Plaine de la Joie, le Pays de Jeunesse, peuplés de jeunes filles et de femmes séduisantes; là-bas, les héros disparus continuent leurs festins et leurs batailles. Les îles magiques des Fées et les îles des Morts sont confondues et il arrive, remarque G. Dottin, que les mêmes histoires soient racontées et des Fées et des Morts.

Ces imaginations sont anciennes. Plutarque, au Ier siècle de notre ère, se faisait déjà l'écho de légendes celtiques d'après lesquelles, à cinq jours de navigation de la côte de Grande-Bretagne, se trouverait l'île de Saturne habitée par des Génies. L'historien Procope, au VIe siècle, raconte comment les habitants de la côte bretonne ont pour charge de conduire les âmes des morts jusqu'à l'île qui doit être leur séjour. « Au milieu de la nuit, ils entendent frapper à leur porte et une voix les appelle tout bas. Ils se rendent au rivage sans savoir quelle force les entraîne. Ils y trouvent des barques qui semblent vides mais qui sont tellement chargées des âmes des morts que leur bordage s'élève à peine au-dessus des flots. En moins d'une heure, ils sont arrivés au terme de leur voyage, alors que d'ordinaire il faut une journée pour l'atteindre. Là ils ne voient personne mais ils entendent une voix qui dénombre les passagers, les appelant chacun par leur nom. » Les Anciens ont souvent parlé des Iles Bienheureuses situées dans l'Océan, loin vers le couchant. Ces légendes sont celles d'un peuple de marins; elles doivent remonter jusqu'à la préhistoire. On ne peut préciser dans quelle mesure elles étaient connues des Celtes continentaux.

Pour ceux-ci, sans doute, le paradis devait ressembler au Walhalla des Germains. Ce sont toujours les mêmes conceptions sauf que ce séjour heureux n'est plus localisé dans les îles. Là aussi, les hommes qui ont vécu retrouvent une vie meilleure que l'ancienne. Pour les Gaulois, sans doute, comme pour les Gaëls, des ruisseaux d'hydromel et de vin coulaient au pied d'arbres chargés de fruits merveilleux; la pluie était de bière. Les porcs qui paissaient dans la plaine renaissaient, sitôt mangés, pour de nouveaux festins. Toujours jeunes et toujours beaux, les guerriers étaient armés d'armes éclatantes; les batailles étaient là plus acharnées et plus terribles que chez les vivants et des fleuves de sang coulaient dans la grande Plaine. Mais la vie continuait sans fin, apportant au mort tout ce qu'avait aimé ou désiré le vivant. Un Paradis aussi matériel, qui était vraisemblablement celui des Gaulois, ne rappelle guère la doctrine mystique de Pythagore.

Loin d'être le résultat des réflexions de druides philosophes, conclut G. Dottin, « cette doctrine de l'immortalité de l'âme est indo-européenne; on la trouve déjà dans les Védas; Hérodote l'a signalée chez les Égyptiens et les Gètes. Les Perses étaient convaincus de leur résurrection. Elle ne constitue pas une croyance religieuse propre aux Celtes ». Dottin aurait pu ajouter qu'elle n'est pas propre aux Indo-Européens puisque aussi bien on la rencontre en Égypte; elle est simplement naïve et primitive.

X. — La fin des druides. Les survivances de la religion celtique

Les druides représentaient la tradition gauloise. La perte de l'indépendance devait nécessairement entraîner leur déclin. Du fait même que la puissance romaine se réservait le droit de vie et de mort, le pouvoir judiciaire échappait aux druides et les sacrifices humains leur étaient interdits. Sous Auguste, les cultes étrangers, et le druidisme était considéré comme tel, n'étaient interdits qu'aux citoyens. Comme l'aristocratie gauloise n'aspirait à rien tant qu'au droit de cité et que bon nombre de ses membres l'avaient reçu de César, le recrutement des druides avait dû se trouver singulièrement rabaissé. Aux druides échappait l'éducation de la jeune noblesse. Dès l'an 21 de notre ère, sous Tibère, une révolte put saisir la fleur de la jeunesse gauloise à Autun où elle s'instruisait à l'école romaine.

Les druides se trouvaient, dès ce moment, réduits à l'état de magiciens, devins ou médecins; du moins étaient-ils considérés comme tels et, au titre de *magi*, ils tombaient sous le coup du décret de Tibère contre les astrologues, les magiciens et, en général, les cultes étrangers qui commençaient à envahir l'empire romain. C'est Claude qui aurait définitivement supprimé le clergé druidique sous prétexte de la cruelle « inhumanité » de son culte. Cependant, sous son règne, les druides auraient encore continué à enseigner, cachés dans des cavernes et les forêts, s'il faut en croire le géographe rhéteur Pomponius Mela. Ils se bornaient à un simulacre de leurs anciens sacrifices, se contentant de prélever quelques gouttes de sang sur les victimes désignées. Si le nom de druide et même la mention de druidesses, apparaissent encore plus tard, il est confondu avec celui de « mage »; il ne s'agit plus que de diseurs ou diseuses de bonne aventure ou devins de carrefour. Le clergé druidique ne subsiste plus que dans les parties de l'île de Bretagne demeurées indépendantes. Là se sont perpétués, avec leur dignité, quelques échos de leur doctrine et quelques souvenirs de leurs mythes.

Dans la Gaule devenue romaine, la religion gauloise poursuivit, jusqu'au triomphe du christianisme, une existence sans éclat, obscure mais profonde. Abandonnée par l'aristocratie pour les cultes gréco-romains, elle trouve refuge chez le bas peuple des villes et surtout des campagnes. Peu nombreux, modestes et sans beauté, sont les monuments qu'elle nous a laissés mais, dans tous les sanctuaires, auprès des sources, dans les ruines des habitations, dans les tombes, de menus ex-voto, des pièces de monnaies ou des statuettes de terre cuite, témoignent de sa persistance. Dès que l'influence romaine faiblit en Gaule, vers la fin du second ou le début du IIIe siècle de notre ère, on voit se multiplier les sculptures qu'inspire une idée religieuse gauloise, comme les groupes du dieu cavalier et du géant anguipède, témoignant de la vitalité profonde que conserve le souvenir des dieux nationaux.

Une partie au moins des vieilles croyances celtiques, la plus ancienne semble-t-il, la plus humble et la plus familière, celle qui constituait la religion du sol lui-même et qui s'était successivement imposée à ses divers occupants, s'est même perpétuée jusqu'au sein du christianisme. L'histoire des origines de l'Église est pleine de la lutte des évêques contre le culte des pierres, des arbres, des sources, des génies des champs et des bois. Bon nombre de ces anciens dieux topiques se sont métamorphosés en saints. Et les pierres enchantées, les arbres aux fées, les sources miraculeuses ont encore, de nos jours, leurs fidèles.

« Quand on parcourt », écrit Renan, « tel canton écarté de la Normandie ou de la Bretagne, qu'on s'arrête à chacune des chapelles consacrées à un saint local et qu'on se fait rendre compte par les paysans des spécialités médicales de chacun de ces saints..., on se rappelle ces innombrables dieux gaulois qui avaient des fonctions toutes semblables et on en arrive à croire que, dans les couches profondes du peuple, la religion a, en somme, peu changé. »

LE DOUBLE DANGER. ROME. LES GERMAINS 11

I. — LES ROMAINS EN PROVENCE ET LA CHUTE DE LA ROYAUTÉ ARVERNE

L'état de civilisation auquel étaient parvenus les Gaulois du IIe siècle avant notre ère les plaçait dans la situation la plus désavantageuse. Fixés au sol et stabilisés, ils avaient à redouter le monde barbare qui, à l'Est, prenait possession, à leur détriment, du centre de l'Europe et continuait sa poussée vers l'Ouest. Au Midi, Rome achevait de réduire à sa domination les États civilisés du monde méditerranéen. Malgré ses ressources, malgré le semblant d'union que constituait l'hégémonie arverne, la Gaule était incapable d'arrêter l'expansion romaine. Ses peuples avaient perdu la frénésie guerrière qui fait redoutable l'élan des peuples barbares; ils n'avaient pas encore acquis l'adresse ni réalisé l'organisation savante, forces des nations civilisées.

Entre les deux dangers qui la menaçaient, la Gaule vivait au jour le jour, sur des traditions anciennes devenues peu à peu lettre morte. Elle s'était désintéressée des désastres du celtisme au sud des Alpes et au-delà du Rhin. Elle avait assisté sans comprendre à l'épopée d'Hannibal. L'esprit de ses chefs était incapable de s'élever au-dessus d'une très simple politique de cité. Pour demeurer libre entre la barbarie envahissante et la civilisation impérialiste, il lui aurait fallu, ou une sagesse qu'elle n'avait pas encore, ou une force qu'elle n'avait plus.

En moins d'un siècle, toutes les circonstances vont tourner contre la Gaule. Au moment même où l'invasion barbare se prépare contre elle, l'attaque romaine vient paralyser sa résistance en lui enlevant son unité. Et l'instant où sa frontière orientale, entamée par les Germains, absorbe toute son attention est celui où paraît César. Alternativement, du Nord et du Midi, les coups ennemis viennent entamer sa force et préparer la catastrophe finale.

Le danger romain se manifesta le premier. Sitôt débarrassée

d'Hannibal, Rome s'était retournée contre les Gaulois dont elle avait pu craindre la ruée. Dès le début du IIe siècle, elle avait subjugué les Cisalpins. Puis elle avait entrepris la conquête de l'Espagne où elle avait rencontré les Celtibères. Leur résistance acharnée avait valu soixante-dix ans de répit aux Celtes de Gaule. Numance prise (133 av. J.-C.) et la péninsule ibérique soumise dans son ensemble, le projet devait s'imposer à Rome de réunir la nouvelle province à l'Italie par une voie moins aléatoire que celle de la mer. La légende ne racontait-elle pas qu'Hercule lui-même, en écrasant les Ligures, avait ouvert le chemin le long de la côte méditerranéenne, depuis le jardin des Hespérides jusqu'au Palatin. Or Hercule était, à ce moment, le héros à la mode, celui sous le patronage de qui les chefs aimaient placer leurs ambitions conquérantes. Mummius lui consacrait la dîme du butin fait à Corinthe. Le Sénat pouvait songer à renouveler son exploit occidental.

Rome possédait sur la côte gauloise une alliée de tout temps, Marseille, qui lui avait rendu de précieux services durant la lutte contre Carthage et tout le long des guerres d'Espagne. Marseille avait, à ce moment, fort à faire pour protéger son commerce, sur mer, contre les pirates ligures et pour se défendre elle-même, du côté de la terre, contre les Gaulois trop pressants. Elle prit le parti de demander aide aux Romains.

Pour la première fois, en 154 av. J.-C., les Romains vinrent ainsi, à l'appel de Marseille, faire la guerre à l'occident des Alpes. Les tribus ligures des alentours de Nice et d'Antibes assiégeaient ces deux colonies marseillaises. Un ambassadeur romain envoyé pour négocier avait été chassé et blessé par les Ligures. Le consul Opimius débarqua avec une armée à Antibes et battit successivement les deux tribus montagnardes. Puis il se retira laissant tout le profit de sa victoire aux Marseillais. Les restes d'un trophée monumental trouvés à La Brague près d'Antibes rappellent peut-être cette première intervention de Rome en Gaule.

Une génération plus tard, en 125, Marseille renouvela son appel. C'était elle-même, cette fois, qui avait à faire à ses voisins immédiats, le peuple celto-ligure des *Salyens* ou *Salluvii.* Les circonstances, pour Rome, n'étaient plus les mêmes que précédemment. Les réformes sociales des Gracques troublaient profondément la Ville. Une expédition au-delà des Alpes pouvait faire diversion et fournir le moyen de trouver des terres pour les citoyens pauvres et un nouveau champ d'action pour les hommes d'affaires. Les Romains s'empressèrent au secours de Marseille.

En 124, le consul C. Sextius Calvinus battit les Salyens et prit leur oppidum d'Entremont (près d'Aix actuel). Victorieux, il ne regagna pas l'Italie. Demeuré comme proconsul, il fonda, au carrefour des routes d'Italie, de Marseille et de la Gaule, le poste fortifié qui devint plus tard la ville thermale puis la colonie d'*Aquae Sextiae*, Aix-en-Provence. La forteresse romaine protégeait la colonie grecque contre tout danger pouvant venir de la Gaule; en réalité, elle la coupait de la Gaule et bloquait le port, du côté de la terre, bien plus étroitement que n'avaient jamais fait les Salyens. Dès ce moment, Rome commence à s'occuper de la Gaule lointaine. Ce n'est évidemment pas par pur hasard que les Éduens de la vallée de la Saône rejettent alors l'hégémonie arverne et reçoivent de Rome les titres de frères et alliés.

Le plus puissant des peuples gaulois de la rive gauche du Rhône, les Allobroges, avait donné asile aux Salyens fugitifs et refusait de les livrer. En 122, un nouveau consul, Domitius Ahenobarbus, passa les Alpes avec une nouvelle armée. Le roi des Arvernes, Bituit, essaya de s'interposer. Ce fut en vain. Les Allobroges furent vaincus dans la plaine de la Sorgue.

L'hégémonie que les Arvernes exerçaient ou prétendaient exercer sur la Gaule les obligeait à intervenir à leur tour. Tandis que Bituit convoquait ses guerriers, une seconde armée romaine, commandée par Q. Fabius Maximus, venait rejoindre celle de Domitius. C'étaient, en tout, une trentaine de mille hommes. Trois cent mille Gaulois, nous dit-on, descendaient des Cévennes à leur rencontre. Sur son char garni d'argent, Bituit s'avançait entouré des chiens de sa meute, plein de confiance dans sa force. « S'ils viennent comme ambassadeurs », aurait-il dit, « ils sont bien nombreux; si c'est pour se battre, il y a là à peine pour la curée de mes chiens. » La rencontre eut lieu près du confluent de l'Isère et du Rhône et fut un désastre pour l'armée gauloise.

Les dieux avaient décidé contre la Gaule. Au lieu de tenter de nouveaux efforts, Bituit crut devoir conclure la paix. Il eut la naïveté de vouloir la négocier lui-même. Les Romains se saisirent de lui et de son fils et les expédièrent à Rome. La Gaule n'avait plus de chef. Rome put, à son gré, y tailler son domaine : la vallée du Rhône jusqu'à Vienne et à Genève; au sud, tout le versant méridional des Cévennes jusqu'au Tarn; à l'ouest, la vallée de la Garonne jusqu'à Toulouse inclusivement. Ce fut la Province romaine dont le nom se perpétue dans celui de Provence. Le port de Narbonne en devint la capitale, destinée à faire concurrence à Marseille. Le consul Domitius s'empressa aussitôt d'aménager entre le passage oriental des Pyrénées et la vallée du Rhône, la voie qui garda son nom, *via Domitia*. Le Sénat n'en voulait pas davantage pour l'instant. Les intérêts généraux de l'Italie se trouvaient largement assurés; une riche province, bonne à rançonner et à piller, constituait un ample boulevard protégeant le chemin d'Espagne et, pour plus de sûreté, la Gaule, décapitée, était livrée à l'anarchie.

On peut se demander si ce fut une simple coïncidence qui réunit en un espace de moins de dix ans la première victoire des Romains sur la Gaule et l'invasion des Cimbres et des Teutons, ou bien, au contraire, si l'état de faiblesse et de division dans lequel la chute de l'hégémonie arverne laissa le pays ne fut pas une des causes décisives qui y attirèrent les bandes germaniques.

II. — L'invasion des Cimbres et des Teutons

Les invasions des Cimbres et des Teutons se prolongèrent de l'an 113 à l'an 101 avant notre ère. Les Cimbres venaient des rives de la mer du Nord dont étaient jadis sortis les Belges et des terres du Jutland. On ne sait si les Teutons avaient été primitivement leurs voisins, du côté de la Baltique, ou s'ils n'étaient pas déjà fixés dans la région du Main. La migration entraînait successivement une partie des peuples qui se trouvaient sur son passage. Elle se grossit, en passant le Rhin, d'une tribu helvète, les Tigurins. Bien d'autres encore, dont les noms sont inconnus, durent se joindre à elle. C'étaient des bandes mixtes, d'origine diverse, en quête de terres et d'une nationalité (voir ci-dessus, p. 85 sq.).

Après avoir porté un coup funeste aux établissements celtiques demeurés à l'est du Rhin, repoussés de Bavière et de Bohême par les Boïens, les Cimbres parvinrent tout d'abord, à l'est des Alpes, dans l'état gaulois du Norique. Ils semblaient se diriger vers le Sud et chercher la route de l'Italie. Les Romains s'en émurent et envoyèrent contre eux le consul Papirius Carbo qui fut complètement défait près de Noreia (Neumarkt). Mais les Cimbres ne se souciaient pas, à ce moment, de franchir les montagnes. Ils ne profitèrent de leur victoire sur les Romains que pour piller à l'aise les Gaulois d'Illyrie.

On ne sait pourquoi ni comment les Cimbres se retrouvent quatre ans plus tard, en 109, aux abords du Rhin qu'ils franchirent grâce à la complicité d'une partie des Helvètes. La Gaule leur était ouverte, mais l'énergie des Belges les rejeta vers le Sud. Rome voyait reparaître sur le Rhône le danger qui l'avait inquiétée en Norique. Ses efforts pour l'écarter ne furent pas plus heureux en Gaule qu'en Illyrie. Successivement, de l'année 109 à 105, quatre armées consulaires romaines vinrent se faire écraser par les Cimbres, les Teutons ou les Helvètes. Ici encore, ce furent les Gaulois qui pâtirent de la défaite des Romains. Les courses de pillage se prolongèrent jusqu'en 102. Les Cimbres s'étaient réservé l'Aquitaine et l'Espagne. Les Teutons obtinrent la Gaule du Centre. Et lorsque le pays sembla épuisé, les Barbares passèrent en Espagne, pour revenir ensuite vers l'Italie.

Mais tandis qu'ils s'attardaient à piller, Rome avait préparé sa propre défense. La victoire de Marius à Aix, à l'automne de l'année 102, anéantit les Teutons. Lorsqu'au printemps de 101, les Cimbres qui avaient pris un chemin plus long débouchèrent en Italie, ils furent à leur tour défaits par Marius, à Verceil, entre Turin et Milan. Aux Tigurins qui arrivèrent enfin par le Norique et les Alpes Juliennes et qui attendaient, pour attaquer, l'arrivée des autres bandes, les Romains purent faire annoncer que Cimbres et Teutons ne paraîtraient pas au rendez-vous, « attendu qu'ils avaient trouvé des terres dont ils ne bougeraient plus ».

La puissance romaine sortait de ces traverses plus redoutable que jamais. Quant à la Gaule, elle était ruinée. Sept années de luttes incohérentes et de déprédations avaient déterminé dans tout le pays un appauvrissement que constate l'archéologie. La troisième période de la Tène, qui commence à cette date, marque une décadence évidente par comparaison avec les siècles précédents. La richesse ancienne disparaît des mobiliers funéraires. Les armes elles-mêmes sont moins belles et moins soignées : les épées à fourreau métallique orné de gravures ne se rencontrent plus désormais ni en Gaule, ni dans l'Europe centrale. Les Iles Britanniques, que n'avaient pas touchées les bouleversements du continent, apparaissent, à ce moment, en face de la Gaule épuisée, comme le conservatoire du luxe et de l'art celtique.

Le mal aurait été largement compensé si cette épreuve avait refait l'unité nationale détruite par la première victoire de Rome sur les Arvernes, vingt ans auparavant. Il n'en fut rien; l'invasion germanique n'eut, semble-t-il, d'autre effet que de compléter l'affaiblissement de la Gaule commencé par les Romains et, par là, de préparer d'autres désastres.

Quarante-quatre années d'une paix apparente séparent la victoire de Marius de l'arrivée de César en Gaule (102 à 58 av. J.-C.).

La destruction des Cimbres et des Teutons à Verceil et à Aix avait arrêté le danger germanique au seuil de l'Italie mais ne l'avait pas supprimé. La menace en subsistait pour la Gaule. Elle grandissait même de jour en jour, au centre de l'Europe. De l'extrémité orientale du continent venait de surgir un nouvel ennemi du nom celtique, les Daces. Conduits par leur roi-prophète Burbista, ils s'avançaient à la conquête des plaines du Danube. Rien ne résistait à leur attaque qu'animait une sorte d'ardeur mystique et les peuples celtiques installés au sud du fleuve succombaient les uns après les autres. Vers l'année 60, les Daces avaient atteint le grand carrefour de l'Europe centrale entre Vienne et Passau et ils venaient de conclure, avec les Germains d'Arioviste, une alliance scellée par le mariage du chef germain avec la sœur de leur roi.

Les Germains, à la même époque, avaient fini, en effet, par trouver un chef, Arioviste : « Celui-ci », dit Camille Jullian, « ne fut guère qu'un brigand, mais d'audace et d'intelligence supérieures... Sa frénésie se conciliait avec la ruse et la malice. Il savait endormir ses ennemis par des propos d'amitié et de belles promesses. Personne ne lui en imposait, ni par la flatterie, ni par la menace. Avec cela, despote, colère, arrogant, brutal, exigeant l'obéissance immédiate, toujours prêt à ordonner un supplice : c'était la plus violente des tempêtes humaines qui fût alors déchaînée sur l'Occident. » Depuis quinze ans, rapporte César, ni lui ni ses hommes n'avaient dormi sous un toit. Chef des Suèves du Brandebourg, Arioviste avait groupé autour de lui les tribus de l'Allemagne du Nord et du Centre. Par la Thuringe et la Souabe, il avait pénétré jusqu'au cœur même de l'ancien domaine celtique, entre le Danube et le Rhin supérieur. Vers l'an 60, il venait de rencontrer les Daces sur le Danube; depuis plusieurs années déjà, il avait atteint le Rhin.

Quant à Rome, depuis Marius, elle pouvait apparaître à la Gaule comme une protectrice éventuelle plutôt que comme un danger. Ses gouverneurs et leur administration pressuraient sans doute odieusement les Gaulois soumis à leur autorité. Ceux-ci étaient définitivement abandonnés à leur sort; ils ne trouvaient aucun secours chez leurs congénères demeurés indépendants, alors même que, poussés à bout, ils tentaient de se révolter comme le firent les Allobroges en 62-61. Le Sénat, d'ailleurs, avait d'autres préoccupations que la Gaule. Mithridate en Orient, les pirates dans la Méditerranée, Sertorius en Espagne; en Italie la guerre sociale, la guerre servile et les luttes civiles, suffisaient à retenir toute son attention.

Rome n'eut pas, semble-t-il, à ce moment, de politique gauloise. Les Romains établis en Gaule et les chefs des grandes familles qui avaient des intérêts dans le pays, n'en déployaient, pas moins, un peu au hasard, leur activité. Le titre de frères du peuple romain décerné aux Éduens, celui d'ami attribué à un roi des Séquanes, constituaient comme les amorces de relations futures. Surtout, l'activité commerciale des nombreux négociants italiens qui s'étaient, à la suite des armées, abattus sur la Gaule, avait tissé peu à peu, entre la province romaine et les peuples indépendants, tout un réseau d'intérêts et d'intrigues, véritable pénétration pacifique, précédant et préparant la conquête militaire.

IV. — Arioviste chez les Séquanes

Entre la Germanie menaçante et Rome indifférente, quelle était l'attitude des Gaulois? De ce côté, nous n'apercevons nulle politique raisonnée, nulle ligne de conduite suivie. Il semble que chaque peuple gaulois se soit laissé absorber par ses luttes de partis et les rivalités entre voisins. Nous ne possédons guère, il est vrai, de renseignements précis que sur quelques-uns d'entre eux et sur les derniers événements qui ouvrirent le pays à la fois aux Germains et aux Romains.

Forts de l'amitié romaine, les Éduens de Bourgogne rêvaient de reconstituer à leur profit l'hégémonie de toute la Gaule qu'avaient autrefois exercée les Arvernes. Leur dessein rencontrait l'opposition tout particulièrement décidée des Séquanes leurs voisins. Battus une première fois, les Séquanes s'étaient avisés, pour se venger, de faire appel à un auxiliaire réputé invincible. Ils avaient pris à leur solde Arioviste et l'une de ses bandes et avaient, à leur tour, vaincu les Éduens. Mais, le succès à peine acquis, ils avaient durement compris leur imprudence. Introduit en Gaule, Arioviste avait refusé d'en sortir. Appelant à lui d'autres Germains, il avait exigé, pour lui et les siens, un tiers du territoire des Séquanes, c'est-à-dire la partie méridionale de l'Alsace.

Les Séquanes avaient essayé de résister. Réconciliés avec

les Éduens, ils avaient tenté ensemble de chasser Arioviste. Ils avaient été battus et Arioviste, de ce fait, se prétendait le maître virtuel de toute la Gaule. En attendant qu'il s'en emparât, il réclamait aux Séquanes un second tiers de leur territoire et faisait durement sentir sa tyrannie aux Éduens dont il avait exigé des otages. Après avoir voulu, grâce à l'appui des Romains, commander à toute la Gaule, les Éduens eux-mêmes se voyaient réduits à obéir aux ordres d'Arioviste.

Nous trouvons à ce moment, séjournant à Rome, un de leurs chefs, le druide Diviciac. En relations avec les principaux personnages de la République, il ne devait pas se faire faute de les entretenir de la nouvelle apparition des Germains en Gaule. Il devait les mettre également au courant des affaires intérieures des Éduens et de la Gaule. Il avait quitté son pays, en effet, sinon en proscrit, du moins en mécontent. Il appartenait, dans sa cité, au parti aristocratique et s'inquiétait, à juste raison, des intrigues ourdies par son frère Dumnorix en vue de restaurer la royauté à son profit. Dumnorix avait lié partie avec l'un des principaux Helvètes, Orgétorix, animé de la même ambition. Pour rendre son pouvoir indispensable, Orgétorix avait imaginé de décider son peuple à l'émigration. Il voulait l'établir dans le sud-ouest de la Gaule, sur les bords de la Garonne. Une telle migration ne devait pas aller sans combats. L'Helvète comptait en profiter pour installer partout, sur son passage, des rois qui seraient ses créatures. Pour couper court à ces bouleversements, Diviciac comptait sur l'intervention de Rome.

Au dernier moment, on ne sait trop à la suite de quelles circonstances, Orgétorix était devenu suspect aux Helvètes. Mis en jugement, il s'était donné la mort. Dumnorix restait seul prétendant à la royauté des Gaules. Malgré la disparition d'Orgétorix, les Helvètes, prêts à émigrer, persévéraient dans leur dessein. Ils se trouvaient, prétendaient-ils, à l'étroit dans leurs vallées encombrées des fugitifs, Boïens et autres, qui refluaient devant les Germains. Fatigués d'avoir eux-mêmes à défendre leurs frontières contre les bandes sans cesse menaçantes des ennemis du nom gaulois, ils allaient, pour trouver plus de tranquillité, renouveler à travers la Gaule l'instabilité des temps anciens. Toutes leurs mesures étaient prises : le recensement des émigrants était établi, du blé était réuni pour trois mois, les chariots étaient construits; ils avaient brûlé leurs fermes et leurs villages et s'étaient rassemblés, au printemps de l'année 58, sur les bords du Rhône, à sa sortie du lac Léman.

Les Germains, chez les Séquanes, étaient maîtres de la

trouée de Belfort; les Helvètes, au sud du Jura, se préparaient à franchir le Rhône. Dans la plupart des cités de la Gaule, les partisans de la royauté complotaient la révolution. Rome semblait indifférente. Elle le serait peut-être restée si un homme ne s'était empressé de saisir le prétexte que de telles circonstances offraient à son ambition. C'est à ce moment que César apparaît en Gaule.

V. — César et Arioviste

A quarante-trois ans, César n'avait encore accompli aucune des grandes actions qui s'imposent à l'admiration des hommes. Les larmes lui venaient aux yeux, nous racontent les historiens anciens, à la pensée qu'à son âge, Alexandre avait conquis le monde. Il venait d'être consul, sans avoir pu donner la mesure de son talent. A sa sortie de charge, il avait obtenu, pour cinq ans, avec le titre de proconsul, la Gaule Cisalpine et l'Illyrie. Le Sénat y avait ajouté la province romaine de Gaule Transalpine. Il projetait une campagne en Illyrie, car une guerre riche en profits était le seul moyen, pour lui, de faire face aux dettes énormes qu'il avait accumulées. A ce moment lui parvint la demande des Helvètes sollicitant l'autorisation de traverser rapidement et en amis le nord de la Province Transalpine. Trop heureux de refuser, il s'empressa d'accourir sur les bords du lac Léman.

Après avoir essayé vainement de forcer le passage du Rhône, les Helvètes se résignèrent à prendre, pour gagner la Gaule indépendante, la route plus difficile et plus longue à travers le Jura et les territoires des Séquanes et des Éduens. Tel était sans doute le vœu de Dumnorix. La crainte que la présence des Helvètes ne favorisât son ambition suffisait pour provoquer les protestations du parti de Diviciac. L'aristocratie éduenne invoqua donc la protection de César comme, jadis, les Séquanes avaient appelé l'aide d'Arioviste. Le proconsul ne songeait pas, d'ailleurs, à renoncer à la partie qui venait de s'engager. Il franchit aussitôt le Rhône et, avec six légions rassemblées à la hâte, pénétra dans la Gaule demeurée libre jusqu'alors.

La campagne contre les Helvètes n'occupa que quelques semaines du printemps de l'année 58. César rejoignit tout d'abord l'arrière-garde ennemie au passage de la Saône et n'eut aucune peine à la tailler en pièces. Les Helvètes, de nouveau, cherchèrent à négocier, ne demandant que la permission de s'en aller et offrant de s'établir là où le chef romain l'ordonnerait. Mais le proconsul ne voulait pas d'entente. Il reprocha aux Helvètes d'avoir, jadis, du temps des Cimbres et des Teutons, fait passer une armée romaine sous le joug. Du reste, il se posait en champion des Gaulois prétendus molestés. La rencontre décisive, quelque temps après, aboutit, après des péripéties assez dures pour les Romains, à la défaite complète et à la soumission des émigrants. A ceux des Helvètes qui restaient, il fut ordonné de retourner d'où ils venaient.

César vainqueur demeura chez les Éduens. Ceux-ci ne l'avaient-ils pas appelé et ne devaient-ils pas lui être reconnaissants de les avoir débarrassés des Helvètes? Établi à Bibracte, leur capitale, il jouait au sauveur de la Gaule. Là, raconte-t-il lui-même, les députés de presque toutes les cités vinrent le remercier d'avoir délivré le pays de l'invasion. Ils le suppliaient de les autoriser à réunir auprès de lui leur assemblée générale de la nation gauloise, car, auraient-ils laissé entendre, après ce premier service, ils en avaient un autre, plus important encore, à solliciter. Et César, bienveillant, accordait tout ce qu'on lui demandait en ce sens.

Ce second service était de débarrasser la Gaule du péril germanique. La tâche était délicate, car Arioviste s'était fait attribuer le titre d'ami du peuple romain et avait pris la précaution de se ménager à Rome de puissantes protections. Pendant un long mois, César fit mine ou essaya de négocier avec le chef germain. Il lui demandait d'arrêter les passages continuels de bandes germaniques en deçà du Rhin, de rendre aux Éduens leurs otages et de les laisser désormais en paix, eux et leurs alliés. Sur le refus hautain d'Arioviste, César rapprocha son armée du Rhin; il passa chez les Séquanes et s'arrêta à Besançon. A cette nouvelle, Arioviste accepta l'entrevue dont il avait précédemment repoussé la proposition. César parla avec attendrissement de ses amis les Éduens, les vieux et fidèles alliés du peuple romain et, de tout temps, les chefs de la Gaule. Il était dans la tradition de Rome de protéger efficacement ceux qui avaient mis en elle leur confiance. S'il était absolument impossible de renvoyer les Germains qui, jusqu'ici, avaient passé le Rhin, du moins, qu'on ne permît plus à un seul de franchir le fleuve.

Le chef romain et le Germain se trouvaient face à face sur le sol de la Gaule. Leur mauvaise foi était égale, mais le mérite de la netteté, voire de l'esprit, ne furent pas du côté du Latin. « Ce n'était pas de son propre mouvement », répondit Arioviste, « qu'il avait passé le Rhin; il y avait été invité par les Gaulois; c'était à contrecœur qu'il avait abandonné sa patrie et ses parents; les terres qu'il possédait en

Gaule, il ne les avait pas prises, on les lui avait données; les otages, les Gaulois les lui avaient remis d'eux-mêmes. Puis, ces mêmes Gaulois l'avaient méchamment attaqué pour le frustrer du fruit de ses peines. C'était pour sa défense qu'il était obligé de faire venir des Germains. Il n'était pas juste que l'amitié du peuple romain fît sa ruine. D'ailleurs il était arrivé en Gaule avant les Romains; il ne songeait pas à aller les déranger dans leur province. Pourquoi les Romains venaient-ils le troubler dans ses possessions? Quant à la fraternité des Romains et des Éduens, il n'était ni assez barbare, ni assez naïf pour ne pas savoir ce qu'il en était. Les Éduens s'étaient-ils souciés de Rome lors de la dernière révolte des Allobroges? Rome s'était-elle souciée des Éduens lors de leurs démêlés avec les Séquanes? L'intérêt pour les Gaulois n'était qu'un prétexte pour s'attaquer à lui. Il prévenait amicalement César de ne pas risquer cette aventure, où bien des gens, à Rome, seraient heureux de le voir se perdre; on lui avait fait savoir en effet, à lui, Arioviste, que s'il tuait César, on lui en serait reconnaissant. Qu'il lui abandonnât donc la Gaule et il pourrait, en toute circonstance, compter sur l'aide des Germains. »

C'était pour la liberté de la Gaule, décrétée autrefois par le Sénat, au temps où il internait Bituit, que César, à l'entendre, aurait livré bataille à Arioviste. Évidemment, mieux valait encore sa victoire que celle des Suèves. Mais les Gaulois se demandèrent peut-être pourquoi, le péril germanique dissipé, Arioviste et ses bandes rejetés au-delà du Rhin, le proconsul ne ramenait pas son armée dans la Province romaine. Peut-être voulait-il présider lui-même à la reconstitution de la Gaule sous l'hégémonie éduenne?

Qu'on laissât les Gaulois se gouverner eux-mêmes, qu'on les y aidât, qu'on leur enseignât peu à peu l'ordre sans les obliger à renoncer à leur vieille tradition nationale, quel profit pour la Gaule, pour Rome elle-même et peut-être pour le monde, non seulement celui de jadis, mais même celui d'aujourd'hui! Mais avec un César, pouvait-il être question de liberté? Et qui, dans le Sénat romain, aurait compris qu'on protégeât une province sans l'avoir au préalable dépouillée de tout ce qu'elle pouvait avoir à protéger?

12 LA CONQUÊTE ROMAINE

I. — L'offensive contre les Belges

Ceux des Gaulois qui avaient appelé César comptaient peut-être, dans leur naïveté, que le Romain se contenterait de l'honneur d'avoir vaincu Arioviste et de l'expression de leur vive reconnaissance. César ne l'entendait pas ainsi. Des bords du lac Léman, où il s'était empressé de saisir l'occasion de faire la guerre en Gaule, jusqu'au Rhin, au-delà duquel il venait de repousser l'invasion germanique, son dessein s'était peu à peu fixé. La tâche de son proconsulat serait la conquête de la Gaule. Il ne rentrerait à Rome qu'en triomphateur, avec la gloire et l'argent que devait lui procurer une telle victoire.

Cette première campagne, du Rhône au Rhin, n'avait donc été qu'un début. Elle lui avait simplement permis de prendre pied en Gaule; elle ne l'avait mis en relations, d'ailleurs, qu'avec une partie des peuples du pays. Les Belges, dans le Nord, s'étaient peu souciés des Helvètes et des Germains; ils n'avaient aucun motif de se mêler des intrigues des Éduens et des Séquanes avec le chef romain. Il en était de même des Armoricains à l'Ouest qui, constitués en une ligue spéciale, avaient toutes leurs pensées dirigées vers la mer. Les Aquitains, entre la Garonne, la Province romaine et l'Espagne, connaissaient trop les Romains pour ne pas fuir toute occasion de rapports avec eux. S'il ne prenait pas l'offensive, César allait se trouver avec son armée, sans emploi, dans une Gaule entièrement paisible.

Les plus puissants d'entre les Gaulois, ceux qui jouissaient de la plus grande réputation guerrière, étaient les Belges. Seuls, ils avaient réussi, autrefois, à repousser de leur territoire les Cimbres et les Teutons; ils en avaient conservé une grande fierté et le renom d'être invincibles. La victoire sur les

Belges produirait dans toute la Gaule un effet moral considérable et assurerait à César une autorité qu'aucun peuple n'oserait plus contester. Les Belges étaient, il est vrai, les plus lointains des Gaulois; on ne possédait sur eux que des renseignements assez vagues. Mais l'amitié des Éduens fournissait à l'armée romaine une base d'opérations. A Rome, la soumission de ces populations, dont les noms étaient à peine connus, ne manquerait pas de frapper les imaginations. C'était par cette conquête lointaine qu'il convenait de commencer la tâche.

Revenu en Italie, aussitôt après la défaite d'Arioviste, pour exercer ses fonctions en Cisalpine, le proconsul s'empressa donc, en vue de cette prochaine campagne, d'y lever deux nouvelles légions, ce qui portait son armée à huit légions, soit une cinquantaine de mille hommes. Puis, dès le printemps, sans chercher même un prétexte, il s'achemina vers la Marne et les frontières des Belges. Il avait appris, note-t-il simplement dans ses *Commentaires*, que les Belges se conjuraient contre lui.

Le premier des peuples belges qu'il aborda fut celui des Rèmes. Complètement surpris, incapables de résister, ou pour tout autre motif, les Rèmes s'empressèrent de faire leur complète soumission. Ils se déclaraient prêts à obéir à César, à le recevoir dans leurs villes, à lui fournir des vivres, à lui livrer des otages. Ils ne demandaient rien en échange que la paix. De telles propositions étaient trop avantageuses pour être repoussées. L'amitié des Rèmes allait fournir à l'armée romaine une base encore meilleure que celle dont elle disposait déjà. Et à cette parole de soumission, arrachée sans doute par la surprise, les Rèmes demeurèrent fidèles avec une constance qui leur fait pardonner d'avoir aussi facilement renoncé à leur indépendance.

Cependant les Belges s'étaient rassemblés au nombre, dit César, de 300 000 guerriers. Ils auraient même pu mettre plus de monde en ligne; mais le tout n'était pas de lever une armée, il fallait la nourrir et la mouvoir. Les Bellovaques (Beauvais), les plus puissants, pouvaient armer 100 000 hommes; ils se contentèrent d'en envoyer 60 000. Suessions et Nerviens avaient levé chacun 50 000 hommes. Le reste avait été fourni par les peuples de moindre importance, y compris les Éburons et ceux que, comme eux, on appelait Germains, en raison de leur origine transrhénane récente. C'était à une ligue de peuples, régulièrement commandée par le roi des Suessions, Galba, que César allait avoir à faire.

Mais s'ils avaient le nombre et le courage, les Belges ne

possédaient pas l'art nécessaire pour tenir tête à l'armée savante et exercée des Romains. La première partie de la campagne, sur l'Aisne, ne fut qu'un jeu pour le proconsul. L'armée gauloise fut taillée en pièces tandis que, maladroitement, elle essayait de franchir la rivière. Une marche foudroyante de vitesse enleva la citadelle des Suessions avant que les Gaulois, en retraite, aient eu le temps d'y arriver. La citadelle des Bellovaques eut le même sort; les légions ne reprirent haleine qu'à la Somme.

Rassuré, dès lors, sur l'issue de sa campagne contre les Belges, César put distraire une de ses légions pour l'envoyer, sous les ordres du jeune Crassus, soumettre les peuples maritimes de la ligue armoricaine. Il s'agissait, évidemment, de compléter l'isolement de la Celtique du Centre. Lui-même, changeant de direction, prit, vers le nord-est, la grand-route transversale qui commande tout le pays des Belges et, par la vallée de la Sambre, rejoint la Meuse. Il quittait le pays découvert et les molles ondulations du plateau picard pour s'engager dans les grandes forêts des Nerviens. Leurs embûches faillirent lui devenir funestes. Attaqué à l'improviste, probablement dans la région de Maubeuge, tandis qu'il installait son camp, il eut bien du mal à ranger en bataille son armée dispersée. La ténacité romaine eut enfin raison, après un très dur combat, de l'énergie des Nerviens. Vainqueur, César put pousser jusqu'à la Meuse, où il vint assiéger la citadelle des Aduatiques, Namur vraisemblablement. Les Nerviens dispersés, les Aduatiques vendus à l'encan, le jeune Crassus ayant recueilli sans difficulté, en Armorique, la soumission des peuples de la mer, César, au bout de la seconde année de guerre, s'empressa d'annoncer à Rome que la Gaule entière était pacifiée (automne 57).

II. — La conquête des côtes de l'Océan

On peut se demander, lorsque César proclamait ainsi la soumission de la Gaule, s'il y croyait lui-même, ou bien s'il s'agissait uniquement pour lui de ne pas se laisser oublier à Rome. Nous le voyons, en effet, durant l'hiver qui suivit, s'en aller explorer l'Illyrie, y cherchant peut-être un théâtre de nouveaux exploits et une voie de pénétration vers le centre de l'Europe. Il se garde bien, cependant, d'affaiblir son armée de Gaule et l'envoie tout entière prendre ses quartiers d'hiver dans les régions prétendues pacifiées, comme en vue de campagnes ultérieures.

Il avait à son service bon nombre de Gaulois, originaires de cités diverses et plusieurs des peuples de la Gaule se montraient des alliés fidèles et dévoués. Mais entre Gaulois et Romains existait un malentendu dont César ne pouvait manquer de se rendre compte. Les uns et les autres ne comprenaient pas la soumission de la même façon. Le Gaulois y voyait une sorte de vasselage, comparable au lien assez lâche qui, fréquemment, subordonnait une cité à une autre. C'était au contraire l'obéissance passive, la remise complète en ses mains, des personnes et des choses, qu'exigeait Rome des peuples tombés en son pouvoir. La Gaule était disposée à accepter l'hégémonie de Rome et de César, comme elle avait autrefois accepté celle des Arvernes, de Luern et de Bituit; mais elle entendait ne renoncer ni à sa liberté ni à aucune de ses traditions nationales. Depuis deux ans qu'il vivait au milieu des Gaulois, César avait bien dû s'apercevoir que les plus soumis d'entre eux n'en étaient pas encore au point d'obéissance auquel il voulait amener tout le pays.

Les effets de ce malentendu ne tardèrent pas à se manifester. Les peuples d'Armorique n'avaient fait aucune difficulté pour engager leur foi au jeune Crassus qui, pendant l'été de 57, avait parcouru leurs cités avec sa seule légion. Mais quand ils le virent, pendant l'hiver, demeurer chez eux et y réquisitionner des vivres, ils arrêtèrent les officiers chargés de ce soin, pour les échanger contre les otages qu'ils avaient livrés. Il allait falloir leur faire comprendre qu'ils n'avaient pas à traiter avec Rome sur un pied d'égalité.

Une grave difficulté aurait pu arrêter un autre général que César. Les Armoricains étaient, avant tout, des marins. Les Vénètes, entre autres, possédaient une flotte puissante. Leurs citadelles se trouvaient dans des îlots ou sur des rochers dont les flux et reflux de la marée interdisaient le blocus. Si l'on réussissait à serrer de près l'une d'entre elles, les gens s'embarquaient avec leurs biens et allaient continuer ailleurs la résistance. Sans une flotte pour bloquer les côtes, une armée était impuissante. Or Rome ne possédait pas de flotte sur l'Océan. César ordonna qu'on lui en construisît une.

Elle fut prête au cours de l'été. Les Vénètes, de leur côté, avaient réuni plus de deux cents gros navires, solides et hauts de bordage, navigant à la voile. Les vaisseaux romains, de type méditerranéen, beaucoup plus fins, plus bas et plus rapides, étaient mus à la rame. Ils auraient été impuissants contre ceux des Gaulois si l'on n'avait eu la précaution de munir les vergues de grandes faux débordant le navire, destinées à trancher les agrès ennemis. Une fois désemparés, les navires gaulois seraient livrés, comme des forteresses immobiles, à l'assaut des légionnaires embarqués sur la flotte.

Les circonstances favorisèrent encore le plan romain. Le vent qui poussait la flotte vénète tomba tout à coup lorsqu'elle se trouva au contact des galères. Agiles et groupées par essaims, celles-ci n'eurent qu'à attaquer successivement chacun des lourds bateaux, incapable de toute manœuvre et réduit à attendre son tour d'abordage. Des falaises de la côte, César et son armée assistaient à la bataille. Le soleil se coucha sur le désastre définitif de la marine gauloise.

Maître de la mer, César put achever, à son aise, la conquête des côtes de l'Océan. Vers le sud, en Aquitaine, il envoya le jeune Crassus. La campagne, de ce côté, fut rude. Énergiques et tenaces, les Gaulois du Midi, mêlés d'Ibères, excellaient aux ruses de guerre; ils avaient pour les commander d'anciens officiers de Sertorius. Mais ils ne surent pas se grouper et se firent vaincre en détail. César, pour sa part, le long des côtes de la Manche et de la mer du Nord, refoulait dans leurs forêts vers l'intérieur les Morins et les Ménapes. Cette fois, à la fin de l'année 56, il put croire avoir soumis toute la Gaule. La Celtique proprement dite, celle du centre, lui était acquise depuis 58 grâce à l'amitié des Éduens et des Séquanes. En 57, il avait vaincu les Belges. Il venait de détruire la marine des Armoricains, tandis que son lieutenant Crassus parcourait victorieusement les terres de l'Aquitaine. Le pacte conclu à Lucques, vers la fin de cette année 56, avec Pompée et Crassus, consacrait son triomphe et prolongeait son proconsulat pour un temps indéterminé.

III. — Les expéditions au-dela du Rhin et de la Manche

Les années qui suivirent furent des années d'extravagances et de folles entreprises. Plus que jamais confiant dans sa fortune, César semble avoir voulu donner libre cours à son imagination effrénée. Il venait de s'ouvrir le monde barbare, il voulut l'embrasser tout entier et, à la Gaule, ajouter la Germanie, au continent, la Bretagne insulaire. Il avait, en 58, refoulé les Germains au-delà du Rhin; il paraît s'être proposé, en 55, d'aller les chercher chez eux, à l'est du fleuve. Précisément, des bandes fugitives d'Usipètes et de Tenctères, chassés de leurs terres par les Suèves, venaient de franchir le fleuve et cherchaient à s'établir sur la rive gauche, entre Rhin et Meuse. De feintes négociations commencèrent par abuser ces malheureux que les légions massacrèrent ensuite indignement. Les survivants furent un beau butin d'esclaves à envoyer à Rome. Puis vint ce premier passage du Rhin autour duquel le proconsul et ses amis organisèrent une si bruyante renommée. Il fut suivi d'une rapide reconnaissance des terres de la rive droite et d'une prompte retraite. La campagne se termina par l'aventure peu glorieuse d'un débarquement en Bretagne et d'un rembarquement précipité. La hardiesse des conceptions était corrigée, chez César, par une prudence méticuleuse dans l'exécution et le choix habile de l'heure de la retraite.

Il fut facile de masquer à Rome ces échecs lointains en faisant décréter vingt jours d'action de grâces, le double de ce qui était d'usage pour d'authentiques victoires. Mais les Bretons, eux aussi, célébrèrent longtemps ce départ fugitif des Romains, « disparus en une nuit, comme la neige disparaît sur le sable du rivage ». Les Belges, de leur côté, unis aux Bretons par d'étroites relations, purent conclure de cette équipée que César n'était pas invincible. Pour en imposer à la Gaule, non moins que pour frapper l'imagination des Romains surexcitée par l'espoir des richesses fabuleuses attribuées à l'île extrême du monde, l'année suivante fut destinée à une nouvelle expédition en Bretagne.

Tout l'hiver, les chantiers de Gaule construisirent ou réparèrent des navires dont l'Espagne fournissait les agrès. Pendant ce temps, César guerroyait en Illyrie et s'attardait en Italie. Rentré en Gaule, il perdit encore de précieux mois d'été à une expédition contre les Trévires. Il s'achemina enfin vers la côte où l'attendait sa flotte. Pour s'assurer, pendant son absence, de la tranquillité de la Gaule, il emmenait avec lui ses principaux chefs. L'un d'eux, l'Éduen Dumnorix, tenta de s'échapper. César remit encore son départ jusqu'à ce qu'on l'eût repris et tué. Visiblement, au moment de se risquer dans cette nouvelle aventure outre-mer, il hésite. Mais la Gaule, paisible, ne lui offrait aucun prétexte valable pour y renoncer. Les préparatifs avaient été trop bruyants. Il fallait aller ramasser quelque butin en Bretagne.

Extrêmement mobiles sur leurs chars de guerre, conduits par un chef habile et prudent, Cassivellaun, les Bretons surent toujours éviter la bataille générale. Ils se contentèrent de harceler sans répit l'armée romaine en marche. Celle-ci n'était maîtresse que de l'espace qu'elle occupait. César put néanmoins trouver et enlever l'oppidum de Cassivellaun; un sommet boisé entouré de retranchements; il n'y saisit qu'un important bétail. Pendant ce temps, derrière lui, sur la côte, le roi breton faisait attaquer le camp où étaient enfermés les vaisseaux romains, mais sans réussir à s'en emparer. César se vante d'avoir finalement, grâce à l'entremise d'un des chefs belges de sa suite, reçu la soumission de Cassivellaun et de lui avoir imposé tribut. Il revint en Gaule ramenant quelques troupes d'esclaves et peut-être rapportant quelques-unes de ces perles bretonnes dont on parlait à Rome.

IV. — Le réveil de la Gaule : La chasse a Ambiorix

Depuis deux ans, César guerroyait sur les frontières ou hors de Gaule et ses succès étaient nuls ou médiocres. En s'embarquant pour la Bretagne, il avait jugé prudent de laisser sur le continent Labienus avec trois légions et deux mille cavaliers pour parer aux soulèvements dont il prévoyait l'éventualité. De quels palabres, en effet, chez ces Gaulois amoureux de la parole, les événements qui se déroulaient chez eux depuis l'année 58 ne devaient-ils pas être l'occasion? Quelles colères pouvait susciter cette domination qui, chaque jour, s'appesantissait davantage et pénétrait plus profondément dans la vie de chaque cité, sans que cependant la Gaule, dans son ensemble, ait été vaincue, sans qu'elle ait livré bataille et fait, pour sauver son indépendance, l'effort général dont elle était capable?

Dès son retour de Bretagne, à la fin de l'année 54, César put s'apercevoir des progrès de cette fermentation. Dans la Gaule du centre, contre laquelle il n'avait, jusque-là, jamais eu à combattre, chez les Carnutes et les Senons, les rois amis de César étaient assassinés ou chassés. Dans le Nord, une de ses légions, qu'il avait envoyée prendre ses quartiers d'hiver chez les Éburons, était attaquée par Ambiorix et si complètement massacrée que l'on ne connut que longtemps après les détails du désastre. César n'avait appris le soulèvement que par les appels de Quintus Cicéron assiégé, lui aussi, dans son camp. Il ne pouvait être question, pour lui, de retourner cette année passer l'hiver en Italie, comme il s'y préparait. Sans désemparer, il lui fallait réprimer la révolte qui se manifestait ainsi en des régions diverses.

La rapidité de sa décision devant le danger prévint la conjuration gauloise. Rome venait de perdre une légion et cinq cohortes chez les Éburons. Elle en fournit immédiatement le double. L'armée de César comptait désormais dix légions. Carnutes et Senons implorèrent immédiatement leur pardon. C'est contre Ambiorix l'Éburon et les Trévires ses complices que, momentanément, César sembla tourner toute sa colère.

Il voulut donner à sa vengeance une ampleur capable de frapper à tout jamais l'imagination des Gaulois. Labienus, son lieutenant, avait déjà battu les Trévires; il parcourut à nouveau leur pays et, pour couper radicalement la Gaule du Nord de l'appui qu'elle pouvait recevoir des Germains, il franchit une seconde fois le Rhin, chez les Ubiens, à l'emplacement où s'élèvera plus tard Cologne, faisant mine de marcher contre les Suèves. Il se garda d'ailleurs de les attaquer et après avoir laissé une garnison à la garde du pont, il se retourna, avec toutes ses forces, contre Ambiorix.

Ce fut, pendant tout l'été, à travers les Ardennes et les forêts du Nord, une véritable chasse à l'homme. Disposées en éventail, les légions battirent tout le pays, de l'Escaut à l'Océan, convergeant vers le repaire où l'on croyait trouver Ambiorix. Dans l'intervalle de leurs colonnes, César appela à la curée les aventuriers de partout. Une troupe de Sicambres accourut d'outre-Rhin et, rencontrant sur son chemin le camp où étaient restés les bagages des légions, faillit l'enlever. Les Éburons se dispersèrent et disparurent vers le Nord. Ambiorix lui-même échappa. Les légions se retrouvèrent, à la fin de l'automne, sans avoir fait autre besogne que de ravager à fond le plus sauvage des pays de Gaule. La vengeance de César dut se borner à mettre à mort le chef des Senons qui, au printemps, s'en était remis à sa clémence. Encore une fois, comme l'année précédente en Bretagne, les Gaulois qui accompagnaient César pouvaient constater l'impuissance de l'armée romaine contre un ennemi sachant se dérober.

V. — La guerre pour l'indépendance : Vercingétorix

De nouveau, à l'automne de l'année 53, César annonça que l'ordre régnait en Gaule. Assurément, il n'en croyait rien puisque, dans le même chapitre des *Commentaires* où il déclare la Gaule pacifiée, il mentionne les conciliabules des chefs gaulois indignés du supplice du chef des Senons et de la commune misère de leur pays. Mais la situation politique imposait à César de paraître en Italie et d'y paraître en vainqueur. La puissance de Pompée, seul consul, y devenait menaçante pour lui. Milon, dévoué à Pompée, venait de tuer Clodius, créature de César et, en prévision de troubles possibles, le Sénat avait décrété la levée de troupes. Le désastre tout récent de Crassus chez les Parthes débarrassait sans doute César d'un rival possible mais le privait, pour le moment, d'un allié. Et bien des esprits clairvoyants, à Rome, apercevaient la vanité de ces campagnes extraordinaires sans autre effet que le pillage. Des pamphlets, comme l'épigramme connue de Catulle, circulaient à Rome : « Ainsi donc, imperator unique, tu as poussé jusqu'à l'île ultime de l'Occident pour faire cadeau à ton bon ami Mamurra des trésors que possédaient auparavant Gaule chevelue et Bretagne... » C'était le signe d'un déclin de prestige.

Les Gaulois connaissaient toutes ces nouvelles; ils en exagéraient même la portée. On racontait, de ce côté des Alpes, que César allait être retenu en Italie par la guerre civile et ne reviendrait plus en Gaule. On se jurait, dans les cités de Gaule, de se faire tuer en combattant plutôt que de renier les antiques traditions de liberté et de gloire militaire et l'on cherchait qui donnerait le signal de la révolte. Un peuple se proposa pour proclamer la guerre nationale et un homme pour la diriger.

Ce peuple fut les Carnutes. Chez eux se trouvait l'ombilic sacré de toute la Gaule; dans leurs forêts se réunissait l'assemblée des druides. Sans doute les druides eux-mêmes, ministres du dieu père de la race celtique, dépositaires de la science, de l'histoire et de la poésie nationales, ne furent-ils pas étrangers à ce dévouement des Carnutes à la cause commune. Ils ne purent manquer de prendre les augures et de prophétiser le succès. C'étaient les dieux qui, par la voix des Carnutes, appelaient le pays à la guerre sainte pour l'indépendance.

L'homme fut Vercingétorix, Arverne, fils de Celtill qui avait été mis autrefois à mort par ses compatriotes pour avoir aspiré à rétablir la royauté. La tradition familiale arverne se confondait pour Vercingétorix avec le souvenir de l'hégémonie de sa nation. Sous ses ordres, la Gaule se retrouvait telle qu'un siècle plus tôt, avant la première apparition des Romains au nord des Alpes; elle renouait les souvenirs glorieux et prospères de Luern et de Bituit.

Durant ces premières années de guerre, Vercingétorix avait suivi l'armée de César. Il avait chevauché parmi les contingents gaulois qu'entraînait avec lui le proconsul, alliés plus ou moins volontaires ou otages envoyés par les cités en gage de fidélité. Il avait reçu le titre d'ami du chef romain. Six années dans les camps romains avaient dû lui apprendre bien des choses. C'était du reste encore un jeune homme. Sa carrière devait s'achever avant la trentaine.

Il lui fallut tout d'abord conquérir son peuple. Mis au ban

de la cité par son oncle, chef du parti aristocratique ami de la tranquillité, il rentra bientôt en maître dans sa ville grâce au populaire et aux vagabonds. Il entreprit aussitôt d'organiser la Gaule pour le grand soulèvement. La majeure partie de la Celtique du Centre et de l'Armorique se rangea sous son commandement. Ce n'était encore que la fin de l'hiver ou le début du printemps de l'année 52.

Vercingétorix n'engageait pas la campagne au hasard. Le premier point de son plan consistait à empêcher César de rejoindre ses légions et à couper les communications entre l'armée romaine de Gaule et l'Italie. A cet effet, il chargea un de ses lieutenants, Lucter le Cadurque (du pays de Cahors), de prononcer une offensive hardie contre la Narbonnaise, tandis que lui-même cherchait à gagner les Éduens et surveillait la route de la Saône par laquelle César devait arriver. La célérité du proconsul déjoua ses calculs. Laissant là les affaires d'Italie, César, à la première nouvelle du soulèvement, accourut en Gaule. Appelant à lui tous les vétérans établis comme colons en Narbonnaise, il mit la province en état de défense. Et tandis que Lucter, se voyant attendu, hésitait à risquer l'aventure, lui-même, laissant là la Narbonnaise, reprenait l'initiative des opérations en venant, à travers les Cévennes, encore couvertes de neige, menacer le pays des Arvernes. L'autorité de Vercingétorix était trop neuve pour pouvoir résister à la volonté de son armée. Il lui fallut quitter son observatoire d'entre Loire et Saône pour revenir au secours de sa cité. Aussitôt César regagnait la vallée du Rhône. En toute hâte il atteignait Vienne, d'où il rejoignait sans encombre celles de ses légions qui hivernaient chez les Lingons, puis le gros de ses forces concentré à Sens.

Vercingétorix allait avoir à combattre non plus les légions dispersées, mais bien César et son armée.

Une tactique s'imposait, celle qui avait réussi aux Bretons et, dans une certaine mesure, à Ambiorix : faire le vide devant les Romains et couper, derrière eux, leurs lignes de ravitaillement. Vercingétorix s'efforça de l'imposer, mais les Gaulois ne purent se résigner à l'adopter intégralement. Les Bituriges se refusèrent à sacrifier *Avaricum* (Bourges), leur capitale, presque la plus belle ville, disait-on, de toute la Gaule. Et leurs prières pathétiques l'emportèrent à l'assemblée sur la volonté du chef.

Les Bituriges s'étaient faits fort de sauver leur capitale des attaques de César. Leur défense fut héroïque; ils rivalisèrent avec les Romains, non seulement de courage mais de ténacité et d'ingéniosité, contreminant les travaux d'approche, exhaussant leurs murs au fur et à mesure que s'élevaient les tours roulantes destinées à l'attaque, multipliant les sorties pour incendier les galeries de protection. A seize milles d'Avaricum (24 km), Vercingétorix avait établi son camp derrière un marais et de là, par sa cavalerie, bloquait lui-même l'armée assiégeante. Mais les soldats de César savaient supporter les privations aussi bien que les fatigues. Eux-mêmes refusèrent d'abondonner le siège comme le leur aurait proposé leur général. Ils finirent par l'emporter; sur 40 000 êtres humains que renfermait Avaricum, à peine 800 soldats échappèrent qui, la nuit tombée, rejoignirent en silence le camp de Vercingétorix.

A la grande admiration de César, ce grave échec, loin de diminuer le prestige du chef gaulois, ne fit que consacrer son autorité. N'avait-il pas eu raison de préconiser l'abandon et l'incendie de la ville? Et lorsque, le lendemain de la défaite, il parut à l'assemblée avec des paroles d'union et de confiance il fut vraiment reconnu comme le chef dont les ordres ne se discutent pas.

Les ressources de la Gaule en hommes eurent bientôt réparé les pertes de l'armée gauloise à Avaricum et la campagne continua comme le voulait Vercingétorix.

Renouvelant le coup d'audace qui lui avait si bien réussi au début, César, pour fixer son adversaire, voulut de nouveau menacer le pays arverne; il vint mettre le siège devant la principale citadelle, Gergovie. Mais la ville, au sommet de sa montagne, défiait les travaux de poliorcétique qui avaient eu raison d'Avaricum. Vercingétorix qui, à moins d'une étape, s'attachait aux marches de César, l'avait dépassé et s'était installé, non pas dans la ville, mais à côté d'elle. Une tentative d'attaque brusquée de l'armée romaine fut durement repoussée. Immobilisé au pied de ces hauteurs abruptes, César se voyait réduit à l'impuissance, ne sachant que faire ni où aller dans cette Gaule de plus en plus hostile.

Il marqua cependant encore un succès. Dès la prise d'Avaricum, il avait délégué le meilleur de ses lieutenants, Labienus, chez les Parisiens, pour surveiller les passages de la Seine et interdire aux contingents belges de venir se mettre sous les ordres du chef arverne. Par une habile manœuvre, Labienus venait de battre les Parisiens et de disperser l'armée des Belges. Vainqueur, il ne s'en trouvait pas moins aussi isolé à Lutèce que César sous Gergovie.

La trahison des plus anciens alliés de Rome en Gaule vint mettre le comble à ce qu'avait de critique la situation des deux armées romaines. Fortement travaillés par les émissaires de Vercingétorix porteurs des belles pièces d'or récemment frappées à son nom, les Éduens abandonnèrent César pour se ranger enfin au parti de l'indépendance. Ils lui apportaient l'appoint de leur puissance et semblaient consacrer le triomphe de sa cause. Ils massacrèrent les Romains établis sur leur territoire. Un parti de cavalerie éduenne, mandé par César pour soulager sa situation, enleva au passage, à Nevers, les dépôts et la remonte des légions. Le fruit de tous ses travaux et de toutes ses campagnes antérieures s'évanouissait pour César. Il n'avait même plus en Gaule la base d'opérations qui lui avait permis d'y prendre pied en 58. Et malgré les défaites successives infligées aux différents peuples, la Gaule, unie sous un chef digne de ce nom, apparaissait bien plus puissante qu'elle n'avait été depuis cent ans. Il ne restait à César que son armée.

Son armée était sa véritable conquête. Il l'avait faite et l'avait imprégnée de son âme; il en connaissait la valeur et en avait éprouvé le dévouement. Il savait qu'elle le suivrait partout et se trouverait toujours prête aux nouvelles tâches qu'il voudrait lui imposer, quelles qu'elles fussent. Puisque la Gaule lui échappait, qu'il ne pourrait bientôt plus y faire vivre son armée rassemblée et qu'il devenait imprudent de l'y disperser, comme autrefois, en de nombreux détachements, il fallait la ramener intacte et tout entière dans la province romaine, en attendant des circonstances plus favorables. Laissant là Gergovie imprenable, il convenait, tandis qu'il était encore maître de ses mouvements, de rallier Labienus. Les deux fractions de l'armée romaine se rejoignirent donc chez les Lingons. Là, en prévision des marches de retraite qui pourraient être rudes au milieu des essaims de cavalerie gauloise acharnés sur ses flancs et ses derrières, César eut la précaution de se reconstituer quelques escadrons. Il leva un millier de cavaliers chez les Germains. Ceux-ci se présentèrent si mal montés qu'on dut leur attribuer les derniers chevaux qui restaient à l'armée romaine. Avec ce faible renfort pour couvrir son infanterie, le proconsul prit le chemin du Sud, vers le Rhône et la province romaine. C'était la victoire de Vercingétorix. Encore quelques jours et sa tactique aurait débarrassé la Gaule de Rome et de César.

VI. — Alésia

Par quelle aberration, au moment même où sa sagesse triomphait, allait-il soudain y renoncer? C'est à Vercingétorix que César attribue en propre le dessein d'écraser l'armée romaine en retraite. Fut-il vraiment grisé à ce point par l'orgueil du succès, lui dont le revers n'avait pas ébranlé le sang-froid? Ou plutôt n'y eut-il pas, de la part de ses troupes et, en particulier, des jeunes écervelés qui commandaient les Éduens et qui, déjà, avaient tenté de se substituer à lui, un acte d'indiscipline? Les ordres de Vercingétorix visaient simplement, semble-t-il, à harceler les Romains et à attaquer leur convoi. C'est à cet effet qu'il avait divisé sa cavalerie en trois corps et, tandis que lui-même restait au camp avec toute son infanterie, l'avait lâchée sur les deux flancs et à la suite des légions. Ce furent les cavaliers eux-mêmes qui transformèrent cette mission modeste et raisonnable en une folle équipée. Chacun jura son serment le plus sacré de ne pas rentrer sous son toit sans avoir traversé deux fois la colonne ennemie. Et ce fut la superbe mais funeste chevauchée qui, tant de fois, dans notre histoire, aboutit au désastre.

Même en retraite, l'armée de César ne se laissait pas surprendre. Les cavaliers gaulois avaient compté, du reste, sans les auxiliaires germains dont ils ignoraient probablement la présence. Une habile manœuvre de ces derniers fit croire aux Gaulois qu'ils étaient tournés. Engagés de front avec les légions, pris de flanc par les Germains, leurs escadrons furent saisis de panique. Le massacre et la poursuite se prolongèrent jusqu'au camp de Vercingétorix, l'infanterie gauloise se trouvait ainsi accrochée. César n'était pas homme, en effet, à laisser échapper la chance que lui offrait la fortune.

Surpris par le retour de ses cavaliers en déroute, Vercingétorix s'empressait de décamper et de mettre son propre convoi à l'abri dans la citadelle des Mandubiens, Alésia. César laissait là ses bagages, et, à toute allure, se lançait sur les traces des Gaulois. Le surlendemain de la bataille de cavalerie, il rejoignait toute leur armée, auprès de son convoi, à Alésia et, aussitôt, faisait commencer les travaux d'investissement. De nouvelles charges de la cavalerie gauloise furent impuissantes à desserrer son étreinte. Il ne restait à Vercingétorix qu'à accepter cette lutte corps à corps qu'il avait tout fait pour ne pas engager. Tandis qu'elle pouvait encore passer, il renvoya sa cavalerie, désormais inutile, chargeant chacun des chefs d'organiser la levée en masse dans sa cité. Lui-même, avec 80 000 hommes d'élite et trente jours de vivres, s'enferma dans Alésia, en attendant que toute la Gaule, soulevée, vînt le dégager.

On sait ce que furent les travaux de circonvallation exécutés autour de la ville par les Romains : lignes de défense intérieures contre les sorties des assiégés et lignes extérieures contre les tentatives à venir du dehors. Rien ne fut négligé de ce qu'avait inventé le génie militaire de l'antiquité. Les dix légions travaillèrent nuit et jour. En cinq semaines, tout fut achevé.

En Gaule, on ne comprit pas, ou on exécuta mal l'ordre de Vercingétorix. Celui-ci avait voulu la ruée immédiate de tout ce qui, dans le pays, pouvait porter les armes contre les 60 ou 70 000 soldats de Rome. Des attaques successives et toujours plus puissantes les auraient harcelés jusqu'à l'assaut final. César et non Vercingétorix aurait été le véritable assiégé. Les cités, au contraire, commencèrent par délibérer; chacune fixa un contingent limité; quelques-unes même, comme les Bellovaques, refusèrent de recevoir un ordre et, par condescendance, voulurent bien envoyer 2 ou 3 000 hommes. 8 000 cavaliers et environ 240 000 fantassins se réunirent enfin et vinrent achever de s'organiser chez les Éduens. C'était moins que le chiffre mis autrefois en ligne par les Belges seuls. La doctrine devait être, qu'au-delà de ce chiffre, une armée ne pouvait vivre et se mouvoir. Vercingétorix enfermé dans Alésia, la Gaule voulait continuer à faire la guerre suivant ses habitudes.

Pendant ce temps, malgré un rationnement sévère, les assiégés avaient épuisé leurs vivres. Aucune communication ne leur parvenait du dehors. Rien n'annonçait l'armée de secours. Allaient-ils se rendre ou tenter la chance suprême d'une sortie? Ils résolurent de tenir malgré tout, car ils ne doutaient pas que la Gaule ne fît enfin le dernier effort pour sa liberté. L'énergie de leur résolution ne céda devant aucune horreur. Les bouches inutiles, femmes, enfants, vieillards, furent chassés de la ville. Les Romains refusèrent de les laisser passer. Longtemps, leur troupe lamentable erra entre les murs et les tranchées romaines, jusqu'à ce que tous fussent morts.

VII. — L'ARMÉE DE SECOURS

Enfin, du haut de l'oppidum, on vit l'armée de la Gaule apparaître sur les hauteurs opposées et remplir la plaine des Laumes. Elle ne s'arrêta qu'à mille pas du retranchement romain. Les soldats de Vercingétorix, de leur côté, pour montrer aux Gaulois du dehors qu'ils étaient toujours là, prêts à la lutte, sortirent des murs et s'approchèrent des travaux qui les enfermaient.

Que dut penser Vercingétorix du commandement gaulois, lorsqu'il vit les cavaliers attaquer seuls et charger les lignes romaines? La bataille dura de midi jusqu'au soir; elle se termina naturellement par la déroute des assaillants. Les assiégés, ce soir-là, dit César, rentrèrent presque désespérés dans Alésia.

Un jour se passa sans combat. Le surlendemain, vers la fin de la nuit, une immense clameur, du côté gaulois, avertit Vercingétorix que la bataille allait recommencer. La corne sonnant l'alarme répondit du haut de la ville. Tandis que les Gaulois de l'extérieur s'efforçaient de préparer l'assaut en écrasant les Romains dans leurs lignes sous une pluie de projectiles, ceux de l'intérieur travaillaient à se frayer des voies d'accès à travers les défenses accessoires accumulées par César en avant du retranchement principal. Ils n'y réussissaient d'ailleurs qu'incomplètement. Les abris des Romains, leurs remparts, les palissades et les tours, paraient la plupart des coups, tandis que leur artillerie avait beau jeu contre les masses des archers, frondeurs et lanceurs de javelots gaulois. Vers le soir ceux-ci se retirèrent, sans avoir obtenu de résultat.

Ce fut de nouveau le calme. Repoussés deux fois, les Gaulois prirent enfin le parti d'explorer les organisations qu'ils avaient à enlever. Ils eurent d'ailleurs vite fait d'y reconnaître un point faible : un camp situé au pied de la hauteur qui s'élevait au nord d'Alésia. Cette colline était trop vaste pour avoir été comprise dans les lignes de circonvallation. Elle offrait à l'assaillant l'avantage de masquer son approche et de dominer l'intérieur du retranchement. Les chefs continuèrent à délibérer et, sans doute, à ne pas s'entendre. Ils étaient nombreux au camp gaulois; ce qui faisait défaut, c'était un commandement.

C'est ainsi qu'au lieu de la bataille générale attendue, il ne se produisit qu'une attaque partielle conduite par un cousin de Vercingétorix, Vercassivellaun, et 60 000 hommes, probablement le contingent arverne.

Vers midi, au moment où les Romains devaient se reposer, cette troupe assaillit tout à coup le camp au pied de la hauteur. Vercingétorix tenta immédiatement une sortie dans la direction de l'attaque. A plusieurs reprises, la situation des Romains fut critique, tantôt sur la ligne intérieure, du fait de Vercingétorix et tantôt sur la ligne extérieure, du fait de Vercassivellaun. Mais, un seul point de sa ligne étant attaqué, César conservait la libre disposition de ses forces; des renforts envoyés à propos et, enfin, amenés par le proconsul lui-même, reconnaissable de loin à la pourpre de son manteau de commandement, rétablirent chaque fois le combat. En fin de journée Vercingétorix et son cousin étaient, l'un et l'autre, repoussés. Les fuyards, d'abord, puis la vue des Romains, enfin une charge de cavaliers germains, mirent le désordre dans le camp des Gaulois qui n'avaient pas combattu. Les contingents divers prirent la fuite, chacun dans la direction de sa cité. César se vante d'avoir fait carnage parmi eux, tout en reconnaissant que la tombée de la nuit et surtout la fatigue de ses troupes l'empêchèrent d'exterminer l'ennemi. La grande armée de secours gauloise était dispersée sans avoir véritablement livré bataille.

VIII. — La défaite de Vercingétorix et la fin de la Gaule indépendante

Vercingétorix se retrouvait abandonné, définitivement cette fois, dans Alésia. Sans lui, la Gaule venait de se montrer incapable, non seulement de vaincre, mais même presque de combattre. Il avait supporté et les siens avaient vaillamment subi, autour de lui, les souffrances d'une lutte prolongée au-delà des limites de la résistance. Les défenseurs d'Alésia devaient s'avouer vaincus.

Très noblement, le chef voulut essayer de sauver ceux qui s'étaient dévoués avec lui, en se sacrifiant lui-même. Dès le lendemain de la défaite, il réunit le conseil dans Alésia. Il se justifia d'avoir suscité le soulèvement et fait la guerre, non pour un intérêt personnel, mais pour la liberté commune. Puisque le sort avait décidé contre lui, il s'en remettait à ses compagnons : à eux de décider s'ils le livreraient à César, mort ou vif.

César ordonna tout d'abord de livrer chefs et armes. Lorsque l'armée gauloise fut désarmée, il la distribua comme butin à ses soldats. Il leur payait la victoire en esclaves.

En ce qui concerne Vercingétorix lui-même, on connaît la scène de sa reddition au vainqueur, non par César lui-même, qui ne fait que la mentionner, mais par d'autres historiens antiques. La voici, d'après Amédée Thierry, paraphrasant Plutarque et Dion Cassius, c'est-à-dire probablement le texte perdu de Tite-Live, que devaient reproduire ces auteurs.

« Vercingétorix n'attendit point que les centurions romains le traînassent pieds et poings liés aux genoux de César. Montant sur son cheval enharnaché comme dans un jour de bataille, il sortit de la ville et traversa au galop l'intervalle des deux camps, jusqu'au lieu où siégeait le proconsul... Après avoir tourné en cercle autour du tribunal, il sauta de cheval et, prenant son épée, son javelot et son casque, il les jeta aux pieds du Romain, sans prononcer une parole. Ce mouvement de Vercingétorix, sa brusque apparition, sa haute taille, son visage fier et martial, causèrent parmi les spectateurs un saisissement involontaire. César fut surpris et presque effrayé. Il garda le silence quelques instants; mais bientôt, éclatant en invectives, il reprocha au Gaulois son ancienne amitié, ses bienfaits dont il avait été si mal payé; puis il fit signe à ses licteurs de le garrotter et de l'entraîner dans le camp. Vercingétorix souffrit tout en silence... Il fut conduit à Rome et plongé dans un cachot infect où il attendit pendant six ans que le vainqueur vînt étaler au Capitole l'orgueil de son triomphe; car ce jour-là seulement, le grand patriote gaulois devait trouver, sous la hache du bourreau, le terme de son humiliation et de ses souffrances. »

Le pathétique de cette scène a éveillé les soupçons de la critique. La vérité, s'est-on demandé, n'est-elle pas plutôt dans la sécheresse du compte rendu de César? « César prit place en avant de son camp; on lui amène les chefs; Vercingétorix lui est livré; les armes sont jetées devant lui. Il fit mettre à part les Éduens et les Arvernes, pour tenter, par eux, de regagner leurs peuples; les autres prisonniers furent distribués à toute l'armée, à raison de un par homme, à titre de butin. »

Comme le fait observer Camille Jullian, il faut tenir compte, dans ce drame, des idées et des sentiments des acteurs gaulois; les dieux avaient prononcé contre la Gaule; il fallait apaiser leur colère et, pour cela, un sacrifice éclatant était nécessaire. Vercingétorix, en se présentant devant César, n'était pas seulement un vaincu qui se rend, c'était une victime qui s'offrait. Il s'est donc paré des ornements de son ancienne gloire; il décrit un cercle, par la droite, autour du tribunal, pour lier magiquement son vainqueur; il se dépouille lui-même, puis s'abandonne à la volonté des dieux. Ainsi, parfois, les Gaulois vaincus s'entre-tuaient sur le champ de bataille, pensant, par leur sacrifice, racheter l'avenir de leur peuple. C'est aux dieux de la Gaule que s'adresse l'apparat de cette scène. Ni Tite-Live ni Plutarque n'auraient pu imaginer un détail comme ce tour à droite, propre aux Gaulois, que fait Vercingétorix, autour du tribunal de César. Romantique à souhait, sans doute, la scène n'en semble pas moins authentique.

Vercingétorix disparu, le calcul de César se réalisa : Arvernes et Éduens firent immédiatement leur soumission. D'autres cependant essayèrent de reprendre la lutte. César ne leur laissa pas le temps de l'organiser. Ardent à profiter de la victoire, il ne prit pas le loisir, l'hiver qui suivit Alésia, de retourner en Italie. Il parcourut la plus grande partie du pays en vainqueur implacable, prévenant, par la terreur, la guérilla que les Bituriges et les Carnutes voulaient substituer à la guerre des batailles rangées. Seuls, les Bellovaques, qui n'avaient participé que mollement au soulèvement ordonné par le chef arverne, crurent pouvoir, à eux seuls, reprendre la campagne. La lutte occupa le printemps et la majeure partie de l'été qui suivit l'année d'Alésia.

Le théâtre en a été récemment reconnu grâce à des fouilles heureuses autour de Clermont (Oise). Les Gaulois occupaient l'oppidum; en face, sur le plateau de Nointel, César avait construit son camp, très soigneusement fortifié et flanqué d'ouvrages secondaires pour les nombreux contingents gaulois qui l'accompagnaient. On a retrouvé les deux ponts de fascines jetés par le proconsul sur le marais de la Brèche, entre Nointel et Clermont, pour attaquer la place gauloise. Craignant l'investissement, les Bellovaques voulurent battre en retraite sur leur capitale, Beauvais; ce fut bien vite, pour eux, la débandade et la fuite, à la suite de quoi César reprit, à travers les Ardennes, la chasse à Ambiorix, afin, dit-il, « que cette nouvelle dévastation du pays rendît odieux aux siens le chef insaisissable ».

Dans le Poitou, le Limousin et la région de Cahors, des patriotes obstinés essayaient de continuer la lutte. Le dernier épisode fut la résistance héroïque d'*Uxellodunum* (fort probablement Le Puy d'Issolu). Quelques milliers de paysans, commandés par d'anciens compagnons de Vercingétorix, Lucter et Drappès, y tinrent en échec, pendant plusieurs mois, les lieutenants de César. Venu en personne, le chef fit capter la source qui alimentait les assiégés et ceux-ci, persuadés que leur divinité tutélaire se retirait d'eux, finirent par se rendre. A tous, César fit couper le poing droit.

La grande bataille de l'indépendance avait été livrée et perdue à Alésia. Les soulèvements isolés, efforts attardés de la résistance, étaient voués à l'impuissance et réprimés l'un après l'autre. Les chefs, presque sans exception, étaient tombés sur le champ de bataille ou avaient été livrés à César; les irréductibles avaient suivi Comm l'Atrébate (d'Arras) dans l'île de Bretagne où subsista, jusqu'à l'arrivée des Romains, sous l'empereur Claude, un royaume gaulois dont on trouve les monnaies. Dans son ensemble, la Gaule était terrifiée et ruinée par d'abominables massacres et des ravages sans nom. « Trois millions de combattants », proclamaient les tableaux portés plus tard au triomphe de César, « un million de tués, un million de prisonniers réduits en esclavage ». On ne parlait pas des non-combattants massacrés ou morts de la misère résultant de la guerre. La Gaule était domptée. Triomphant, César était libre désormais d'employer son armée et son butin gaulois à la conquête de Rome.

Ainsi finissait, en l'an 51 avant notre ère, l'indépendance du peuple gaulois.

IX. — Les Gaulois après la conquête

Les Celtes de Gaule représentaient l'un des derniers restes d'un empire qui avait naguère occupé la majeure partie de l'Europe, depuis les Balkans et l'Apennin jusqu'à la Mer du Nord, depuis la Vistule jusqu'aux Iles Britanniques mais qui, nulle part, n'avait jeté de racines aussi profondes qu'en Gaule. Empire chaotique et sans cohésion, qui était surtout celui d'une civilisation et qui, pour cela même, s'était imposé aux populations les plus diverses. Son étendue et l'absence de lien politique entre les peuples qui le constituaient, avaient fait sa faiblesse. Après avoir épouvanté les peuples classiques, Grecs et Romains, après avoir fourni des mercenaires à tous leurs tyrans, il avait disparu aussi rapidement qu'il s'était établi. Trois siècles avaient suffi à son apogée et à sa ruine. Comme les autres provinces du monde celtique, un peu plus tard seulement, la Gaule avait succombé aux attaques alternées des Barbares de l'Est et de l'impérialisme romain. Par César elle devint romaine mais elle resta la Gaule.

Les modifications résultant de la conquête furent profondes. Isolée du continent européen par une frontière fortifiée, la Gaule aura désormais ses attaches au Sud, à travers les Alpes et par les côtes de la Méditerranée. En tout, elle s'appliquera à imiter ses vainqueurs : elle construira des villes comme les leurs, elle cultivera ses campagnes suivant les méthodes latines, elle plantera des arbres fruitiers et des vignes, les industries rivaliseront victorieusement avec celles de l'Italie; elle va devenir, pour trois siècles, l'une des provinces les plus actives du monde romain d'Occident. Sa prospérité matérielle insigne ne l'élèvera pas, cependant, au-dessus d'une médiocrité banale. On ne retrouve plus chez les Gallo-Romains cette recherche du nouveau ni cette originalité, parfois contournée, bizarre ou même animée d'une fantaisie un peu folle, qui faisait le prix des créations celtiques. La Gaule n'est plus qu'une province romaine.

Elle fut romaine sincèrement et profondément, au point d'en oublier sa langue et d'adopter en tout, librement et volontairement, les modes de vie et de pensée du monde méditerranéen. Un siècle après la conquête, elle envoie à Rome des Sénateurs et lui fournit des maîtres d'éloquence. Tout à la fin de l'Empire, un poète d'origine gauloise, Rutilius Namatianus, donne l'une des plus belles expressions du patriotisme romain : « Aux nations les plus diverses, tu as donné une seule patrie. » *Fecisti patriam diversis gentibus unam* (*De reditu suo*, v. 63). Au ve siècle, peu avant Clovis, un grand seigneur gaulois comme Sidoine Apollinaire apparaît le type même du Romain de son temps. La manière d'être celtique, l'idée gauloise, n'en persiste pas moins à travers les siècles romains.

Nous ne parlons pas du patriotisme intransigeant qui anime les révoltes du Ier siècle de notre ère ou leur sert de prétexte, ni de cet épisode curieux qui, en 69, lors du séjour à Lyon de Vitellius, prétendant à l'Empire, groupa, dans la région d'Autun, sept ou huit milliers de paysans autour d'un prophète mystique et faiseur de miracles, Maricc, s'intitulant champion des Gaules. Nous remarquons seulement que les traditions indigènes ont subsisté dans l'ombre pour s'affirmer de nouveau dès que fléchit l'emprise romaine. Les terres semblent avoir toujours été mesurées en *arpents* (*arepennis*) gaulois; dès le IIe siècle, ce sont des lieues gauloises et non plus des milles romains qui apparaissent le long des routes.

Si l'aristocratie s'est latinisée, le peuple est demeuré foncièrement gaulois; il ne commence qu'à la fin du Ier siècle à s'accommoder aux habitudes extérieures de la vie romaine et, dans les campagnes au moins, les mots de la langue celtique ont été conservés en grand nombre. Le costume gaulois, braie et saie, c'est-à-dire pantalon et tunique, s'impose même aux Romains de la classe populaire. Les premières invasions barbares, dans la seconde moitié du IIIe siècle, ont pour conséquence un essai d'empire gaulois qui dura près de vingt ans. Ce n'était pas proprement une révolte contre Rome mais surtout un réveil du sentiment gaulois soucieux de défendre, même sans Rome, le sol du pays. Sous l'Empire tyrannique du IVe siècle, se développe un nouveau patriotisme gaulois : c'est celui qui porte à l'Empire le César Julien. Pour ne pas abandonner la défense des frontières de la Gaule, l'armée groupée à Paris en vue d'un départ vers l'Orient, proclame son chef empereur. Et dans l'art de cette époque, on voit reparaître, nous l'avons noté, des motifs qui décoraient la poterie des derniers temps de l'indépendance tandis que sur les bijoux et les bronzes, l'émail et les ornements colorés rappellent les modes de La Tène.

L'ordre même de l'époque romaine et la pratique de la vie politique ont contribué à confirmer l'existence de la Gaule. « La configuration du pays », écrivait Camille Jullian dans son petit livre, *Gallia*, « portait à l'unité; les siècles de vie romaine ont fortifié l'habitude de la communauté... Qu'on lise les écrivains du Bas-Empire... et l'on verra comme aux yeux des contemporains, la Gaule formait un état homogène et compact. Quand, au IVe siècle, on disait : les Gaulois, on entendait par là une nation originale, forte et sympathique... Une certaine persistance du sentiment celtique et un esprit d'indépendance politique portent la Gaule à vouloir un empereur pour elle seule... Les Gaulois ont leurs qualités, ils ont aussi leurs défauts. Révolutionnaires, éloquents, batailleurs et, dans tout cela, agités, passionnés d'abord, voilà ce qu'étaient les Gaulois du temps de Vercingétorix, voilà ce qu'ils étaient encore du temps de Julien... Après la dissolution de l'Empire, ils ont continué, en partie, l'œuvre de Rome. »

La défaite militaire de Vercingétorix avait arrêté la Gaule dans son développement original; elle supprima son autonomie politique pour des siècles; mais le rejeton romain conserva la sève gauloise.

Dans l'histoire ultérieure de notre patrie, l'idée gauloise continua de jouer un rôle capital, aussi important, peut-être plus, que l'élément romain. Elle a survécu obscurément dans le cœur du peuple et dans la pensée des chefs. Ce sont les Celtes qui, en faisant de notre pays la Gaule, y ont déposé le germe de ce sentiment national.

C'est en ce sens que les Gaulois peuvent être considérés comme nos ancêtres et que leur histoire est le début de la nôtre.

CONCLUSION

Si nous cherchons à récapituler l'objet de ce livre, nous dirons que l'histoire des Gaulois se présente essentiellement comme celle de la formation d'un peuple, d'un peuple qui, par la suite, est devenu le nôtre. Elle est proprement l'histoire de nos origines.

Dans chacune des provinces de la France nous avons essayé de suivre les apports successifs et le développement qui l'ont constituée. Dans l'ensemble du pays, nous avons assisté à l'éclosion et à l'essor d'une civilisation, c'est-à-dire d'une manière d'être générale se reflétant non seulement dans les mœurs, les institutions, l'industrie, l'art et la religion mais jusque dans la politique. Cette civilisation se manifeste durant les cinq derniers siècles qui ont précédé notre ère. C'est là la véritable période gauloise. Puis la Gaule vaincue est devenue romaine, sans cesser d'être la Gaule. Plus tard, elle a changé de nom; ce fut la France; mais sous de nouveaux maîtres ce fut toujours la Gaule. Et dans notre France d'aujourd'hui subsiste toujours la Gaule, sinon avec ses frontières anciennes du moins approximativement avec ses cadres intérieurs, ses noms de peuples devenus ceux de provinces et ses instincts profonds. Nous-mêmes pouvons nous dire les héritiers des Gaulois.

La formation de cette Gaule fut l'œuvre des Celtes. Ce sont les Celtes qui lui ont donné sa langue, sa pensée, son art et surtout son existence politique. La Gaule que nous connaissons apparaît essentiellement celtique. « Nous appelons Gaulois », disait César, « ceux qui, dans leur langue, se nomment Celtes. »

Dès le début, cependant, nous avons cru devoir distinguer

les Gaulois des Celtes proprement dits. Les Celtes sont un autre peuple, étranger à la Gaule et dont le nom, plus ancien, a précédé celui de Gaulois. Leur domaine était plus vaste. « La Celtique », disait le géographe grec Éphore, au IVe siècle avant notre ère, « occupe au centre de l'Europe une région coupée en deux parties à peu près égales par le Rhin. » Par sa langue, ce peuple appartenait à la famille indo-européenne, proche parent des Latins surtout et aussi des Grecs, des Germains, des Indo-Iraniens et des Slaves. Comment s'était-il formé, d'où venait-il, comment avait-il grandi, absorbant sans doute des populations étrangères de diverses origines? Nous l'ignorons. Nous le voyons seulement apparaître au cours de l'âge du bronze, vers 1500 avant J.-C., entre Danube, Elbe et Rhin. Dès ce moment, il envahit les Iles Britanniques et l'Irlande et pénètre en France, à l'ouest du Rhin. A diverses reprises, depuis ce moment, des sépultures de caractère celtique nous conservent la trace de bandes de cette origine, du Rhin aux Pyrénées et à l'Océan. Lorsque commence l'histoire écrite, vers 500 avant notre ère, des Celtes sont arrivés jusqu'à l'extrémité méridionale de la Péninsule Ibérique. Dès ce moment ou peu après, ils dominent l'ensemble de la France. D'autres Celtes, Volques dans le Midi, Belges au Nord, y arrivent encore au IIIe siècle. Les Romains trouvent une Gaule entièrement celtisée. Pour eux, les termes Gaulois et Celtes se confondent.

Ni eux ni les Grecs ne pouvaient, en effet, avoir notion du passé lointain de la Gaule. Nous sommes mieux renseignés grâce à l'archéologie préhistorique. Nous savons que lorsque les premiers Celtes apparurent en Gaule ils trouvèrent un pays occupé de façon déjà fort dense. Les trouvailles de l'époque néolithique antérieure aux Celtes sont, sur notre sol, de beaucoup les plus abondantes. Cette période fut la plus longue. Depuis des milliers d'années, des hommes d'origine inconnue mais absolument étrangère à celle des Celtes avaient peuplé le pays. Ils s'étaient attachés au sol, le faisant leur par leur travail. Les Celtes conquérants purent les dominer mais non pas les anéantir. Ils avaient d'ailleurs besoin d'eux pour travailler et pour vivre. Des relations ne purent tarder à s'établir et, au bout de quelques générations, la fusion s'était opérée entre nouveaux venus et anciens occupants. Les Gaulois sont issus de ce mélange.

Nous nous sommes efforcés de suivre les Celtes envahisseurs aux traces qu'ont laissées leurs tombes, de préciser leurs incursions et de les dater. Nous nous sommes aperçus que chaque région, chaque province, presque chaque canton avait, à ce point de vue, son histoire propre. Plus que des invasions générales il y eut surtout des allées et venues de bandes, les unes ne faisant que passer, d'autres cherchant à s'établir et y réussissant quelquefois. Dans l'ensemble, nous apercevons une pression continue des Celtes transrhénans vers les pays de l'Ouest et du Sud du continent, une pression commencée dès le second âge du bronze et qui se poursuivait toujours au temps de César, avec cette seule différence que l'on a nommé Germains les Transrhénans de ces derniers bans. Si dans le Nord et l'Est de la France, l'élément celtique, par suite d'invasions répétées, avait pu finir par acquérir la prépondérance numérique, il était loin d'en être de même au sud de la Loire. Les Celtes semblent être demeurés d'autant moins nombreux que l'on avance soit vers l'Océan et les Pyrénées soit vers les Alpes et les rives de la Méditerranée. Peu importait. Que les nouveaux venus fussent demeurés ou non la minorité, ils dominaient; ils avaient imposé leur langue et l'ensemble de leur civilisation; les différents peuples se sentaient également gaulois. Celtes et autochtones ne s'opposaient plus; les Romains n'ont jamais songé à les distinguer; ils ne connaissaient en Gaule qu'une population d'apparence homogène.

En essayant de doser les éléments dont était constitué chacun des peuples gaulois ou, du moins, les principaux d'entre eux, en parlant de Celtes et d'autochtones, nous séparons donc ce que des siècles de vie commune avaient uni. Analyse légitime et juste : à chacun de ceux qui ont contribué à faire la Gaule, ne convient-il pas de reconnaître sa part? Les premiers occupants ont fourni le plus grand nombre des hommes et ils ont fait la terre. S'attachant peu à peu au sol ils se sont ingéniés à en tirer les ressources nécessaires à une population de plus en plus nombreuse. Ils ont défriché et commencé à drainer, autant que le leur permettaient les instruments primitifs dont ils disposaient. Ils ont appris l'agriculture et l'élevage, ils ont inventé les premières industries et créé les premières pistes. Vivant par petits groupes dans les cadres topographiques formés par la nature, ils semblent bien avoir donné l'existence à ces « pays » dont la réalité s'impose encore à nous par-dessus toutes les divisions administratives postérieures. De ces ouvriers appliqués de la première heure, de leurs innombrables générations, l'histoire a perdu le souvenir mais le sol qu'ils ont façonné et dans lequel ils sont venus reposer nous l'a conservé. Une étude de nos origines ne pouvait manquer de l'évoquer.

Envahisseurs brutaux, les Celtes ont, sans aucun doute,

beaucoup massacré et beaucoup détruit. Mais eux aussi ont, par la suite, accompli œuvre positive. Ils ont surtout donné à l'ensemble du pays sa forme politique. Chacun de leurs peuples a englobé un nombre plus ou moins élevé de cantons ou de « pays » primitifs et leur apprit la vie commune. Ils ont conçu et défini la Gaule et, malgré leurs divisions, en ont fait une sorte d'État. Les premiers ils ont parlé de la liberté commune des Gaulois, de leurs institutions, de leur droit, de leurs lois, qui devaient être défendues par tous. Par eux, la Gaule a cessé d'être un ensemble confus de peuplades pour prendre figure de nation. Ils ont créé une tradition qui n'a pas péri.

Notre livre a pour conclusion naturelle une pensée de reconnaissance pour tous ceux qui, dès les temps primitifs, ont contribué à faire notre pays. Sans chercher à exalter les uns au détriment des autres, nous avons voulu seulement évoquer leur mémoire, comme le voyageur antique, le long des voies romaines, saluait les tombes des générations qui l'avaient précédé.

Peut-être aussi cette étude de nos origines comporte-t-elle quelques réflexions sur nous-mêmes.

Les Celtes, nous rapportent unanimement les écrivains anciens, étaient fougueux et batailleurs, tout du premier mouvement et peu réfléchis; capables d'enthousiasme, ils manquaient de constance. Leurs prédécesseurs sur le sol de la Gaule paraissent avoir été des travailleurs patients et obstinés. Mais, peut-être parce qu'une longue hérédité les avait habitués à fixer leurs yeux sur la terre, ils ne voyaient guère au-delà de leur besogne présente, de leur intérêt immédiat et de leur petit coin de sol. Examinons notre histoire; nous pourrons y retrouver du Celte et aussi du prédécesseur des Celtes. Regardons en nous-mêmes. Ce n'est peut-être pas pure imagination que d'y reconnaître des traits qui peuvent nous venir des Celtes et d'autres qui ne sont pas d'eux. Et dans chacune de nos provinces, de bons observateurs croient pouvoir distinguer des tendances différentes qui trouveraient leur meilleure explication dans la proportion diverse des éléments ethniques qui, dès la préhistoire, ont constitué la population. L'analyse de nos origines gauloises peut permettre de mieux comprendre bien des réalités moins lointaines.

Tous ces gens du passé, les Celtes et les autres, ont connu les vicissitudes de la vie, les succès parfois et l'heureuse exaltation de la réussite soit en paix soit en guerre, et aussi les désastres de tout genre : la nature ou l'ennemi gâchant en un jour les existences et les œuvres humaines. Et malgré tout, le fruit de leur travail a subsisté dans l'ensemble; ce qu'ils avaient créé n'a pas péri tout entier; leur pensée s'est maintenue et est devenue tradition. Tous leurs efforts n'ont pas été vains; les nôtres non plus ne le seront pas; ils portent déjà leurs fruits.

L'étude de notre passé n'est pas simple curiosité; c'est une leçon et un réconfort.

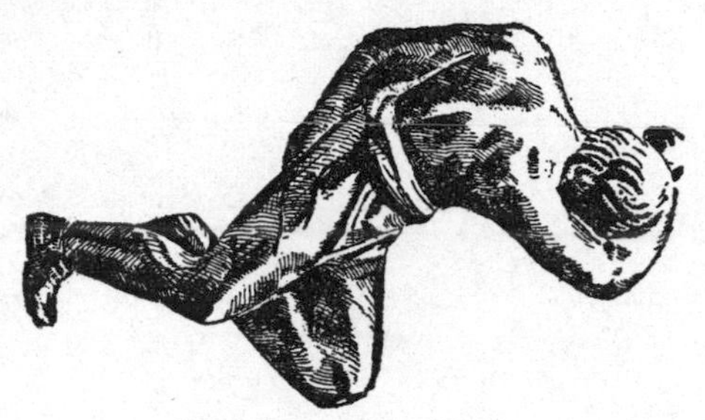

Fig. 68. — Gaulois mort.
Bronze d'applique trouvé à Alésia (long. 0,10 m).

BIBLIOGRAPHIE MÉTHODIQUE

(établie par L. Harmand)

Une bibliographie détaillée sur les Celtes est fournie par les ouvrages spécialisés, tel celui de Henri Hubert, essentiel en dépit de sa date (1932). Tout-à-fait récente et parfaitement au courant est celle que procure Jacques Heurgon, *Rome et la Méditerranée occidentale*, coll. Nouvelle Clio, Presses Universitaires, Paris, 1969, pp. 21 sq.

En dehors des ouvrages de fond, signalés par Albert Grenier dans sa Préface, à côté de celui de Hubert, on se reportera aux travaux ci-après.

PÉRIODIQUES

On retiendra parmi eux :

la *Revue Celtique*, fondée en 1870, remplacée depuis 1936 par les *Études Celtiques*,

Ogam.

A l'étranger :

la *Zeitschrift für Celtische Philologie*,

la *Celtic Review*.

On se tiendra au courant des fouilles archéologiques à l'aide de :

Fasti Archeologici,

Revue Archéologique et ses similaires, d'un caractère plus étroitement régional, telle la *Revue archéologique du Centre-Est*,

très spécialement *Gallia, Fouilles et Monuments archéologiques en France métropolitaine*, créée en 1942 par Albert Grenier, avec une série propre à la *Préhistoire*, et des *Suppléments* qui constituent de véritables monographies, et que nous signalerons éventuellement.

Pour la quatrième décade du siècle, une synthèse générale sur l'acquit des fouilles a été élaborée par *P.-M. Duval*, *Contribution des fouilles de France à l'histoire de la Gaule*, Historia v (1956), pp. 238-253.

Pour les périodes postérieures, on dispose année par année de la *Chronique gallo-romaine* tenue par *P.-M. Duval* dans la Revue des Études Anciennes, et du *Bulletin des Publications archéologiques* inséré dans les Études Celtiques.

Les *Bulletins* de la Revue des Études Latines ne devront pas être laissés de côté.

Parmi les volumes de *Mémoires* publiés ces dernières années en l'honneur de divers savants, et susceptibles de contenir des contributions intéressant le Celtisme, citons ceux qui se proposaient de rendre hommage à Jérôme Carcopino, André Piganiol, Marcel Renard, et tout particulièrement Albert Grenier (1962).

I. — ANTHROPOLOGIE, LINGUISTIQUE, TOPONYMIE.

Sur l'*ethnologie*,

P. Dottin, Les anciens peuples de l'Europe, 1916.

E. Pittard, Les races et l'histoire, Bibl. de Synthèse hist., vol. 5, Paris, 1924.

Dr H. Vallois, Anthropologie de la population française, coll. Connais ton pays, Paris, 1944.

M. R. Sauter, Les races de l'Europe, Bibl. Hist. Payot, 1952.

Sur la *représentation figurée des Gaulois dans l'art* :

S. Reinach, Les Gaulois dans l'art antique, Revue Archéol., 1888, 2, pp. 273-284; 1893, 1, pp. 13-22; 187-203, 317-352.

Sur la *langue*,

G. Dottin, La langue gauloise. Grammaire, textes et glossaire, Paris, 1920.

A. Meillet, Les dialectes indo-européens, Paris, 1908.

L. Weisgerber, Die Sprache der Festland Kelten, rapport élaboré à la date de 1930 par le Deutsches archäologisches Institut, römisch-germanische Kommission, pp. 147-226.

Sur la *toponymie*,

L. Mirot et *P. Marichal*, Les noms de lieux de la France, Paris, 1920-1929.

A. Dauzat, Les noms de lieux; origine et évolution, Paris, 1932.

Du même, la Toponymie française, Bibl. Payot, 1939.

A. Vincent, Toponymie française, Bruxelles, 1932.

Du même, Les noms de lieux de la Belgique, Bruxelles, 1927.

Ch. Rostaing, Les noms de lieux, coll. Que sais-je? 1945.

E. Nègre, Les noms de lieux en France, coll. A. Colin, 1963.

A. Dauzat et *Ch. Rostaing*, Dictionnaire des noms de lieux de la France, Paris, 1963.

P. Lebel, Principes et méthodes d'hydronomie française, thèse, Paris, 1956.

A. Holder, Altceltischer Sprachschatz, 3 vol., 1896-1913 [contient un précieux relevé des noms de personnes et de lieux celtiques].

J. Whatmough, The Dialects of Ancient Gaul, Ann Arbor Univ., 1949-51 [microfilm].

II. — OUVRAGES GÉNÉRAUX SUR LES CELTES ET LES GAULOIS.

Sur les *Celtes*,

R. Lantier, Die Kelten, dans Historia Mundi, t. III, pp. 400-458, Berne, 1954.

M. Dillon et *N. Chadwick*, Celtic Realms.

Powell, The Celts, coll. Peoples and Places, Londres, 1958; trad. fr. 1961.

J. Filip, Celtic colonisation and its heritage, Prague, 1960; trad. fr. 1962.

J. Moreau, Die Welt der Kelten, Stuttgart, 2e éd. 1958.

Sur les *Gaulois* plus particulièrement,

R. Thévenot, Les Gaulois, coll. Que sais-je? 4e éd. 1966 [du même auteur, Les Gallo-Romains, ibid. 1963].

R. Pernoud, Les Gaulois, coll. Le Temps qui court, 1957.

Sur les *mouvements de peuples* qui ont provoqué et accompagné cette expansion :

P. Bosch-Gimpera, Les Indo-Européens, Bibl. Hist. Payot, 1961.

Du même, Les mouvements celtiques, essai de reconstitution, Études Celtiques, t. V à VII (1950-1955).

C. F. C. Hawkes et *C. C. Dunning*, Belgae of Gaul and Britain, Archaeological Journal, LXXXVII (1930).

Sur les *Champs d'Urnes*,

W. Kimmig, Où en est la civilisation des « champs d'urnes » en France, principalement dans l'Est? dans : Revue archéologique de l'Est, II (1951), pp. 65-81; III (1952), pp. 7-19; 137-172; V (1954), pp. 7-28; 209-229.

M. E. Mertens, Où en est la question des « champs d'urnes» ? dans : Antiquité Classique, XVII (1948), pp. 413-444.

En ce qui concerne l'*archéologie de la période du Fer*, en dehors des manuels cités dans la Préface de l'auteur [Déchelette, Hubert], on se reportera :

— pour les *tumulus*, aux études de :

Mlle *F. Henry*, Les tumulus du département de la Côte-d'Or, Paris, 1932.

F. A. Schaeffer, Les tertres funéraires préhistoriques dans la Forêt de Haguenau : 1. Les tumulus de l'âge du Bronze, 2. Les tumulus de l'âge du Fer, Haguenau, 1926 et 1930.

M. Piroutet, Les tumulus en Franche-Comté, dans : Anthropologie, 1915, et Contribution à l'étude des Celtes, ibid., 1918-1921.

K. Schumacher, Siedlungs- und Kulturgeschichte der Rheinlande, 1. Die vorrömische Zeit, Mayence, 1921.

D. Viollier, Les sépultures du deuxième âge du Fer sur le Plateau suisse, Mémoires publiés par la Fondation Schnyder von Wartensee, à Zürich, Genève, 1916.

— pour l'*Angleterre* :

J. Hawkes, A Guide to the Prehistoric and Roman Monuments in England and Wales, Londres, 1954 [auteur, avec *C. Hawkes*, d'une Prehistoric Britain].

— pour les *péninsules méditerranéennes :*

l'*Italie* :

La thèse de *Camille Jullian* sur *Les Ligures et l'unité italo-celtique* a été exposée dans la Revue des Études Anciennes, 1916, pp. 263-276; 1917, pp. 125-133; 1918, pp. 43-46. La réaction hostile de *A. Berthelot* s'est exprimée dans un article, Les Ligures, de la Revue Archéologique, 1933, 2, pp. 72-120; 245-303.

Des points de vue nouveaux sur la pénétration celtique en Italie sont donnés par :

J. J. Hatt, Sur les traces des invasions celtiques en Italie du Nord, Revue des Études Latines, XXXVIII (1960), pp. 69-70.

R. Chevalier, La Celtique du Pô, position des problèmes, Latomus, XXI (1962), pp. 366-370.

G. A. Mansuelli, Problemi storici della civiltà gallica in Italia, Hommage à A. Grenier, 1962, pp. 1067-1093.

On consultera toujours avec fruit *A. Grenier*, Bologne villanovienne et étrusque, Bibl. des Ec. d'Ath. et de Rome, Paris, 1912.

l'*Espagne* : outre *P. Bosch-Gimpera*, Etnologia de la Peninsula iberica, Barcelone, 1932, on se reportera au t. I. de la grande Histoire d'Espagne de *Menendez Pidal.*

la *région balkanique* : à côté de *V. Parvan*, La Dacie à l'époque celtique, Comptes rendus de l'Acad. des Inscr. et B.-L., 1926, pp. 86-98, et de l'ouvrage du même auteur cité dans la Préface d'A. Grenier, *I. Nestor*, Keltische Gräber bei Medias. Ein Beitrag zur Frage der f.ühen keltischen Funde in Siebenbürgen, Dacia VII-VIII, 1937-40, et *L.v. Marton*, Die frühlatène Zeit in Ungarn, Archeologia Hungarica, XI (Budapest), 1933.

A défaut d'un « empire celtique », il est permis de parler d'un « substratum celtique » que nous essayons de définir dans un des premiers chapitres de notre Occident Romain, 2ᵉ éd., 1969, pp. 25-38.

IV. — LA GAULE INDÉPENDANTE.

Un point de départ commode est fourni par le petit volume d'*A. Grenier* : La Gaule indépendante, coll. « Connais ton pays », Toulouse-Paris, 1945, auquel correspond une Gaule romaine, ibid. 1946. On pourra se référer aussi au t. I, 2 de l'Histoire de France de Lavisse, par *G. Bloch*, en dépit de sa date quelque peu ancienne (1900).

Sur l'*hellénisation de la Gaule*, on consultera les ouvrages relatifs

— à *Marseille*, d'une part : sans parler de *M. Clerc*, Massalia. Histoire de Marseille dans l'Antiquité, 2 vol., Marseille, 1927-30.

F. Villard, La céramique grecque de Marseille (VIᵉ-IVᵉ s.). Essai d'histoire économique, Bibl. des Écoles fr. d'Ath. et de Rome, Paris, 1960.

Sur les fouilles récentes de Marseille (chantier de la Bourse), l'article de *P.-M. Duval*, dans le journal « Le Monde », 5 août 1967, et la plaquette publiée par l'Institut d'Archéologie de la Faculté d'Aix.

— aux *oppida de la Narbonnaise*, d'autre part :

J. Jannoray, Ensérune. Contribution à l'étude des civilisations préromaines de la Gaule méridionale, Bibl. des Écoles fr. d'Ath. et de Rome, Paris, 1955.

F. Benoit, Entremont, capitale celto-ligure des Salyens de Provence, Aix-en-Provence, 1957.

Du même, Recherches sur l'hellénisation de la Gaule méridionale 1965.

P. Jacobstahl et *E. Neuffer*, Gallia graeca. Recherches sur l'hellénisation de la Provence, dans : Préhistoire, II, 1 (1933), pp. 1-64.

Les *oppida* du Nord de la Gaule sont étudiés par :

Sir Mortimer Wheeler et *Katherine M. Richardson*, Hill-forts of Northern France, 1957.

G. Bulliot, Fouilles du Mont Beuvray, 2 vol. et album de planches, Autun, 1899.

J. Déchelette, L'oppidum de Bibracte, Paris, 1903.

Sur les fouilles de Glanum, la Notice archéologique de *H. Rolland*, Saint-Remy-de-Provence, 1961. Du même, le volume remarquablement illustré publié aux Éditions du Temps, 1960, et les deux Suppléments de Gallia, I (1946) et XI (1956).

— Sur le *Vase de Vix*, et le rebondissement que cette découverte a entraîné quant à l'estimation du *rôle de Marseille* et au cheminement des influences méditerranéennes :

R. Joffroy, L'oppidum de Vix et la civilisation hallstattienne finale dans l'Est de la France, Paris, 1960.

Du même, Le Trésor de Vix. Histoire et portée d'une grande découverte, coll. « Résurrection du Passé », Paris, 1962.

J. Carcopino, Promenades historiques au pays de la Dame de Vix, Paris, 1957.

Sur les objets italo-grecs (œnochoès, du type dit « Schnabelkanne » en particulier), dont font état plusieurs archéologues pour jalonner une route de pénétration des produits helléniques extérieure à Marseille, se reporter à la bibliographie des livres de R. Joffroy.

— Sur le *statère d'or* de Cyrène trouvé sur la côte du Finistère :

J. Bousquet, Un statère sur la côte du Finistère, Comptes rendus de l'Acad. des Inscr. et Belles-Lettres, 1960, pp. 317-322. Cf. Gallia, Inf. arch., XIV (1961), pp. 351-2.

J.-B. Colbert de Beaulieu et *P. R. Giot*, Un statère de Cyrénaïque découvert sur une plage bretonne et la route atlantique de l'étain, Bull. de la Soc. Préh. franç., LVIII (1961), pp. 324-331.

Plusieurs Congrès scientifiques ont examiné ce problème de l'hellénisation : 1° le Colloque sur les influences helléniques en Gaule (Dijon, avril-mai 1957) : Actes parus dans les Publications de l'Université de Dijon, 16 (1958). — 2° le VIIIe Congrès International d'Archéologie Classique (Paris, septembre 1963), consacré au rayonnement des civilisations grecque et romaine sur les cultures périphériques : 1 vol. de texte et 1 vol. de pl., Paris, De Boccard, 1965, pp. 59-118 et 119-184 en particulier, où l'on trouvera les rapports essentiels : les uns relatifs à l'Occident préromain et l'influence méditerranéenne sur l'Occident préromain à l'Age du Fer; les autres à la Gaule romaine : l'art de la Gaule, son originalité. Au premier groupe appartient le texte, très important, de *C. F. C. Hawkes* : The Celts, Report on the study of their cultures and their mediterranean relations.

V. — CIVILISATION DES GAULOIS

Sur l'*armement*, les travaux de *P. Couissin* : Les armes figurées sur les monuments romains de la Gaule méridionale, Revue Arch., 1923, 2, pp. 29-87; Le Gaulois de Mondragon, ibid., pp. 213-221; Bas-reliefs du Mausolée des Jules, à Saint-Remy, ibid. pp. 303-321; Les frises de l'Arc d'Orange, ibid., 1924, pp. 29-54. Les armes gauloises figurées sur les monuments grecs, étrusques et romains, ibid., 1927, 1, pp. 138-176, 301-325; 2, pp. 43-79; L'équipement de guerre des Gaulois sur les monnaies romaines, Revue Numismatique, 1928, pp. 28 sq., 161 sq.; La nudité guerrière des Gaulois, Ann. de la Fac. des Lettres d'Aix, 1929,

auxquels il faut joindre le supplément de Gallia (1963) relatif à l'Arc d'Orange, par *A. Amy, P.-M. Duval, J. Formigé, Ch. et G. Picard, A. Piganiol.*

Sur l'*Organisation sociale,*

J. Havet, Les Institutions et le droit spéciaux aux Celtes, Revue Celtique, 1907, pp. 113-116.

H. d'Arbois de Jubainville, Études sur le Droit celtique (t. VII et VIII de son Cours de Littérature celtique).

A. Bayet, La Morale des Gaulois, 2 vol., Paris, 1930.

Sur l'*habitation*, outre les ouvrages cités ci-dessus à propos des *oppida*, les publications concernant *Alesia* :

J. Toutain, La Gaule antique vue dans Alesia, La Charité-sur-Loire, 1932.

J. Le Gall, Alesia, coll. « Résurrection du passé », Paris, 1963.

Dans le domaine de l'*agriculture*, la fameuse moissonneuse gallo-romaine est à l'origine de nombreuses études :

M. Renard, Technique et agriculture en pays trévire et rémois, Latomus, XVIII (1959), pp. 77-108 et 307-333.

K. D. White, Gallo-roman Harvesting Machines, Latomus, XXVI (1967), pp. 633 sq.

Du même, The gallo-roman Harvesting Machines, Mélanges Renard, II, pp. 804-809.

Sur les *monnaies* :

A. Blanchet, Traité des monnaies gauloises, 2 vol., Paris, 1905.

E. Hucher, L'art gaulois ou les Gaulois d'après leurs médailles, Paris-Le Mans, 1868 et 1874.

Henri de la Tour, Atlas des monnaies gauloises, in fol., 1892, auxquels il faut joindre l'abondante production du *Dr J. Colbert de Beaulieu.*

Sur le *style des monnaies gauloises* :

R. Bianchi Bandinelli, Organicità e astrazione, Milan, 1956.

Sur l'*art* :

A. Varagnac, G. Fabre, etc., L'art gaulois, coll. Zodiaque, 1956.

P. Jacobsthal, Early Celtic Art, 2 vol., Oxford, 1940-44.

J.-J. Hatt, Sculptures gauloises (600 av. J.-C.-400 ap. J.-C,) Paris, 1966.

R. Joffroy, L'art des Celtes, dans : Les Celtes et les Germains à l'époque païenne, Paris, 1965, pp. 125-151.

P.-M. Duval, L'art des Celtes et la Gaule, dans Art de France, IV (1964), pp. 5-43

F. Benoit, Des chevaux de Mouriès aux chevaux de Roquepertuse, Recherches sur l'art et le symbolisme funéraire de la vallée du Rhône, Préhistoire, X (1948).

Du même, La statuaire d'Entremont, Recherches sur les sources de la mythologie celto-ligure, Revue d'Études ligures, 1948 et 1949.

R. Lantier, Art celtique et art roman, Mél. Martroye, Paris, 1940.

Sur les *croyances :*

J. Vendryès, La religion des Celtes, coll. Mana, III, Paris, 1948.

P.-M. Duval, Les dieux de la Gaule, coll. Mythes et Religions, Paris, 1957.

M.-L. Sjoestedt, Dieux et héros des Celtes, ibid., 1936.

J. de Vries, La religion des Celtes, Bibl. Hist. Payot, Paris, 1963. — Cf. dans la même coll. *R. L. M. Derolez*, Les dieux et la religion des Germains.

P. Lambrechts, Contribution à l'étude des divinités celtiques (Travaux de la Fac. de Philosophie et Lettres de l'Univ. de Gand, fasc. 93), 1942.

H. de Gérin-Ricard, Le sanctuaire romain de Roquepertuse à Velaux, Et. de Provence, vol. du Centenaire de la Soc. de Statistique, d'Hist. et d'Archéol. de Marseille et de Provence, 1927, pp. 3-53.

R. Lantier, Le dieu celtique de Bouray, Mon. Piot, XXXIV, 1934.

J. Toutain, Les cultes païens dans l'Empire romain, t. III, Les cultes indigènes nationaux et locaux. Les cultes de la Gaule romaine, pp. 193-454, Paris, 1921,

E. Thévenot, Cultes et Sanctuaires de la Gaule, coll. Résurrection du passé, Paris, 1969.

Du même, Le culte des déesses-Mères, Revue archéologique de l'Est, 1951. Sur le même sujet, notre article de la Revue des Sociétés Savantes de Haute Normandie, XXX (1963), inspiré par la collection de figurines de terre cuite du Musée des Antiquités de Rouen.

Sur le *culte des sources :*

L. Bonnard et Dr Percepied, La Gaule thermale, Paris, 1932.

C'est au même sujet que se rapporte la découverte de plusieurs ex-voto de bois : *Cl. Vatin*, Ex voto de bois gallo-romains à Chamalières, Revue Archéol., 1969, 1, pp. 103-114. — Sur les ex voto des sources de la Seine, *R. Martin*, Revue archéologique de l'Est, 1963, pp. 1-35 (cf. Gallia, XXXII, 1964, pp. 302-6); *S. Deyts*, Rev. arch. de l'Est, 1966, pp. 198-211.

On fera bien, sur toutes ces questions où le fond commun indo-européen est impliqué, de se référer aux ouvrages de mythologie comparée de *R. Dumézil* : à propos des sacerdoces p. ex.

Sur le *druidisme :*

T. D. Kendrick, The Druids. A study in Keltic Prehistory, Londres, 1927.

Sur ce que l'on peut tirer de la méthode comparative appliquée à l'étude de la littérature celtique,

G. Dottin, Les littératures celtiques, Paris, Bibl. Payot, 1922.

H. d'Arbois de Jubainville, Essai d'un catalogue de la littérature épique de l'Irlande, Paris, 1883.

J. Loth, Contribution à l'étude des romans de la Table ronde, Revue Celtique, 1911, p. 296 sq.; 407 sq.; 1912, p. 40 sq., 249 sq.

VI — LES GAULOIS ENTRE LA GERMANIE ET ROME

Sur *Vercingétorix*, le livre de *C. Jullian*, Paris, 1900, rééd. avec avant-propos par les soins de *P.-M. Duval*, Paris, 1963. Sur la *Conquête de la Gaule par les Romains :*

Rice Holmes, Caesar's Conquest of Gaul, 2e éd., Oxford, 1911.

La série d'articles que nous avons entrepris dans l'Information Historique, sous le titre « César en Gaule », et dont le premier, relatif au site et à la bataille de Gergovie, a paru en 1969 (XXXIe année, livraison n° 4, septembre-octobre).

Les deux thèses de *J. Harmand*, L'armée et le soldat à Rome de 107 à 50, et Une campagne césarienne : Alésia, 1967.

TABLE DES MATIÈRES

IMPRIMERIE BUSSIÈRE, ST-AMAND, N° 703 — D. L. 2e trimestre 1970.

106. — HERSKOVITS : **Les bases de l'anthropologie culturelle.**
107. — THOMAS MANN : **Goethe et Tolstoï.**
108. — HUIZINGA : **Le déclin du moyen âge.**
109. — MALINOWSKI : **Trois essais sur la vie sociale des primitifs.**
110. — Dr R. HELD : **Psychothérapie et psychanalyse.**
111. — WEIGALL : **Histoire de l'Égypte ancienne.**
112. — M. KLEIN et J. RIVIERE : **L'amour et la haine.**
113. — BOUTHOUL : **Les structures sociologiques.**
114. — VALABRÈGUE : **La condition masculine.**
115. — MASNATA : **Pouvoir blanc, révolte noire.**
116. — DIEL : **La peur et l'angoisse.**
117. — BOUTHOUL : **Variations et mutations sociales.**
118. — MOSSÉ : **Introduction à l'économie.**
119. — Dr BERGE : **Les défauts de l'enfant.**
120. — ELIADE : **Le yoga.**
121. — RANK : **Le traumatisme de la naissance.**
122. — MAGNY : **Essai sur les limites de littérature.**
123. — ALEXANDER : **Principes de psychanalyse.**
124. — JUNG et KERÉNYI : **Introduction à l'essence de la mythologie.**
125. — KING : **Combats pour la liberté.**
126. — RONDIÈRE : **Rendez-vous 1980.**
127. — ADLER : **Le sens de la vie.**
128. — OTTO : **Le sacré.**
129. — DOURLEN-ROLLIER : **Le planning familial dans le monde.**
130. — Dr LAFORGUE : **Psychopathologie de l'échec.**
131. — BULTMANN : **Le christianisme primitif.**
132. — EVANS-PRITCHARD : **Anthropologie sociale.**
133. — CROISET : **La civilisation de la Grèce antique.**
134. — STÉPHANE : **L'univers contestationnaire.**
135. — KÖNIG : **Sociologie de la mode.**
136. — CLARK : **Ghetto noir.**
137. — LOWIE : **Traité de sociologie primitive.**
138. — Dr BERGE : **Les maladies de la vertu.**
139. — KEYNES : **Théorie générale de l'emploi, de l'intérêt et de la monnaie.**
140. — MOULOUD : **Langage et structures.**
141. — STENDHAL : **Vie de Napoléon.**
142. — FRAZER : **Mythes sur l'origine du feu.**
143. — RUEFF : **Des sciences physiques aux sciences morales.**
144. — P. H. SIMON : **L'esprit et l'histoire.**
145. — ABRAHAM : **Psychanalyse et culture.**
146. — WATTS : **Le bouddhisme zen.**
147. — CHASSEGUET-SMIRGEL : **La sexualité féminine.**
148. — CHOMSKY : **Le langage et la pensée.**
149. — VALABRÈGUE : **La condition étudiante.**
150. — HUXLEY : **L'art de voir.**
151. — ADLER : **Le tempérament nerveux.**
152. — JASPERS : **Essais philosophiques.**
153. — DEUTSCH : **Problèmes de l'adolescence.**
154. — CHOMBART DE LAUWE : **Des hommes et des villes.**
155. — EVANS : **Entretiens avec C. G. Jung.**
156. — MALINOWSKI : **La vie sexuelle des sauvages du Nord-Ouest de la Mélanésie.**
157. — GRENIER : **Les Gaulois.**
158. — CORNEVIN : **Histoire de l'Afrique des origines à la 2e guerre mondiale.**
159. — MUELLER : **L'irrationalisme contemporain.**
160. — LEFRANC : **Essais sur les problèmes socialistes et syndicaux.**

Si vous appréciez les volumes de cette collection et si vous désirez être tenu au courant des publications des ÉDITIONS PAYOT, PARIS, découpez ce bulletin et adressez-le à :

ÉDITIONS PAYOT, PARIS
106, Bd Saint-Germain
Paris 6e

NOM ....

PRÉNOM ....

PROFESSION ....

ADRESSE ....

....

Je m'intéresse aux disciplines suivantes :

ACTUALITÉ, MONDE MODERNE ☐
ARTS ET LITTÉRATURE ☐
ETHNOGRAPHIE, CIVILISATIONS ☐
HISTOIRE ET GÉOGRAPHIE ☐
PHILOSOPHIE, RELIGION ☐
PSYCHOLOGIE, PSYCHANALYSE ☐
SCIENCES (Naturelles, Physiques) ☐
SOCIOLOGIE, DROIT, ÉCONOMIE ☐

(Marquer d'une croix les carrés correspondant aux matières qui vous intéressent.)

Suggestions :

....

....

....

A découper ici